SERVIÇO SOCIAL DO COMÉRCIO
Administração Regional no Estado de São Paulo

Presidente do Conselho Regional
Abram Szajman
Diretor Regional
Danilo Santos de Miranda

Conselho Editorial
Ivan Giannini
Joel Naimayer Padula
Luiz Deoclécio Massaro Galina
Sérgio José Battistelli

Edições Sesc São Paulo
Gerente Marcos Lepiscopo
Gerente adjunta Isabel M. M. Alexandre
Coordenação editorial Francis Manzoni, Cristianne Lameirinha, Clívia Ramiro
Produção editorial Antonio Carlos Vilela
Coordenação gráfica Katia Verissimo
Produção gráfica Fabio Pinotti
Coordenação de comunicação Bruna Zarnoviec Daniel

Edições Sesc São Paulo
Rua Cantagalo, 74 – 13º/14º andar
03319-000 – São Paulo SP Brasil
Tel. 55 11 2227-6500
edicoes@edicoes.sescsp.org.br
sescsp.org.br/edicoes
❋❋❋❋ /edicoessescsp

Reflexão como resistência

Homenagem a Alfredo Bosi

<small>Organização</small>
Augusto Massi
Erwin Torralbo Gimenez
Marcus Vinicius Mazzari
Murilo Marcondes de Moura

Copyright © 2018 by Os autores

Grafia atualizada segundo o Acordo Ortográfico da Língua Portuguesa de 1990, que entrou em vigor no Brasil em 2009.

Capa
Alceu Chiesorin Nunes

Foto de capa
Sem título (1966), óleo sobre tela de Tomie Ohtake, 135 x 90 cm. Reprodução do Arquivo Instituto Tomie Ohtake. Coleção particular.

Foto do autor
Lili Martins/ Folhapress

Partitura das pp. 18-20 e 293-5
Ivan Vilela

Preparação
Rafaela Biff Cera
Andressa Bezerra Correa

Índice onomástico
Luciano Marchiori

Revisão
Ana Maria Barbosa
Marise Leal

Dados Internacionais de Catalogação na Publicação (CIP)
(Câmara Brasileira do Livro, SP, Brasil)

Reflexão como resistência : homenagem a Alfredo Bosi / organização Augusto Massi... [et al.]. — 1ª ed. — São Paulo: Companhia das Letras; Edições Sesc São Paulo, 2018.

Outros organizadores : Erwin Torralbo Gimenez, Marcus Vinicius Mazzari, Murilo Marcondes de Moura.
Vários colaboradores.
Bibliografia.
ISBN 978-85-359-3185-3 (Companhia das Letras)
ISBN 978-85-9493-156-6 (Edições Sesc São Paulo)

1. Bosi, Alfredo, 1936- 2. Literatura brasileira – História e crítica I. Massi, Augusto. II. Gimenez, Erwin Torralbo. III. Mazzari, Marcus Vinicius. IV. Moura, Murilo Marcondes de.

18-21148   CDD-869.09

Índice para catálogo sistemático:
1. Literatura brasileira : História e crítica   869.09

Maria Alice Ferreira – Bibliotecária – CRB-8/7964

[2018]
Todos os direitos desta edição reservados à
EDITORA SCHWARCZ S.A.
Rua Bandeira Paulista, 702, cj. 32
04532-002 — São Paulo — SP
Telefone: (11) 3707-3500
www.companhiadasletras.com.br
www.blogdacompanhia.com.br
facebook.com/companhiadasletras
instagram.com/companhiadasletras
twitter.com/cialetras

In memoriam de Ecléa Bosi

Sumário

História concisa de um livro — Os organizadores 11

ABERTURA

"Retrato", de Ecléa Bosi 17
"Saudade do Cinema Paradiso", de Ivan Vilela 18
"Pequena história da imprensa", de Alberto Martins 21

CARTAS NA MESA

Otto Maria Carpeaux [31.12.1970] 25
Otto Maria Carpeaux [5.7.1971] 27
Murilo Mendes [20.2.1971] 28
Sebastião Uchoa Leite [20.9.1977] 30
Dyonélio Machado [7.12.1980] 32
João Antônio [10.7.1982] 34
Carlos Drummond de Andrade [24.11.1985] 36
Ferreira Gullar [12.5.1988] 37
Darcy Ribeiro [1992] 38
Celso Furtado [1.3.1993] 39

Raduan Nassar [25.2.1999] 41
Antonio Candido [10.11.1999] 43
Antonio Candido [8.9.2012] 44

ESCRITOS REVISITADOS [Alfredo Bosi]

"Introdução a *Fogo morto*" [1965] 49
"Camões e Jorge de Lima" [1978] 55

CRÍTICA DE OUVIDO

"O conto brasileiro contemporâneo" [1975], Augusto Massi 67
"O ser e o tempo da poesia" [1977], José Paulo Paes 69
"Céu, inferno: Ensaios de crítica literária e ideológica" [1988],
Davi Arrigucci Jr. 70
"Dialética da colonização" [1992], Antonio Callado 72
"Literatura e resistência" [2002], Ferreira Gullar 74
"Brás Cubas em três versões: Estudos machadianos" [2006],
Marcus Vinicius Mazzari 76
"Ideologia e contraideologia: Temas e variações" [2010],
Franklin Leopoldo e Silva 78
"Entre a literatura e a história" [2013], José Miguel Wisnik 80
"Três leituras: Machado, Drummond e Carpeaux" [2017],
Erwin Torralbo Gimenez 82
"Arte e conhecimento em Leonardo da Vinci" [2018], Lorenzo Mammì 84

LEITURAS EM DIÁLOGO

"Os caminhos da leitura: Notas para saudar os oitenta anos de um
crítico ilustre", de Antonio Candido 89
"Evocação e presença de Alfredo Bosi", de Alcides Villaça 95
"Alfredo Bosi, leitor de Antônio Vieira", de André Luis Rodrigues 103
"Um fino legado à cultura: Crítica literária e psicanálise",
de Cleusa Rios P. Passos 130
"O capítulo 19 de *São Bernardo*: Fusão, transfusão, confusão",
de Erwin Torralbo Gimenez 142
"Prefácio a *Dialética da colonização*", de Graça Capinha 152

"Uma genealogia dos escritos de Alfredo Bosi sobre a obra de
Machado de Assis", de Hélio de Seixas Guimarães 160
"O itinerário de duas teses e a compreensão da obra de Alfredo Bosi",
de João Carlos Felix de Lima 172
"Água de beber", de José Miguel Wisnik 201
"O pré-modernismo como conceito de história literária", de Luís Bueno 207
"Machado de Assis em perspectiva comparada",
de Marcus Vinicius Mazzari 218
"Alfredo Bosi e a crítica fora do Brasil", de Pedro Meira Monteiro 231
"Sob o signo de um poder maligno: Jacob Burckhardt e Alfredo Bosi",
de Robert Patrick Newcomb 241
"*História concisa da literatura brasileira*: Resistência e permanência",
de Roberto Acízelo de Souza 257
"As ideias viajantes", de Sergio Paulo Rouanet 265
"Notas sobre Alfredo Bosi e a psicanálise", de Yudith Rosenbaum 271

DEPOIMENTOS

"Primeiras luzes de um aprendiz", de Fernando Paixão 283
"Saudade do Cinema Paradiso", depoimento e partitura musical
de Ivan Vilela 291
"O protagonismo de Alfredo Bosi na USP", de Jacques Marcovitch 296
"Tempos árduos, intérprete luminoso", de Marco Lucchesi 302
"O testemunho de velhos militantes: Singela homenagem a Alfredo Bosi",
de Paulo de Salles Oliveira 305
"Alfredo Bosi: Meu depoimento", de Pedro Garcez Ghirardi 311
"Descaminhos da universidade pública? Um depoimento sobre a
FFLCH/USP", de Ulpiano T. Bezerra de Meneses 315

ENSAIOS DE ESTIMA

"'Ulisses' de Chico Buarque: Uma reapropriação do mito",
de Adélia Bezerra de Meneses 325
"Os filhos de Machado de Assis", de Antonio Carlos Secchin 345
"Circuito nada redondo", de Antonio Dimas 357
"A escada de Gonçalves de Magalhães: 'Ensaio sobre a história
da literatura do Brasil'", de Cilaine Alves Cunha 377

"As figuras do tempo, as figuras no tempo: Representação histórica e imaginação literária na cultura brasileira", de Ettore Finazzi-Agrò 396

"Os rios que vão dar no mar: A *Invenção de Orfeu* e o épico moderno", de Fábio de Souza Andrade 405

"Brasil: A dialética da dissimulação", de Fábio Konder Comparato 413

"Martins Pena e a comédia farsesca de costumes: *O Judas em Sábado de Aleluia*", de João Roberto Faria 432

"A casa vazia", de Mirella Márcia Longo 456

"Em torno de um soneto de Petrarca", de Murilo Marcondes de Moura 469

"Emily Dickinson, entre o símbolo e a alegoria", de Viviana Bosi 490

Notas 503

Bibliografia de Alfredo Bosi — João Carlos Felix de Lima 547

Sobre os autores e organizadores 565

Índice onomástico 573

História concisa de um livro

Um dos objetivos deste livro é retribuir, de maneira modesta, às mais variadas formas de aprendizado que nos têm proporcionado o diálogo constante e o prolongado convívio com Alfredo Bosi.

Além dos organizadores, muitos colaboradores que participam desta homenagem tiveram o privilégio de assistir às aulas de Alfredo Bosi na graduação e na pós-graduação, além de presenciar a progressiva maturação de alguns de seus escritos fundamentais, como *Dialética da colonização*. E não foram poucas as gerações de excelentes professores da Universidade de São Paulo que se deixaram impregnar pela reflexão teórica do mestre. Para citar um bom exemplo, transcrevemos uma breve passagem do memorial de João Luiz Lafetá, no qual comenta algumas disciplinas cursadas para o doutorado:

> No segundo semestre de 1972, acompanhei as aulas do prof. Alfredo Bosi sobre a poesia de Jorge de Lima [...]. Ainda que enfocando a poesia de Jorge de Lima, o curso foi principalmente uma reflexão sobre as teorias da linguagem poética [...]. Registro aqui este curso porque acredito que ele foi extremamente importante para a minha formação teórica, no que se relaciona à compreensão da linguagem poética. Ao mesmo tempo que tomei conhecimento de vários autores e textos de

linha estruturalista, aprendi a criticá-los e a perceber suas limitações. [*Homenagem a João Luiz Lafetá*. São Paulo: Nova Alexandria, 1999]

Essa preocupação com a diversidade dos modos de interpretação sinaliza para formas de generosidade e interlocução que Alfredo Bosi sempre buscou cultivar. A postura democrática adquire concretude na recorrente disposição para trabalhar e organizar obras coletivas como *Leitura de poesia* (São Paulo: Ática, 1996), criando vínculos e diálogos entre intérpretes do calibre de Alcides Villaça, Benedito Nunes, João Luiz Lafetá e José Miguel Wisnik com alguns críticos da geração mais jovem como Fábio de Souza Andrade, Murilo Marcondes de Moura e Jorge Koshiyama.

Diante do atual momento político, marcado pela imensa intolerância para o debate cultural, como não recordar outros projetos estimulados por Alfredo Bosi, os quais já continham em sua proposta um amplo espaço para o debate que, longe de apagar as diferenças, assumia o desafio intelectual de apresentá-las com nitidez? Pense-se especialmente nos volumes dedicados a Machado de Assis e a Graciliano Ramos, da Coleção Escritores Brasileiros: Antologia & Estudos, publicados pela Ática na década de 1980.

Mas, no caso de Alfredo Bosi, nunca houve abandono ou mudança de postura. Ao longo da década de 2000, quando alguns professores e críticos presentes neste volume haviam ingressado como docentes na Universidade de São Paulo, mesmo profundamente envolvido com a vice-direção [1987-97] e depois com a direção [1998-2001] do Instituto de Estudos Avançados, sem falar das atividades à frente da revista do instituto [1989-2015], Bosi encontrou tempo e disposição intelectual para reunir professores de diferentes áreas da universidade e criar um seminário voltado para leitura e discussão de clássicos da sociologia, da filosofia e da crítica literária.

Por outro lado, havia uma forte determinação de que este livro, na medida do possível, conjugasse e expandisse esse círculo de afetos à esfera da reflexão crítica. Um dos vetores desta homenagem era tentar revelar a contribuição, a presença e a atualidade do pensamento de Alfredo Bosi na história cultural brasileira.

Por mais que os organizadores tenham se esforçado no sentido de oferecer uma visão panorâmica e abrangente da intervenção crítica de Alfredo Bosi, é visível como a envergadura do seu projeto intelectual ainda espera novos interlocutores, dispostos a responder, por exemplo, às suas meditações teóricas em torno de Vico, Croce e Gramsci.

Se o retrato nos parece incompleto, é notável como esta primeira aproximação crítica acrescenta traços novos à fisionomia do homenageado. A seção "Cartas na mesa", por exemplo, dá testemunho de como as intervenções do crítico militante — muitas vezes à sombra do historiador da literatura — arrancaram indagações e respostas vivas de seus contemporâneos. Alguns, enfim, puderam fechar a ferida da incompreensão.

Ao longo do livro, torna-se mais perceptível a fidelidade de Alfredo Bosi a determinados escritores, companheiros de jornada, escolhas éticas e estéticas de um leitor. Curiosamente, essa perspectiva adquire conformação a partir dos textos dos colaboradores que vão compondo um horizonte de afinidades eletivas: padre Antônio Vieira, Machado de Assis, Graciliano Ramos, Jorge de Lima... As leituras que mobilizaram a intuição do jovem crítico ainda luzem nítidas no céu estrelado do intérprete experiente. O que resiste dialeticamente se transmite, irradia, fulgura.

Outro aspecto que precisa ser sublinhado é a crescente recepção da crítica internacional de *Dialética da colonização*, traduzido para o francês [2000], espanhol [2005] e inglês [2015], também editado em Portugal [2014]. A dimensão intelectual da obra de Alfredo Bosi começa a se afirmar num âmbito em que o local e o universal conversam.

Discutimos longamente sobre qual seria o título mais apropriado para o livro. Era difícil alcançar uma síntese. Todo o itinerário de Alfredo Bosi não é o de um homem de letras comum: sua perspectiva crítica guarda raríssima amplitude. Como dar a ver o enlace entre a vivência tão entranhada da poesia e o pendor para o pensamento filosófico? Como abarcar num título os traços marcantes do professor e do militante? Algum aspecto importante parecia escapar sempre. Como fazer justiça à complexidade do homenageado? O núcleo vivo da reflexão deve resistir às reduções. Para evitar o risco de uma celebração hegemônica ou homogênea, optou-se por introduzir um polo de negatividade no próprio título da homenagem: em Alfredo Bosi, a reflexão sempre adquire um sentido de resistência.

Os organizadores não podem deixar de registrar a dedicação, o empenho e a cumplicidade de Ecléa Bosi para que essa homenagem deixasse de ser um projeto e se materializasse em um livro. Esperamos ter honrado a sua memória.

Toda nossa gratidão a Viviana Bosi, parceira em livros, conversas, crítica e poesia. E aos nossos colegas da área de literatura brasileira que, desde o início, abraçaram integralmente esta homenagem.

Por fim, um agradecimento especial a Lilia Moritz Schwarcz, Matinas Suzuki Jr. e Otávio Marques da Costa, que aderiram ao projeto sem qualquer tipo de restrição e com absoluta convicção intelectual. E o que dizer do gesto sóbrio e solidário de Danilo Miranda e Isabel Maria Macedo Alexandre que, por meio das Edições Sesc São Paulo, também abraçaram essa homenagem? A partir de agora, o livro estará em boa companhia e em diálogo permanente com outros tantos títulos de Alfredo Bosi.

Os organizadores

ABERTURA

Retrato

Ecléa Bosi

A fronte clara é uma flor aberta,
flor espiritual, flor de silêncio.

Os ombros se encurvam
para sustentar a pesada cabeça.
Mãos aéreas e precisas,
dedos lapidados filtram a luz.

O rosto tem a força
da fera que vai saltar;
mas os olhos redondos e humilhados,
represados por lentes,
que altivo poder têm quando abaixados
sob o peso das pálpebras severas!

O andar das aves fluviais em terra,
o corpo oscila e vai, caule indeciso,
que sustém uma estrela distraída.

Saudade do Cinema Paradiso

Ivan Vilela
Ed.: Zé Guerreiro

Para Alfredo Bosi

J.A.R.G.

Saudade do Cinema Paradiso

Ivan Vilela

J.A.R.G.

Ivan Vilela

Pequena história da imprensa

Alberto Martins

Modestos maestros ambulantes
— é como Konrad Haebler se refere
aos primeiros impressores da Península Ibérica.
Gente que veio de cidades da Alemanha,
da França, de Flandres e também de Veneza
montar as primeiras oficinas de impressão.

Traziam consigo a arte de fundir metal, preparar tintas
e construir prensas — naquela época, de madeira.
Os mais ricos traziam consigo maços de *letrerías*
— isto é, os próprios tipos, desenhados por eles
ou copiados de terceiros.

Alguns se estabeleceram e tornaram-se donos
de prósperas casas. A maior parte, entretanto,
não deixou nome nem marca de colofão
e hoje os historiadores têm um trabalho danado
para atribuir uma obra-prima a este
ou àquele impressor.

Em muitas outras coisas,
eu diria, as obras mais belas
saem de mãos desconhecidas.

CARTAS NA MESA

Otto Maria Carpeaux

RIO DE JANEIRO, 31 DE DEZEMBRO DE 1970

Querido amigo Bosi,

recebi hoje seu livro e mal lhe posso dizer da minha emoção. No fim de um ano que certamente não foi dos melhores das nossas vidas, essa grande alegria — não, a melhor das alegrias: testemunho de uma grande e preciosa amizade e a honra de ver o meu nome impresso na mesma página dedicada à sua senhora. São estas as raras coisas que recompensam pelo esforço de uma vida, tantas vezes frustrada mas da qual no fim se sabe que ela não foi totalmente em vão.

Não tive ainda, naturalmente, o tempo de ler sua obra. Li algumas páginas e já sei que se trata destas obras, poucas, que a gente não coloca numa estante qualquer, mas em cima da mesa de trabalho, para consulta permanente. Já tive oportunidade de observar a amplitude de sua documentação básica e a segurança do julgamento. Você me perdoará!, querido Bosi, a vaidade de também ter lido as páginas que você me dedicou comoveram-me muito, naturalmente; e inspirou-me a maior satisfação a frase final, tão bem redigida, sobre a passagem do pensamento à ação. Em cima da nossa boa amizade pessoal, é este movimento, do pensamento à ação, que nos une. E que assim seja.

Em meu nome e em nome da minha mulher, que espera muito conhecer vocês pessoalmente, também peço você transmita nossas recordações de amizade a Ecléa... e a esse respeito só posso dizer que você é digno dela. Um casal exemplar como conheci poucos na vida. Tanto maior a alegria de saber que vocês são meus amigos.

Todos os agradecimentos e todos os votos de felicidade para vocês. E se você tiver oportunidade de dizer o mesmo, da minha parte, ao amigo Boris Schnaiderman (do qual perdi o endereço) e ao amigo Antonio Candido (do qual não sei o endereço) e se for possível, aos amigos Florestan Fernandes e Octavio Ianni, eu terei a certeza de contar com a amizade da melhor gente em São Paulo e não estarei isolado. Vamos juntos!

Ecléa e Alfredo, o grande abraço fraternal do amigo

Otto Maria Carpeaux

P.S.: Saio hoje, graças a Deus, de [ilegível]. Meu endereço, agora, é o indicado no envelope, em breves dias haverá outro endereço de trabalho.

Otto Maria Carpeaux

RIO, 5.7.71

Querido amigo Alfredo Bosi,

escrevo-lhe para agradecer muito sua esplêndida colaboração para o verbete <u>Literatura brasileira</u>. Depois da leitura do seu livro, dos melhores que existem sobre o assunto, minhas expectativas foram ainda superadas. Você é o homem certo.

Acabo de escrever, pelo mesmo correio, ao Antonio Candido, queixando-me do muito trabalho que me impede ir para São Paulo. Mas vou, em alguma data durante os próximos três meses. Vou agradecer pessoalmente a você. E vou rever meus preciosos amigos Ecléa e Alfredo Bosi. Os tempos são difíceis. A amizade é o único consolo. E nunca esqueço a comovente dedicatória que você colocou naquele seu livro. Para isto, talvez só para isto, vale a pena trabalhar.

Muitas lembranças afetuosas a Ecléa e, para você,

o grande abraço do seu amigo de sempre,

Otto Maria Carpeaux

P.S.: Sei que v. não vai esquecer a <u>Literatura italiana</u>!

Murilo Mendes

ROMA, 20 DE FEVEREIRO DE 1971

Meu caro Bosi,

gratíssimos a você — Saudade e eu — pela oferta da *História concisa da literatura brasileira*. Finalmente! Um livro ótimo, claro, inteligente, dum autor *aggiornato*, que sabe onde tem o nariz. Em particular, para mim, professor além de escritor, seu manual constituirá um inestimável instrumento de trabalho. Fazia-me falta uma obra assim, de manejo prático: estudos concentrados num só volume. Você deu um salto, e agora já deve ser situado no primeiro plano dos nossos críticos e ensaístas. Sua visão dos problemas e dos autores é em geral serena e objetiva. Na parte que me toca, apreciei sobretudo sua opinião sobre *Contemplação de Ouro Preto*, livro que não despertou interesse, e que considero dos melhores que escrevi. Mas, achei muito bom todo o texto sobre este seu amigo. Na ficha há alguns lapsos, certamente do tipógrafo, inclusive a omissão do meu primeiro livro *Poemas*. Onde está escrito: "... ensinou Literatura Brasileira" (em Roma) leia-se: ensina (há catorze anos). E há uma semana, um grupo de alunos chamou-me *"il professore dell'avvenire"* (este ano estou dando, com grande êxito, *Quincas Borba*).

Passei à mais que ilustre Luciana Stegagno Picchio (catedrática de Língua e Literatura Portuguesa, atualmente, na Universidade de Roma) o exemplar que veio para ela. Como você talvez saiba, Luciana está escrevendo a história da literatura brasileira para a importante editora Sansoni. Já estava o trabalho muito adiantado, quando ela teve que o interromper, devido ao concurso para a cátedra e depois por doença. Estou certo de que seu livro lhe será muito útil.

* Rogo-lhe o favor de mandar seu endereço pessoal, pois quero remeter-lhe certos documentos e receio sempre endereçar a outrem que não o próprio. Disponha dos meus préstimos aqui, inclusive se desejar indicações sobre livros, revistas etc. Aceite com Ecléa (trabalha nalguma obra pessoal?) afetuosos abraços e *auguri* de Saudade (que ainda não pôde nem folhear a *História* à qual me agarrei)
e deste seu

Murilo

P.S.: Não trabalho na Embaixada nem nunca trabalhei: sempre na Universidade. Há vários anos atrás fui considerado adido cultural, mas só para efeito de elevação de vencimentos; e durante algum tempo, só no papel.

Murilo

Sebastião Uchoa Leite

RIO, 20.9.77

Caro Bosi

Sem poder ter lido integralmente *O ser e o tempo da poesia*, folheei várias vezes, o suficiente para avaliar o quanto tenho a aprender (ou desaprender noções equivocadas) sobre a poesia. Tive grande alegria em recebê-lo de você, de quem admiro a *História concisa da literatura brasileira* (com algumas discordâncias eventuais quanto a "julgamentos", mas sempre admirando o método). Entre parênteses, não me julgo crítico (por não ser instrumentado para tanto), mas só poeta e prosista que escreve coisas bissextas, que hesito em chamar de crítica.

Quando sairá sua tese sobre Leopardi? Tenho curiosidade de conhecê-la, pois sou leitor apaixonado de alguns *canti* e das *operette morali*. (Tenho na estante, mas nunca me aventurei no *Zibaldone di pensieri*... quem sabe se a leitura da sua tese não me estimularia?) Tenho mesmo pensando em traduzir o "Dialogo di Federico Ruysch e delle sue mummie" para publicar em alguma revista. Falando em tradução, está no prelo a minha tentativa de tradução do Carroll. Penso em mandá-la para você, é a única coisa que posso oferecer agora.

Li em algum jornal que você escreveu um prefácio para a *Ideologia da cultura brasileira*, de Carlos Guilherme Mota. Fiquei, também, com curiosidade de conhecê-lo. Sairá em algum lugar?

Quanto ao que você escreve, é possível, se for analisar, que tenha algumas discordâncias, mas, como já disse um dia a João Alexandre, em você não se sente uma nota falsa, uma "pose", tudo parece vir de convicções enraizadas, de uma análise tranquila. Nesses tempos de predomínio da falsidade no mercado (de tudo, e também no das ideias) isso em si já constitui um grande valor. E além disso você tem o domínio da linguagem crítica, que a maioria está longe de ter.

Tenho acompanhado a evolução dos acontecimentos, sobretudo estou atento ao que acontece na área estudantil. Fui umas duas ou três vezes à PUC do Rio, e lá peguei publicações que eles distribuem. Incrível! Os estudantes ainda acreditam nas mesmas coisas em que nós, há uns vinte anos atrás, acreditávamos. E usam quase que a mesma linguagem, as mesmas palavras. Eu disse "nós acreditávamos", isto é, nossa geração. Eu pessoalmente evoluí para um pessimismo que custo a combater. Termino citando Leopardi: *"Quella vita ch'è una cosa bella, non è la vita che si conosce, ma quella che non si conosce; non la vita passata, ma la futura"*. Que é que você acha?

Grande abraço do

Sebastião

Dyonélio Machado

PORTO ALEGRE, 7 DE DEZEMBRO DE 1980

Insigne Professor:
Alfredo Bosi,
Saudações

Remeti-lhe em mão um exemplar de *Endiabrados*.
Fiz a minha sincera dedicatória, um tanto às pressas, de maneira a aproveitar um portador espontâneo. Já me achava doente, sofrendo os efeitos duma perigosa intoxicação alimentar. E só agora que me restabeleço, senão de todo, ao menos para cumprir com meu dever perante as pessoas amigas. Por favor, esqueça meu lapso, obra do atarantamento da doença. Sei a quem estou solicitando isso: a um homem dotado de rara sagacidade e inigualável compreensão — como deu provas no extraordinário prefácio de *Prodígios*, romance que adquiriu corpo graças a um meticuloso compendiar. Foi trabalho seu, incorporado ao livro e jamais olvidado.

No meu leito de doente, procurei distração. Nada mais adequado do que um *Cancioneiro alegre*. Possuía o de Camillo Castello Branco, em dois volumes, edição de 1887, que presumo seja a *princeps*. Lá está meu companheiro de desdita: Garrett. Ocupando-se dele, Camillo descobre uma novidade: "Todo o homem (sic) tem uma porção de inépcia que há-de sair em verso ou prosa" etc. No meu caso, deve sair em prosa, que lhe fica mais próprio — pois se trata dum nome (o seu) conhecido e respeitado na crítica.

A editora Moderna, sempre amiga, armou-me com um arsenal de exemplares do livro, que eu distribuo gradativamente aos interessados. Minha exigência cifra-se em levá-los a aguardar por momentos o romance: é que logo ali surge o prefácio que o completa.

A sua técnica, professor Alfredo Bosi, restaura a nossa crítica, ao dominar igualmente a História. Reconhece a fragilidade do juízo humano, como historiador: *"Ce qui n'a pas été vrai dans un cas l'a été dans un autre"*.

O professor Alfredo Bosi dum certo modo identifica-se com a obra do autor. É uma boa *simbiose*. Seu olhar é seguro, o que traz entusiasmo ao romancista.

Devo-lhe uma confidência: sua atitude benevolente, um apoio sem alarde, valendo tudo isso por um estímulo, dá-me a impressão dum fato já vivido, mais real do que o fenômeno do *já visto*: é Amadeu Amaral, há mais de cinquenta anos atrás, na pessoa esclarecida e prestimosa de Alfredo Bosi, ano de 1980.

Mudou o tempo, mudaram as figuras: mas virtualmente o sentido dos encontros está vivo.

Aceite, professor Alfredo Bosi, um apertado abraço de

Dyonélio Machado

João Antônio

COPACABANA, 10 DE JULHO DE 1982

Alfredo Bosi. Meu prezado.

Difícil lhe agradecer a remessa de sua apresentação crítica para o meu *Abraçado ao meu rancor*.

Para começo de boa conversa, quando fiz a sugestão de seu nome à editora, nem esperava que aceitasse o pedido.

Assim, hoje, para mim, é grande dia, apesar de sábado branquelo, sem sol alegre nesta escrota, sofrida e amada Copacabana.

Há, em sua apresentação, uma amizade, uma intimidade com o meu texto e tudo isso me toca fundo, principalmente por sabê-lo, agora, "filho e neto de operários e artesãos imigrantes".

Além do artigo que sua modéstia não deixa reconhecer crítico e, sim, empático, recebo o bilhete humílimo e tão consagrador. Um bilhete altaneiro de discreto, que vai no âmago com a sua sabedoria mais o saber acabado dos filhos de migrados, imigrados e mestiços, pais e filhos — esse traço novo, definitivo e esperançoso que o Brasil já tem na música, na literatura, no samba, na dança, no futebol (que por mais que o besuntem de sujeiras e corrupções, é jogado pelo nosso povo e não pelos cartolas e manipuladores que o faturam).

Um dia incomum, sem dúvida, o de hoje. No mínimo, muito comovido.

Aceite também o meu abraço fraterno e a minha gratidão,

João Antônio

Carlos Drummond de Andrade

RIO DE JANEIRO, 24 DE NOVEMBRO DE 1985

Caro Professor Alfredo Bosi:

Foi muito dignificante para mim deparar, em seu estudo *Reflexões sobre a arte*, com uma análise do meu poema "A máquina do mundo", que valoriza extremamente esse texto poético.

Sinto-me feliz com essa avaliação de um crítico que tenho em alta conta intelectual, e a quem, em agradecimento pela oferta do volume, quero manifestar minha viva e antiga admiração.

Cordialmente,

Carlos Drummond de Andrade

Ferreira Gullar

RIO DE JANEIRO, 12 DE MAIO DE 1988

Meu caro Alfredo Bosi

Quero agradecer-lhe a gentileza de me ter enviado o seu novo livro *Céu, inferno*, que lerei com o interesse que tenho pelo que você escreve. Aliás, já andei correndo os olhos pelo livro — o ensaio sobre Graciliano e Rosa, o outro sobre Machado e ainda o trabalho sobre *O Ateneu* — e fiquei instigado. São observações lúcidas e novas sobre antigos temas. Você sabe do que fala e quer sempre mostrar o que a gente ainda não viu.

Aproveito para lhe pôr uma questão: a frase de Novalis que serve de epígrafe para um dos ensaios de seu livro *O ser e o tempo da poesia*, não está invertida? Este não afirma que "quanto mais poético mais verdadeiro"? Reparei nisso porque, num texto-manifesto que escrevi em 65 no programa de *Liberdade, liberdade*, montada pelo Grupo Opinião, afirmava: "Ao contrário de Novalis que dizia 'quanto mais poético mais verdadeiro', digamos 'quanto mais verdadeiro mais poético'" (cito de cabeça). Ou sou eu que estou enganado. Mas, isso não tem importância. O possível equívoco na epígrafe não comprometerá o trabalho do brilhante ensaísta que você é.

Um abraço afetuoso

do Ferreira Gullar

Darcy Ribeiro

Meus queridos amigos Alfredo e Ecléa

Acabo de receber e ler sua *Dialética da colonização*. É um grande livro, bem meditado e maravilhosamente escrito.

Creio que de tudo que saiu ultimamente no Brasil, sua DIALÉTICA DA COLONIZAÇÃO é o que mais se recomenda para a Biblioteca Ayacucho.

Vou recomendá-lo.

Abraços afetuosos do

Darcy Ribeiro

Celso Furtado

Professor Alfredo Bosi
PARIS, 1/3/93

Prezado amigo,

Os atropelos de viagem e os imprevistos com que sempre nos deparamos em Paris e nessa Europa que não se cansa de nos surpreender respondem pelo atraso com que completo minhas observações em torno do esplêndido livro que você escreveu sobre a Colonização do Brasil. Essa é uma reflexão madura e surpreendentemente inovadora a respeito do processo de formação do povo e das instituições de nosso país. O seu mapeamento descritivo do acontecer brasileiro no período colonial, resumido em oito pontos, é sem precedente em nossa historiografia pela abrangência e acuidade. A "síntese apertada" em que você integra as dimensões econômica, social e política que engendraram o estilo de convivência patriarcal e estamental é particularmente feliz. Dentre as muitas coisas a comentar no seu livro, que suscitam reflexão, quero referir-me às páginas dedicadas a Lima Barreto — essa figura singular que viu a nossa sociedade com uma lucidez inigualável, certamente o mais "moderno" de todos os nossos escritores da primeira metade do século —, e ao capítulo admirável sobre *a arqueologia do*

Estado providência. Até hoje, ninguém nos havia dado um quadro tão articulado do papel que desempenhou o positivismo gaúcho na modernização das forças de direita entre nós, e do papel dessa direita na consolidação e instrumentalização do Estado brasileiro, base de nossa industrialização.

Seu livro vai certamente contribuir para renovar a reflexão sobre a crise que vive atualmente o Brasil e ameaça sua própria sobrevivência como Estado nacional. O primeiro passo para superar essa crise é aprofundar o conhecimento de suas raízes históricas. Para isso, sua contribuição foi decisiva.

Um abraço cordial de

Celso Furtado

Raduan Nassar

Alfredo,

"Camus na festa do Bom Jesus" teria sido um suporte valioso para um leitor nem sempre atento como eu, se o tivesse em mãos anos bem atrás, quando procurava me aproximar das reflexões desse autor. Foram anos de inquietações intensas, a que me remeto agora com estranheza, tamanha a guinada por que passaram minhas preocupações. Naqueles tempos, me fascinava sobretudo a colocação com que Camus abria um de seus ensaios, elegendo-a como a questão fundamental da filosofia, o que ninguém antes, na história do pensamento, teria proposto de modo tão simples e com tanta pertinência como ele. Talvez eu arriscasse que se poderia encontrar também em "La pierre qui pousse" um dos prováveis pontos de chegada a que Camus teria levado sua reflexão, exposto, no caso, de modo igualmente simples e pertinente: abrir-se para que o santo possa baixar, abrir-se para a comunhão, mesmo se a experiência da comunhão se conformasse a viver verdadeiramente a vida por algumas horas.

Penso entretanto que continuará uma interrogação o acidente que matou Camus, o que talvez se devesse só a seu cansaço de noites maldormidas. Ou porque se tivesse agravado então, pouco antes do acidente, sua sofrida falta de sintonia com o mundo, vale dizer, seu desconforto com a própria existência; em estágio agudo de virulência, inclusive para o resistente Camus — apesar da sua lucidez, ou por isso mesmo — não existiria remédio eficaz para essa enfermidade que não fosse uma intervenção radical.

Li "Camus na festa do Bom Jesus" só na última segunda, entre três e cinco horas da madrugada, que só voltei a São Paulo domingo à noite, via de regra ansiando por uma cama. Se contei poucas horas depois com o silêncio para acompanhar a tua análise, transitei por outro lado, o tempo todo, entre a leitura do ensaio e o sentimento de que você estivesse me estendendo a mão através dele, o que se confirmou aos meus olhos efetivamente na exortação cheia de luz com que você fecha o teu trabalho. Não sei se não exorbitei nessa leitura paralela ou, ao contrário, se não pequei por interpretar o óbvio. Seja como for, foram horas em que fui tocado no coração de modo fundo, quando chegou a acontecer aquela comunhão, uma recompensa insólita para o meu cansaço de noites maldormidas, que me acometem ainda, mas só como mal menor. Nem precisaria te dizer então que a *festa* me fez feliz. Obrigado, Alfredo.

Lembranças para a Ecléa, e tudo de bom,

Raduan Nassar
SP, 25.2.1999

Antonio Candido

SÃO PAULO, 10 DE NOVEMBRO DE 1999

Caro Bosi,

agora que saiu o livro com as colaborações de tantos bons colegas e amigos, homenageando este octogenário perplexo, quero agradecer calorosamente a sua generosa participação, expressa num ensaio profundo e revelador, escrito com a perfeição que caracteriza toda a sua obra.

Você me disse certa vez, entrando no prédio da Maria Antônia, há quase meio século, que talvez devesse ter entrado na seção de Filosofia, em vez de Letras. Era o seu sentimento, mas não sei se tinha razão. Sei que você trouxe para a crítica uma capacidade filosófica de análise, reflexão e contextualização bastante rara em nossas fileiras. Ela o distingue e mostra que a sua opção universitária foi um bem para os estudos literários.

Abraço do

Antonio Candido

Antonio Candido

SÃO PAULO, 8.9.12

Caro Bosi:

Muito obrigado pelo excelente estudo sobre o padre Lebret, no qual aprendi muito, pois foi a primeira exposição de qualidade que li sobre o seu pensamento e a sua obra. De sua vida anterior, sabia apenas que era bretão e fora oficial de Marinha.

Eu o conheci em 1947. Lembro que assisti uma palestra dele na Faculdade de Direito e recebi apostilas de seu curso. Sei que manifestou o desejo de falar com membros do Partido Socialista e lembro que fomos ao convento das Perdizes visitá-lo, Azis Simão, Oliveiros da Silva Ferreira e eu. Nessa visita ouvi dele um conceito que me impressionou: "A salvação do mundo está nas mãos dos socialistas independentes e dos católicos convertidos ao cristianismo".

Ficamos amigos desde então e nos víamos bastante sempre que vinha ao Brasil. Esteve várias vezes almoçando ou jantando em nossa casa e minha mãe se entusiasmou por Economia e Humanismo, assinando a respectiva revista e outras publicações, como *Efficacité*. Acompanhava-o sempre o então frei Benevenuto de Santa Cruz, que se tornou nosso íntimo.

De 1961 a 1963 moramos num apartamento no alto da Bela Vista, do qual se descortinava a Várzea do Carmo e aquela zona baixa de São Paulo. Ele foi lá jantar e, olhando o vasto panorama noturno, disse profeticamente: "Esta cidade cresce como um câncer". Vi-o pela última vez em Paris em 1966, pouco antes de sua morte.

Pelo rigor da informação, a lucidez e a solidez, o seu texto ficará certamente como um escrito fundamental sobre ele e a sua obra.

Abraço cordial do

Antonio Candido

ESCRITOS REVISITADOS

Introdução a *Fogo morto*[1]

Alfredo Bosi

Fogo morto retoma o ambiente dos romances iniciais de José Lins do Rego (*Menino de engenho*, *Doidinho* e *Banguê* — a trilogia de Carlos de Melo), que reproduziam a vida e a mentalidade de um engenho de açúcar na Várzea do Paraíba: vida e mentalidade que moldaram a infância do próprio narrador, também ele "menino de engenho".

Da última situação decorre o caráter intrinsecamente memorialista desses romances,[2] gerados por uma capacidade inata de contar histórias (para Otto Maria Carpeaux, o autor foi, na verdade, o último grande contador de histórias do Nordeste) e de reviver os tipos tradicionais da região, a que ele, porém, sabe conferir algo mais do que a brilhante cor local dos românticos ou a seca exatidão dos naturalistas: uma profundidade e uma dramaticidade bem modernas.

Servindo-nos de um símile tomado à paisagem da região: o romance é para o criador de *Fogo morto* como um rio que flui mansamente pelo fértil massapê paraibano; uma corrente que vai ora levando, ora acumulando as infinitas recordações da infância e da puberdade, sedimento de barro informe onde lhe é grato afundar o corpo inteiro.

A essa imagem de romance como história direta da infância, como reencontro da memória, corresponde uma forma dominante de estilo: o primitivismo na técnica e na língua, entendido em seu sentido genuíno de aderência sentimental e moral à realidade evocada. Não se trata, é óbvio, do "primitivismo" cerebrino dos que, em nível intelectual mais complexo, caçam símbolos recônditos nas mais simples manifestações da vida. O destino poupou ao nosso romancista a infelicidade (reservada, talvez, aos narradores do futuro) de só olhar a natureza e a infância com os olhos áridos da cultura. Nele estão onipresentes o gosto natural da terra e a aceitação afetuosa dos limites de sensibilidade e inteligência que seu romance busca reproduzir.

Sentimos o narrador como um ser *conatural* aos senhores de engenho e aos pobres da bagaceira. Instrutivo, nesse particular, é o contraste com Graciliano Ramos: enquanto este via em cada criatura sua a face angulosa da opressão e da angústia, José Lins entregava-se, complacente, ao desfilar das aparências e das recordações, que estão aquém do Bem e do Mal.

Do abandono à memória vai nascendo o vivo painel de um *piccolo mondo antico*: o orgulho das velhas famílias que ostentam nomes tradicionais (Holanda Cavalcanti, Carneiro da Cunha...); a servilidade turvada de malícia e de matreirice dos negros há pouco libertados; o ressentimento rancoroso dos senhores decadentes e dos "brancos" pobres a fecharem-se em um delírio de grandeza e de autossuficiência; o misticismo híbrido dos sertanejos, sedentos de justiça e de proteção sobrenatural; o fenômeno singular do cangaço, no seu tecido de honra ferida, consciência social e culto da força — eis alguns aspectos de um rico passado que recebeu o batismo da arte em *Fogo morto*.

Para dramatizar tal substrato econômico e ético, José Lins do Rego plasmou uma série de figuras, fazendo-as, porém, girar em torno de três personagens mais densas, que intitulam as três partes do romance:

— o mestre José Amaro;

— o "coronel" Lula de Holanda;

— o capitão Vitorino Carneiro da Cunha.

A tripartição do livro lembrou a Mário de Andrade a "forma-sonata" e a Antonio Candido, a "estrutura em triângulo": imagens felizes, pois em ambas se insiste no caráter de compenetração de temas ou linhas, constante em *Fogo morto*. As três figuras entrecruzam-se dentro do espaço e do tempo narrativo; impregna as três a mesma seiva espiritual de orgulho e de áspero recalque dos que, famintos de consideração, se veem insulados e condenados a um monólogo sem saída. Mas são três almas diferentes que levam consigo dramas diversos. A grande arte de José Lins do Rego foi insuflar-lhes sangue e vida, dar-lhes traços firmes e inconfundíveis dentro de uma absoluta economia de recursos expressivos, dentro, em suma, daquela simpleza de memorialista a que há pouco aludimos.

José Amaro é um velho seleiro que trabalha à beira da estrada. Vive pobremente com sua mulher, Sinhá, e uma filha, Marta, moça esquiva e estranha que vemos pouco a pouco endoidecer.

Como o narrador constrói José Amaro? Diretamente, por meio de monólogos e diálogos; indiretamente, através dos gestos e das relações com a paisagem e com o trabalho, modos de ser em que a personagem se revela:

"Vai trabalhar para o velho José Paulino? É bom homem, mas eu lhe digo: estas mãos que o senhor vê nunca cortaram sola para ele. Tem a sua riqueza, e fique com ela. Não sou criado de ninguém. Gritou comigo, não vai." Ou:

> Sentado no seu tamborete, o velho José Amaro parou de falar. Ali estavam os seus instrumentos de trabalho. Pegou no pedaço de sola e foi alisando, dobrando-a, com os dedos grossos. A cantoria dos pássaros aumentara com o silêncio. Os olhos do velho, amarelos, como que se enevoaram de lágrimas, que não chegaram a rolar. Havia uma mágoa profunda nele. Pegou do martelo, e com uma força de raiva malhou a sola molhada. O batuque espantou as rolinhas que beiravam o terreiro da tenda.

Novamente as palavras, repetindo sentimentos obsedantes:

"Pois fique sabendo. Se fosse para você, dava de graça. Para ele nem a peso de libra. É o que digo a todo o mundo. Não aguento grito. Mestre José Amaro é pobre, é atrasado, é um lambe-sola, mas grito não leva."

E em contraponto com o trabalho e com a natureza, projetando o mesmo estado de espírito:

"O mestre José Amaro sacudiu o ferro na sola úmida. Mais uma vez as rolinhas voaram com medo, mais uma vez o silêncio da terra se perturbava com o seu martelo enraivecido."

Graças a essa recorrência no processo de composição, a personagem vai avultando, criando corpo, até dominar incontrastada o primeiro plano narrativo.

A perspectiva mental do velho seleiro rege a primeira parte do romance, que desenha, em longos monólogos, o seu conteúdo de consciência: revestem-se de palavras e gestos os sentimentos doídos de insucesso econômico e de vã aspiração ao respeito e ao prestígio (menos este do que aquele), cuja frustração gera uma linguagem violenta e agressiva. Em José Amaro, ela é mais interiorizada, pois se trata de uma alma fechada e sem esperança; já no capitão Vitorino, que vive quase só para fora, será uma linguagem de calão, menos rancorosa talvez, porque mais fácil e derramada.

Pela voz do narrador conhecemos também os raros momentos de ternura do velho Amaro (depois da náusea que sentira diante de um preá ainda sangrento, ou ao ver o velho Vitorino escarnecido pelos moleques), suas analogias com os místicos do Nordeste ("O vento sacudia os cabelos brancos do mestre. A barba longa e o olhar absorto davam-lhe uma semelhança com os santos que corriam o sertão, com os monges da terra"), ou ainda, o confluir lírico da paisagem com o estreito mundo de ansiedades que a todos angustia:

> O seleiro estava possuído de paz, de terna tristeza; ia ver a lua, por cima das cajazeiras, banhando de leite as várzeas do coronel Lula de Holanda. Foi andando de estrada afora, queria estar só, viver só, sentir tudo só. A noite convidava-o para andar. Era o que nunca fazia. Vivia pegado naquele tamborete, como negro no tronco. [...] Na lagoa, a saparia enchia o mundo de um gemer sem fim. E os vaga-lumes rastejavam no chão com medo da lua. Tudo era tão bonito, tão diferente da sua casa. [...] Cheirava toda a terra. Era cheiro de flores abertas, era cheiro de fruta madura. O mestre José Amaro foi voltando para casa como se tivesse descoberto um mundo novo.

Entretanto, nosso conhecimento é sempre parcial. Alma ensombrada de desvãos, resta-lhe sempre um subsolo inexplorado, um resíduo de consciência que não assume a forma da palavra, mas que se trai num silêncio, num olhar: aquele olhar desvairado que aterroriza os caminhantes da estrada e os vizinhos da várzea, gerando nos mais pávidos a suspeita de que, nas noites escuras, o seleiro vira lobisomem, ávido de sangue humano.

Esse mesmo fundo ignoto da alma afugenta a velha Sinhá e empurra o velho abandonado para o gesto final, o suicídio, que encerra a sua trajetória e fecha o romance: um suicídio, sem palavras, solitário e trágico, que explica num átimo toda a intensidade de um homem incapaz de chegar à comunicação redentora.

A segunda figura-eixo de *Fogo morto* é o coronel Lula de Holanda, o senhor do engenho Santa Fé e das terras em que vive o seleiro.

Na primeira parte do romance, o autor no-lo apresenta envolto em mistério: mal entrevemos o altivo latifundiário em decadência, quando passa pela estrada no seu cabriolé a tilintar, melancólico emblema do esplendor de outrora. Corre, porém, a fama dos estranhos passeios noturnos de José Amaro pelo Santa Fé e as intrigas de um escravo inimizam o coronel e o seleiro, obrigando aquele a expulsar o velho de suas terras.

É o encontro-desencontro de dois homens que tanto têm em comum. Como o mestre José Amaro, o coronel Luís César de Holanda Chacon vai-se fechando no mutismo e na solidão. José Amaro é acusado de lobisomem e Sinhá nele vê a própria face do demônio; o coronel Lula, epilético, persegue cruelmente os pobres negros do Santa Fé. José Amaro suporta a sina de uma filha demente; mas também na casa-grande ressoam os gritos de d. Olívia, cortando a noite de dor e de angústia. Tem José Amaro o seu "deus" onipotente na figura do cangaceiro Antônio Silvino em cuja proteção se escora para enfrentar os grandes da Várzea; o coronel refugia-se num misticismo exaltado e pretende subir até Deus para melhor odiar os homens.

Simbolicamente: José Amaro cobre suas dores com o bater do martelo na sola; Lula de Holanda cobre sua decadência fazendo tilintar pelo estradão poeirento as campainhas do cabriolé arrebentado. Suicida-se José Amaro; o Santa Fé está de fogo morto. O paralelismo dessas duas imensas solidões que se cruzam constitui, a nosso ver, a face mais dramática e mais humana de *Fogo morto*.

Ao lado de ambos, homens letalmente ensimesmados, o capitão Vitorino Carneiro da Cunha surge como um oásis de extrospecção, misto de Quixote e Sancho Pança. Junto às notas trágicas, eleva-se a cômica que não teme o risco do grotesco. Mas atrás de suas potocas e bazófias, em meio às vulgaridades de sua linguagem, é necessário reconhecer a infinita piedade com que o envolve o romancista e que reponta, "como as flores de um cardeiro", nestes pensamentos de José Amaro, tão alheio a abandonos sentimentais:

> O mestre José Amaro não insistiu para que o compadre ficasse. Chegou-lhe de repente uma vontade incontida de ficar só, de refugiar-se nas suas conversas íntimas. E quando o velho Vitorino foi desaparecendo na estrada, ao passo tardo da besta arrasada, uma pena, como ele nunca tinha sentido por ninguém, enchia-lhe o coração. O compadre Vitorino não era, naquele minuto, o bobo que lhe causava repugnância, era um homem que ele amava, que ele queria defender do motejo dos outros, da impiedade dos moleques, da ruindade dos homens. Era como se fosse seu filho. Levantou-se do tamborete e andou um pouco para a beira da estrada. As flores de um cardeiro eram duas chamas que o vento balançava.

Não só a evocação da paisagem física e social, como também a criação das personagens acham-se plasmadas em uma linguagem singularmente modesta, adequada ao mundo elementar que Lins do Rego desejava traduzir.

Sem a pretensão de esgotar o problema linguístico, que reclama estudos específicos, apontamos aqui algumas características de linguagem em *Fogo morto*:

a) predomínio da ordem direta;

b) reprodução do "português nordestino", com as suas variantes léxicas ("bondade" por orgulho, "branco" por homem de bem, "latomia" por ladainha, "somítico" por avarento, "camumbembe" por pobre-diabo etc.), embora se perceba certo compromisso com a sintaxe tradicional, raramente violada: "Me desculpe, minha senhora", "ir em" por "ir a" e "tivesse" por "estivesse"...;

c) uso de termos de calão que, de resto, não destoam, dada a rudeza fatal de numerosas atitudes e situações;

d) incorporação ao tecido literário de cantigas do folclore luso-nordestino, que vêm acentuar a nota espontânea da narração.

Dentro dessa "língua geral" do Nordeste, José Lins do Rego opta sempre pelas construções mais breves e mais incisivas, de sorte que o estilo se assemelha, não raro, ao próprio tom coloquial. Um exemplo: são sempre os verbos mais genéricos e mais simples que compareçem copiosamente, dominando às vezes capítulos inteiros — ser, ter, estar, ver, pegar, dizer, falar, ouvir, fazer, ir, precisar, ficar, deixar...

A raiz existencial desse estilo é, naturalmente, aquele fundo memorialista do escritor que o leva a evocar diretamente as imagens e a sondar de imediato os sentimentos. Daí vir a repetição como recurso fatal de toda a sua obra.

Mário de Andrade já observava, a propósito de *Riacho Doce*, duas características indissoluvelmente unidas na prosa de José Lins do Rego: o intenso poder criador de almas e de casos (inventividade) e a repetição artística dos processos formais — palavras, frases, *ritornelli* que constituem a melodia ininterrupta do texto.[3]

Criação e repetição, leis da própria existência que, antes de nós, inventa e recorda, em sua dialética entre futuro e passado: eis as constantes poéticas do maior dos nossos romancistas da memória.

São Paulo, setembro do ano do IV centenário do Rio.

Camões e Jorge de Lima[1]

Alfredo Bosi

A presença de um poeta clássico, ou melhor, do poeta clássico por excelência da tradição portuguesa em um poeta moderno brasileiro pode, à primeira vista, causar espécie. Em que momento, ou em que ponto, poderiam cruzar seus temas, suas formas, suas imagens, seus valores, Camões e Jorge de Lima?

Poderíamos começar simplesmente lendo textos de *Invenção de Orfeu*, a última e maior obra poética de Jorge de Lima, publicada em 1952; seria um modo de entrar *in medias res*; mas prefiro enfrentar o mal dos preâmbulos e começar por algumas observações, sobre a poesia brasileira posterior à fase heroica do Modernismo, porque me parece que é na história desse período que se abre uma possibilidade de o poeta brasileiro reencontrar a tradição como algo vivo.

O Modernismo de 22, enquanto explosão paulista e futurista, não podia, por sua própria autodefinição, rever ou recuperar os clássicos. A sua meta era, aliás, a destruição dos resíduos neoclássicos que constituíam o Parnasianismo da geração imediatamente anterior à Semana de 22. Afirmação de uma cultura nova, industrial, técnica, veloz, só contemporânea de si mesma, ou então do futuro, o Modernismo paulista ecoa os gritos iconoclastas de Marinetti que convocava os italianos a queimar os museus e as bibliotecas e fazer submergir os quadros do Renascimento em um naufrágio total do passado. (Entre parênteses, a casa de Marinetti virou Museu do Futurismo, na Itália: a História também sabe fazer paródias.)

Quando, em um segundo momento, mais para o fim da década de 1920, cessou a fase aguda do internacionalismo modernista, e, em face das angústias sociais e políticas de um Brasil agitado pelas contradições da República Velha, os modernistas começaram a pensar na construção de uma poesia ou de uma prosa mais enraizada na vida nacional, foi nos mitos indígenas que procuraram a matéria-prima a ser reelaborada, e na "lógica do pensamento selvagem" uma nova forma de propor um modo de ser para a cultura brasileira. É a hora de *Macunaíma*, de *Manifesto Antropófago*, de *Martim Cererê*, de *Cobra Norato*.

Paralelamente a esse final mítico-indianista, que se forja principalmente em São Paulo, na obra de Mário, de Oswald, de Cassiano, de Plínio, de Raul Bopp (este, gaúcho, mas apaulistado), o Nordeste volta-se para as fontes regionais, folclóricas, e, na palavra de Jorge de Lima, Gilberto Freyre e José Lins do Rego, reivindica um modernismo que reavive a tradição, mas numa linha de reencontro com o povo e com a oralidade. O modernismo nordestino procurava realizar o paradoxo de ser tanto mais moderno e livre e autêntico quanto mais descesse ao passado e à tradição.

De um lado ou de outro, ora propondo uma espécie de expressionismo freudiano-tupinambá, ora um neorromantismo popular, a literatura brasileira estava trabalhando a fusão do presente com o passado, e, ao arrepio do projeto de 22, estava recuperando formas e valores da tradição. Com olhos novos, ou, para ser realista, com os olhos possíveis de cada geração.

O trabalho de reaproveitamento do passado continuou em linhas várias e cruzadas que não cabe aqui historiar. A leitura dos românticos, principalmente da sua música, foi uma conquista de Mário de Andrade. A recuperação da infância também está nele, nos seus contos, sobretudo, em que a ótica fundamental é psicanalítica. A tentação de trilhar os caminhos do subterrâneo, seja ele o inconsciente da libido e da agressão de Freud, seja o apelo de um universo religioso em que o tema fundamental é a luta do pecado com a graça: eis uma constante dessa literatura voltada "para trás" ou "para dentro", num mesmo espaço cultural em que dialeticamente surgiam os romances de Jorge Amado e de Graciliano Ramos e a historiografia marxista de Caio Prado Jr. Há, pois, uma opção onírica e uma opção mística nessa década de 1930 impressionantemente rica de veredas; há uma vertente religiosa, de origem francesa, que se põe em luta contra a mundanidade da civilização capitalista e pretende saltar séculos de laicização e de cultura burguesa para retomar símbolos de uma vida religiosa mais ardente e mais pura: e nesse projeto ao mesmo tempo radical e arcaico se encontravam homens tão diferentes como Vinicius de Moraes, Augusto Frederico Schmidt, Lúcio Cardoso, Octavio de Faria, Murilo Mendes e Jorge de Lima. Os dois últimos escrevem, juntos, *Tempo e eternidade*, em 1935. Sobre todos, paira a ação de um grande líder da inteligência católica, Tristão de Ataíde.

Temos, já, dois momentos fundamentais da carreira tão acidentada de Jorge de Lima. Na década de 1920, o poeta alagoano escolhe a volta aos valores populares da sua infância: é a hora dos *Poemas negros*, é a hora de "Essa Nega Fulô", modelo de poesia folclórica trabalhada por um poeta culto. Na década de 1930, a volta ganha outra dimensão: dentro da vida popular, Jorge de Lima sonda o que lhe parece ser o valor mais permanente, mais intensamente vivido: a religião. A sua poesia passará de folclórica a bíblica e litúrgica.

Nesse itinerário, o reaproveitamento do passado se faz não só no nível ideológico ou temático; faz-se também na ressureição das *formas* poéticas mais tradicionais. Daí, e já na década de 1940, o reencontro com a poesia clássica. *O Livro de sonetos*, de 1949, a epopeia *Invenção de Orfeu*, em 1952, mas escrita anos antes. Camões estaria, necessariamente, no meio desse caminho. Reencontram-no, aliás, outros poetas pós-modernistas como Vinicius de Moraes e Alphonsus de Guimarães Filho, ou mesmo modernistas, como Manuel Bandeira e, sobretudo, Guilherme de Almeida, cuja *Camoniana*, tardia, já que é da década de 1950, contém sonetos mais camonianos que os do próprio Camões.

A volta ao soneto e à tradição da linguagem lírica portuguesa deverá explicar-se em um contexto mais amplo, de neoformalismo, que atingiu toda a poesia europeia depois das revoluções futuristas e surrealistas. Se se trata de um movimento pendular de anarquismo e tradicionalismo, não sei. O fato é que o período de entreguerras, o período que sucedeu à revolução dos ismos modernistas, é muito respeitoso do verso, da rima e das formas fixas: basta ler Eliot, Ezra Pound, Fernando Pessoa e Ungaretti (e entre nós, Manuel Bandeira e Jorge de Lima) para sentir a viragem dos anos 1930 e 1940, que para muitos se tingiu de um certo hermetismo arcaizante, e na Espanha coincidiu com um vigoroso neobarroquismo. Góngora também foi descoberto ao lado de Camões e dos metafísicos ingleses.

Mas cada encontro tem um significado. Os sonetos de Vinicius, de Manuel Bandeira, de Guilherme de Almeida devem explicar-se, aliás só podem explicar-se *na história concreta de cada um desses poetas*, nos quais se pode discernir, por exemplo, um sopro erótico mais forte em Vinicius e Bandeira, um academismo mais virtuosístico em Guilherme. E em Jorge de Lima?

Jorge de Lima se propôs aproveitar sugestões camonianas em um projeto amplo, ambicioso, arriscado: *o projeto épico*. *Invenção de Orfeu* é um poema que não quer perder essa dimensão extremamente difícil de ser recuperada hoje: a dimensão da epopeia. Não repetirei aqui o que nos ensinaram Hegel e Lukács sobre a morte da epopeia a partir do século XVII, isto é, a partir do fim do mundo feudal e da instalação do mercantilismo. A rigor, todos sabemos, depois de Camões não há mais epopeia que não seja forçada e artificiosa. Camões tem *matéria* épica e *forma* épica. Outros terão forma sem a experiência do tema; ou um tema muito magro (é o caso do nosso Basílio da Gama, no *Uruguai*) ao qual forcejam para dar vestimenta nova. Mesmo Camões... Li há tempos um artigo de Ezra Pound em que o grande poeta e crítico americano observa que há alguma coisa de perfeito, *perfectum* no sentido de *acabado*, e *para sempre feito e passado*, nos *Lusíadas*, que, nesse sentido, só interessariam como alto documento de um estilo e de uma civilização que já morreram; e excetua precisamente um momento rigorosamente não épico, a passagem de Inês de Castro, como o passo que mais fala a nós, contemporâneos; passo em que o lírico da figura amorosa de Inês e o dramático, senão o trágico, do conflito, do impasse e do sacrifício da mulher, sobrepujam o canto heroico, a tuba canora e belicosa dos feitos do Gama e dos outros barões assinalados. O fato é que Jorge de Lima, apesar do seu projeto de fazer uma epopeia, acaba aproveitando dos *Lusíadas* principalmente a imagem de Inês. À Inês dedica um canto inteiro da *Invenção de Orfeu*, o IX: são dezoito estâncias, as únicas em que, sistemática e seguidamente, transpõe o esquema camoniano das estrofes e das rimas.

Na verdade, a primeira pergunta, e a mais abrangente, me parece, neste confronto, a seguinte: como é possível a um poeta como Jorge de Lima, todo voltado para a exploração da subjetividade, dos fragmentos de memória infantil, da imaginação livre, compor uma epopeia? Cavalcanti Proença, em um artigo feliz sobre *Invenção de Orfeu*, define este poema imenso e complexo, esse poema de 11 mil versos, maior que os *Lusíadas*, com um paradoxo que faria tremer todos os manuais de retórica e os crentes na realidade dos gêneros literários: *Invenção de Orfeu*, uma "epopeia subjetiva". A contradição é escandalosa: o adjetivo desmente o substantivo, este desmente aquele. É o caso de responder: sim, contradição; não há outro meio de fazer uma epopeia em um mundo estilhaçado como o que assistiu à Segunda Guerra, ao nazismo, à bomba atômica, à Guerra Fria. Uma epopeia exige a coerência de uma história popular que desemboque em ações coletivas, em uma conquista, um descobrimento, que tenha no seu nervo a figura coesa de um herói, símbolo daquela comunidade; que traga em si a força de uma mitologia, de uma religião, ou, pelo menos, de uma ideologia, seja ela colonizadora, ou salvacionista, como a dos navegantes portugueses e espanhóis do século xv. Mas, em 1950, onde está essa história popular, onde a conquista, onde o herói, onde a mitologia que tudo una e justifique? Campos de concentração, milhões de corpos torturados de judeus indefesos do lado do Eixo, duas cidades religiosas, Hiroshima e Nagasaki, carbonizadas e gangrenadas pelo câncer atômico, do lado dos Aliados: eis os despojos opimos da luta entre as mais altas civilizações do Ocidente. Não há heróis, só vítimas ou vencedores carregados de remorsos e prestes a submergir seus sentimentos de culpa no delírio da americanização universal.

A saída para Jorge de Lima é a saída mística. Ele quer fixar uma *visão febril* de todo esse universo arrebentado e, ao mesmo tempo, discernir um *sentido vital*, a presença de uma força misteriosa e inextinguível que sustenta o universo e faz que a existência não pereça, antes rebrote eternamente, apesar do nonsense da história: essa presença, que é tudo na poesia de Jorge de Lima, é dada, é gratuita, por isso, chama-se Graça.

Sem a presença dessa força, sem a ação misteriosa, mas instante da Graça, o poema *Invenção de Orfeu* parece, realmente, um acervo amorfo de imagens, um prodígio de incoerências, um monstro neobarroco metido não se sabe como nem por que no meio da literatura brasileira; ou, no melhor dos casos, um projeto surrealista abortado; uma visão febril, apenas.

Ora, a comparação com *Os Lusíadas* não pode ser senão um confronto alquímico em que as certezas, as fortes determinações históricas e ideológicas de Camões se transmutam nas ambiguidades, nas indeterminações, nas metamorfoses da *Invenção de Orfeu*.

Começando pelo título: "invenção". O sentido forte é de criação imaginária. O sentido etimológico é o de achamento. *Invenio*: eu acho. Invenção: jogo imaginário, fantasia subjetiva; mas, ao mesmo tempo, sondagem na memória individual, história de uma vida, recapitulação de estados subjetivos soterrados na infância. O primeiro sentido explica os jogos imagísticos barrocos, que nos fazem perder o fôlego; o segundo, o de pesquisa na memória, está sublinhado no subtítulo bastante longo e explicativo que Jorge de Lima deu ao poema: "INVENÇÃO DE ORFEU OU BIOGRAFIA ÉPICA, BIOGRAFIA TOTAL E NÃO UMA SIMPLES DESCRIÇÃO DE VIAGEM OU DE AVENTURAS. BIOGRAFIA COM SONDAGENS; RELATIVO, ABSOLUTO E UNO. MESMO O MAIOR CANTO É DENOMINADO BIOGRAFIA".

"Biografia épica." O paradoxo, que encontramos na pena de Cavalcanti Proença, já está no poeta.

Dada a vastidão do poema e do tema, limito-me a indicar alguns pontos para ulterior confronto:

1) *Indeterminação do objeto.* Camões quer cantar um grupo de homens que representariam o momento alto e nobre da estirpe lusitana. Jorge de Lima está diante do herói contemporâneo, ente subjetivo sem destino a não ser o de viver os seus problemas num estado de ilha.

"Um barão assinalado/ sem brasão, sem gume e fama/ cumpre apenas o seu fado:/ amar, louvar sua dama,/ dia e noite navegar,/ que é de aquém e de além-mar/ a ilha que busca e amor que ama."

Nos *Lusíadas* há um ponto fixo: as Índias, ainda além da Taprobana, o Ceilão. E há uma indeterminação que dá toda a dimensão da aventura: "Por mares nunca dantes navegados". O final bem fixado e o meio do caminho cheio de riscos fundem-se na ação bem pensada do Gama, o "forte capitão".

No poeta do meio do século XX, a "ilha que busca" e o "amor que ama", isto é, o seu destino último, "é de aquém e de além-mar". A história está dentro do sujeito, na "travessia", como diria Guimarães Rosa; é no vaivém do cotidiano, na indecisão angustiosa do cotidiano, que ela se engendra e se decide.

Esse ponto é fundamental e explica a impossibilidade de a epopeia de Jorge de Lima executar um risco pré-desenhado de começo, meio, fim. O plano escapa ao foco narrativo; talvez só Deus, ou ninguém, o saiba. O novo poeta épico demite-se da responsabilidade de traçar os desígnios do herói.

Esta é a ébria embarcação.
Barão ébrio, mas barão,
de manchas condecorado;
entre o mar, o céu e o chão
fala sem ser escutado
a peixes, homens e aves,
bocas e bicos, com chaves,
e ele sem chaves na mão.

Ébria embarcação. *"Bateau ivre."* Barão ébrio, sem chaves na mão: não bastariam essas expressões para configurar um herói problemático, perdido no meio das coisas, sem as chaves, isto é, sem os significados, os fins?

2) *Indeterminação de fim: recomeço permanente.*

A indeterminação de um fim para a viagem é explícita no poema: "Nem achada e nem não vista/ nem descrita nem viagem,/ há aventuras de partidas/ porém nunca acontecidas.// Chegados nunca chegamos/ eu e a ilha movediça./ Móvel terra, céu incerto,/ mundo jamais descoberto".

Estaríamos então em um beco? A viagem não tem fim e a ilha não se encontrará nunca? Há, porém, um movimento semântico que compensa a indeterminação dos fins. É o perpétuo recomeço, o nascimento eterno das coisas, a epifania da existência, dom da Graça, que a cada instante repropõe e reapresenta aos nossos olhos os seres.

Essa epifania é a conquista da imaginação, da memória, mas é, sobretudo, a possibilidade do canto, da poesia. Invenção, sim, mas de Orfeu, aquele que ensinou aos homens o dom da música.

O resgate da indeterminação histórica está na prodigiosa força poética da imaginação.

Uma imaginação sem espaço definido, mas também sem tempo cronológico, pura duração subjetiva:

Há umas coisas parindo, ninguém sabe
em que leito, em que chuvas, em que mês.
Coisas aparecidas. Céus morados.
As presenças destilam. Chamam de onde?

3) *A figura de Inês.*

Diz Freud que no Inconsciente não vige a lei da contradição. O herói não é herói, a viagem não é viagem; o passado é presente; o presente é, já, futuro.

O mito, como linguagem do Inconsciente, traria este modo de ser contraditório e, no entanto, unificado pela imagem e pela palavra.

A figura de Inês, historicamente conhecida e cantada pelo Camões, é transformada miticamente em mais um dos símbolos femininos da Graça: como Mira-Celi, a infanta defunta e outros nomes espalhados pelo *Livro dos sonetos*:

> *Estavas, linda Inês, nunca em sossego*
> *e por isso voltaste neste poema,*
> *louca, virgem Inês, engano cego,*
> *ó multípara Inês, sutil e extrema.*

Inês que fulge quando o dia brilha ou se acinzenta quando o ocaso avança, rainha negra, mãe e branca filha, entre arcanjos do céu, andarilha, andar incandescente que não cansa.

Estas e outras metáforas procuram significar uma existência que, a rigor, é inesgotável, logo fora do alcance da apreensão meramente linguística. Inês, como a Graça, como a Vida, não cessa de irradiar e esse processo *ad infinitum* acede à estrutura superficial do texto por meio de qualificações múltiplas, contraditórias e simultâneas:

> *Estavas, linda Inês, nunca em sossego*
> *e por isso voltaste neste poema,*
> *louca, virgem Inês, engano cego,*
> *ó multípara Inês, sutil e extrema,*
> *ilha e mareta funda, raso pego,*
> *Inês desconstruída, mas eurema,*
> *chamada Inês de muitos nomes, antes,*
> *depois, como de agora, hojes distantes.*

O limite da nomeação febril é o desejo vivo de Jorge de Lima: saltar do texto para a fruição do élan vital chamado femininamente Inês.

A imagem de Inês tem uma história que é narrada por acenos neste mesmo Canto IX. O poeta, ainda menino, ouvia a leitura dos *Lusíadas* que o pai lhe fazia: "Meu pai te lia, ó página de insânia!".

E a escuta da criança já era um modo de transcender o espaço e o tempo da leitura; era um encontro com a figura viva de uma Inês "de cem faces", já potenciada pela imaginação:

> *Meu pai te lia, ó página de insânia!*
> *E eu o escutava, como se findasses.*
> *Findasses? Se tu eras a espontânea,*

a musa aparecida de cem faces,
a além de mim e além da Lusitânia,
como se além da página acenasses
aos que postos em teus desassossegos,
cegam seus olhos por teus olhos cegos.

Este "como se além da página acenasses" é o momento em que a imagem se desprega não só da materialidade imediata da leitura, como também do constrangimento espaçotemporal a que se prende o significado ("além da Lusitânia") e o sujeito que ouve ("além de mim").

Inês sai do poema camoniano, sai do seu contexto histórico preciso para assumir uma condição mítica na qual, porém, se conservam os traços fundamentais de mulher: bela, amada, amante, mãe, inocente, sacrificada.

No percurso que vai da História ao mito, o ponto de vista que tudo ordena e permeia é, basicamente, o do Cristianismo que, em Jorge de Lima, não separa nunca da irradiação da Graça a espessura da Encarnação. Tudo se torna imanente, tudo conhece o estatuto vivo do corpo:

Inês da terra. Inês do céu. Inês.

Em chegando um inverno ela se incluía
nos cabelos de espumas verdejantes
das axilas; do púbis se cobriu
purinha entre barqueiros incessantes,
amortalhada Inês, Maria em rio,
passou ficando entanto o que era dantes:
outra vez nua e lisa. Ó transparente,
ó carne, ó suor de sangue, ó como a gente.

A fecundidade do símbolo de Inês permite-lhe voltar da esfera da vida para a do texto; Inês é também poema:

poema aparentemente muitos poemas,
mas infância perene, tema em temas

Cumpre-se, nesse ato de identificação, mais um passo no caminho da diferença que estrema a epopeia de Camões da "epopeia subjetiva" de Jorge de Lima. No poeta moderno, parece não haver mais lugar para a cisão entre o canto e a matéria do canto. A interiorização dos conteúdos fortalece a consciência poética e tende a absorver mundo e texto no ato da enunciação lírica:

vendo-a vejo
a própria poesia que surgiu
intemporal, poesia que antevejo,
poesia que me vê, verá, me viu,
ó mar sempre passando em que velejo
eu próprio outro marujo e outro oceano
em redor não marujo transmontano.

CRÍTICA DE OUVIDO

O conto brasileiro contemporâneo[1]

Augusto Massi

Toda escolha tem uma história. Após a narrativa de longa duração da *História concisa da literatura brasileira* (1970), o olhar crítico de Alfredo Bosi estava maduro para as tarefas do seu tempo.

O conto brasileiro contemporâneo (1975), concebido simultaneamente à *Antologia de contos de Machado de Assis* (1976), indica que, durante aquela década, o crítico mergulhou de corpo e alma no estudo do relato breve. Tal convergência nos permite vislumbrar certa reciprocidade conceitual entre as antologias. Na reflexão de base, há uma visada dialética que ora reconhece as máscaras das convenções literárias ora revela as fendas por onde irrompem as vozes mais inventivas.

Por isso, a primeira tomada de posição do organizador se faz notar justamente pela recusa dos recortes tradicionais: gêneros (fantástico, policial, ficção científica...), regiões (Norte, Lapa, mineiros...), temas (contos de Natal, futebol, infância...) ou por fórmulas típicas do mercado (Os dez melhores, Contos do século...).

A segunda se traduz na radicalidade com que Alfredo Bosi assumiu um compromisso sempre arriscado, pensar por dentro, a partir do próprio centro da indagação: o que é contemporâneo? Causa espanto que uma introdução sóbria e equilibrada — "Situação e formas do conto brasileiro contemporâneo" — consiga ordenar com tanta objetividade e clareza uma produção ficcional que estava em franco desenvolvimento, redefinindo constantemente suas formas e seus temas, cuja matéria, por natureza, era rica, plural, heterogênea.

Articulando perspectiva histórica e moldura expositiva, o crítico enxerga no fim do ciclo modernista o início da experiência contemporânea. Colocando de lado as famosas linhas evolutivas, observa como o conto brasileiro passa das matrizes rurais para a vida urbana, do polo do mito e do insólito para a esfera do realismo crítico, da prosa aberta e experimental para certo senso de correção e despojamento da escrita.

Mas o horizonte teórico adquire concretude e complexidade quando percorremos o itinerário da antologia: das margens narrativas de Guimarães Rosa, passando pelas construções insólitas de J. J. Veiga, Murilo Rubião, Moacyr Scliar, pelas veredas do experimentalismo de Osman Lins, às perambulações de João Antônio, ao círculo brutalista de Rubem Fonseca, até o áspero lirismo de Luiz Vilela.

Todos resistiram à passagem do tempo. Clarice Lispector e Dalton Trevisan se mantiveram sempre na linha de frente. Outros, como Otto Lara Resende e Samuel Rawet, estão sendo resgatados pela crítica. Talvez somente Moreira Campos ainda se mantenha um pouco à sombra, embora tenha entre seus leitores o mestre Graciliano Ramos, que, em 1956, o havia incluído numa antologia hoje clássica.

Passados quarenta anos, *O conto brasileiro contemporâneo* (encomenda do poeta José Paulo Paes, na época editor da Cultrix, ao crítico e amigo Alfredo Bosi) continua uma obra pioneira, abrangente e representativa. Na contramão das antologias atuais que desrespeitam uma regra fundamental do gênero — ser seletivo —, esta tornou-se uma referência obrigatória. Reler esta nova edição, revista e atualizada, nos faz pensar que ela se impõe tanto pelos contistas que incluiu como pelos que deixou de fora. Toda história tem uma escolha.

O ser e o tempo da poesia[1]

José Paulo Paes

As palavras *ser* e *tempo*, no título deste volume, definem as tônicas dos seis ensaios que o constituem. São ensaios no sentido mais nobre do gênero: jogo criativo da inteligência a mover-se, alerta e sensível, no espaço que vai do geral ao particular; dos parâmetros da essência às formas de sua atualização histórica; do ser ao tempo da poesia. O ser da poesia — a imagem que "busca aprisionar a alteridade estranha das coisas e dos homens"; o som no signo, "a figura do mundo e a música dos sentimentos" recuperadas via linguagem; o ritmo da frase do discurso poético, "imagem das coisas e movimento do espírito". O tempo da poesia — a resposta dos poetas ao estilo capitalista e burguês de viver, desde "o autismo altivo" do "símbolo fechado" à paródia negativista que "brinca com o fogo da inteligência"; os valores religiosos, éticos e políticos da ideologia a fundarem a unidade de perspectiva na *Divina comédia*; Giambattista Vico, "mente poética em tempos analíticos" que investigou "o ser da Poesia, em termos de linguagem", numa abordagem antecipadoramente estrutural.

Céu, inferno:
Ensaios de crítica literária e ideológica[1]

Davi Arrigucci Jr.

Aqui se apresenta o fruto de mais de vinte anos de trabalho. São artigos, prefácios, estudos e ensaios que podem dar a medida exata de quem os concebeu com lucidez e sensibilidade. Alfredo Bosi está inteiro nesses escritos — verdadeiro percurso do espírito crítico de um homem de letras, no seu confronto ininterrupto com os textos e os múltiplos problemas do mundo que eles de algum modo encerram.

Dos anos iniciais, dedicados à cultura italiana, ficaram traços ainda vívidos em sua personalidade literária. Certo gosto, apurado na estética da expressão de Croce; um jeito de sondar na linguagem a intuição de um universo, descarnando no poema um núcleo de imagens e o sentimento que as anima. Ao mesmo tempo, a visão abrangente, a busca do sentido humanista das artes; no mais fundo, uma persistente inquietação — filosófica e político-social — despertada dentro da própria trama dos textos. Vários trabalhos remontam a esse tempo mais distante: assim os que esboçam uma história interna do realismo na prosa da Itália, enlaçando numa linhagem comum Verga, Svevo, Pirandello, Moravia. E também as análises da poesia moderna de Montale e Ungaretti, da paixão de Pasolini, do pensamento de Gramsci. Foi profunda e fértil a *stagione* italiana de Bosi.

Mas é no espaço da literatura brasileira e em algumas incursões no terreno teórico que o livro mostra sua garra. Bosi é o autor da *História concisa*, manual indispensável a todo estudioso de nossas letras. Agora volta mudado; mais detido, penetrando fundo em figuras centrais de nossa literatura — Raul Pompeia, Graciliano, Guimarães Rosa, Drummond... O ensaísta amadureceu e intensificou sua visada analítica, refletindo sobre a própria arte da interpretação, sem no entanto abandonar a perspectiva histórica, como um ponto de vista fundamental nos estudos literários. Não descuida, por isso, da análise formal nem se afasta do presente. Ao contrário, se esforça por integrar todo detalhe significativo no movimento geral da sociedade e no curso das ideias, sem perder de vista seu próprio tempo.

A crítica se faz então um ato de compreensão e julgamento, movido por um olhar de duplo foco: voltado para o passado, mas sensível à novidade do presente; preso ao dado, mas sabedor do subentendido; fixado na estrutura estética, mas atento à ideologia. Ato que se rege por um senso ético pertinaz, por uma busca do valor e uma larga confiança na pessoa humana, correspondendo a uma aguda consciência da negatividade necessária e da resistência a todo custo em tempos em que viver ficou mais difícil. Daí certa tensão dramática do crítico, contido com sobriedade, mas às vezes ferino na ironia sutil e sempre fervoroso diante das brechas de esperança. Alimentado ainda por uma curiosidade verdadeiramente enciclopédica pela cultura, lembra, por vários desses traços que compõem seu modo de ser, a figura exemplar e inesquecível de Otto Maria Carpeaux. Como no caso deste, interpretação e juízo não se desgarram da pessoa de que partem, e uma densa onda de humanidade imprime seu ritmo caloroso à prosa da crítica. É que ela é aqui a medida viva de um homem que olha com clareza e paixão o mundo.

Dialética da colonização[1]

Antonio Callado

Eu diria, em termos de artes plásticas, que cada uma das grandes divisões deste livro tem uma autossuficiência de painel. Cada uma delas é um quadro, um momento de vida histórica captado em forma e cor, e fechado em sua moldura. O conjunto das divisões tem um significado geral, aliás explicitado pelo autor de *Dialética da colonização* num posfácio. Mas esse fio condutor é comparável, numa exposição de quadros, à percepção que nos dão, em conjunto, do modo de ser do artista, da sua escolha de temas e da sua técnica. Até da sua escolha de molduras. Mas permanecem os quadros.

Uma obra clássica — talvez a mais clássica — da historiografia brasileira é a de Capistrano de Abreu intitulada *Capítulos de história colonial*. O simples título define as molduras. São capítulos que vamos ler e não uma narrativa corrente e acabada, o historiador criando ou inventando nexos para que a história flua incessante, quase inevitável. Em capítulos, ou em painéis, destaca-se o principal, a tendência, às vezes a pessoa — a fonte, em suma, das consequências históricas.

O livro de Alfredo Bosi não tem a secura austera dos *Capítulos* de Capistrano, dos quais o Brasil colonial emerge quase como uma ossatura acabada de escavar. *Dialética da colonização* é um livro dramático. E literário. A preocupação com as palavras nasce quando o livro nasce: "Começar pelas palavras talvez não seja coisa vã. As relações entre os fenômenos deixam marcas no corpo da linguagem". Adiante, encontramos Anchieta buscando comunicação e comunhão com os índios mas esbarrando nas palavras: "Como dizer aos tupis, por exemplo, a palavra *pecado*, se eles careciam até mesmo da noção?". Ou, num outro contexto: "O par, formalmente dissonante, escravismo-liberalismo, foi, no caso brasileiro, apenas um paradoxo verbal". Por outras palavras, nossos liberais eram escravistas. Nunca foram, isto não, liberais no sentido da "ideologia burguesa do trabalho livre que se afirmou ao longo da Revolução Industrial europeia".

Mas os leitores que mergulhem nesses quadros inspirados. Eu, pela parte que me toca, retive da leitura sobretudo dois motivos fundamentais. Ou, se preferem, um dueto. Ou, na verdade, duelo entre Antonio Vieira e Antonil, entre os extraordinários sermões do primeiro, que não ouvimos, ou ouvimos mal, e a pregação materialista do outro, que até hoje nos ensurdece e nos corrompe.

Literatura e resistência[1]

Ferreira Gullar

Embora este livro de Alfredo Bosi não tenha sido escrito, ao que tudo indica, segundo um plano preestabelecido, creio que mantém uma peculiar unidade e, talvez mesmo por não seguir um plano, oferece-nos uma leitura ainda mais abrangente, rica de reflexões, ilações e descobertas.

O livro obedece a uma metodologia de leitura que vai do geral ao particular, do passado à atualidade e, com isso, nos ensina como as questões que envolvem literatura e ideologia, história e criação individual, estão na base mesma de nossa formação cultural.

No século XIX, os conceitos de nação e progresso, decorrentes da ascensão da burguesia, estavam presentes, a partir de certo momento, nas literaturas da Europa, mas em países como o Brasil, onde não havia burguesia, ganharam coloração específica e um peso maior: revelavam nossa carência e implicavam nossa afirmação como povo. Isto agravou a necessidade de submeter-se a apreciação da obra literária às exigências ideológicas do nacionalismo e de entender-se o processo literário não como a história das obras e sim como simples momentos de um processo evolutivo.

Bosi nos mostra como isto ocorre e de que modo a valorização dos fatores formais e as novas concepções estéticas tornaram insustentável a subestimação, por parte dos teóricos, da autonomia da criação artística propriamente dita. Os primeiros passos neste sentido foram dados, no Brasil, por pensadores surgidos com o modernismo, como Mário de Andrade e Tristão de Athayde, cuja reflexão se amplia e aprofunda, mais tarde, com Otto Maria Carpeaux, Antonio Candido e, acrescento eu, o próprio Alfredo Bosi.

Coerente com sua tese de que o fundamental da história da literatura é a obra como criação individualizada, dedica-se à análise de alguns livros em que exemplarmente se manifesta a atitude de resistência do autor em face das forças que negam o humanismo, como a opressão e a discriminação racial ou social. Também aqui parte da precedência histórica, ao focalizar primeiramente *O reino deste mundo*, obra em que o padre Antônio Vieira resiste às acusações do Santo Oficio e reafirma a profecia do advento do Quinto Império. Passa daí ao *Uraguai*, de Basílio da Gama, autor que é levado, contraditoriamente, a defender o extermínio dos índios pelo colonizador ao mesmo tempo que condena o colonialismo. Em *O emparedado*, de Cruz e Sousa, constata o inconformismo com a discriminação do negro, tido pela pseudociência da época como biologicamente inferior ao branco. Essa discriminação assume caráter mais evidentemente social no romance *Isaías Caminha*, do mulato Lima Barreto. Já nas *Memórias do cárcere*, de Graciliano Ramos, na década de 1950, a resistência ganha a forma de testemunho dos arbítrios da ditadura Vargas contra o direito de pensar e agir politicamente. É um momento em que ela se expressa não apenas no tema mas também na própria escrita, no estilo literário. Bosi amplia a discussão do problema ao mergulhar na "era dos extremos" — a época atual — quando alguns pretendem apresentar a obra literária, já não como criação primeira e sim como mera citação ou pastiche — o que ele refuta.

Não seria possível, numa simples "orelha", tentar resumir a riqueza de conhecimento e ideias que este livro contém. Por isso mesmo, só me resta apontar ao público o único caminho possível para usufruí-la: lê-lo.

Brás Cubas em três versões:
Estudos machadianos[1]

Marcus Vinicius Mazzari

Os três estudos deste volume têm sua unidade não apenas na figura de Machado de Assis, mas também na lição de interpretação hermenêutica que se desdobra em cada um deles. Se daí resulta uma contribuição fundamental à compreensão da obra machadiana, vale lembrar que para Alfredo Bosi compreender um fenômeno artístico, como se lê no ensaio "A interpretação da obra literária", é inteirar-se de seus perfis, "que são múltiplos, às vezes opostos, e não podem ser substituídos por dados exteriores ao fenômeno". Colhidas em meio a tantas formulações exemplares, estas palavras deixam entrever o princípio hermenêutico que recomenda ao intérprete operar sempre intrinsicamente ao texto, afinado com o *tom* e a *perspectiva* predominantes, e no âmbito do movimento concêntrico entre o todo e as partes, o qual lhe permite apreender unidades de sentido cada vez mais amplas.

Alfredo Bosi não só teorizou com rara clareza sobre esses postulados, mas principalmente sempre os colocou à prova em sua práxis de intérprete, seja nas abordagens enfeixadas em *Céu, inferno* ou nas que integram o corte transversal pela história brasileira empreendido na *Dialética da colonização*.

Com o presente volume, o autor busca nova aproximação às variadas facetas que constituem o "enigma" do olhar machadiano, e o leitor o verá avançar nessa direção sobretudo à luz das *Memórias póstumas*. O ensaio que empresta título ao volume oferece-nos um confronto cerrado, porém sempre respeitoso e construtivo, com três grandes vertentes críticas do romance: a intertextual, a existencial-expressiva, desdobrada pelo "crítico-artista" Augusto Meyer, e a sociológica. Longe de ser um fim em si mesmo, esse confronto configura-se como passo preliminar para o esboço de uma visão própria do romance, atenta às cabriolas de um narrador que também exercita a "alma de esquilo" observada por Nietzsche no *Tristram Shandy*, mas sempre escavando nas camadas mais fundas do texto multiplamente determinado.

O olhar do crítico logo encontra assim o seu ponto de fuga no "sentimento amargo e áspero" a impregnar as memórias filtradas pela reflexão post mortem: o poderoso "dissolvente contraideológico" que redimensiona a sátira social articulada pelo defunto autor de 1869 e possibilita o julgamento deste pelos olhos do intelectual de 1880, refratário a toda ideologia voltada, no Brasil e no mundo, ao progresso do "barro humano".

Niilismo inapelável ou inconformismo dotado de potencial crítico? A resposta fica a cargo do leitor, convidado a assumir o legado de uma interpretação que lhe desvenda e elucida os complexos perfis desse fenômeno literário que divide as águas do romance brasileiro. Elucida, mas não os explica, trazendo à lembrança a convicção adorniana de que solucionar o enigma da grande obra "é o mesmo que apontar o motivo de sua insolubilidade".

Ideologia e contraideologia: Temas e variações[1]

Franklin Leopoldo e Silva

Na leitura deste livro, vemos destacar-se o vínculo entre virtudes intelectuais e morais, o que não é de modo algum surpreendente para aqueles que conhecem o autor e sua obra. Em tudo que Alfredo Bosi escreve ressalta, com efeito, uma elevada combinação de qualidades: a competência, a erudição e a capacidade de síntese reflexiva, próprias de um intelectual completo; o compromisso, o discernimento e a esperança consubstanciados na tarefa crítica de alguém que vê e abraça, com profunda lucidez, o horizonte em que persistem, malgrado a indigência dos tempos, possibilidades de transformação histórica da condição humana.

Um pensamento dialético, exercido com fina sensibilidade e alimentado pela variedade do saber histórico, supera a aparente dicotomia entre o pessimismo, justificado pela negatividade da experiência histórica, sobretudo recente, e o otimismo que se manifesta como mescla de conformismo político e assimilação imediata do dogma do progresso. Entre a constatação, resignada ou desesperada, de um estado terminal da civilização, e a celebração apressada de uma história triunfante, há lugar para o exame equilibrado da ação mistificadora das ideologias e das reações heroicas das contraideologias. O que nos indica o caráter unilateral da concepção de um mundo governado tanto pela cega ingerência do acaso quanto pela necessidade racional do determinismo absoluto. A verdadeira dialética deve incorporar a dimensão das forças objetivas dotadas de uma lógica impessoal e o papel do impulso das vontades na trajetória da realização dos projetos de sujeitos que são também agentes históricos.

Assim, não há acontecimento ou processo que deva ser simplesmente aceito pela intensidade de seu teor determinante, pois ao peso desses elementos condutores da história sempre se pode opor o vigor das expectativas que não se amoldam à fatalidade do que existe, vislumbrando outros modos de ser e de pensar e se engajando com firmeza no trabalho de realizar essas possibilidades. O livro de Alfredo Bosi descreve com riqueza o cenário dessa resistência, tanto no plano da história mundial quanto no caso brasileiro, dando-nos a conhecer personagens exemplares desse esforço de dignificação da vida. Lições da história que testemunham a presença do espírito em atos de fé e de coragem e que nos concitam a superar obstáculos e transcender limitações.

Entre a literatura e a história[1]

José Miguel Wisnik

É grande o arco das questões tratadas neste livro. Em primeiro lugar, ele não se limita a uma discussão acadêmica das relações entre literatura e história — discussão que, no entanto, não deixa de realizar no mais alto sentido. Mas, para entender a sua abrangência, precisamos levar em consideração o modo como ele mesmo se coloca *entre* a literatura e a história. Não por acaso estão reunidos aqui ensaios de fôlego sobre poesia, sobre ficção e sobre história das ideias, juntamente com palestras, aulas inaugurais, alocuções, prefácios (alguns bastante alentados), artigos de jornal e entrevistas.

Pode-se estender a todos esses escritos, mesmo que em dimensões diferentes, o caráter de *intervenções*, palavra com a qual o autor nomeia uma das seções do livro. Independentemente de seu peso, os textos são sempre densos pela qualidade da carga informativa, das articulações internas e do espírito problematizador que os move. Mas a sua diversidade acusa o fato de eles estarem colocados em situação de empenho, seja em defesa da poesia — vale dizer, da literatura, em um tempo (antes inimaginável) em que isso se tornou necessário —, seja num exame das formações ideológicas e contraideológicas em contexto brasileiro e mundial, seja historiando os caminhos e os descaminhos da educação no Brasil, seja limpando a tralha das distorções históricas e redimindo os esquecimentos impostos pela ditadura, esclarecendo o conceito de não violência ativa, combatendo pela defesa do meio ambiente e contra a ampliação do uso da energia atômica como solução energética. Alfredo Bosi desenha ainda, junto com o balanço de seu próprio itinerário, os perfis de figuras intelectuais e humanas que lhe são caras, como Jacob Gorender, Otto Maria Carpeaux e Celso Furtado.

Em outras palavras, trata-se de um humanista de formação totalizante, como só se encontra entre aqueles nascidos antes da Segunda Guerra Mundial, vivamente enfronhado na história da cultura, fiel a seu catolicismo de esquerda, confrontado com a redução de horizontes imposta pela vida contemporânea, com os estragos da voracidade capitalista, rastreada por ele nas contradições de base da ideologia liberal, e crítico empenhado, ao mesmo tempo, dos limites do formalismo, do sociologismo e do pensamento pós-moderno. A tudo que possa haver de agônico nessa posição, Bosi responde com a inquietação e a grandeza de uma ação intelectual que mostra fôlego para refletir sobre grandes conjuntos e para intervir em questões atuais que envolvem a literatura, a história e o muito que se passa entre elas.

Três leituras: Machado, Drummond e Carpeaux[1]

Erwin Torralbo Gimenez

"Visões valem o mesmo que a retina em que se operam." Essa frase-síntese de Machado de Assis, inscrita no início da crônica "O velho Senado", é uma lição de relativismo: os olhos recortam o objeto segundo o ânimo do sujeito. *Imago mundi*, sentimento do mundo. Carpeaux diz da mesma crônica: "a maior página que li em prosa portuguesa"; Drummond a evoca no fim de sua mensagem terna ao bruxo, cuja ironia *revolve* em nós tantos enigmas; Bosi, ao analisá-la, considera: "Ao artista interessa o que o cientista tem por inefável: o indivíduo".

Machado, Drummond e Carpeaux surgem reunidos no livro *Três leituras* sob o crivo dialético de Alfredo Bosi. São autores de finíssima expressão, inventiva ou crítica, que manejam as diversas formas (o conto, o poema, o ensaio), todas perfeitamente enraizadas numa verdade estética — entre a literatura e a história —, para a qual experiência e linguagem nunca se afastam. E as três visões encontram aqui um intérprete à altura.

O relato de Jacobina, em "O espelho", se parte assim em dobras. De um lado, a força do olhar exterior a empedrar a alma nos moldes do tipo; de outro, uns laivos da primeira natureza, ainda latente, a vazar no timbre amargo do narrador. Especular, especulativo; reflexo, reflexão. Eis a cunha machadiana, ambivalente: mira "o homem do seu tempo e do seu país" (o alferes, futuro capitalista) e nele escava os "assuntos remotos no tempo e no espaço" (o drama da identidade).

Na poesia social de *A rosa do povo*, o leitor apanha o nervo das antíteses, enlace difícil de contexto e fantasia, realidade e intuição, afinal símbolo traçado no horizonte da arte. "Visão 1944" compreende as imagens da calamidade em desfile e a refração da testemunha lírica, tão perplexa quanto sensível. O ser restrito do poeta se sabe inerme ante a Guerra, essa pintura do horror, mas os seus olhos miúdos divisam, no pulso da morte, a vida. Perspectiva e tom se ajustam nos poemas que, conforme advertiu Drummond, se forjaram "através da consciência e do modo pessoal de ser de quem os escreveu".

É por demais revelador que o terceiro estudo se chame "Relendo Carpeaux", pois aí percebemos o longo curso de afinidades entre dois grandes pesquisadores da cultura. Ao falar do mestre, Bosi afirma uma vez mais os princípios do método socioestilístico, visada bifronte que colhe em cada obra os sinais contraditórios, o verso e o reverso da ideologia, a fusão de objeto e sujeito. Devemos muito a Carpeaux, inteligência enorme. Ele nos ensinou, generoso, o peso dos valores e antivalores presentes na História e apenas reconhecíveis na dimensão do espírito sério, aquele capaz de observar as origens e os fins, o pensamento feito ação no tempo. E a dívida aumenta, com o passar do tempo.

Os escritos que ora se enfeixam neste volume trazem as marcas da agudeza, dom intrínseco ao engenho lúcido, sempre disposto a analisar a linha reta e a linha curva que riscam a tensão do eu com o mundo e se solvem como fenômeno. Esta é a sabedoria do crítico maduro, selo de uma verdade que Alfredo Bosi, senhor de retinas jamais fatigadas, humildemente nos empresta para enfim aprendermos a diferença entre *ver-por-ver* e *ver-depois-de-olhar*.

Arte e conhecimento em Leonardo da Vinci

Lorenzo Mammì

Há um embaraço antigo quanto à colocação histórica de Leonardo da Vinci: seria ele a expressão mais completa do neoplatonismo renascentista, amadurecida ao longo do século XV, ou o representante precoce de um método empírico que chegaria ao desenvolvimento pleno apenas um século depois, com a geração de Galileu Galilei e Francis Bacon? Ideal realizado do homem do Renascimento ou primícia temporã do intelectual moderno? Sem desconhecer as dívidas com o passado e as antecipações do futuro, a abordagem de Alfredo Bosi tem o mérito de destacar a singularidade do pensamento leonardiano: a concepção da natureza como uma totalidade orgânica em transformação contínua e, portanto, o interesse em tudo que é instável (ar, água, fluidos, fenômenos atmosféricos e movimentos telúricos); a busca de uma nova relação entre experiência, imaginação e fazer, segundo a qual conhecer a natureza é também recriá-la, no pensamento e na obra; finalmente, uma escrita que privilegia, contrariamente aos tratados sistemáticos, a anotação pontual, o aforismo, o provérbio e o ditado popular, em que melhor se manifesta a instabilidade do mundo e do destino. Bosi mostra como a pintura de Leonardo, que abole os contornos marcados do primeiro Renascimento em prol de uma transição contínua entre atmosfera e corpos, é consequência necessária dessa concepção. E encontra uma imagem exemplar da postura de Leonardo numa pequena anotação em que ele se descreve na entrada de uma caverna, tentando enxergar as maravilhas que talvez se encontrassem em suas profundezas. Uma inversão evidente do mito platônico da caverna: em vez da razão que ascende da experiência sensível à ideia, uma mente racional que se volta para o mundo e explora suas entranhas, de onde brotam ininterruptamente novas formas.

LEITURAS EM DIÁLOGO

Os caminhos da leitura:
Notas para saudar os oitenta anos de um crítico ilustre

Antonio Candido

I.

O como e o porquê gostamos de uma obra literária podem ter alguma semelhança com a gênese dos afetos pessoais, inclusive porque frequentemente o acaso é decisivo. Para o crítico o problema pode ser complicado, pois às vezes ele precisa falar ou escrever sobre textos de valor que não o atraem, porque não põem em movimento o mecanismo imponderável das afinidades. Mas em qualquer caso, a conquista do leitor pelo texto pode se dar tanto pela impregnação lenta quanto pela surpresa do choque, como nos sentimentos, e todos temos o que contar a respeito.

No correr da vida, certos autores são, obviamente, mais prezados do que outros. Alguns chegam ao nível do apreço constante e mesmo da paixão literária, mas nem sempre do mesmo modo. Pensando no inevitável caso pessoal, registro que (por exemplo) custei muito a avaliar devidamente Machado de Assis, cujo *Quincas Borba* me meti a ler aos doze anos sem nele penetrar, é claro, porque não é leitura para menino. Alguns anos depois, em 1937, apareceu a monumental e malcuidada edição Jackson, em 31 volumes, e eu voltei à carga, desta vez com mais discernimento, começando a penetrar naqueles textos cheios de armadilhas. Mas acho que só depois dos vinte anos me tornei seu leitor, mais do que compreensivo, subjugado.

Já com relação a outra paixão literária, Eça de Queirós, foi diferente. Ela surgiu bem mais cedo, como é natural, tratando-se de autor muito mais ao alcance de um meninote do que o labiríntico Machado. Aliás, foi pelo acaso de uma página de Eça que tive por via indireta um dos maiores choques da minha vida de leitor.

11.

Eu tinha uns catorze anos e estava no escritório de meu pai, sentado perto de uma das estantes, começando a ler *A correspondência de Fradique Mendes*. O narrador conta que estando certa noite numa casa de cômodos, no quarto de um amigo separado por um tabique do de dois cônegos, se pôs alta noite "a clamar 'Une charogne'", de Baudelaire, trêmulo e pálido de emoção:

> *Et pourtant vous serez semblable à cette ordure,*
> *À cette horrible infection,*
> *Étoile de mes yeux, soleil de ma nature,*
> *Vous, mon ange et ma passion!*

Do outro lado do tabique, sentíamos ranger as camas dos eclesiásticos, o raspar espavorido dos fósforos. E eu, mais pálido, num êxtase tremente:

> *Alors, ô ma beauté! dites à la vermine*
> *Qui vous mangera de baisers,*
> *Que j'ai gardé la forme et l'essence divine*
> *De mes amours décomposés!*

Abalado pelos versos poderosos e estranhos, estendi o braço e, tirando da estante uma das duas edições que meu pai possuía d'*As flores do mal*, li perplexo o poema fascinante e terrível. Como era possível fazer poesia sobre nada menos do que uma carniça repugnante descrita sem eufemismos? Como evocar a partir dela a mulher amada, "meu anjo e minha paixão"?

Desde então, e para sempre, Baudelaire ficou sendo objeto de leitura necessária, atuando não só como poeta que abalou todos os meus hábitos de leitor, toda a minha incipiente concepção de poesia, mas também como *maître à penser*, que fez o adolescente sentir a combinação inextricável do bem e do mal, do vício e da virtude, do pecado e da redenção, do belo e do horrível. Um mundo saiu daqueles versos e se expandiu em visão da nossa *humaine condition*.

Albert Thibaudet achava o título *As flores do mal* "ridículo e rococó", e Thierry Maulnier repica: "título ridículo". Eu sempre o achei bom e, sobretudo, adequado a uma das mensagens básicas do livro, porque tem a capacidade de transformar em linguagem poética (as flores) a consciência negativa do homem moderno, aguçada pelo romantismo (o mal). Ao menos para mim, Baudelaire foi o primeiro a formular poeticamente a insatisfação irremediável do homem consigo mesmo, desmascarando o seu equilíbrio de superfície e expondo "a consciência no mal". Por isso, o título tem uma força metafórica poderosa e vai além do eventual toque declamatório.

A estratégia de Baudelaire consiste em transferir para nós ("leitor hipócrita, meu semelhante, meu irmão") a experiência do homem como "carrasco de si mesmo". E assim foi que o seu "livro condenado" desvendou a provação que pode ser para cada um a convivência consigo mesmo.

III.

Ao contrário dessas revelações súbitas, pode haver outras que só chegam aos poucos, impressentidas, ao longo de tropeços e equívocos, como foi para mim o caso de Proust.

Eu vivia, menino e adolescente, arrumando, limpando, folheando os livros da biblioteca de meus pais, e um deles me chamava a atenção pelo título, que me parecia esquisito, *Du coté de chez Svan* (como eu lia), de Marcel Prévost (idem), escritor prezado do fim do século XIX a meados do século XX, do qual havia livros em nossa casa. A identidade dos prenomes e a vaga assonância dos sobrenomes me fizeram tresler, mesmo porque eu não sabia quem era Proust.

Naquele tempo a editora Globo, de Porto Alegre, distribuía gratuitamente pelo país o boletim mensal *Preto e Branco*, no qual li em 1934 trechos e um comentário sobre o *Contraponto*, de Aldous Huxley, que estava lançando em tradução portuguesa. Fiquei interessado e lembrei que um cliente havia dado a meu pai a tradução francesa do mesmo, que li fascinado, como os da minha geração.

Nele havia uma carta remetida de Paris pela vampiresca personagem Lucy Tantamount ao seu apaixonado Walter Bidlake, na qual dizia (a ação se passa nos anos de 1920) que depois de Gide e de Proust (cujo nome li corretamente pela primeira vez) só se viam *tapetes* e *gousses*, termos de gíria cujo significado eu ignorava, mas me pareceram mencionar algo fora do esquadro. Comentando o caso com um jovem médico do Rio, ele me explicou que se tratava de inversão sexual (como se dizia) masculina e feminina, e que o tal Proust escrevera um romance onde figurava um personagem do gênero, o conde (sic) de Charlus.

Não lembro como acabei, tempos depois, por concluir que não se tratava de Svan nem de Prévost, mas de *No caminho de Swann*, do Marcel Proust referido no *Contraponto*, e tive vontade de ver de perto de que se tratava. Por isso, quando terminei o ginásio e vim de Minas estudar em São Paulo, trouxe entre outros o livro cuja autoria e título treslera por tanto tempo, e um belo dia comecei a leitura: *"Longtemps, je me suis couché de bonne heure"*. Ao longo desta primeira página, fui sendo tomado por uma das emoções literárias mais intensas de toda a minha vida de leitor, absolutamente transfixado pelo texto ao qual chegara por um caminho longo e tortuoso, cheio de equívocos, no correr dos anos, ao contrário do choque imediato causado pelo poema de Baudelaire. Será que teria acontecido o mesmo choque se eu tivesse lido a primeira página de *No caminho de Swann* quando o dispunha na estante e treslia tanto o título quanto o nome do autor?

IV.

Mas, curiosamente, não me precipitei como seria de esperar sobre o resto da obra, cujas seis outras partes fui comprando e lendo, uma por ano, até chegar em 1942 a *O tempo redescoberto*. E só em 1939, quando entrei no primeiro ano da Faculdade de Filosofia da Universidade de São Paulo (depois dos dois anos então requeridos do respectivo Colégio Universitário), encontrei um parceiro para trocar ideias sobre a obra de Proust, meu colega de turma Ruy Coelho, que já podia ser considerado um proustiano nos seus dezoito anos informadíssimos.

Foi o que demonstrou ao publicar dois anos depois, no primeiro número de nossa revista *Clima*, em maio de 1941, um ensaio extenso (45 páginas), surpreendente por se tratar de rapaz tão moço, que ainda suporta bem a leitura 75 anos depois, "Marcel Proust e a nossa época", republicado em 1944 num pequeno volume pela efêmera editora Flama.

O ensaio de Ruy é construído por meio de uma modulação de enfoques, apoiada em larga bibliografia, e pode ser considerado amostra da crítica filosófica que preconizava e sobre a qual publicou no número 10 de *Clima* o artigo "Introdução ao método crítico", que o acompanhou na edição da Flama.

Dividido em três partes, o ensaio expõe na primeira a vida de Proust e a fatura da obra, procedendo na segunda à análise desta, para chegar na terceira ao ideário e à visão de mundo que dela se pode extrair, com a psicanálise serpeando de maneira explícita ou implícita o tempo todo como uma espécie de baixo contínuo.

É preciso não esquecer que estávamos no tempo da Segunda Guerra Mundial, e havia entre estudantes (como nós) e intelectuais um interesse acentuado pelos problemas políticos e sociais, marcado pela tensão torre de marfim/engajamento, que tanto perturbou os últimos anos de Mário de Andrade e impregnou a vida literária, levando a dar destaque às obras marcadas pela dimensão ideológica.

É o que explica por que, depois de ter construído em tom de alto apreço o seu edifício crítico, Ruy (como quem precisa assinar o ponto, ou, como se dizia, dar o testemunho) termine rejeitando de modo inesperadamente drástico, e mesmo contundente, a filosofia de vida que se pode extrair da obra de Proust, vista como fuga à realidade. "Não me afasto dele", diz, mas acrescenta: "O seu negativismo covarde não pode ser aceito". E, para afirmar que a vida não deve ser evitada, mas enfrentada, termina citando um trecho de André Malraux, o engajado por excelência.

Esta breve e surpreendente peroração amarra o ensaio ao espírito do tempo e pesou na impressão de alguns leitores, inclusive um de alta qualidade, João Gaspar Simões, pois o ensaio de Ruy atravessou o Atlântico e chegou às mãos deste que talvez fosse o crítico português mais importante naquela altura e o comentou no artigo "Marcel Proust e a juventude do nosso tempo", recolhido mais tarde em seu livro *Liberdade do espírito*.

João Gaspar Simões louva Ruy por manifestar compreensão e apreço por uma obra que lhe parecia (a ele, Ruy) inaceitável como concepção da vida e pelo alheamento em relação aos problemas sociais, mas lamenta como traço negativo que o tratamento não seja de cunho mais estético. E aproveitando talvez para ajustar contas em seu país, diz que a lucidez equânime de Ruy seria impossível aos jovens de lá, quem sabe devido a excessos radicais do neorrealismo.

Note-se que João Gaspar Simões era conhecido pela severidade dos juízos, que lhe valeu a alcunha de "leão de Cascais", pois, segundo contavam, havia estátuas de dois leões no portão de sua casa nessa localidade. E isso dá mais valor à opinião positiva (apesar das restrições) sobre o texto do jovem brasileiro.

Vale a pena mencionar que a vacilação final do ensaio de Ruy coincide com uma fase de refluxo na França do apreço pela obra de Proust, o que só começaria a ser revertido, segundo Jean-Yves Tadié, a partir de 1949 com a biografia de André Maurois, *À la recherche de Marcel Proust*. Bem mais tarde Tadié chegaria a escrever que Proust foi o maior escritor francês de todos os tempos, como foram em seus países Cervantes, Dante e Goethe. Ora, eu tinha lido opiniões de críticos franceses, segundo os quais os maiores escritores do seu país no século xx (então na metade) teriam sido Péguy, Claudel, Valéry, Gide e Proust, enumeração que de certo modo os equiparava. O destaque dado ao último com tanta ênfase por Tadié corresponde à ascensão crescente da sua glória, e mesmo que seja demasiada é significativa.

A propósito, é bom lembrar que Álvaro Lins disse bem antes ter escolhido a técnica do romance em Proust como assunto da tese para o concurso de uma das cadeiras de literatura do Colégio Pedro ii, em 1959, porque o considerava o maior escritor contemporâneo, que "representava hoje o que Dante representou na Idade Média".[1]

A volta do apreço por sua obra foi acelerada pela aproximação do centenário de seu nascimento em 1971. Em 1976, Victor E. Graham, em seu livro *Bibliographie des études sur Marcel Proust*, arrolou (excluindo artigos de jornal e resenhas) 2274 títulos, dizendo que sabia como a lista era incompleta. No ano 2000 falava-se em 10 mil títulos. Quantos serão hoje?

Evocação e presença de Alfredo Bosi

Alcides Villaça

O primeiro curso do professor Alfredo Bosi na disciplina de Literatura Brasileira perturbou de maneira extraordinariamente fecunda a cabeça deste formando, num curso de Letras que se arrastava no âmbito de uma universidade minada pelos anos de chumbo da ditadura. Em 1971 o estudante já se conformara com a experiência de vários semestres naufragados quando o moço professor, egresso da área de Italiano e autor da recém-lançada *História concisa da literatura brasileira* (1970), começou seu curso sobre modernismo.

Os impactos decisivos são, por definição, difíceis de absorver: fica deles, de início, uma sensação difusa, ainda que marcada por uma espécie de sensibilidade dominante. Nesse caso, o que nos terá dominado a todos naquela sala enorme e lotada de um dos "barracões" da Psicologia, onde nos alojaram depois de expulsos da Maria Antônia, foi a experiência da largueza e da verticalidade da fala daquele professor, na qual o valor e o sentido da literatura se intensificavam e se expandiam à medida que incorporavam os de outras áreas do conhecimento. Mas o impacto vinha sobretudo da regência ética que dava o tom ao discurso do professor. Todas as informações, todas as atribuições, todas as relações nodais entre as matérias tratadas — com a literatura no centro, mas sempre em perspectiva de articulação — eram acionadas num compromisso tácito com a construção da vida. Havia algo de inédito naquela combinação entre a objetividade do foco analítico (urdida na atenção plena ao objeto), a precisão interpretativa (obtida pela contextualização necessária) e um vetor espiritual, que a tudo projetava no caminho de uma história a ser orientada por um firme compromisso moral. As palavras que instituíam essa combinação eram, assim, mais que uma aula de literatura: encarnavam princípios de compromisso intelectual e de inserção social, e promoviam o pensamento a uma genuína caminhada dialética, pela qual a afirmação se valoriza na medida mesma em que se interroga ou que se nutre das tensões que ilumina. O que tínhamos diante de nós, sem disso termos plena consciência, era uma manifestação intelectual aberta, sensível, criticamente armada e permanentemente espelhada num severo julgamento de seus objetos e de si mesma — por vezes modulada nos ponteios de uma fina, quase imperceptível ironia. Numa época tão opressiva como aquela, a firmeza de espírito associada à prática e à crítica da cultura surgia, se não como um modelo, como um desafio a ser reconhecido. Tratava-se, enfim, de ver proposto com energia um sentido moral para a conduta e o pensamento. Nesse quadro, uma obra literária crescia diante de nós ao ser reconhecida ao mesmo tempo como iluminação da subjetividade, considerada em seus meandros íntimos, e como forma que se enraíza na história social.

Com o impacto dessa aula, e das seguintes, veio meu desejo de que as lições continuassem (felizmente continuaram) pela vida afora, e acabei sendo aceito como seu orientando. Ao longo dos anos, e logo como colega seu na área de Literatura Brasileira, aprendi a determinar dentro de mim o rigor de julgamento que cabia na minha medida pessoal de observância. Foi essa, talvez, a operação crítica decisiva que aprendi a manter viva: o reconhecimento da diversidade das pessoas e das coisas, a particularidade que se traduz em cada ser e situação, o rosto verdadeiro da contingência camuflada, o enigma de fundo encoberto pela superfície da máscara.

Numa época marcada pelas exterioridades fáceis e fórmulas de prestígio midiático (sem falar no academicismo de carreira que passa por vanguarda política), a condição mesma da subjetividade sofre atropelos. Quando o pensamento surge ancorado na consistência de seu sujeito, daquele eu profundo que se reconhece a si mesmo e quer reconhecer o outro no mesmo movimento, o compromisso crítico vive de perfazer o caminho difícil entre as instâncias da singularidade e da universalidade. Não admira que no discurso de Alfredo Bosi haja, aqui e ali, alta valorização do sentido etimológico das palavras: estaria nesse primeiro passo do sentido de um nome uma denominação original que, frequentemente associada à concretude de um ser, de uma atividade, de um fazer, do começo de uma história que se abstrairá com o tempo, guarda na matéria da palavra um caminho percorrido. Longe de ser tão somente uma constatação filológica, a compreensão da etimologia leva a momentos fortes da produção da crítica, como aquele primeiro capítulo da *Dialética da colonização*, em que se ilumina o caminho entrecruzado das raízes dos vocábulos "colônia", "culto" e "cultura" — de fato uma chave para se compreender história e linguagem, operações e nomes, matéria e designação, fenômeno e valor: "Começar pelas palavras talvez não seja coisa vã", lembra o professor.

O caminho da historiografia, da hermenêutica, da crítica de cultura é necessariamente tenso já em seus propósitos. Essa tensão manifesta-se nas dualidades em que o crítico divisa o fato e o problema, ou o fato *como* problema, para guardar a sábia precaução de Otto Maria Carpeaux. Nessa medida, a poesia é sobretudo resistência, quando se antepõe ao triunfo de uma ideologia; o ser e o tempo da poesia constituem o avesso da impessoalidade e da abstração. Um diante do outro, Graciliano Ramos e Guimarães Rosa são expressões de verdades opostas igualmente altas, prestigiada uma como promoção do ser-aqui-para-o-mito, a outra escorada na negatividade que expõe a violência no espelho do sujeito: céu e inferno. A ideologia, em sua proximidade com a falsificação, ganha espelhamento crítico na contraideologia, que pretende, por exemplo, revelar o avesso da farda de um Jacobina, onde se aloja o ser enigmático do narrador machadiano. Para o crítico Alfredo Bosi, a categoria do enigma pode surgir como a "tese" inicial para a interpretação, uma disposição do objeto problemático que ameaça fechar-se em aporia, resistente a fórmulas e a métodos já mecanizados. Multiplicam-se, assim, as faces da matéria a ser tratada: não se fale em "cultura brasileira", pondera o crítico, mas "culturas brasileiras", em respeito às realidades múltiplas das classes, dos setores de produção e consumo, das múltiplas realizações simbólicas. Em meio a tudo, há a busca e o discernimento de uma "cultura popular", que escapa dos manuais de sociologia e das teses de gabinete para ser, mais que pensada, compartilhada (vai aqui minha indiscrição) com um "popular" de carne e osso: com uma comunidade de fiéis, com uma atividade sindical, com perseguidos políticos, com jovens leitores da periferia.

O crítico Alfredo Bosi, toda vez que solicitado, esclarece em textos e entrevistas a formação de seu percurso. É um tributo, sempre, a pensadores distantes e pessoas próximas, a partir do qual se aprende com a memória pessoal o tanto que há nela de memória e de presença social. Nesses textos, entre eles a síntese generosa com que se dispôs a abrir o volume de *Leitura de poesia*, o crítico refaz as linhas de força de seu pensamento, historicizando-o e convidando-nos a reconhecermos também nós o nosso caminho, a formação da nossa perspectiva. Esse flanco aberto da personalidade crítica, exposta corajosamente em seus pressupostos básicos, é também a pergunta pelo sujeito que deve estar em cada leitor, pela pessoa que se identifica diante de seu objeto. Assim, a tarefa da "leitura", entendida como ampla operação de análise compreensiva, é didaticamente assumida diante de cada palavra, de cada imagem, de cada capítulo, fazendo consistentes os lances finais de uma operação hermenêutica. No comando desta há uma ética carregada de espiritualidade, nem sempre compreendida pelo materialismo mais pedestre. Para quem admite o enigma não como fronteira paralisante, mas como condição inicial e objetiva do problema a enfrentar, as ações e o pensamento de Alfredo Bosi são uma contundente inspiração.

Neste momento de homenagem aos seus oitenta anos, permito-me aqui recuperar a fala que lhe dediquei já há uma década, por ocasião de sua aposentadoria, numa sessão da Jornada Alfredo Bosi. Valha esta fala como reconhecimento do que tão particularmente me interessou em meu convívio com o orientador e amigo: a sua forma aguda de ler, compreender e encarnar a poesia.

JORNADA ALFREDO BOSI, 22 DE SETEMBRO DE 2006

Confesso que, além de muito feliz, estou também um pouco embatucado. Há homenageados que não tem jeito de fazer caber em nossa homenagem. No meu caso há também, além do grande afeto, o sentimento de gratidão pela pessoa do amigo e do orientador de sempre, sentimento que fica ressoando no silêncio feliz em que se refugiam as palavras, quando desorientadas pela força do afeto. Resta-me oferecer a Alfredo Bosi esta fala possível, voltada para a notável leitura que fez de um poema notável de Carlos Drummond de Andrade, "A máquina do mundo".

Bosi e Drummond... A tentação é a de ficar cada vez mais embatucado, já que a empreitada agora é a de articular, num mesmo movimento, duas presenças decisivas que, de modos diferentes, há muito tempo participam de meu ser: uma, criando a imagem dos enigmas; a outra, olhando o olhar em que ela se dá a ver. Estou, pois, entre o claro enigma e o enigma do olhar, entre o ser e o tempo da poesia e a perspectiva crítica — instâncias problemáticas. Mas o problema da esfinge desafiadora não paralisou nem a poesia de Drummond, nem a fala interpretativa de Alfredo Bosi: isso me anima a querer encontrá-los na intersecção de seus diferentes discursos. Quero olhar quem cria amorosamente o que olha e quero olhar quem olha compreensivamente a criação.

O ensaio de Bosi, sobre o qual me deterei aqui, foi publicado no livro *Céu, inferno*, de 1988, com o título "A máquina do mundo entre o símbolo e a alegoria", e desenvolve uma primeira versão, intitulada "Diversidade na unidade: 'A máquina do mundo'", que era parte de um livrinho precioso: *Reflexões sobre a arte*, de 1985 — sem falar numa aula de pós-graduação, anterior a essas publicações, em que Bosi leu e interpretou o poema magistral de Drummond. Cabe-me sondar agora as razões dessa admiração sempre atualizada do crítico e o modo pelo qual ele soube conservar essa admiração na instância da compreensão — o que é um desafio para todos aqueles que desejam trilhar calorosamente o caminho da hermenêutica. O desafio é o de "objetivar a subjetividade", para lembrar a expressão cortante há tanto tempo ouvida do meu orientador. "Objetivar a subjetividade" é um propósito que pode orientar tanto a atividade crítica como a prática do cotidiano.

O crítico que escreveu o ensaio "O som no signo", de *O ser e o tempo da poesia*, de 1977, não nos deixa esquecer "a incancelável presença do corpo na produção do signo poético", ou, ainda, o fato de que "a matéria da palavra se faz dentro do organismo em ondas movidas pelo poder de significar" — lembrando com isso que cada poema é antes de tudo uma voz interior que se articula com melodia e andamento, com timbres e inflexões — voz subjetiva que encontra seu caminho para os outros na forma que lhe é necessária. Um poema não se realiza plenamente na pura compenetração da leitura silenciosa, nem saberemos interpretá-lo como fala viva se não o ouvimos como linguagem materialmente animada no tempo da expressão. Ouçamos, pois, a fala de Drummond em "A máquina do mundo", para depois comentarmos o modo como Bosi recolheu e escolheu os acentos essenciais para a interpretação dessa fala.

[Aqui, fez-se a leitura em voz alta do poema.]

A brevidade desta minha exposição não permite que faça justiça à riqueza da leitura de Alfredo Bosi. Restrinjo-me, neste comentário, à orientação que já está no título do ensaio: "entre o símbolo e a alegoria".

O título toca numa diversidade que o poema acolhe de modo tenso em seu ser integral: quando o caminhante expressa a si mesmo e à natureza pesada e sombria com a qual se identifica no fim da tarde, quase entrada da noite final e melancólica, vale-se de símbolos: as pedras da estrada, o som rouco do sino, as aves que parecem colar-se no céu de chumbo, os montes escuros são símbolos, são figuras que enlaçam o caminhante e a paisagem mineira. Em outro lugar, lembrava Bosi uma frase de Novalis: "Onde o mundo interior e o exterior se tocam, aí se encontra o centro da alma". Neste ensaio de *Céu, inferno*, lembra ele: "Só existe processo simbólico quando as imagens se enraízam em um solo de afinidades". O caminhante mineiro e sua paisagem não se destacam um do outro: são seres que se entrançam e fazem sensível a sombra da melancolia que lhes é comum.

Mas de repente surge a Máquina do Mundo, e o discurso do poema se deixa tomar por uma outra figura, que passará a predominar: a alegoria. A máquina se impõe como presença altaneira, expõe o poder de seus atributos, seu conhecimento de todos os segredos do universo e — surpreendentemente — oferece-os ao caminhante melancólico. Mas *como* os oferece?, pergunta-nos o leitor Alfredo Bosi, a quem interessa, sempre, avaliar o tom e a perspectiva em que se produzem os enunciados. Tom = modo afetivo; perspectiva = lugar de onde se olha. E assim avalia ele a linguagem que refere a máquina: "Não se trata de uma figuração orgânica do Universo, mas de uma sucessão de atributos que se perfilam em sua máxima generalidade. A seriação junta abstrato com abstrato". Entendamos: contrariamente ao modo simbólico de representação, em que o ser e a natureza mal se distinguiam, porque apanhados na mesma teia densa da melancolia, a linguagem que corresponde à máquina é a linguagem do acúmulo de predicados, é a justaposição de nomes sucessivos e desconectados entre si.

Acentua-se, como se vê, na leitura deste poema, uma decidida inclinação do crítico para a expressão sensível do sujeito e do mundo, que é do símbolo, em oposição à designação genérica e fria, à forma fria da História já completa e imobilizada com que a máquina pretende atrair esse sujeito para o seu reino augusto, integrando-o na "ordem geométrica de tudo". Acentua-se, assim, o caráter definidor da alteridade alegórica dessa máquina e de seu discurso, inteiramente estranhos à história pessoal do caminhante, que, por isso mesmo, os recusa e segue seu caminho, já entrando na noite.

Bosi compreende empaticamente as razões da recusa do sujeito, que estão nos seus símbolos. Já no início da leitura do poema, o crítico lembrou-nos a história desse sujeito drummondiano de longo percurso, sujeito "triste, orgulhoso, de ferro" — "história de malogros reiterados", reconhece o crítico — também historiador da literatura que não perde nunca a dimensão do contexto em que cada forma significa — regra de ouro, de que jamais devemos nos esquecer. "A recusa torna-se inteligível à luz desse passado de experiência e desencanto."

Ao opor símbolo e alegoria, em sua leitura do poema "A máquina do mundo", Bosi está enlaçando suas razões às do poeta: a verdade mais íntima e pessoal, ainda que dolorosa, não pode ser trocada pelo aspecto de verdade e de sedução do que vem de fora. A forma de fato objetiva é expansão e realização da verdade íntima. "Todos os procedimentos são sagrados quando interiormente necessários", é a convicção do pintor russo Kandinsky, que Bosi escolheu como frase-epígrafe para seu livro *Reflexões sobre a arte*.

O sentido de transcendência que importa tanto para o caminhante mineiro como para o leitor Bosi está condicionado pela presença do afeto: a ligação, ainda que negativa, do sujeito poético com seu mundo, é uma forma de comunhão, que o símbolo está apto a expressar; já a transcendência da alegoria é uma operação intelectual que busca decifrar uma verdade do ser na verdade de outra coisa, de uma coisa outra, numa operação que substitui o elo custoso da necessidade profunda pela ligação imediata da convenção.

Como se vê, o ensaio de Bosi não trata os modos da linguagem como simples opções retóricas: são escolhas do modo como a consciência vê o mundo e a si mesma, são representações de um *ethos* fundamental. O caminhante mineiro baixa os olhos diante do repertório da máquina, que ela lhe ofereceu no modo "presto e fremente" e segue seu caminho noite adentro, no modo "vagaroso, de mãos pensas". À força triunfalista da máquina responde ele com a verdade sombria de sua perda e de seu enigma.

Imagino, muito indiscretamente, que Bosi terá amado com alguma hesitação esse modo paradoxal de resistir desistindo do caminhante definitivamente melancólico, de mãos baixas, mas sempre pensativo. Ao terminar seu texto com a frase "a voz da poesia, quando ousa falar do cosmos, traz no seu canto chão o acento da perplexidade", o crítico lembra nossa pequenez e uma verdade maior do mundo — certamente não a verdade da máquina. No entanto, é também ele quem nos faz reconhecer a beleza dos enigmas. Não por acaso, a palavra enigma e a palavra olhar se juntaram no título de um livro dedicado a Machado de Assis, um autor cuja narração não se esgota no campo frio da história já descortinada, mas nos chama sobretudo para dentro da nossa história, nem sempre fácil de olhar.

Que o professor Bosi permita que me junte a ele nessa compreensão afetiva de um Drummond cuja fé se determina no exercício paradoxal da grande arte moderna: a negação íntima e a afirmação da forma produzem a unidade do diverso, um só poema para sete faces, um só indivíduo para tantos desejos.

Para terminar, e sempre para lembrar a potência da poesia e dos enigmas, quero dizer que reforcei em meu convívio com Alfredo Bosi a convicção que sustenta estes dois versos de Drummond:

Onde não há jardim, as flores nascem de um
secreto investimento em formas improváveis.

Obrigado, mestre.

Alfredo Bosi, leitor de Antônio Vieira

André Luis Rodrigues

Em entrevista concedida ao jornal *Folha de S.Paulo*, em outubro de 2011, ano do lançamento do volume *Essencial Padre Antônio Vieira*,[1] perguntado por Paulo Werneck sobre quanto tempo levara para escrever a alentada introdução, Alfredo Bosi teria respondido: "A vida inteira, mas para redigir talvez uns seis meses".[2] Ao empreender a leitura dos textos sobre Antônio Vieira (1608-97) publicados pelo crítico em diversas obras e em diferentes momentos, ao longo de algumas décadas, é inevitável concluir que não se tratava de força de expressão: tão extraordinário conjunto só poderia ter resultado de um convívio duradouro e particularmente fecundo. Essa conclusão se impõe menos por conta da extensão do arco temporal abrangido pela publicação desses textos do que pela percepção de que em todos eles pulsa, viva e vibrante, a palavra do grande orador jesuíta, sem que o autor procure disfarçar a paixão que o move e o prazer sempre renovado em dialogar amorosamente com essa obra que estaria — como deixa transparecer — entre aquelas que lhe são mais caras.

O primeiro artigo de Alfredo Bosi sobre Vieira é o item intitulado "A prosa. Vieira", do capítulo "Ecos do barroco", da *História concisa da literatura brasileira*, de 1970[3] — muito mais do que um simples manual, obra que desde a publicação tornou-se leitura e fonte de consulta imprescindível, altamente inspiradora para diversas gerações de estudiosos da literatura brasileira —, e sua leitura permite entrever que era já relativamente longa a convivência do historiador com o legado do jesuíta.[4] Em texto tão breve, chama a atenção a visada ao mesmo tempo densa e abrangente, e acompanhamos em pouco mais de três páginas uma síntese notável da vida e da obra de Vieira.

Cerca de vinte anos depois, Bosi publicaria o livro que já se tornou um clássico, traduzido para o francês, o espanhol e o inglês, a *Dialética da colonização*, de 1992. "Vieira ou a cruz da desigualdade" é o título do quarto capítulo,[5] estrategicamente colocado entre o capítulo sobre o poeta Gregório de Matos e aquele que trata de João Antônio Andreoni, ou Antonil, o pseudônimo com que o "anti-Vieira" assina o livro que faria a sua fama entre nós, *Cultura e opulência do Brasil*. Aqui, o espectro mais largo da abordagem, sem prejuízo do enaltecimento da obra e da afirmação da estatura de Vieira, vem ao encontro de uma postura mais crítica, especialmente em relação às suas posições diante da escravidão dos negros africanos. Essa postura parece advir de uma convicção que não será mais abandonada no estudo da obra de Antônio Vieira e que é assim formulada, logo no início do ensaio: "O interesse que ainda hoje desperta a sua obra extensa e vária [...] só tem a ganhar se for norteado por um empenho interpretativo que consiga extrair dela a riqueza das suas contradições".[6] A admirável expressão — "riqueza das suas contradições" — parece sugerir que o valor dessa obra está radicado justamente nos problemas que ela coloca: rica *porque* contraditória. Não há talvez melhor exemplo de que o autor segue à risca a proposta que pode ser depreendida do título da obra — pensar *dialeticamente* a colonização. Em seguida, Alfredo Bosi faz questão de asseverar a um só tempo a extensão do convívio e a afeição que devota ao autor e à obra: "Leitor e amador de Vieira há pelo menos trinta anos",[7] o que só vem confirmar o que suspeitávamos quando da leitura da *História concisa*.

Em 2002, exatos dez anos depois do lançamento da *Dialética da colonização*, seria publicada *Literatura e resistência*, com novo ensaio sobre Vieira, intitulado "Vieira e o reino deste mundo", que constitui o segundo capítulo do livro.[8] Abordando as duas longas representações com que Vieira responde às acusações feitas pela Inquisição, Alfredo Bosi enfatiza em primeiro lugar a emoção de que foi tomado ao manusear os originais: "Embora eu já conhecesse a edição exemplar que Hernâni Cidade fez da defesa de Vieira perante o Santo Ofício, não pude deixar de me comover quando tive em mãos o processo original que se encontra na Torre do Tombo".[9] Vemos novamente que se trata de um crítico que não só não assevera a suposta imparcialidade ou distanciamento que teria diante de seu objeto, como faz questão mesmo de relevar os laços afetivos com que a ele está estreitamente ligado. A descrição tão viva que faz dessa experiência de leitura, em que imagina o réu gravemente adoentado, a redigir dificultosamente a sua *Defesa*, só se pode atribuir à grande simpatia ou empatia com o autor: "Entrevemos o rosto do acusado ardendo em febres da malária que contraíra nas missões do Amazonas. Ouvimos a tosse do tísico já cortada nos últimos meses de cárcere por violentas hemoptises. [...] Mas o espírito, que sopra onde quer, não se abate nem desfalece em momento algum".[10]

Novo intervalo de quase dez anos seria transcorrido até a publicação da obra organizada por João Adolfo Hansen, Adma Muhana e Hélder Garmes, *Estudos sobre Vieira*, de 2011, que traria como fecho dos dezessete artigos aí reunidos o ensaio de Alfredo Bosi intitulado "Antônio Vieira, profeta e missionário: Um estudo sobre a pseudomorfose e a contradição".[11] Escrito a partir de conferência proferida no Seminário Internacional em comemoração aos quatrocentos anos do nascimento de Vieira, realizado em 2008 na Universidade de São Paulo, o texto repropõe a difícil questão que parece presente, de maneira explícita ou implícita, em todos os textos em que o crítico interpreta a obra vieiriana — "Como enfrentar hermeneuticamente esse amálgama de estilo e imaginário pré-moderno ou antimoderno com um desígnio estruturalmente burguês?" —,[12] mas agora com apoio no produtivo conceito de "pseudomorfose", a que o título já faz alusão, tomado a Otto Maria Carpeaux.

Ainda em 2011, Alfredo Bosi revisitaria uma última vez a obra de Vieira (talvez fosse mais acertado dizer que seria a última revisitação tornada pública). Além de se encarregar da seleção e organização do que consideraria o "essencial" dessa obra, redigiria a longa introdução já mencionada: "Antônio Vieira: Vida e obra — um esboço".[13] O volume *Essencial Padre Antônio Vieira* destaca-se não somente pela generosa extensão — mais de 750 páginas, incluindo o texto introdutório —, como também pela grande abrangência, que parece pouco comum em coletâneas desse tipo, ao incluir, ao lado de exemplos fundamentais da indispensável parenética — catorze sermões foram escolhidos e transcritos na íntegra —, algumas cartas e fragmentos da *História do futuro* e da *Clavis prophetarum*. Da introdução propriamente dita pode-se dizer que é o texto em que Alfredo Bosi se ocupa de maneira mais minuciosa e extensiva da vida e da obra de Antônio Vieira, sem nunca desvincular uma da outra, ainda que a relação entre elas seja mostrada sempre do modo mais complexo, o que de resto também ocorre nos demais ensaios, em que o enfoque recai primordialmente sobre a obra.

Nesse conjunto de cinco textos,[14] cuja leitura constitui entrada privilegiada para o estudo e a discussão da obra do padre Antônio Vieira, impressionam a familiaridade com o legado do grande jesuíta e a análise ao mesmo tempo penetrante e sensível; a perspectiva abrangente e a vasta erudição que o crítico mobiliza em sua interpretação; a clareza, a elegância e a expressividade da linguagem. Antes, contudo, de passar ao enfoque dos aspectos fundamentais dessa obra examinados por Alfredo Bosi ao longo dessa produção, cabe ressaltar um traço recorrente que me parece dos mais louváveis, mas que pode levar a dois equívocos, muito diferentes um do outro. Refiro-me à insistência em declarar praticamente de partida o caráter por assim dizer provisório do texto, que se quer mostrar mais como um delineamento do que como um desenho acabado, de contornos firmes e indeléveis ou inamovíveis. Se na introdução a que se acabou de fazer referência a palavra "esboço" faz-se presente no próprio título, no capítulo da *Dialética da colonização* é assim concluída a frase citada em que Bosi declara a longevidade do cultivo da obra de Vieira e o amor que lhe dedica: "Tento nestas páginas riscar o desenho breve de algumas linhas mais fortes que compõem a sua fisionomia".[15] Note-se bem: as *linhas fortes* são as da personalidade de Vieira; o *desenho breve* é o que *pode* resultar da *busca* por desvelá-las. Diante disso, num primeiro momento, o leitor ingênuo poderia acreditar que está diante de um texto crítico em cuja composição o autor teria optado por trocar a profundidade e o rigor pela leveza, e a densidade pela consideração dos aspectos mais genéricos da obra, ao passo que o leitor refinado, ou que se vê como tal, tenderia talvez a pensar no *topos humilitatis*, com que os oradores antigos procuravam captar a benevolência, o interesse ou a aprovação do público. Creio que, para além do que se deva creditar à postura ética de quem sabe que a busca do conhecimento é sempre tateante, aproximativa, interminável, passagens como essa explicam-se pela consciência da magnitude da personalidade e da obra de Antônio Vieira, que está sempre a exigir novas leituras e releituras, abordagens feitas a partir de múltiplas e eventualmente inesperadas perspectivas, reflexões renovadas e reavaliações constantes. Não fosse assim, seria difícil sequer conceber a permanência de um convívio que, como se pode aferir, não estaria longe de completar os sessenta anos.

O "ARQUITETO INCANSÁVEL DE SONHOS"

Já na *História concisa da literatura brasileira*, Alfredo Bosi apontava para o descompasso entre a busca de participação ativa nas decisões mais candentes do tempo e o que havia de quimérico nos projetos monumentais de Vieira:

> No fulcro da personalidade do Padre Vieira estava o desejo da ação. A religiosidade, a sólida cultura humanística e a perícia verbal serviam, nesse militante incansável, a projetos grandiosos, quase sempre quiméricos, mas todos nascidos da utopia contrarreformista de uma Igreja Triunfante na Terra, sonho medieval que um Império português e missionário tornaria afinal realidade.[16]

Após afirmar que esses grandes projetos quase sempre redundaram em igualmente grandes malogros, Alfredo Bosi vale-se de uma expressão admirável, poética e certeira, "arquiteto incansável de sonhos", contraposta a esta outra — "estupendo artista da palavra" —,[17] para sugerir talvez que é no fracasso das realizações sonhadas por Vieira que devemos procurar ao menos parte da resposta para a grandeza da obra que deixou. A palavra que quase sempre encontrou apenas ouvidos moucos entre os contemporâneos, pelo menos naquilo que os incitava à ação, quando não juízes que buscaram de todos os modos silenciá-la, encontra agora leitores atentos não somente à sua beleza, como também ao sonho, à utopia, à quimera, que não desvelam menos do que os fatos de sua vida quem foi Antônio Vieira, sem deixar de nos fazer pensar no homem do século XVII e quiçá, em alguns aspectos, no homem de nosso próprio tempo.

O quarto capítulo de *Dialética da colonização* inicia-se justamente com a discussão do projeto vieiriano de interferir diretamente nos negócios da Coroa portuguesa, em especial nas relações que a metrópole mantinha com a colônia. Começa por sugerir a d. João IV a fundação de uma Companhia das Índias Ocidentais, inspirada nas companhias criadas por britânicos e holandeses, e "assentada principalmente em capitais judaicos". Bem-sucedido num primeiro momento, Vieira logo irá deparar com as barreiras interpostas por aqueles que ainda não estavam preparados para assumir integralmente o utilitarismo do pensamento burguês.

A citação e a análise de um primeiro sermão vêm evidenciar considerações como essas, o que parece ser o modo como o texto de Alfredo Bosi vai sendo urdido — o amplo e profundo conhecimento da vida e do conjunto da obra de

Vieira não parece nunca levá-lo a uma abordagem em que se pressupõe o mesmo conhecimento por parte do leitor, ou ao esquecimento do primado do texto e da palavra, por mais importantes que sejam a história pessoal do jesuíta (antes de mais nada, "artista da palavra") e a história do tempo em que viveu. O *Sermão de são Roque*, pregado em 1644 na Capela Real, teria resultado, segundo Bosi, numa "singular simbiose de alegoria bíblico-cristã e pensamento mercantil".[18] Recorrendo ora à paráfrase ou à síntese, ora à transcrição, o ensaísta releva a riquíssima "rede de analogias" mobilizadas pelo pregador para provar que não havia nada de errado no emprego do dinheiro dos cristãos-novos nos empreendimentos da Coroa e que, ao contrário, não empregá-lo seria causar prejuízo não apenas aos interesses de Portugal como aos da Igreja católica. Nas palavras com que o crítico interpreta a argumentação de Vieira: "Expulsar os mercadores judeus de Portugal para Holanda [...] seria engrossar as fileiras do herege batavo que já rondava, cúpido, os engenhos de Pernambuco".[19]

Na *História concisa*, Bosi já havia dado destaque ao célebre *Sermão para o bom sucesso das armas de Portugal contra as de Holanda*, em que o pregador relativamente jovem (proferido em 1640, Vieira tinha apenas 32 anos de idade) apostrofava a Deus de maneira atrevida "para que sustasse a vitória dos hereges, futuros destruidores das imagens sagradas".[20]

No *Sermão de são Roque*, a justificativa dos meios pelos fins é feita com argumentos dos mais capciosos — o emprego do dinheiro de Judas para a compra de um campo de sepultura para os peregrinos da Terra Santa, e a suposta aparição de Cristo a d. Afonso Henriques e o pedido para que as suas cinco chagas e os trinta dinheiros do traidor fossem gravados no escudo de Portugal. Embora reconheça a adequação do discurso de Vieira ao mundo que então se consolidava, e em que o envolvimento da Coroa nas atividades comerciais e econômicas tornava-se tão importante como o seu papel centralizador, Alfredo Bosi conclui a primeira parte do ensaio com uma avaliação que já é bastante crítica, chegando mesmo a aproximar as ideias do pregador jesuíta às de Nicolau Maquiavel:

> Da distinção entre fins e meios, que passam a operar em ordens de valor próprias, decorrerá um intervalo, bem moderno, entre os princípios ético-religiosos e as práticas imediatas da política. Vieira não recua diante desse espaço profano aberto pelo fundador da ciência burguesa do poder, o secretário florentino: "A razão é

porque a bondade das obras está nos fins, não está nos instrumentos. As obras de Deus são todas boas; os instrumentos de que se serve podem ser bons e maus".

Vieira, conselheiro do moderno príncipe-mercador; Vieira, conselheiro do chefe de Estado absoluto.[21]

Considerada a grandiosidade dos planos ou dos sonhos de Vieira para Portugal, nada menos do que a transformação da pequena nação ibérica no Quinto Império, maior do que Grécia e Roma, não bastava o convencimento da nobreza e do clero da indispensabilidade do financiamento por parte dos judeus. Havia ainda que persuadir a colaborar com a Coroa aqueles que até então só pensavam em dela se beneficiar. Uma vez mais, Alfredo Bosi entretece em suas observações a leitura de um sermão, o da *Primeira Dominga do Advento*, também pregado na Capela Real, seis anos mais tarde, ou seja, em 1650.[22] Nele, valendo-se do tema apropriado ao tempo litúrgico, "o do *novo nascimento de cada homem*", o pregador vai colocar em xeque as qualidades inatas da fidalguia, demonstrando que a verdadeira nobreza é a das ações: "Termos medieval-barrocos tradicionais como *honra*, *fidalguia*, *nobreza*, são ressemantizados por Vieira, que passa a integrá-los na esfera do trabalho, liberando-os portanto da pura sujeição à herança familiar e estamental".[23]

Paralelamente, o orador contrapõe a ação e a vida ativa à omissão e à vida contemplativa para demonstrar — valendo-se de tudo o que estava ao seu alcance — os benefícios das primeiras e os grandes malefícios trazidos pelas segundas. Depois de citar um dos trechos em que o talento e os recursos retóricos de Vieira mostram-se ainda mais impressionantes, o ensaísta formula o seu comentário de modo a sugerir o próprio assombro:

> Quantas simetrias internas, quantos paralelos, quantas figuras que transpõem para a prosa parenética o *leixa-pren* da lírica medieval! Tudo são recursos de ênfase que visam à meta suprema do orador: persuadir; e, persuadindo, mover o nobre, que ocupa lugar preeminente no Estado, a sacrificar o seu tempo de ócio e compartir de bom grado as tarefas da remissão econômica do Reino.[24]

O sermão de Vieira teria por base toda a tradição retórica, mas também a ultrapassaria de algum modo, afirmação que o intérprete procura justificar valendo-se de uma expressão em que novamente transparece a admiração diante da riqueza de recursos mobilizados pelo pregador:[25] a *inventio*, tal como a caracterizavam os antigos tratadistas, adquire enorme expansão em Vieira, que com incomum presteza "desentranha das minas da memória vozes e imagens para animar o tema proposto. [...] Tudo lhe serve, tudo lhe aproveita para dar ao argumento o esplendor do concreto".[26]

Tendo concluído da argumentação de Vieira que "O tempo válido é o tempo oportuno, *kairós*, grávido de ação" e que "A defesa do negócio oposto ao ócio acaba invertendo o sentido da categoria-eixo do antigo regime, a nobreza, que de valor herdado passa a virtude conquistada na labuta",[27] Alfredo Bosi volta-se para outro sermão, o da *Terceira Dominga do Advento*,[28] no qual encontra formulações que estariam em pleno acordo com o caráter pragmático e militante das orientações da Companhia de Jesus, mas que podem nos surpreender, especialmente ao sabermos que foram dirigidas diretamente aos nobres: "Cada um é as suas ações, e não outra coisa"; "Quando vos perguntarem quem sois vós, não vades revolver o nobiliário de vossos avós, ide ver a matrícula de vossas ações. O que fazeis, isso sois, nada mais"; "A verdadeira fidalguia é a ação".[29]

Ao demandar a colaboração com a Coroa por parte da nobreza e do clero, Vieira não só não se detinha no elogio genérico da ação, como criticava abertamente a intransigência desses estamentos na defesa do tão injusto sistema de isenção tributária, o que o crítico procura mostrar por meio do sermão de *Santo Antônio*, pregado em 1642, na igreja das Chagas de Lisboa.[30] Aqui, Alfredo Bosi aponta para outra mistura difícil de compreender, entre "duas realidades historicamente díspares: o sistema nacional-mercantil, de um lado; e as propostas de fraternidade contidas no Evangelho, de outro", é claro que sem deixar de buscar a compreensão, recorrendo a uma passagem em que o jovem Engels refere-se à "franqueza católica", que seria "capaz de abrigar as mais gritantes contradições, e expô-las ingenuamente, atitude ainda possível em formações a um tempo mercantis e tradicionais".[31] Contraposto às posições utilitaristas e "hipócritas" dos calvinistas, de puro e simples elogio do lucro,[32] que nos séculos XVIII e XIX superaram a posição contraditória do catolicismo, o pensamento de Vieira poderia mesmo ser visto como "avançado e moralmente impecável", na medida em que defende a divisão do ônus pelos três estados, para que ninguém fosse sobrecarregado.

Para um melhor entendimento dessa defesa, Bosi procura indagar a quem Vieira estaria se referindo com a menção ao terceiro estado, antes de concluir: "O jusnaturalismo vem acionado por Vieira numa linha antiaristocrática, isto é, em benefício da aliança Coroa-burguesia".³³ E boa parte das considerações seguintes é dedicada ao modo como o sermonista recorre aos fenômenos cósmicos como analogia para provar que a desigualdade é obra humana e não divina, já que as chuvas caem igualmente sobre tudo que está sobre a terra, e é a terra — com suas diferenças de terrenos e relevo — que distribui desigualmente as águas: "O que move o discurso é o caráter inventivo do procedimento analógico".³⁴ Feita essa afirmação, Bosi parece não ter como não observar que no futuro a mesma imagem será invertida, citando a justificativa de Rui Barbosa para a desigualdade social, com base nas diferenças encontradas na natureza.

É esse outro índice de que o crítico, ao abordar o passado distante, se não deixa de considerá-lo em seu contexto histórico específico, não o dissocia do passado mais recente ou de seu próprio tempo. Assim, o segundo capítulo de *Literatura e resistência* será concluído com a citação de versos de Fernando Pessoa — "'Tudo é disperso, nada é inteiro./ Ó Portugal, hoje és nevoeiro.../ É a Hora!'" — e com a sugestão de que a utopia, que em todos os tempos encontra vozes capazes de exprimi-la, permanece viva no presente: "O desejo recorrente de um tempo de justiça que se abrirá um dia aos olhos da humanidade inteira, enfim consciente de sua condição fraterna".³⁵ Do mesmo modo, a introdução a *Essencial Padre Antônio Vieira* será precedida pelo poema "António Vieira", de *Mensagem*, e terá como conclusão a pergunta sobre a atualidade dessa obra: "Se os trabalhos e os dias de Antônio Vieira foram todos voltados para trazer o passado ao presente e ao futuro próximo, caberia perguntar se da imensa obra que ele nos legou alguma coisa nos diz de vivo e ainda atual".³⁶ Voltaremos ainda a essa questão fundamental e à resposta dada pelo crítico.

O PROFETA, OU "AQUELE QUE FALA EM LUGAR DE DEUS",
E O QUINTO IMPÉRIO

Vamos nos deter agora no capítulo que acabou de ser mencionado, "Vieira e o reino deste mundo", em que Alfredo Bosi, a partir da leitura das duas longas representações dirigidas ao Santo Ofício, reflete com mais vagar sobre o Vieira-profeta, a sua crença nas predições do Bandarra e a convicção depositada no advento do Quinto Império, a ser instaurado não por d. Sebastião, como acreditavam os sebastianistas, mas por um igualmente redivivo d. João IV. Se essa faceta do jesuíta não poderia mesmo ser desvinculada de todo daquela outra que o fazia protagonista da política de seu tempo, a ligação estreita entre elas é motivo de grande espanto, a que o ensaísta não deixa de aludir: "O leitor culto dos nossos dias talvez pasme ao perceber o candor com que um homem da estatura de Vieira dissertava sobre a ressurreição próxima de um rei morto havia pouco".[37] Ainda mais espantado ficará, prossegue Bosi, ao ler na *Defesa* a afirmação da descoberta que fizera de nada menos do que 95 mortos que haviam ressuscitado em pouco mais de um século, o que seria mais um argumento para justificar que não havia nada de absurdo na crença, condenada pela Inquisição, de que d. João IV viria a ressuscitar: "Assim como ressuscitaram 95, que muito seria que fossem 96?", pergunta candidamente o acusado.

Depois de contextualizar não apenas o comovente contato com os originais na Torre do Tombo, já referido, como também a redação pelo padre Vieira das duas representações da *Defesa perante o Tribunal do Santo Ofício*, ao longo do processo que teria durado de 1663 a 1667, Alfredo Bosi passa a discutir a questão da profecia em sentido amplo, para mostrar que Vieira — diferentemente de Espinosa, em sua proposição de uma Ordem Necessária, na qual não haveria lugar para a contingência — esposava um pensamento providencialista em que havia margem para revelações sucessivas feitas por Deus aos homens quanto aos "futuros contingentes", que assim não poderiam ser atribuídos a causas naturais ou ao mero acaso.

Ver a contingência como necessidade, contudo, seria prerrogativa daqueles que acreditam na profecia e para quem o profeta é "aquele que fala em lugar de Deus".[38] Se a crença na profecia é uma questão de fé, a confiança no profeta poderia advir da realização de suas predições até o momento presente, e não de qualquer uma das virtudes cristãs que pudesse ter possuído. Aqui, Bosi recorre à *História do futuro*, em que, num "discurso raro, atípico, de valorização do novo", Vieira lança mão de inúmeros exemplos e analogias para demonstrar a vantagem que os modernos teriam sobre os antigos por "estarem mais próximos do cumprimento das promessas". No capítulo X chega a afirmar: "O melhor comentador da profecia é o tempo".[39]

É assim que, tantos anos decorridos desde a morte do Bandarra, seria possível assegurar de maneira incontestável que ele foi um profeta. Na leitura da *Defesa*, o crítico acompanha passo a passo as citações de memória que o acusado faz das *Trovas* (obrigado à reclusão, Vieira não teria tido acesso a um exemplar) para mostrar que tudo o que o Bandarra havia predito tornara-se até então realidade, como argumento de que o que ele profetizara para o futuro relativamente ao presente de Vieira havia de ocorrer. Verso por verso, Bosi dá a conhecer a interpretação minuciosa de Vieira, e vemos desfilar os acontecimentos históricos fundamentais em Portugal, "desde o reinado de d. João III, quando Bandarra escreveu as suas profecias, até os anos da Restauração",[40] passando pela coroação de d. Sebastião, a malfadada expedição à África e o seu trágico desaparecimento, até o término da dominação castelhana e a aclamação do duque de Bragança como o rei d. João IV.

Alfredo Bosi mostra como Vieira não se limita às "provas" centradas nesses acertos das profecias do Bandarra, mas também questiona e põe abaixo uma por uma as alegações feitas pelo inquisidor para objetar que o sapateiro de Trancoso pudesse ter sido um verdadeiro profeta, ao caracterizá-lo como "leigo, casado, idiota e de baixo oficio e condição". E aqui, segundo o crítico, Vieira — eventualmente com alguma verve ou "uma pontinha de petulância" — multiplica os exemplos, tomados à Bíblia, que comprovam a existência de grandes profetas que se distinguiam exatamente por um desses atributos: Jacó e José eram leigos; Adão, Noé, Jacó, Davi e Salomão, casados; Davi e os doze discípulos eram homens simples, sem letras (esse o sentido do epíteto "idiota" na acusação do Tribunal, esclarece Bosi); Moisés, Cristo, Pedro e Paulo, de baixa condição e oficio, sendo que os dois últimos teriam mesmo em algum momento trabalhado como sapateiros.[41]

Antes de ter assim se dedicado à leitura mais cerrada da *Defesa*, Bosi discutia questões sutis e complexas como a compreensão do termo "contingência" na tradição escolástica, no contexto das reflexões sobre o sentido da profecia, já mencionadas, ou a aproximação feita por Vieira entre figura e prognóstico. Lançando mão de uma definição da palavra *figura* tomada ao *Dicionário* de Moraes — "imagem significativa de cousas futuras" — e da observação de Vico de que a metáfora seria na origem uma "narrativa mínima, fábula em embrião", o ensaísta acentua a dimensão dupla e complementar da imagem da estátua presente no sonho do rei Nabucodonosor, que poderia tanto ser descrita plasticamente, como interpretada como "viveiro de símbolos, núcleo fecundo de potencialidades que se desdobram e entram na corrente do tempo histórico".[42] Em "Antônio Vieira, profeta e missionário: Um estudo sobre a pseudomorfose e a contradição", o crítico transcreve toda a passagem bíblica da estátua compósita do livro profético de Daniel — a cabeça de ouro, o peito e os braços de prata, o ventre e as coxas de bronze, as pernas de ferro, e os pés de ferro e argila —, que acaba destruída por uma pedra que ocupa a terra inteira.[43] O sonho é interpretado pelo profeta bíblico como história dos quatro reinos que se sucederiam até darem lugar a "um reino que jamais será destruído, um reino que jamais passará a outro povo".[44]

E é dessa interpretação que Bosi parte, em "Vieira e o reino deste mundo", para aprofundar a compreensão do sentido da figura, que apontaria simultaneamente para o passado esquecido e para o futuro que ela permite antecipar. Lida como alegoria, a profecia acaba por "cristalizar um desejo comunitário, uma utopia social":

> A figura que parecia apenas imagem produzida em sonhos tende, na economia da vontade coletiva, a ser prognóstico infalível. D. Sebastião voltará. [...]
>
> Há uma ponte que comunica a figura enunciada com o evento que deverá um dia acontecer. Entre os polos — a figura plasmada no pretérito e o seu cumprimento no futuro — vigoram o desejo e a consciência atual. É o olhar presente que busca a palavra passada servindo-lhe de mediador e tradutor, mantendo-a viva. A memória social, como bem a analisou Maurice Halbwachs, opera sob a ação da percepção e da vontade, aqui e agora. É a história contemporânea do intérprete com os seus ideais e valores, as suas nostalgias e utopias, que escava e traz à luz o passado forjando elos de coerência interna sem os quais a profecia apareceria como *vana verba*, delírio da imaginação.[45]

Fosse de outro modo, e dificilmente se compreenderia tamanha atenção dada pelo crítico à obra profética de Vieira, tanto mais quanto os seus prognósticos mostraram-se com o passar do tempo inteiramente equivocados e cabalmente desmentidos pela realidade, se é que em seu próprio tempo já não pudessem ser vistos apenas como quimeras e ilusões. Contudo, além de buscar o que pode haver nesses sonhos da realidade do sonhador, há que se considerar a sua realidade poética, o que parece sugerido na mencionada opção de Alfredo Bosi por abrir o volume *Essencial Padre Antônio Vieira* com o poema de Fernando Pessoa em que se leem estes versos: "É um dia; e, no céu amplo de desejo, / A madrugada irreal do Quinto Império/ Doira as margens do Tejo".

Tendo provado que o Bandarra foi um verdadeiro profeta, Vieira passa, na *Segunda representação*, ao que Alfredo Bosi denomina "a expansão da profecia".

Como vimos na análise dos sermões, o crítico novamente não deixa de aludir à "prática infatigável das operações analógicas" por parte do jesuíta, bem como à mistura entre elementos barrocos e linguagem clássica. O reino que os profetas anunciaram está próximo. Será um reino de paz e justiça, com uma só Igreja, à qual todos serão convertidos, gentios e judeus. O poder espiritual será regido pelo papa e o poder espiritual, exercido por um imperador português, que irá vencer os turcos e conquistar a Terra Santa. Tudo isso até a vinda do anticristo, o fim do mundo e o juízo final. Segundo Bosi, ao contrário do que havia feito na *Primeira representação*, Vieira não menciona na segunda o nome de d. João IV como sendo aquele que se tornará, depois da ressurreição, o imperador tão ansiosamente aguardado.

Se nos próprios argumentos com que procura se defender das acusações do inquisidor o jesuíta está longe de ocultar a simpatia pelos judeus, não surpreende que o Santo Ofício tenha "farejado" — depois de empregar o verbo "entrever", Bosi como que se corrige — "odor judaico" nas proposições de Vieira. A defesa deste ponto será centrada nas diferenças entre a tradição hebraica e a tradição cristã, mas sem tratá-las como inconciliáveis. Para melhor compreender a posição do réu, Bosi recorre à distinção entre discursos "paralelos" e "convergentes": "Comparação não é identificação. E paralelismo supõe diferença".[46] Enquanto no judaísmo é recorrente a figura do Messias-Rei, ainda aguardada, Vieira em nenhum momento afasta-se da crença cristã de que o Messias já esteve entre nós e é Jesus Cristo. Este voltará no juízo final, mas antes disso haverá um período de concórdia universal, em que — diferentemente da crença judaica — os poderes temporal e espiritual serão exercidos por dois homens distintos: o imperador e o sumo pontífice, respectivamente. Se essa crença contém "traços de esperanças judaicas" é porque se trata, na origem, de expectativas diversas, *"mas não excludentes"*.[47] Antes de chegar a essa conclusão, Bosi dedica-se ao enfoque dos muitos momentos da *Defesa* em que Vieira intenta a comprovação, mais uma vez fundamentada numa miríade de exemplos, de que os judeus são muito caros a Deus, o que, se obviamente não deve ter contribuído para afastar a desconfiança das tendências "judaizantes" do acusado, mostra um pensamento muito mais aberto do que aquele da maior parte de seus contemporâneos.

Não é por acaso que em "Antônio Vieira, profeta e missionário" Alfredo Bosi insista, desde as considerações iniciais, no que denomina "cautela metodológica", infensa a "sínteses precoces" e à "imersão precipitada das trajetórias pessoais em grandes complexos histórico-literários".[48] Poucas páginas adiante, adverte dos equívocos da tendência à identificação do pensamento de Vieira com aquele do século XVII, sem levar em consideração os "meandros" da história.[49] Ao examinar os documentos e acompanhar a hostilidade com que as posições de Vieira foram recebidas pelos contemporâneos, igualmente portugueses, católicos e interessados em defender os interesses da Igreja e da Coroa portuguesa, não haveria como não ver evidenciadas as grandes diferenças que deles o separam.

No mesmo ensaio pode-se comprovar o benefício de uma visada crítica que, como já foi salientado, considera sempre a necessidade de novas leituras e abordagens para melhor compreensão das obras estudadas, especialmente no caso de autores tão complexos e multifacetados como Vieira, o que por sinal é reafirmado nas primeiras linhas do texto: "A envergadura excepcional desse homem de ação, de imaginação e de expressão exige constantes releituras. Novos perfis aparecem por trás da fisionomia que tínhamos a presunção de conhecer, e que acabam solicitando intepretações mais abrangentes ou matizadas".[50] Refiro-me ao fato de que é somente nesse momento — parece — que ao crítico ocorre lançar mão do conceito de "pseudomorfose"[51] na análise da intrincada questão a que procurei fazer alusão logo no início deste estudo: como interpretar a ambivalência entre atitudes relativamente modernas, como o projeto de aliança entre o Estado e o mercantismo burguês, e argumentos inspirados na Bíblia, nas trovas do sapateiro Bandarra e em crenças de origem medieval? Também em busca de uma resposta, Carpeaux teria recorrido ao termo cunhado por Spengler e que, segundo Bosi, significaria "forma ou estilo não transparente ou não correspondente à mensagem latente no discurso".[52] É assim que uma mensagem moderna pode ser veiculada por uma linguagem antiga ou antiquada, e vice-versa. No caso de Vieira, não havendo consenso, por exemplo, na aceitação do financiamento do Estado, mediante o pagamento de juros, por banqueiros, quase todos judeus, essa ideologia acabou sublimada na instauração do reino de paz e justiça na Terra, que incluiria todos os homens, inclusive os judeus, o que assim justificaria os meios empregados para o atingimento de um fim tão nobre.

A consideração desse descompasso à luz do esclarecedor conceito da pseudomorfose não modifica a avaliação de que Vieira não deixou de dar margem à acusação de heresia, e o resultado não poderia ter sido diferente: a condenação pelo Santo Ofício, em dezembro de 1667, a não mais pregar em terras lusitanas e ainda a pagar as custas do processo. Como é possível acompanhar na introdução ao *Essencial Padre Antônio Vieira*, mais de sete anos depois, em abril de 1675, o jesuíta conseguiria obter do papa Clemente x um alvará isentando-o da Inquisição portuguesa, documento que por sinal é transcrito pelo organizador ao final da obra. Mas no ensaio que vimos comentando o destaque final dessa primeira parte é dado às consequências da condenação não para o condenado, e sim para ao país ibérico. Ao brutal enfraquecimento da influência de Vieira junto à Coroa correspondeu a progressiva subordinação da economia portuguesa à Inglaterra, mantendo-se limitada à produção agrícola, sem qualquer desenvolvimento industrial, com o inevitável declínio de Portugal, que não mais irá recuperar o protagonismo dos séculos xv e xvi no cenário internacional, e muito menos tornar-se um poderoso império:

> O que adveio não foi o Quinto Império universal, mas o "reino cadaveroso" que se estenderia dos fins do século xvii até a morte de d. João v. A burguesia teria de esperar pela ação de um déspota esclarecido, o Marquês de Pombal, nos meados do século xviii, para voltar a ter acesso ao favor monárquico.[53]

O último item do ensaio publicado como capítulo de *Literatura e resistência*, por sua vez, começa exatamente por essa abertura do foco para refletir sobre os desdobramentos do julgamento de Vieira pela Inquisição. As reflexões, contudo, buscam maior alcance: depois de Pombal e da aparente extinção do Sebastianismo, a "esperança messiânica" renasceria no final do século xix, no arraial de Canudos, para ser destruído depois por aqueles que se queriam ilustrados e civilizados, mas que se revelaram — como mostrou Euclides da Cunha — tão bárbaros como os supostos defensores da monarquia e crentes na volta de d. Sebastião, se é que não se mostraram ainda mais bárbaros do que eles.

O MISSIONÁRIO JESUÍTA E A QUESTÃO INDÍGENA: ENTRE A ÉTICA E O UTILITARISMO

A importância que Alfredo Bosi concede à questão indígena em Vieira pode ser avaliada ao se observar que, à exceção desse capítulo, "Vieira e o reino deste mundo", todos os textos apresentam reflexões, quase sempre extensas e abrangentes, sobre o modo como o missionário e o pregador lidavam com os inevitáveis choques entre o projeto jesuíta de conversão dos gentios nas missões e a voracidade com que os colonos se lançavam à exploração da mão de obra dos nativos. Na *História concisa*, um dos sermões abordados é o *Sermão da Primeira Dominga de Quaresma*, proferido em 2 de março de 1653 no Maranhão,[54] que seria um dos melhores exemplos da incansável defesa da libertação dos indígenas pelos colonos, o que acabará resultando na expulsão dos jesuítas da província.

Já o *Sermão da Epifania* foi talvez o primeiro a ser proferido por Vieira após chegar a Lisboa, no final de 1661, e é com ele que Alfredo Bosi começa o item "Índios" do capítulo dedicado a Vieira na *Dialética da colonização*. Depois de contextualizar a fala do pregador — expulso pelos colonos, juntamente com outros missionários, ele aproveita-se da presença da regente e do jovem d. Afonso VI para solicitar o direito dos jesuítas de retornar ao Brasil e implantar missões independentes dos proprietários de escravos —, Alfredo Bosi detém-se na análise do sermão, "exemplar como xadrez de conflitos sociais". A oscilação do discurso entre posições avançadas e soluções de compromisso evidenciaria as divisões do próprio Vieira, tendo como resultado "um misto de ardor e diplomacia, veemência e sinuosidade", o que definiria "a grandeza e os limites" do jesuíta.[55]

Com argumentos fundados nas *razões da natureza* e nas *razões das Escrituras*, Vieira defende que todos os homens são filhos do mesmo Deus e irmãos entre si, não podendo haver entre cristãos diferenças de nobreza ou de cor. Aqui o analista indaga qual desdobramento desse arrazoado poderia ser esperado de modo a que mantivesse a coerência, para concluir que seria a condenação enfática e irrestrita do cativeiro. Para isso, o sermonista poderia encontrar respaldo em documentos e bulas papais que conferiam aos indígenas o direito à liberdade. Todavia, esse imperativo ético já se encontrava inviabilizado de saída em função do compromisso assumido pelos padres de atuar em conjunto com os colonos para trazer novas levas de gentios do sertão ao litoral, onde deviam trabalhar metade do ano nas propriedades dos colonos e a outra metade nas aldeias da missão onde eram catequizados.

O reconhecimento da culpa dos jesuítas é feito pelo próprio Vieira no sermão, em passagem transcrita pelo crítico, o que demonstraria a consciência que tinha da contradição e da ambiguidade da atuação da Igreja na colônia. Sendo uma instituição que fazia parte da monarquia, de que era ao mesmo tempo dependente e beneficiária, como poderia defender um projeto que contrariava aqueles que estavam à testa dos empreendimentos monárquicos? As duas soluções possíveis para o conflito seriam, segundo Bosi, o compromisso ou a resistência, e nos dois casos o resultado não foi nada bom para os jesuítas. Não tendo a subsistência como única preocupação, tal como ocorria nas missões,[56] os produtores agromercantis logo se viam tentados a suprir as suas necessidades de mão de obra por meio da utilização da força de trabalho dos nativos durante o período em que deviam ficar nos chamados aldeamentos reais. A multiplicação dos conflitos — como podemos ler na introdução a *Essencial Padre Antônio Vieira* — já havia motivado o missionário a uma viagem a Portugal, entre o final de 1654 e o início de 1655, onde havia obtido de d. João IV acolhimento favorável à maior parte de suas solicitações, além de retornar ao Brasil como superior da missão. Além de trazer na bagagem uma série de documentos firmados pela Coroa com cláusulas que condenavam as ações dos colonos, Vieira aproveitaria a viagem para pronunciar alguns sermões com que viria a atingir o auge de sua glória como orador, dentre eles o célebre *Sermão da Sexagésima*, proferido na capela real em 1655, cuja análise ocupa algumas páginas dessa mesma introdução.[57]

Mas de nada adiantaria voltar ao Brasil munido desses documentos — as desavenças entre jesuítas e colonos persistem e os conflitos tornam-se cada vez mais agudos até que se dê o novo retorno de Vieira a Portugal, agora à sua revelia. A despeito disso, como estamos acompanhando na leitura que Bosi faz do *Sermão da Epifania*, em "Vieira ou a cruz da desigualdade", o grande jesuíta não deixa de defender a causa indígena em Lisboa. Nessa defesa, porém, em que pese a admissão de culpa, o pregador não recua da proposição do estabelecimento de um compromisso entre jesuítas e colonos, ou — na visão crítica de Alfredo Bosi — de uma postura ambígua entre o ideal ético-cristão e o utilitarismo colonial. Isso é feito por meio da distinção capciosa ou "cavilosa" entre cativeiro lícito e cativeiro ilícito.

Para melhor explicá-la, Bosi recorre ao *Sermão da Primeira Dominga da Quaresma*, cuja importância já sublinhara na *História concisa*, como vimos. Também conhecido como "das Tentações", o sermão é dirigido aos colonos maranhenses, e é diante dessa audiência que Vieira categoricamente associa a escravidão a um pacto demoníaco, que, como tal, conduziria ao inferno aqueles que mantivessem indígenas em cativeiro. Todavia, a despeito dos argumentos antiescravistas e da postura indignada, Vieira acaba por propor a solução conciliadora, resumida com grande clareza pelo crítico. Haveria no Maranhão três tipos de índios: os que vivem nas cidades como escravos; os que vivem nas aldeias jesuíticas; os que vivem nos sertões. Aos primeiros deveria ser dado o direito de decidir entre permanecer no cativeiro e ir para as missões, juntando-se assim aos segundos, que Vieira considera livres. Quanto aos terceiros, só poderiam ser trazidos como escravos aqueles que fossem já cativos de tribos inimigas e que estivessem prestes a ser mortos e devorados. Trata-se da operação conhecida então como "resgate", mas, como o analista observa, o próprio Vieira escarnece do modo arbitrário com que eram feitas muitas das apreensões dos chamados "índios de corda".

Não terminavam aí as concessões: podiam também ser tomados como escravos os índios escravizados por seus inimigos e deles adquiridos mediante pagamento, mas apenas no caso de terem sido capturados em guerra justa. Essa avaliação seria feita por um conjunto de autoridades enumeradas pelo jesuíta. No ensaio incluído em *Estudos sobre Vieira*, o crítico opta pela transcrição de passagens mais longas desse sermão, e assim o leitor pode ter acesso direto à argumentação do orador, antes de tomar conhecimento dos desdobramentos da pregação. O último trecho citado é o mais longo, e é aquele cuja análise estamos acompanhando. Se a guerra não fosse considerada justa, prossegue Vieira, os índios comprados deveriam ser encaminhados às aldeias jesuíticas, mas mesmo nesse caso poderiam trabalhar para os colonos durante metade do ano, como "meios cativos, ou meios livres", e receberiam por esse trabalho duas varas de pano de algodão por mês trabalhado, um preço "tão leve" que não haveria homens de entendimento que não preferissem pagá-lo a "condenar suas almas, e ir ao Inferno".[58]

Vieira "jogava em um bem certo (a liberação dos índios da cidade e a segurança dos índios das aldeias missionárias) contra um mal incerto: a compra de índios por motivo de 'guerra justa', que deveria sempre ser avaliada pelo critério final das autoridades coloniais e das ordens religiosas sobre as quais contava influir", concluía Alfredo Bosi na *Dialética da colonização*.[59] A sugestão seria talvez a de que a "aposta" estava irremediavelmente fadada ao fracasso.

Em "Antônio Vieira, profeta e missionário", ao deter-se nos desdobramentos que acabaram de ser mencionados, o crítico retoma uma carta referida no começo da análise do "Sermão das tentações", enviada ao provincial do Brasil e datada de 22 de maio de 1653. Nessa missiva, Vieira parece convencido de que a prédica do início de março movera de fato os afetos dos colonos e de que, assim, o acordo obtido seria duradouro. Ledo engano. As violências e fraudes na captura dos nativos só fizeram aumentar, com a conivência das autoridades coloniais

— a única exceção seria o governador do Maranhão, André Vidal de Negreiros — e dos religiosos das outras ordens. Todos se voltam contra os jesuítas em geral e contra Vieira em particular. O agravamento dos conflitos levará, alguns anos depois, à aludida expulsão dos jesuítas do Maranhão e do Pará em 1661.

A conclusão aguda é novamente introduzida com a advertência da cautela necessária diante da complexidade do objeto: "Hoje, à distância de três séculos e meio, ainda temos que desatar o nó do problema". Amparado na proteção de d. João IV, Vieira ansiava pela *"exclusiva gestão das entradas pelos missionários"*,[60] mas, uma vez que esse ideal apostólico era parte de um projeto político em que o espiritual seria embasado pelo temporal, tudo se resumiria a uma questão de poder, que, não tendo uma força material para sustentá-lo, só poderia ser plenamente exercido ou pelo compromisso com os mais fortes, ou pela resistência — constatação a que o estudioso já havia chegado em "Vieira ou a cruz da desigualdade", como foi visto. A análise das cartas enviadas ao rei e a alguns confrades, sermões e outros documentos atinentes à situação dos nativos na colônia demonstra que a alternativa do compromisso não deixou de ser tentada, mas foi a resistência, "parcial, precária e vulnerável", que acabou levando os jesuítas "ao malogro final não só no Maranhão e no Pará, como nas reduções dos Sete Povos",[61] com o triunfo da "carniçaria do interesse", expressão empregada por Vieira numa carta ao amigo e protetor d. Rodrigo de Menezes, datada de 14 de setembro de 1665, quando estava obrigado à reclusão pelo Santo Ofício,[62] e colocada por Bosi no título do item que trata do envolvimento do missionário com a questão dos nativos.

Com apoio na leitura dessas cartas e documentos, Alfredo Bosi amplia e detalha nesse item a abordagem feita na *Dialética da colonização*, não apenas relativamente ao período mais crítico do enfrentamento entre colonos e jesuítas, como também a um momento muito posterior, comprovando que as posições do padre Vieira, razoavelmente coerentes entre os anos de 1653 e 1661 (grosso modo, o período que viveu no Maranhão), mantêm-se praticamente inalteradas até os últimos anos de sua vida. Vemos assim que o intérprete, sensível até mesmo à ocorrência de pequenas modificações no pensamento de Vieira ao longo do tempo, está também atento ao que nele há de duradouro. O documento que propicia essa ilação é o "Voto sobre as dúvidas dos moradores de São Paulo acerca da administração dos índios", escrito na Bahia e datado de 12 de julho de 1694.

A julgar pelas transcrições feitas pelo ensaísta e pelas passagens por ele parafraseadas, se há de fato alguma mudança, é no modo ainda mais enfático e categórico com que Vieira expõe o drama dos indígenas cativos e condena o cativeiro, enumerando toda sorte de violências cometidas pelos paulistas contra os indígenas. É assim que o padre octogenário "decompõe e descompõe todas as cláusulas ilícitas e iníquas da administração que fora acordada entre a Câmara bandeirante e o jesuíta Alexandre Gusmão instruído provavelmente por Antonil, secretário e secreto adversário das ideias de Vieira…".[63] Contudo, depois disso, a mesma tendência à concessão se manifesta, e Vieira acaba por propor mais ou menos o que havia defendido quase quarenta anos atrás. Na opção que devia ser dada aos indígenas entre a liberdade a que naturalmente teriam direito e a permanência como cativos e submissos ao senhor ("o amor é o mais doce cativeiro"), Alfredo Bosi, ainda que sublinhando a contradição entre a "ética da 'natural liberdade'" e o patriarcalismo, não deixa de assinalar o "inegável senso de observação antropológica" com que Vieira nota a íntima ligação entre as famílias dos paulistas e as dos indígenas, com a criação conjunta dos filhos e a língua comum falada entre eles, já que o português aprendiam apenas nas escolas, para concluir que assim seria talvez uma crueldade impor a separação entre elas.[64]

O "foco de interesse", contudo, reafirma Bosi, "é a distância que vai do discurso ético ideal para o discurso utilitário e mediador",[65] o que é o mote para a já comentada leitura do *Sermão da Primeira Dominga da Quaresma*.

O PREGADOR DIANTE DOS ESCRAVOS AFRICANOS: A "MORAL DA CRUZ-PARA-OS-OUTROS"

Nos estudos de Alfredo Bosi votados a Vieira, o exame da questão dos escravos africanos é tão frequente quanto a análise do problema indígena, mas, diferentemente desta, parece ter sofrido uma inflexão depois de publicada a *História concisa da literatura brasileira*. Enquanto os demais ensaios — à exceção daquele publicado em *Literatura e resistência*, que não discute esse tema — abrem espaço para a crítica, o desconforto, o desconcerto diante dos sermões e eventualmente das cartas que tratam do "espinho da escravidão",[66] o item dedicado a Vieira naquela obra é praticamente concluído com a afirmação de que o pregador não teria deixado de se mostrar sensível à dramática condição dos negros escravizados:

Nem se diga que Vieira foi insensível ao escravo negro preterindo-o no ardor da defesa ao indígena. No *Sermão XIV do Rosário*, pregado em 1633 à Irmandade dos Pretos de um engenho baiano, ele equipara os sofrimentos de Cristo aos dos escravos, ideia tanto mais forte quando se lembra que os ouvintes eram os próprios negros [...].[67]

A transcrição de um longo trecho do sermão vieiriano imediatamente depois dessa passagem, em texto relativamente curto, parece ter sido motivada, entre outras coisas, pelo propósito de comprovar que de fato não houve insensibilidade por parte de Vieira com o sofrimento atroz dos africanos no Brasil e ao mesmo tempo demonstrar o modo pungente com que ele descreve a vida que levavam no "doce inferno" dos engenhos de açúcar. Mas não podemos talvez pressentir já nesse intento certa inquietação advinda da leitura de alguns sermões do Rosário, particularmente o de 1633? Como quer que seja, quanto mais cresce a familiaridade, mais parecem crescer as exigências feitas a quem tanto se admira, sem prejuízo dessa admiração, se é que não acabam vindo em benefício dela.

Salvo engano, a abordagem das posições de Vieira relativamente à escravidão dos africanos no item "Negros" do capítulo da *Dialética da colonização* não sofrerá grandes alterações nos ensaios seguintes. Em todos os casos, Alfredo Bosi começa com a menção ao "hiato mais embaraçoso entre a doutrina evangélica e as praxes coloniais [que] se abre quando os escravos já não são ameríndios, mas africanos".[68] Considerado o fato de que boa parte das irmandades devotadas ao culto de Nossa Senhora do Rosário eram exclusivas dos negros, os sermões em que se podem encontrar exemplos dessa distância são obviamente os sermões do Rosário, particularmente os de número XIV, XVI, XX e XXVII,[69] cujo tema específico é a escravidão negra. Observa o crítico que "Vieira entra no mundo do escravo pelo atalho mais curto e direto da descrição existencial do seu cotidiano",[70] para depois lançar mão da analogia entre a vida dos negros no Brasil e a Paixão de Cristo, que será o eixo de todo o sermão XIV do Rosário.

Acompanhada da citação da mesma passagem desse sermão, a observação feita na *História concisa* sobre a grande força e o caráter envolvente dessa identificação ao ser dirigida diretamente aos escravos é aqui reiterada e desenvolvida, trazendo inclusive um trecho em que Marx, "dois séculos depois", formula a crítica do trabalho humano que não produz nada para o trabalhador a não ser privação, e que pode ser aproximado da imagem das abelhas de que se vale Vieira para falar do trabalho escravo: "As abelhas fabricam o mel, sim; mas não para si". O modo como o sermão é tramado faz, segundo Bosi, com que se reforcem mutuamente dois discursos: o da sensibilidade, em que a dor do escravo é expressa do modo mais intenso, e o do entendimento, que acusa "o caráter iníquo de uma sociedade onde [os] homens [...] se repartem em senhores e servos".[71]

Mas o cerne da contradição vai ser mostrado por meio do confronto entre os sermões XX e XXVII do Rosário. Naquele, multiplicam-se os argumentos em defesa da liberdade e da igualdade entre os homens, criados pelo mesmo Deus, que, retirados do contexto, "pareceriam francamente ilustrados e rousseauístas".[72] Neste, a falta de liberdade, a desigualdade e a opressão — que Vieira até então condenava como grave pecado — encontram uma justificativa na "noção do sacrifício compensador" e "na esteira de um discurso providencialista".[73] O que era visto como um crime cometido por seres humanos passa a ser tratado como desígnio divino: trazidos para a América, os negros puderam ser redimidos do paganismo e esposar a fé cristã; tendo os corpos maltratados e violentados no cárcere, obterão assim a salvação das almas.

O olhar penetrante amplifica o detalhe altamente significativo, de modo a comprovar o acerto da análise mais ampla e a evidenciar a astúcia do pregador: ao citar no sermão XXVII uma das bem-aventuranças do Novo Testamento — "Bem-aventurados aqueles servos a quem o Senhor, quando vier, achar vigilantes" —, substituindo a palavra "servos" por "escravos" para adaptá-la à audiência, Vieira acrescenta ainda a expressão "em fazer a sua obrigação", o que desvia a ideia fundamental da "vigilância" presente na palavra do evangelista Lucas para o "trabalho como condição *sine qua non*" da salvação das almas.[74] Ainda que nesse momento o intérprete não enfatize que esse deslocamento é ainda mais perverso por se referir ao trabalho escravo, a conclusão algumas poucas linhas à frente não deixa margem a qualquer dúvida:

> A moral da cruz-para-os-outros é uma arma reacionária que, através dos séculos, tem legitimado a espoliação do trabalho humano em benefício de uma ordem cruenta. Cedendo à retórica da imolação compensatória, Vieira não consegue extrair do seu discurso universalista aquelas consequências que, no nível da práxis, se contraporiam, de fato, aos interesses dos senhores de engenho.[75]

Uma vez mais cabe notar como, no estudo de uma grande figura do século XVII, Alfredo Bosi não deixa de refletir criticamente sobre outros tempos e sobre o próprio tempo, e assim a citação de Marx, que a alguns poderia parecer deslocada ou anacrônica, pode ser melhor compreendida ao se avaliar a coerência de um pensamento que recusa tratar do passado como morto e acabado, ou melhor, que não abdica da consideração das continuidades trazidas pela longa duração, ainda que não se furte à percepção das descontinuidades, das rupturas e transformações no fluxo da história. Como historiador da literatura e da cultura, e como crítico literário, Alfredo Bosi — creio — não deixaria de concordar com a afirmação de Braudel de que "a história é a soma de todas as histórias possíveis".[76]

Para concluir estas observações sobre a análise feita por Bosi do tema da escravidão dos negros em Vieira, gostaria apenas de aludir à maior amplitude que ela ganha no ensaio publicado em *Estudos sobre Vieira* e na introdução ao *Essencial Padre Antônio Vieira*, em que são analisadas mais algumas passagens dos sermões do Rosário e, mais importante talvez, cartas escritas pelo jesuíta em que, embora não seja essa a questão principal, acaba por ser mencionada de modo esclarecedor. Uma carta de 1648, em que Vieira demonstra preocupação com possíveis acordos entre Portugal e a Holanda, diante da ocupação de Angola pelos holandeses, traz esta frase, destacada pelo ensaísta: *"sem negros não há Pernambuco, e sem Angola não há negros"*.[77] Em outra carta, de 1661, Vieira procura fazer uma última concessão relativamente à questão indígena antes do acirramento final do embate entre jesuítas e colonos, mas a passagem igualmente realçada por Bosi inclui a afirmação de que *"os moradores nunca tiveram remédio senão depois que se serviram com escravos de Angola"*.[78] E no último texto publicado sobre Vieira, para mostrar que a posição do jesuíta não mudou nem mesmo ao final da vida, Bosi se vale da citação de outra carta, de 1680, em que ele afirma de modo ainda mais enfático que os negros eram *"o maior e mais fundamental remédio"*.[79] Como fecho dessas citações, Alfredo Bosi emprega a mesma frase com que conclui o capítulo da *Dialética da colonização*: "A condição colonial erguia, mais uma vez, uma barreira contra a universalização do humano".[80] Sem deixar de fazer a crítica do grande jesuíta, o intérprete parece sugerir aqui que os seus limites não podem ser desvinculados dos limites do mundo e do tempo em que viveu. A insistência nas peculiaridades e especificidades, a que já foi dado destaque, não se dá em prejuízo da consideração do que pode haver de comum em determinado contexto histórico e de que dificilmente se pode escapar.

A BIOGRAFIA E A CRÍTICA: UM BALANÇO DA VIDA E DA OBRA
DE ANTÔNIO VIEIRA

Em todo o percurso realizado até aqui, considerando-se sobretudo a leitura dos quatro primeiros textos de Alfredo Bosi sobre Vieira, deve ter ficado evidente que o crítico não dispensa o dado biográfico na análise e interpretação da obra do jesuíta, ainda que recorra a este ou àquele acontecimento de modo seletivo e sempre quando possa aclarar certa passagem de um texto ou ainda determinada posição recorrente em diversos dos textos que nos deixou.

Ao passarmos à leitura de "Antônio Vieira: Vida e obra — um esboço", a introdução ao volume *Essencial Padre Antônio Vieira*, podemos notar que a exposição fundamentalmente diacrônica, empregada na maior parte das obras biográficas, que poderia ter constituído uma limitação num texto centrado não apenas na vida como na obra de Vieira (logo veremos o engano dessa suposição), acaba amplamente compensada pela liberdade com que o autor se deixa levar pela narração de episódios que talvez não tivessem lugar num texto crítico sobre Vieira e que no entanto revelam-se altamente significativos para um melhor conhecimento de sua personalidade, ou da persona que surge da leitura de seus próprios textos ou dos textos de seus biógrafos, resultando ademais em leitura bastante saborosa.

É assim que Alfredo Bosi recorre não apenas à biografia de João Lúcio de Azevedo, o "mais idôneo" dos biógrafos de Vieira, como também a passagens da biografia em larga medida romanceada do padre André de Barros.[81] Esta seria a principal fonte para se conhecer um pouco da infância de Antônio Vieira, ainda que casos como o antológico *estalo* do menino e a sua fuga de casa para o colégio jesuíta devam obviamente ser lidos *cum grano salis*. Mas o melhor exemplo dessa narração mais livre e fluente parece ser a do período em que Vieira esteve em missão no Maranhão e no Amazonas, que teriam nas cartas então escritas a "fonte mais rica para o conhecimento desses anos".[82] Se nelas o missionário dava notícia dos eventuais sucessos obtidos, como também das muitas dificuldades enfrentadas, acabava também descrevendo vividamente a paisagem natural e humana das regiões visitadas. A mais notável dessas cartas, "pela informação ecológica e etnográfica que contém", seria aquela endereçada a Francisco Gonçalves, padre provincial do Brasil, provavelmente em fins de 1654, em que "Vieira narra a aventurosa viagem que fizera ao Pará com o intuito de evangelizar quatro aldeias de índios, cujo trabalho era cobiçado pelos colonos".[83] Sem deixar de nos estimular à leitura direta da missiva, Bosi alonga-se — prazerosamente, sentimos — por cinco ou seis páginas na exposição de seu conteúdo, mostrando-se sempre arrebatado pela riqueza e frescor do texto vieiriano: "Tudo é vívido, cada passagem se enlaça naturalmente com a seguinte, compondo um roteiro de obstáculos levantados pela selva e pelo homem para impedir que os jesuítas chegassem à aldeia onde almejavam iniciar a missão".[84]

Depois de acompanhar a inspirada narração dos acontecimentos fundamentais da vida de Antônio Vieira, da infância à juventude, da maturidade à velhice, bem como a apresentação e discussão de boa parte da obra por ele produzida, dos anos de formação no Colégio Jesuíta na Bahia àqueles vividos na Europa, como embaixador de d. João IV, durante o período áureo de sua atuação política e da obtenção da fama como grande orador sacro, do período missionário no Maranhão e no Pará e, depois de expulso, ao tempo de reclusão em Portugal, quando teve de se defender das acusações do Santo Ofício, dos anos passados em Roma, onde obteve o alvará que o isentava da Inquisição, até a volta ao país natal, antes do último retorno ao Brasil, com nova fixação na Bahia, onde se dedicaria, entre outras coisas, à organização de sua obra parenética e à continuidade da redação de sua obra profética, antes de morrer aos 89 anos de idade, o leitor chega ao último item da introdução, intitulado "Observações finais — o círculo hermenêutico: Forma e sentido nos sermões de Vieira". E se na leitura dos itens anteriores não havia deixado de notar os comentários críticos certeiros e as penetrantes análises dos documentos que permitiam o acesso aos episódios mais importantes da longa vida de Vieira, percebe agora mais claramente que o empenho na composição de um texto em linhas gerais biográfico sobre Vieira não fez com que o autor dispensasse a avaliação e a valoração de sua obra. Muito ao contrário, talvez se possa dizer que esse item apresenta uma síntese extraordinária de tudo o que o crítico vem pensando sobre Vieira nesse convívio tão longo.

Alfredo Bosi toma como ponto de partida um ensaio de Antônio Sérgio, "ao mesmo tempo elogioso e ardido", em que o crítico português procura associar alguns procedimentos formais típicos dos sermões de Vieira ao estilo do tempo e lugar em que viveu, qual seja, o estilo conceptista do barroco ibérico do século XVII. Diferentemente dos grandes oradores sacros franceses contemporâneos, cuja argumentação seria desenvolvida "a partir de reflexões articuladas logicamente e ilustradas com textos bíblicos que se ajustariam com propriedade aos temas propostos",⁸⁵ Vieira lançaria mão de recursos retóricos como o *"conceito predicável"*, que visa a "demonstração cabal da tese proposta" não por meio de "um percurso propriamente lógico ou conceitual", mas "por meio de citações bíblicas alegorizadas ad hoc, ou ad hominen, forçando muitas vezes o significado e o contexto original".⁸⁶ A despeito de reparo feito ao "viés racionalista do crítico", Bosi sugere a sua concordância com Antônio Sérgio e, depois de referir-se a um de seus exemplos mais convincentes, acaba por afirmar:

> Não cabe dúvida de que Vieira usa e abusa do processo de transposição — dos tempos, dos espaços, das pessoas — tanto nos sermões como nos escritos proféticos, que são, por excelência, testemunhos de um pensamento alegorizante. Tudo quanto foi visto, ouvido ou dito no passado pode ser transferido para o presente ou para o futuro. O Antigo Testamento prenuncia o Novo, e ambos prefiguram o reino consumado de Cristo que está por vir.⁸⁷

A hipótese que Bosi considera é a de que diversos outros traços de estilo dos sermões de Vieira poderiam ser associados a esse *"movimento de presentificação"*, o que — a ser acertada — permitiria "percorrer o círculo hermenêutico e ir do todo semântico às partes",⁸⁸ isto é, aos procedimentos estilísticos empregados por Vieira, muitos deles responsáveis por levar os ouvintes ao reconhecimento da atualidade da palavra dos antigos, como é o caso das anáforas, das repetições, dos dêiticos, da teatralização dos relatos bíblicos. Mas se isso vem ao encontro da prédica recorrente à ação, em detrimento da contemplação, cabe reconhecer que em quase todas as circunstâncias da atuação do próprio Vieira o resultado foi um retumbante fracasso. É assim que, vendo malograr os seus planos mais grandiosos no presente, o jesuíta acabaria por encontrar algum conforto nas expectativas de que os sonhos tão ciosamente acalentados viriam a se realizar no futuro:

> A vontade férrea deveria ceder afinal aos ardores da imaginação. Que eram os sonhos senão as relíquias dos cuidados? Em vez da ação de incerto resultado, que viesse a esperança, virtude que os céus sempre abençoaram. A certeza do cumprimento das profecias tangia para as saudades do futuro as vozes de um passado grávido das mais belas promessas. Dessa fé inabalável nascia e renascia ao longo de cinquenta anos de trabalho febril *A chave dos profetas*.⁸⁹

Essa "sublimação" ganharia alento nas decepções de um povo que, a partir do desaparecimento de d. Sebastião, havia perdido as esperanças de manutenção da glória que havia desfrutado no período das grandes navegações e descobrimentos. Se essa nova hipótese, que agora o crítico afirma *parece* plausível, mostrar-se correta, a obra profética de Vieira seria — nessa interpretação fina e refinada — "mais um lance do sebastianismo português, que ele rejeitou taticamente para melhor convertê-lo na espera do rei encoberto, alçando-o por fim à miragem do Quinto Império".[90]

O último parágrafo do texto apresenta uma avaliação do legado de Antônio Vieira, formulada como pergunta, a que já foi feita alusão: se em toda a sua vida o grande jesuíta aplicou-se em trazer ao presente e ao futuro próximo o passado, haveria algo de vivo e de atual na "imensa obra" que nos deixou? A resposta vai ser dada por meio da glosa a um título de Croce — "O que está vivo e o que está morto na filosofia de Hegel" — e, uma vez mais, com extremo cuidado e ponderação ("arrisco-me a dizer..."). Mantêm-se vivos "o monumento literário do imperador da língua portuguesa cantado por Fernando Pessoa"; a persistência e a coragem na defesa dos judeus e cristãos-novos, bem como dos indígenas, do Maranhão, Pará e São Paulo; o patético com que descreveu o sofrimento dos escravos africanos nos engenhos nordestinos; a denúncia dos desmandos das autoridades na colônia; a proposição de que devem ser as ações o critério de julgamento dos homens, e não a nobreza do sangue. Novamente, haveria a deplorar a posição contraditória do jesuíta na questão dos negros escravizados, mas quanto à "quimera de um reino de paz e justiça" defende o crítico que mereça "alguma indulgência", o que talvez deixe entrever que nesse momento, mais ainda do que na enumeração de tudo o que considera vivo na obra deixada por Antônio Vieira, Alfredo Bosi está pensando na realidade de seu tempo e nos próprios anseios ou sonhos de sua transformação.

Um fino legado à cultura:
Crítica literária e psicanálise

Cleusa Rios P. Passos

Ergo:
O livro pode valer pelo muito que nele não deveu caber.
Quod erat demonstrandum

Guimarães Rosa, *Tutameia*

Tal epígrafe, retirada de "Aletria e hermenêutica", um dos prefácios de *Tutameia*, pode ganhar um olhar distinto e analógico ao ser deslocada de seu contexto original, a fim de evocar outro sentido no âmbito desta homenagem. Ela se torna, aqui, tributo ao professor Alfredo Bosi por sua importante contribuição para o universo da crítica e cultura brasileiras e, por extensão, para a formação acadêmica de várias gerações, inclusive a minha. Seu trabalho constitui um legado que ultrapassa seus oitenta anos de idade; ou seja, semelhante ao livro de Guimarães, que pode valer pelo que nele não coube, o legado de Bosi também não cabe em seu tempo de existência, vai muito além dele.

Por isso agradeço e lembro, misturando os dois atos que movem este escrito e me apropriando do início de um discurso do próprio Bosi, ao receber o título de professor emérito, no qual, apoiado na palavra das Escrituras, afirma: há "tempo de agradecer e tempo de lembrar" e, em determinadas ocasiões, "os tempos se fundem". Para mim, agora, os tempos também se interpenetram. Fui sua aluna nos idos de 1970, e quando ainda não sabia que minha mais significativa linha de pesquisa seria "Crítica literária e psicanálise", ele já recorria a ela, se necessário, com o propósito de ampliar e enriquecer a compreensão do texto artístico. E, mais, não temia nomear a palavra psicanálise, nem sublinhar sua função na esfera da crítica literária, inserindo-a no vasto campo da cultura — algo sempre desejado por Freud, que se valia da literatura, não só pelo prazer pessoal, mas igualmente pelo conhecimento sobre o humano que, nela contido, sustentava noções para a construção de sua teoria.

Na mesma década de 1970, em um curso de pós-graduação, ao discutir "a poesia reflexiva e frequentemente negativa de Drummond",[1] Bosi convida o dr. Durval Marcondes para comentar, com os alunos, o complexo conceito freudiano de pulsão de morte, recusado por alguns psiquiatras da época, mas bem-aceito por Marcondes, cujo papel na fundação do movimento psicanalítico brasileiro foi fundamental. Antes, também em uma disciplina de pós, centrada em Jorge de Lima, Bosi já havia sugerido a leitura do capítulo VI de *A interpretação dos sonhos*, de Freud, texto basilar por tratar da elaboração onírica, estabelecer vínculos com o inconsciente e permitir aproximações com a criação e a crítica literárias. Tal conexão se realiza graças, sobretudo, aos processos de condensação e deslocamento, relacionados à metáfora e à metonímia por Roman Jakobson e, depois, recobrados pelos estudos literários, linguísticos e psicanalíticos (ver, por exemplo, Jacques Lacan).

O reconhecimento do papel de tais conceitos e de vários outros, provenientes do saber freudiano, estende-se ao longo da produção de Alfredo Bosi, pela abordagem sutil de questões teóricas, ficcionais e poéticas. Se, nessa produção, à primeira vista, tal saber passa despercebido em meio à interação com campos diversos do conhecimento (história, filosofia, sociologia, psicologia social) e a diálogos intertextuais, um olhar atento acaba capturando a presença explícita, em maior ou menor grau, de aspectos do trabalho de Freud.

Sem a pretensão de rastrear inteiramente tal presença, destaco alguns dos escritos de Bosi em que ela aparece. Da perspectiva teórica, impossível não mencionar "Imagem, discurso" (primeiro capítulo de *O ser e o tempo da poesia*, 1977), que aqui será basilar, ao lado dos artigos "A interpretação da obra literária" (publicado em *Céu, inferno*, 1988/2003) e, mais recentemente, "Psicanálise e crítica literária: proximidade e distância" (constante do livro *Interpretações: Crítica literá-*

ria e psicanálise). Os três mostram um modo de apreender possíveis convergências entre a interpretação da obra literária e conceitos oriundos da psicanálise em passagens que as solicitam; ou seja, estabelecem as relações assinaladas, enriquecendo o conjunto da compreensão textual, embora não constituam a via analítica predominante do olhar do crítico, atento a várias questões culturais, mas, em geral, elegendo as histórico-sociais como eixo maior de suas leituras. Um ou outro ensaio do autor poderá ser mencionado para justificar mais adequadamente o fio teórico aqui perseguido.

Primordial, "Imagem, discurso" enfoca elos entre imagem e poesia, evocando filósofos (Aristóteles, Bachelard, Santo Agostinho, Hegel, Vico), teóricos e críticos (Peirce, Ricœur), poetas e ficcionistas (Camões, Leopardi, Dante, Swift) etc., sem ignorar o pensamento de Freud, convocado para sustentar uma das configurações do Imaginário, que tem sua "gênese" suficientemente investigada pela psicanálise em outro nível, oferecendo "respostas maduras ao problema das suas motivações". Vale recordar que o prazer, a dor e os "afetos que se tecem com os fios do desejo"[2] criam um lastro cujo produto é a imagem, justificando-se, portanto, o recurso a estudos já realizados.

Mais abrangente, tal visão abre discussões fulcrais, visto que o Imaginário, além de ponto de confluência entre crítica literária e psicanálise, vem sendo discutido por esta última desde as primeiras reflexões freudianas, chegando a ser concebido, na releitura de Lacan,[3] como um dos três registros "essenciais da realidade humana" (sempre entrelaçado ao Simbólico e ao Real) e considerado indispensável para as identificações do sujeito, já no primeiro ano de vida. Embora, em um trecho, Bosi vincule o devaneio ao lírico "imaginá" do caboclo, "pensamento vagamundo",[4] algo mais próximo da psicologia e diferente do Imaginário da psicanálise, ele faz com que ambos convivam, sublinhando a acepção específica do vocábulo na área psíquica, em uma passagem anterior, pelo emprego da palavra em maiúscula, quando vinculada a Freud.

Conforme se percebe, o crítico vai propondo associações, assinalando o valor e a adequação do campo psicanalítico para revisitar o lugar da "imago", no que concerne ao corpo e ao "fantasma". Paralelamente, ele procura recobrar noções intrincadas em uma linguagem mais próxima do eixo principal do artigo, a atividade poética. Cabe transcrever dois momentos sugestivos da maneira pela qual Bosi absorve e recompõe a teoria freudiana na esfera da arte. "A imagem, fantasma, ora dói, ora consola, persegue sempre, não se dá jamais de todo", constata ele, para argumentar em seguida: "[...] A imagem resulta de um complicado processo de organização perceptiva que se desenvolve desde a primeira infância".[5]

Sem dúvida, aí se delineiam expressivas e finas aproximações teóricas, sem que a terminologia da psicanálise domine ou se perca em especificações próprias de sua constituição. Mas, pode-se notar que a primeira citação evoca esse saber por meio da relação do fantasma com o Imaginário do sujeito e seu objeto do desejo, sempre deslizante, daí a ideia de perseguição e incompletude. Assimilado a um modo de defesa, o fantasma é um aspecto capital em Freud e, depois, na obra de Lacan, cujas articulações iniciais (há mudanças posteriores) sublinham a importância da dimensão imaginária, entendendo que ela corresponde ao que o sujeito pode produzir como imagens e corpo "falante", daí os afetos, a dor e o consolo.

Na segunda referência, Bosi liga a imagem à organização da percepção, instituída desde a primeira infância, permitindo, analogicamente, que o leitor relembre da fase nomeada "estádio de espelho" por Lacan, segundo a qual a criança, entre seis e dezoito meses, só reconhece a totalidade do corpo em sua imagem no espelho ou no outro, ou seja, a unidade que nos funda é virtual porque se configura no alheio.[6] O Imaginário lacaniano, relacionado à imagem especular do semelhante, designa, depois, o lugar do "eu", com seus enganos e ilusões. Aliás, Freud já ressaltara o logro de se acreditar na unidade ou autonomia do eu,[7] bem como a ideia de que o eu seria sobretudo "um eu corporal".[8]

Assim, em meio a ressonâncias de diferentes conhecimentos, a psicanálise ganha espaço no ensaio, que recobra, por exemplo, *A interpretação dos sonhos* (1900) para destacar, apoiada nos já mencionados processos oníricos de condensação e deslocamento, a mobilidade da imagem e seus vários perfis "ao exibir--mascarar o objeto de prazer ou da aversão". Tal mobilidade, a "imaginação ativa", seria "a fantasia ou a produção de novos fantasmas".[9] O discurso do crítico busca aí incorporar vocábulos do outro campo graças a um recorte preciso, o de estabelecer elos com o poema. Sugestivamente, seu texto leva o leitor a recordar de "O escritor e a fantasia" (também traduzido por "Escritores criativos e devaneio", 1907/1908), artigo no qual Freud reflete sobre a invenção literária para reafirmar o poder do sonho acordado, antecipando uma das ideias de "Imagem, discurso", aquela do devaneio "como passo inicial da criação poética" e, de maneira mais abrangente, como "a ponte, a janela aberta a toda ficção".[10]

Cabe, ainda, lembrar que a obra freudiana sobre o sonho salienta o papel preponderante das imagens visuais, que devem alcançar "forma inteligível" no relato do sonhador, isto é, este cria uma narrativa para dar corpo e encadeamento às cenas oníricas. Em movimento inverso, a interpretação psicanalítica propõe um desarranjo desse enredo discursivo para chegar ao desejo nele encoberto, e, por extensão, a algum sentido. Nessa trilha, o texto do sonhador pode ser alterado a cada relato, recebendo interpretações diversas — algo similar ao trabalho interpretativo da obra literária, pois, a cada releitura, ela também tende a ganhar variações de sentido.

Sempre por analogia, um dos veios da abordagem de Bosi, a "imagem-no-poema" segue um caminho parecido. Ela não é mais "um fantasma produzido na hora do devaneio" (o sonho acordado) e, sim, "uma palavra articulada".[11] O crítico rastreia noções teóricas e as concatena com clareza, num primeiro momento, para questioná-las num segundo, quando assume a cena principal o trabalho com o verbo, cuja força permite que as "ficções da vigília" e os "fantasmas do sonho" entrem para o "patrimônio da experiência cultural".[12] Tais aspectos já foram constatados por Freud, se pensarmos em seu método analítico de livre associação, que lança luz sobre o (não) "saber" pela construção verbal. Como na narrativa onírica, a "imagem-palavra-poética" também não é fixa, nem diáfana, mas se transforma a cada interpretação, podendo se aproximar do sonho no que concerne à transgressão: o poema e o sonho subvertem a experiência humana, o primeiro pela palavra elaborada, o segundo pelo modo singular de apreender a vivência humana.

E, mais, na seleção de traços psicanalíticos, Bosi não esquece na "geometria da imagem" a dinâmica do desejo e suas relações com o inconsciente, nem sua configuração como "transformação de forças instintivas".[13] Por outro lado, essa força das pulsões (Vida/Eros e Morte/Tânatos) procura se dar a conhecer (?) "no modo da imagem", estabelecendo-se aí uma indagação, gerada pela leitura de Paul Ricœur: que expressão alcançaria fundir imagem e pulsão, uma vez que esta se revela inapreensível para a própria psicanálise?[14] Complexo, o conceito é uma invenção de Freud e, embora o termo não o seja,[15] é específico de sua teoria, sendo considerado por alguns, juntamente com outras noções psíquicas, uma ficção.[16] Nessa mesma via, a energia pulsional é tratada por metáforas em estudos psicanalíticos, pois "assim como aponta para teoria [...] aponta também para algo que se furta ao olhar conceitual".[17]

Bosi parece corroborar essas interpretações, ao recobrá-las no campo da poesia. Sem entrar na controvérsia sobre sua nomeação — "pulsão" ou "instinto"—, interessa a ele marcar que essa energia (limite entre o psíquico e o físico) escapa à representação, à palavra poética e às tramas imagéticas, surgindo, porém, de alguma maneira, em "aparições capilares, as imagens".[18] Seu ensaio deixa claro que, a rigor, a imagem não alcança conformar inteiramente a pulsão, pois esta encontra diferentes modos de aparecer, dentre eles "a entonação da voz", "o gesto", "o andamento da frase" etc. O intento de perceber até que ponto se enredam "as pulsões e os signos", os desejos e as imagens reaparece em diferentes passagens de sua produção, inclusive nas que tratam de valores éticos e sociais, como, por exemplo, no escrito "Narrativa e resistência", em que não se ignora o papel das referidas noções psicanalíticas e sua interação com "projetos políticos", "ações e conceitos" para se respeitar a totalidade (ou, acrescento, impressão dela) da obra artística, garantindo sua "vitalidade".[19]

Em "Imagem, discurso", o crítico resgata os procedimentos oníricos de Freud ao confirmar que a imagem não se encerra em si mesma, mas trabalha "com outras imagens", diversificando-se em função de mascaramentos e desmascaramentos do "objeto de prazer ou da aversão".[20] Assim, condensação e deslocamento, ao lado das pulsões e do desejo, não dizem respeito apenas às considerações sobre o poema em si, mas se estendem aos atos de inventar e interpretar textos literários.

Tais atos são nitidamente expressos em "A interpretação da obra literária",[21] pois aí se discute o processo de elaboração da escrita e sua recepção, no qual se enfrentam pulsões vitais, "desejo, princípio de prazer e de morte" e correntes culturais (ideologia, questões de gosto e de modelos formais).[22] Fundamental, a relação focaliza dois aspectos básicos para o ato criativo, contaminando a leitura interpretativa: o sujeito e a história. Embora, na segunda edição de *Céu, inferno*, o crítico retire os termos do início do artigo, ambos continuam a permear as reflexões textuais e retornam no final, revelando a imprescindível complementação dos saberes e dos sujeitos no universo da obra, espaço de encontro especular entre as histórias (cultural e singular) do autor e do intérprete.

Aliás, a questão ressurge em outras leituras; uma delas é o ensaio "*O Ateneu*, opacidade e destruição",[23] no qual Bosi discute as descrições do protagonista do romance, realizadas por recortes, fragmentos de objetos e "visagens grotescas" na caracterização dos colegas de classe. Mordaz, tal olhar (um dos temas constantes na obra do crítico) desperta a incerteza do leitor sobre o móvel desse "processo existencial", que leva à pergunta especulativa do ensaio: "sujeito ou sociedade?".[24]

A indagação é relevante, pois deixa entrever traços seletivos da memória, reconstruídos pelo adulto, em sua "crônica de saudades". Impossível ignorar o sujeito e a "errância de um instinto de morte",[25] resultante de relações humanas agressivas; impossível, igualmente, ignorar os dados da história, presentes no que Bosi julga como "superação precoce do naturalismo", no conjunto da tradição literária e, paralelamente, na "violência compacta da escola", produto da "trama social do Segundo Império".[26]

Ganha muito a teia narrativa quando o perfil da personagem é lido pela intersecção entre a obra literária e as esferas psíquicas e histórico-sociais. Inegável o êxito da crítica integrativa, em geral de difícil realização. Bosi observa, inclusive, que a poética de Raul Pompeia se insere na "passagem que envolveu a arte ocidental" no fim do Oitocentos, justificando, durante o século XIX, "a contradição entre a Lei e o Desejo", cuja presença se intensifica ao lado da ideia do Inconsciente e do sonho etc. Com todas as letras, "este será o grande passo dado por Nietzsche e Freud [...]".[27]

Em diversos ensaios ligados a assuntos culturais, o pensamento freudiano se mostra apoio seguro. À guisa de exemplo, em "A interpretação da obra literária", no ato de interpretar coexistem o "sujeito que se revela e faz a letra falar" e a "trama da cultura",[28] ou seja, a psicanálise permitiria entender melhor o sujeito (do inconsciente) e sua constituição, contando igualmente com o contexto histórico. Nessa direção, merecem destaque duas noções mediadoras, vinculadas ao jogo sujeito-história e manifestas na gênese e recepção da obra literária: a "perspectiva" cultural e o "tom", responsável pelas "modalidades afetivas da expressão".[29] Se alguns críticos também as reconhecem, vale ressaltar, no olhar de Bosi, tanto a busca de distanciamento analítico como a dialética entre ambas as noções, sem privilegiar nenhuma. Literalmente, à memória social acresce-se a lembrança particular, à "História a fantasia criadora", à herança da tradição a "percepção singular".[30]

Em síntese, a psicanálise vem sempre articulada a outros traços culturais. À guisa de exemplo, os mecanismos do sonho e suas relações com a linguagem poética são comparados, em "Imagem e discurso", à proposta de Vico, embora sob "ótica" distinta, em função da ideia de que os dois enfoques são "complementares".³¹ O ponto de convergência: a imagem. A preocupação de não se comprometer com teorias estritas abre e amplia caminhos interpretativos, surgindo, em torno do dado imagético, Freud, Bachelard, Baudelaire, os surrealistas etc., a fim de engendrar diferentes perspectivas de leitura. Sutilmente, às vezes, uma frase ou vocábulo estabelece confluências com um dos autores citados. Basta pensar que, ao tratar do gosto pela recorrência, no item "A volta que é ida", tem-se: "O mesmo movimento que permite o sossego do retorno pode aceder à diferenciação-para-frente do discurso. Re-iterar, re-correr, re-tomar supõem *também* que se está a caminho; e que se insiste em prosseguir".³²

De certa maneira, o "sossego do retorno" se faz eco de Freud que, na esteira de Groos, entende o reencontro com o conhecido como um prazer, ancorado na "economia do esforço psíquico", responsável por uma sensação de bem-estar. Para o psicanalista de Viena, tal ideia ganha força, graças a exemplos literais de alguns autores, entre eles Aristóteles, que já destacara o "reconhecimento" como um fundamento do prazer estético.³³ E, ainda, teórica e inversamente, Freud se vale de determinados traços peculiares do poema, dentre os quais "a rima, a aliteração, o refrão e a repartição dos sons em poesia", pois, segundo ele, estes constituem fonte de prazer, despertado pelo reencontro do conhecido, podendo ser comparados ao papel da lembrança em si, que provocaria "um sentimento de prazer de origem análoga".³⁴

Se o intuito freudiano era pontuar formas de prazer suscitadas pelo chiste e pela estrutura do poema, o de Bosi, em "Imagem, discurso", refere-se especificamente à poesia, expondo argumentos que ampliam as sugestões relativas à expressão que volta: o movimento confortável do retorno não exclui a ideia de "que se está a caminho" e "se insiste no prosseguir". Em vários verbos, a partícula "re" confere "maior efeito de presença à imagem" ou produz "intensificação", atribuindo à "imagem evocada" pela palavra que retorna "a aura do mito".³⁵ Conforme se observa, a teoria psicanalítica e a arte verbal confluem, mas não se descarta a diferença entre elas, marca da singularidade de cada uma.

Algumas dessas questões reaparecem no já referido ensaio de Bosi, "Psicanálise e crítica literária: proximidade e distância", concentrado mais especificamente nas "zonas de confluências" entre os dois campos. Nele, reitera-se que a interpretação de texto trabalha com desejos, paixões, imaginário, sonho etc., reforçando a importância do inconsciente e da memória, sem descartar "intersecções com a autoconsciência".³⁶ Mais uma vez, as contribuições freudianas operam juntamente com a busca de relações entre determinadas linhas de pesquisa, pois há um propósito confesso do crítico de admitir a "afinidade entre a matéria-prima da expressão poética e certos temas da psicanálise", ao lado de aspectos que não seriam "objeto preferencial" da teorização clássica desse saber.[37] E a escolha recai sobre um tema insistente em suas leituras: a identidade.

Para isso, Bosi retoma a Psicologia Social, disciplina que estabelece "uma interface implícita com a Psicanálise".[38] Convém ressalvar que Freud não a ignora ao escrever, por exemplo, *Psicologia das massas e análise do eu*, absorvido por inquietações de sua época, particularmente a guerra e grupos coesos, como o Exército e a Igreja, que fomentariam uma "coerção interna" para evitar dispersões. A compreensão dos laços sociais com o grupo se destaca já no início da obra com a afirmação de que a "psicologia individual" seria também, "num sentido amplo", "psicologia social".[39] As justificativas do argumento se apoiam em uma perspectiva peculiar, responsável pela seleção de conceitos psicanalíticos, dentre eles a "identificação" e a "libido", entendida como o "amor" e suas variadas formas.

Entretanto, Bosi procura tratar das relações do "eu" com seu "contexto próximo ou abrangente", considerando concepções oriundas de outros conhecimentos. Sem dúvida, o recurso à interdisciplinaridade é seu viés e, aqui, interessa tal enfoque, pois permite refletir sobre os limites da psicanálise e suas fronteiras com diferentes campos, em se tratando de arte e de crítica literária.

À primeira vista, cabe assinalar que a palavra "identidade" está quase ausente do universo teórico de Freud e, quando surge, não comporta formulações rigorosas nem estudos contínuos, diferentemente, por exemplo, do conceito de "identificação" — fundamental para se entender a constituição do sujeito e a "psicologia das massas". Parece que sempre esteve em jogo, em seu pensamento, questões vinculadas ao desejo, ao inconsciente e ao sujeito que não se conhece inteiramente nem é uno e estável, características diversas da identidade.[40] Intrincada e ilusória, esta gera a impressão de que "'algo' permanente subjaz aos diversos momentos da [nossa] existência", que se conformaria por elos entre "vivências e representações" sucessivas apresentadas "à consciência".[41]

Valho-me, aqui, de Renato Mezan porque é justamente um psicanalista que, na esteira da crítica, expõe duas importantes faces da noção. Segundo ele, identidade remeteria a "uma sensação subjetiva" de "eu sou eu", "os outros não são eu" e "eu não sou os outros".[42] Não por acaso, a psicanálise não a incorpora, pois, em linhas gerais, para se constituir, o "eu" vai se alterando, ao longo dos estudos freudianos. À semelhança do mestre, que põe em dúvida o "cogito cartesiano" e elabora a ideia da divisão do sujeito (o "eu" é uma das instâncias do aparelho psíquico), Lacan recupera a ideia, construindo, entre outros traços, o conceito de "estádio de espelho", ligado ao registro Imaginário, além de dedicar a ela seu seminário ix, nomeando-o *A identificação* (1961-2).

Contudo, fora da psicanálise, há uma segunda possibilidade de pensar a "identidade", entendendo-a como o que torna possível "a localização do indivíduo num conjunto do *socius*", em função do desempenho de seus papéis no grupo social ou cultural, tal como se observa em instâncias como a profissão, a classe social, a língua, a etnia etc. A complexidade da questão, ancorada no encontro de vias diversas e heterogêneas (subjetividade, critérios sociais, instituições culturais), leva Mezan à afirmação sugestiva: "nada menos identitário do que o campo da identidade".[43]

Pois bem, Bosi adentra esse campo complexo para compreender várias obras de Pirandello e Machado, enfocando o tema da máscara social e sua aderência à face das personagens, interessando, aqui, a presença subentendida da "identificação", ponto de encontro com a elaboração freudiana. O crítico se detém no romance *O falecido Mattia Pascal* (1904), do autor italiano, e no conto "O espelho: esboço de uma nova teoria da alma humana" (*Papéis avulsos*, 1882) de Machado, selecionando aspectos de "uma leitura sociológica canônica", ao lado de "uma leitura existencial" — vertentes explícitas em seu artigo "O duplo espelho em um conto de Machado de Assis", publicado na revista *Estudos Avançados*,[44] e implícitas nas reflexões dedicadas ao texto de Pirandello.

Para ele, um drama comum aproxima as duas ficções, o da máscara. Em linhas gerais, o romance de Pirandello trata de Mattia Pascal, personagem que tenta escapar de um meio "provinciano" e restrito, fingindo a própria morte e assumindo a identidade de um jogador suicida, fora de sua cidadezinha. Tempos depois, o homem volta a ela, porém seus habitantes não o reconhecem em função do fingimento anterior, aceito como "real", e ele passa a ser "ninguém", conforme assinala o crítico, cuja interpretação registra a impossibilidade de as figuras pirandellianas saírem de seu papel social, condenadas a uma incessante representação. Tal ideia complementa outra, feita, sem dúvida, por um leitor da obra freudiana (e, para além disso, um leitor da existência): "A identidade só é fixa quando vista do lado de fora, da convenção a que está obrigado o ator social, mas é móvel, patética, insofrida e, no limite, trágica, quando vista do lado de dentro".[45]

Sem referência expressa, entram em cena a identificação e a divisão do sujeito, uma vez que a troca realizada por Mattia Pascal altera sua imagem especular e, particularmente, apaga um traço que nele se inscreve e o singulariza desde o nascimento: o nome próprio. Além de permitir tais inferências, fios despertados pela leitura do ensaio e sugestivos da continuidade analítica do ponto de vista da psicanálise, as proposições de Bosi permitem ao leitor perguntar: Qual a imagem que se refletiria no espelho? O que é a máscara e o que é o rosto? Ou ambos estariam condensados em um só?

O questionamento não é novo. Em 1982, no artigo "A máscara e a fenda", centrado na obra machadiana,[46] "O espelho" integra os textos analisados e esse enigma já inquietava o crítico. Mas, em 2014, o conto ganha estudo mais alentado. Resumidamente, ele gira em torno de uma conversa entre amigos, na qual o protagonista Jacobina sustenta que o homem tem duas almas, a interior e a exterior. Para prová-lo, relata o episódio vivido por ele no passado, no sítio de uma tia, em que todos valorizam sua farda de alferes da Guarda Nacional, posto recebido com orgulho por seus familiares e pelos escravos que serviam à tia. Essa imagem passa a dominá-lo e, ao ficar só, sem a admiração do grupo, não consegue visualizar-se no espelho com nitidez e inteireza. Seu reflexo se faz "disperso" e "esgarçado" — aparentemente, contrário ao "estádio de espelho", que nos devolve a ilusão da imagem do corpo inteiro, evocando o olhar do semelhante. Para escapar da angústia e voltar a se ver como antes, Jacobina precisa recolocar a farda. Machado introduz, bem antes da proposta de Lacan, ao lado da ilusão de unidade, a do poder social. A farda toma o lugar da própria pele e, portanto, do corpo, causando certo estranhamento no leitor.

Bosi percebe o problema, considerando a farda não apenas "um objeto de desejo e fetiche", mas assinalando sua função de "máscara para sempre introjetada" na personagem. Sem remeter diretamente ao pensamento freudiano, o crítico recorre a ele, porque a narrativa o solicita. A farda configura-se um objeto externo que domina o sujeito e o substitui, pois assume suas características. Nessa direção, entram em jogo na leitura de Bosi o olhar alheio ("a figura de si mesmo construída pelo grupo de convivência",[47] o recurso do espelhamento, a identificação, a *objetivação*, o "ser-para-o-outro" — aspectos atuantes no âmbito da psicanálise e, embora em primeiro plano esteja o "conflito entre vida e fôrma social",[48] o dado psíquico, explícito ou subentendido, integra-se ao social para destacar a "desumanização do processo inteiro" vivenciado por Jacobina.[49]

Sem me estender, recobro a indagação do crítico: "O que é o eu sem a máscara do papel social (para Jacobina)?". E a resposta, na conclusão de "Psicanálise e crítica literária", aproxima-se do saber psicanalítico no que concerne à imagem do protagonista: "Algo informe, partido em mil pedaços, esgarçado, fugidio", ao lado da observação, mais abrangente, conferida ao narrador do conto consciente "do processo inteiro de que ele foi objeto e sujeito", graças à "expressão dessa consciência, autopercepção que se fez escrita".[50]

E cabe, aqui, terminar esse pequeno recorte dos ensaios de Bosi, pontuando essa consciência que se expressa e se faz escrita, pois, além de manifesta em outras narrativas machadianas, ela ecoa e reflete, de alguma forma, o trabalho do crítico em relação a sua própria escrita, perspicaz e lúcida ao abordar as obras literárias. O traço especular se revela nas escolhas textuais e na captura de temas insistentes, como o olhar, o enigma, a máscara social etc., constituindo determinadas constantes, singularmente engendradas a cada leitura de diferentes autores. Tais constantes são abordadas não apenas do ponto de vista histórico-social, mas também marcam o aflorar do sujeito e, aí, a contribuição da psicanálise se mostra de grande valia. Guardadas as devidas proporções entre as duas vertentes — a primeira mais explícita do que a segunda —, Bosi busca a complementaridade necessária à interpretação de perfis humanos distintos em contextos variados. Acompanhar tais relações desperta, no leitor, tanto a busca de reviver o prazer experimentado pelo crítico diante da obra literária, objeto de seus ensaios, bem como o desejo de rastrear e iluminar novos fios interpretativos. Em sua produção, há sempre um aspecto enunciado ou sugerido a merecer continuidade analítica, o que confirma a ideia inicial da mistura dos tempos que moveram este escrito: o de lembrar e o de agradecer, ainda uma vez, seu fino e amplo legado.

O capítulo 19 de *São Bernardo*: Fusão, transfusão, confusão

Erwin Torralbo Gimenez

>*E depois das memórias vem o tempo*
>*trazer novo sortimento de memórias,*
>*até que, fatigado, te recuses*
>*e não saibas se a vida é ou foi.*
>*[...]*
>*Que confusão de coisas ao crepúsculo!*
>*Que riqueza! sem préstimo, é verdade.*
>*Bom seria captá-las e compô-las*
>*num todo sábio, posto que sensível:*
>
>Drummond

> As cordiais relações com dementes agora me pareciam significativas: era possível que houvesse entre nós alguma semelhança. Um doido lúcido.
>
> Graciliano Ramos

Posto no exato meio de *São Bernardo*, como uma fenda aberta entre os movimentos díspares que forjam o romance, o capítulo 19 condensa passado e presente, melancolia e remorso, num emaranhado, e com isso atira o narrador às zonas do delírio. Suspende-se a linha reta dos fatos e emerge outra vez o sujeito da escrita, deslizando assim o discurso na curva das memórias. Se o desconcerto das páginas iniciais se prende à impossível alienação da voz narrativa e logo reflui durante a primeira parte do relato, ora a crise se instala em grau de maior intensidade, à medida que se fundem os fios de sua desdita. Sem atingir no presente o cerne do trágico — motivo tanto do drama como do livro —, Paulo Honório já não é capaz de discernir as esferas do tempo, enfim transfundidas, e resvala num turvamento fantástico: deformam-se, e não se apagam, as imagens da atualidade e do pretérito, mergulhado o espírito na confusão entre os dois.

Esse fragmento notável se articula, na trama da escrita, com as margens do romance, o princípio e o fim, momentos em que o narrador encara os problemas da expressão, aqui tão necessária quanto insuficiente. Os capítulos 1 e 2 refletem, com sinais invertidos, os planos da tensão entre o pragmático e o intuitivo: recompor a própria vida pela divisão do trabalho é empresa inconsequente, porque há uma demanda interior que o estilo alheio não pode capturar; tampouco cabe esquecer a demanda, e ao sujeito resta perseguir solitário o sentido do que viveu. Quando afasta as letras sob encomenda, Paulo Honório acusa a falta da *pessoa* no discurso e termina envolto por sons e visões pungentes, sobretudo o pio da coruja; em seguida, o eco desse pio arranca a narração, mas esta não ganha fluidez ("Continuemos. Teciono contar a minha história. Difícil."), antes insinua o avesso das coisas num paradoxo: "digo a mim mesmo que esta pena é um objeto pesado" — a frase constitui, aliás, o índice de ambiguidade que pouco a pouco vai crescendo no passo do livro. O último capítulo retorna ao presente e modula um balanço arrasador do roteiro revisto nas memórias, cuja matéria nem o tempo nem a escrita chegam a penetrar. Distante dois anos do evento trágico, a morte de Madalena, o narrador há quatro meses procura *descascar fatos*, entregue à intimidade, porém o esforço não o conduz ao núcleo de seu drama, apenas o paralisa na fronteira do patético, esse intervalo de agonia e vazio que se rasga entre a ação e a consciência: "Tentei debalde canalizar para termo razoável esta prosa que se derrama como a chuva da serra, e o que me apareceu foi um grande desgosto. Desgosto e a vaga compreensão de muitas coisas que sinto". E ainda no fim estão em choque insolúvel as duas faces de seu caráter: tenta dominar rígido o rumo das palavras ("canalizar para termo razoável"), mas a prosa cumpre o regime de uma natureza infensa à objetividade, segundo o belo símile das águas que escorrem na serra. O resultado, embora escasso, indica os efeitos da expressão, pois o falso orgulho já se muda em desgosto e uma intuição vaga rompe o abafamento, nos limites do indivíduo. O resto é silêncio.

Não passou despercebido o alto-relevo do trecho. Lúcia Miguel Pereira, ao resenhar *São Bernardo* em 1934, admira no texto a "estranha beleza, revelando no autor uma grande maestria e um raro poder de sugestão", graças à atmosfera de crepúsculo na qual soa "uma nota de ternura".[1] Antonio Candido observa, no arranjo do estilo, o trânsito "da vontade de construir à vontade de analisar", que se adensa e obtém coesão com o monólogo interior, raiz dos sentimentos e da rememoração, cujo signo mais elevado se encontra no capítulo 19, "mistura de realidade presente e representação evocativa".[2] João Luiz Lafetá salienta a presença avassaladora da subjetividade justo nos instantes em que a escrita adquire realce, e distingue o teor dúbio do trecho.[3]

Além de firmar um vértice no centro do romance, o capítulo 19 grava um ponto de inflexão no ritmo da história, conforme faz guinar o compasso das lembranças da ventura (ascensão econômica) para o infortúnio (revés afetivo). A segunda parte do enredo, rente à figura de Madalena, se afina pelo diapasão instável da memória que novamente turva o olhar. Em seu desenho, o capítulo apreende uma síntese formal de toda a narrativa com três passagens: perplexidade na enunciação das vivências; embaralhamento dos tempos em estado de delírio; volta sem escape ao escuro presente.

Em simetria com o começo do romance, os parágrafos iniciais apresentam a tensão nascida de perfis incompatíveis, primeiro a professora e o coronel, e depois o coronel e o seu reverso sensível:

> Conheci que Madalena era boa em demasia, mas não conheci tudo de uma vez. Ela se revelou pouco a pouco, e nunca se revelou inteiramente. A culpa foi minha, ou antes a culpa foi desta vida agreste, que me deu uma alma agreste.
>
> E, falando assim, compreendo que perco o tempo. Com efeito, se me escapa o retrato moral de minha mulher, para que serve esta narrativa? Para nada, mas sou forçado a escrever.[4]

Aos olhos do proprietário, a bondade da mulher é excessiva, amplamente contrária a seu feitio prático e ambicioso, porém o contrário reponta agora menos simples. Descobrir que Madalena é boníssima não basta para lhe definir o caráter, e assim a complexidade do outro lança em dúvida a própria imagem. Há um senso perplexo a tornear a dicção do narrador; cada palavra traz em si uma nuança, uma suspeita do relativo que a ideia deve frisar. De frase a frase, o mesmo termo surge sob o matiz oposto: *conheci, não conheci; se revelou, nunca se revelou; a culpa, ou antes a culpa; vida agreste, alma agreste*. Os períodos se encadeiam em quatro pares que denotam bem as ondas de um desconcerto, pois a voz já não se ancora na certeza e, portanto, precisa modalizar os vocábulos, partidos em dobras. À medida que lhe fogem os objetos do passado, a narração emperra, e Paulo Honório tenta ainda abarcá-los num vaivém pendular, mas isso o leva a intuir os traços da ambiguidade. Na concentração dessas linhas, remira as peças de sua história e não as concatena, ou melhor, as peças provocam nele uma nova mirada. Madalena se impõe como enigma e, morta, lhe comunica uma inquietude à feição de fantasma que a um só tempo embaraça e estende a perspectiva; o estranhamento diante do outro suscita a dúvida a respeito de si mesmo, o que faz remorder a culpa, mas também reconhecer-se alvo de um dolo. O arco da infelicidade se fecha por todos os lados — o gesto áspero destrói tudo em redor, e não sendo nada senão ilusão de potência, se mostra antes corruptor de quem o move. Acima da alma agreste, está a vida agreste, e abaixo desta os muitos infelizes, ora carrascos ora vítimas.

Sobrevém então a fala indecisa que outra vez cava uma fresta no presente, cortando o fio do enredo. A consciência só parece avançar quando há um declínio da razão: "Compreendo que perco o tempo". Sublinhe-se a diferença entre as noções de *perder o tempo* e *perder tempo* — esta se liga ao esperdício de energia, enquanto aquela submerge o juízo no *cronos* psicológico. Com isso, aflora à visão o verdadeiro desígnio das palavras ("o retrato moral de minha mulher"), dramaticamente escapável, o qual se cruza com o anterior ("contar a minha vida") para desorientar as ideias ou sugerir distinto oriente, perdido de saída. Inútil a pergunta por finalidades; a resposta é nula e plena. Colidem aí o ângulo sóbrio ("Para nada") e o ângulo desmedido ("mas sou forçado a escrever"), de maneira que expansão e limite crispam o ânimo e ditam o andamento do texto: "Às vezes as ideias não vêm, ou vêm muito numerosas — e a folha permanece meio escrita, como estava na véspera". A impressão da página pela metade espelha na grafia um tumulto interno, "emoções indefiníveis", duelo de forças que aperta os nós do conflito e faz tresandar a inteligência; o desejo de volta às cenas do pretérito, a fim de corrigir os erros e ajustar as falas com a mulher, como se pudesse restabelecer o diálogo suspenso, se traduz novamente em quebra de perspectiva. "Saudade? Não, não é isto: é desespero, raiva, um peso enorme no coração" — nenhum tempo lhe oferece repouso, nostalgia e fúria se cancelam, e juntas viram angústia.

Sabemos o que vai no coração de Paulo Honório, um peso enorme. E nas rodas de seu monólogo, a atitude lírica se ensombra nos interditos da memória: "Procuro recordar o que dizíamos. Impossível. As minhas palavras eram apenas palavras, reprodução imperfeita de fatos exteriores, e as dela tinham alguma coisa que não consigo exprimir". *Procuro recordar — não consigo exprimir*. Se de um lado se empenha em recordar (repor no coração) as conversas com Madalena para talvez decifrá-las, de outro resiste o alcance falho das palavras, que não se aliviam do peso. Entre as duas pontas, salta a desarmonia evidente no campo da linguagem, direta ou alusiva; reconhece agora ter sempre pronunciado um reflexo de exterioridades e se aflige ao buscar *alguma coisa* oculta nas entrelinhas. O que antes obstava a concórdia no diálogo se projeta na fala do narrador. Tentando esfumaçar o mundo concreto, apagava as luzes a ver se sentia por dentro as palavras da mulher na noite, espaço simbólico do inconsciente. Os sons naturais avultavam no clima difuso (a arenga dos sapos, o gemido do vento, o canto dos grilos), mas os sentidos não esmoreciam de todo e o coronel ainda chamava o capanga alerta: "— Casimiro!". Nessa hora, enquanto escreve, repara o cair da noite e os sinais da natureza, afundando na treva dissolvente; no entanto também aqui há um resto de vigilância a perceber o tique-taque longínquo do relógio e a suster o ânimo na meia-luz de crepúsculo. Mesclam-se as esferas do tempo e a voz exclama rude: "— Madalena", para logo depois sussurrar: "— Madalena ...", frente à aparição comovedora: "Também já não a vejo com os olhos".

Progressivamente, o discurso se anuvia em torvelinho, embaçando espectros e coisas na penumbra, arrojando o espírito num abismo de antíteses. Delírio. Raivoso e sereno, Paulo Honório discute com a mulher e pondera a própria desrazão, atordoado por figuras que se duplicam remotas e atuais, giram os anos em espiral. De repente, risca a atmosfera um estrídulo, o pio da coruja. O pensamento quer investigar os níveis da vertigem: "Terá realmente piado a coruja? Será a mesma que piava há dois anos? Talvez seja até o mesmo pio daquele tempo" — são duas interrogações de apelo realista e ambas confluem na frase absurda, o trinado supra-acústico do mau agouro. Julga escutar o rumor antigo da casa, uma palestra de seu Ribeiro e d. Glória, em paralelo com os ruídos próximos, a empregada, o papagaio, o cachorro, os bois; trata-se de uma esquisita barafunda que engolfa a consciência no limiar da alucinação, entrança as várias dimensões do vivido e não permite fuga. O exaspero deriva da amálgama insólita de avessos que nele se cruzam: "Agitam-se em mim sentimentos inconciliáveis: encolerizo-me e enterneço-me; bato na mesa e tenho vontade de chorar". Imagina finalmente ter vez de persuadir Madalena a se render à paz do convívio, mas nada dissipa a incomunicabilidade e, terrível, desponta do transe o inexorável posto no futuro: "O que vai acontecer será muito diferente do que esperamos". Termina o delírio.

A pedido do amigo João Condé, Graciliano redigiu, em 1947, um testemunho sobre a preparação de *São Bernardo*, no qual se lê: "Até o capítulo XVIII tudo ocorreu sem transtorno. Um dia de fevereiro, ao entrar em casa, senti arrepios. À noite, com febre, fiz o capítulo XIX, uma confusão que mais tarde, quando me restabeleci, conservei". Apesar de parecer improvável que o autor haja escrito sob tal estado, a nota serve para advertir uma séria inflexão de ritmo no capítulo 19, em que o narrador, este sim, declina febril. O delírio, ao invés de ferir o realismo do romance, serve como solução formal ao apanhar o protagonista nos rodeios torturados de seu drama, à medida que extravasa as bordas da memória e atravessa a subjetividade. Resulta daí o problema, na intersecção da cegueira que o raso da lucidez causaria com o entorpecimento que viria da loucura — o delírio, assim, deforma o realismo estrito para melhor invadir a realidade.

Graciliano comenta ainda, no testemunho, a sua internação após a febre:

> A doença prendeu-me à cama três ou quatro meses. Viagem a Maceió, exames, diagnósticos equívocos, junta médica, entrada no hospital, operação, quarenta e tantos dias com um tubo de borracha a atravessar-me a barriga, delírios úteis na fabricação de um romance e de alguns contos, convalescença morosa.[5]

Com efeito, a experiência pessoal de desatino, quando da enfermidade, lhe empresta um meio de sondar na técnica literária, baralhando a psique, os pontos de tensão entre sujeito e objeto, tempo e espaço, engenhosamente intricados graças à dialética de sua arte realista. O autor refere a utilidade que extraiu do fenômeno para conceber o pesadelo em *Angústia* e alguns contos, como por exemplo "O relógio do hospital" e "Paulo", do volume *Insônia*. No tocante a esses dois textos, feitos na prisão, explica nas *Memórias do cárcere* o contorno das obsessões:

as pancadas do relógio tomavam forma, ganhavam nitidez e mudavam-se em bichos; supunha-me dois, um são e outro doente, e desejava que o cirurgião me dividisse, aproveitasse o lado esquerdo, bom, e enviasse o direito, corrompido, para o necrotério. Essa parte direita, infeccionada, era um hóspede sem-vergonha e chamava-se Paulo.[6]

Não seria demais supor então, segundo as circunstâncias descritas ("Paulo" calca-se em sensação íntima, experienciada aliás durante o arranjo de *São Bernardo*), que o desdobramento diz respeito à intrusão da personagem na mente do criador. No conto, o enfermo se agasta sedado nas nuvens do delírio, navega num todo confuso, mistura de frações presentes e passadas com o horror de carregar em si um duplo cruel; anseia que o seccionem e lhe extirpem o lado direito, podre. Paulo é um ente ameaçador e silencioso, espreita-o há dois meses e sorri amarelo esparramando-se no quarto. Porém, ao final, cessa o sonho de purificar-se inteiramente esquerdo e bom, e o doente reconhece a familiaridade estranha: "O que estou dizendo, a gemer, a espojar-me, é falsidade. Paulo compreende-me. Curva-se, olha-me sem olhos, espalha em roda um sorriso repugnante e viscoso que treme no ar".[7] Do mesmo modo que o fazendeiro persiste em alijar da alma as fraquezas, tornadas forças para vencer o mundo, o autor reversamente espera despejar de si a face malévola;[8] ambos fracassam, porque têm de deparar com a ambiguidade que os sustenta. "Paulo compreende-me": o verbo compreender significa, no contexto, tanto o entendimento entre os dois quanto a impregnação recíproca do criador em Paulo. Com isso, percebe-se que a honestidade do artista, ao estudar os caracteres, exige avaliar no outro o que lhe é particular e crítico, sob o viés da angústia que distorce e ilumina os planos da realidade.

Num episódio do cárcere, quando não pode divisar em seus recessos o que o move a esta ou àquela reação, Graciliano gradua a pesquisa da própria inconstância ao raio da pluralidade:

Sei lá o que se passava no meu interior? Difícil sermos imparciais em casos desse gênero; naturalmente propendemos a justificar-nos, e é o exame do procedimento alheio que às vezes revela as nossas misérias íntimas, nos faz querer afastar-nos de nós mesmos, desgostosos, nos incita a correção aparente. Na verdade, vigiando-me sem cessar, livrava-me de exibir sentimentos indignos. Afirmaria, porém, que eles não existiam? Tudo lá dentro é confuso, ambíguo, contraditório, só os atos nos evidenciam, e surpreendemo-nos, quando menos esperamos, fazendo coisas e dizendo palavras que nos horrorizam.⁹

Otto Maria Carpeaux, a fim de examinar certa tendência estilística dos anos 1930, recupera o conceito de "realismo mágico", antes apontado por teóricos europeus. Trata-se de um modo de representar os problemas para além do registro objetivo da superfície, descendo às funduras por meio de uma técnica deformadora: "Essa deformação intencional pode ser seletiva, como no realismo tradicional, ou ideológica, como no realismo socialista. Também poderia ser fantástica ou, como por volta de 1930 se dizia, 'mágica'". E dentre os exemplos que observa nessa terceira via, colhidos nas várias tradições literárias, menciona o brasileiro Graciliano Ramos com *Angústia*: "O véu daquela realidade levantou-se e o fundo dela ficou magicamente iluminado por uma técnica novelística que emprega recursos da psicologia do sonho".¹⁰ O primeiro experimento de realismo deformador (ou mágico) na obra se encontra, a meu ver, no capítulo 19 de *São Bernardo*. Efetivamente, Carpeaux estende a impressão, em ensaio célebre, aos diversos títulos como estilo do autor:

> É assim com todos nós outros, quando entramos no mundo empastado e nevoento, noturno, onde os romances de Graciliano Ramos se passam: no sonho. Os hiatos nas recordações, a carga de acontecimentos insignificantes com fortes afetos inexplicáveis, eis a própria "técnica do sonho", no dizer de Freud.

A força diluidora da representação aboliria, assim, os limites de prisma, enervando o tecido ficcional, para atingir o *pathos* de uma negatividade: "Os romances de Graciliano Ramos são experimentos para acabar com o sonho de angústia que é esta vida".¹¹ O estilo descarnado, rigorosamente essencial, trai o desejo de eliminar a História na dissolvência do indivíduo¹² — "Não é bom vir o diabo e levar tudo?", pergunta Paulo Honório, trágico.

Atento à matriz negativa da expressão, Alfredo Bosi considera, em diferentes momentos, o travo doloroso que da *persona* do escritor se transfere às suas criaturas. Como Carpeaux, Bosi realça o problemático a instruir a visão e o estilo. Os enredos e tipos perfazem o signo da fratura, que é social e moral, e moldados pelo pincel da singularidade guardam em comum "o dissídio entre a consciência do homem e o labirinto de coisas e fatos em que se perdeu".[13] O insulamento grave do autor, refratário às propostas de seu tempo, se tinge de radicalidade e gera a *escuridão*.[14] Com efeito, analisando os livros de corte biográfico, o crítico esmiúça o senso de vigília que incide sobre as imagens e os seres, reparte-os em dúvida. Nas memórias da cadeia, o empenho compreensivo se recobre de opacidade, truncado a todo instante, porque o olhar que sonda a si mesmo e ao outro não ignora os contrastes, e o mundo se ofusca num borrão: "A perspectiva dominante é a que vai da interrogação à estranheza e, nos casos extremos, fecha-se em recusa. Não é um realismo solar, é um realismo plúmbeo". O chumbo — em suas acepções de cor, peso e ânimo — baliza a tonalidade do testemunho. O cinzento também se dissemina, neblinoso, nas páginas da ficção, lacerante nas vozes de narradores cujas letras não bastam para expurgar o passado ou comunicá-lo ao próximo: "Um sentimento turvo que nada parece apaziguar, pois não é nem a contrição do arrependido, nem o mergulho nas águas tépidas da autocomiseração".[15] Em sua leitura de *Infância*, Bosi medita nas inflexões do autor ao descrever a paisagem, ora firme no claro do *realismo solar*, ora inseguro nas nuvens do *realismo vigilante*; e ao descrever os entes da família, cerceado pela educação bárbara, erra no labirinto do *realismo febril*: "A condição de impotência em face do outro beira o absurdo e estará na raiz da reiterada expressão de perplexidade do narrador que se diz incapaz de encontrar sentido nas ações alheias e, às vezes, nas próprias".[16] Essas categorias, e o movimento que as enfeixa no corpo de cada obra, valem para pensar a prosa inteira de Graciliano Ramos.

Tal alcance de arte literária apenas se consuma em virtude de um tratamento deformador da realidade, esgarçando o perímetro do realismo obtuso sem deixar de ser autenticamente realista. Dostoiévski, no conto "Krotkaïa", inserido no *Diário de um escritor*, adverte os leitores com respeito à sua ideia de relato fantástico: "Classifiquei este conto como fantástico, embora o considere real, no mais alto grau. Mas tem certo aspecto fantástico, principalmente quanto à forma"; o entrecho do conto, que aliás em parte semelha o de *São Bernardo* (trata-se da fala contínua de um prestamista alucinado ante o cadáver da mulher suicida, com quem jamais se conciliou), não rompe os contornos reais, a forma, esta sim, é insólita, e o criador russo explica: "Procurei seguir o que me pareceu a ordem psicológica. Essa suposição de um taquígrafo anotando todas as palavras do desgraçado é que se me afigura o elemento fantástico do conto. A arte não repele este gênero de procedimento".[17] Entende-se, logo, por que Dostoiévski se definiu, no *Diário*, como um "realista da alma humana". Formalmente, o capítulo 19, e mesmo todo o romance, é fantástico, ou mágico, dada a verossimilhança do ponto de vista, afinal quem pode narrar o próprio delírio enquanto o vivencia? Ou ainda, seria crível um homem rude compor livro tão complexo? Entretanto, é esse expediente que permite ao autor captar a real "ordem psicológica" da personagem, desvelando o mundo à sua volta: a tragédia de Paulo Honório, repisada nos círculos da memória, faz ecoar o nosso fracasso. Em termos poéticos, a lição vem de Aristóteles: "Do ângulo da poesia, um impossível convincente é preferível a um possível que não convença".[18]

A última passagem do fragmento assinala o remate do desvario. Finda-se a atmosfera de crepúsculo; porém não ascende o tino à claridade, inunda-se em treva espessa.

> Há um grande silêncio. Estamos em julho. O nordeste não sopra e os sapos dormem. Quanto às corujas, Marciano subiu ao forro da igreja e acabou com elas a pau. E foram tapados os buracos de grilos.
>
> Repito que tudo isso continua a azucrinar-me.
>
> O que não percebo é o tique-taque do relógio. Que horas são? Não posso ver o mostrador assim às escuras. Quando me sentei aqui, ouviam-se as pancadas do pêndulo, ouviam-se muito bem. Seria conveniente dar corda ao relógio, mas não consigo mexer-me.[19]

A sinfonia caótica que o envolvia — vento, sapos, corujas e grilos — apaga-se, em verdade não existiu. Existe, agudo, o silêncio de uma noite de inverno. Agora o juízo reconhece as sombras que se infiltraram no presente para embaciá-lo, mas nem por isso se descarrega dos tormentos. O que já não se manifesta no concreto ressoa dramático na consciência, salta no tempo e atazana perpétuo. Em derrelição, o narrador sente esfumarem-se as antíteses e desliza no vazio irremediável: a natureza e a máquina emudecem, nada sustenta a alma. Paralítico, Paulo Honório não pode dar corda ao relógio (metaforicamente recobrar a cronologia produtiva), e tampouco se pode acolher no fluxo espontâneo (deste há tão só resíduos). Encarna, no fim, uma tragédia sem catarse. Ao herói, não socorre a morte ou a remissão; ao leitor, restam as perguntas sem resposta. Tragédia moderna, o romance encena peripécias equívocas, deforma a vida em delírio — a angústia continua.

Prefácio a *Dialética da colonização*[1]

Graça Capinha

Mais de vinte anos volvidos depois de sua primeira edição no Brasil (1992), revisitar esta obra de Alfredo Bosi, nesta que é a feliz ocasião de a saber agora publicada em solo português, foi uma grata oportunidade para quem, logo em 1994, achou que não poderia deixar de chamar a atenção para um texto que seria certamente marcante no pensamento de língua portuguesa da última década do século xx. Mas foi sobretudo uma grata oportunidade porque a riqueza desta obra se revela, mais do que nunca, na atualidade das suas múltiplas linhas e perspectivas de investigação que — e isso traduziu certamente a sua força inovadora — logo frutificou em debate aceso no Brasil.

Nas várias leituras, que vão de Anchieta até o modernismo brasileiro — e, já então de forma pioneira, através de uma abordagem interdisciplinar, que se desdobra pela Antropologia, a Sociologia, a Filosofia e a Teoria, a História e a Crítica Literárias —, Alfredo Bosi ajudou-nos a compreender em que consiste verdadeiramente a radicalidade política da construção da/na linguagem. Esse é o cerne de toda a obra, nela se demonstrando que não só a literatura é construção, mas que tudo aquilo a que chamamos "real" é sempre uma construção na linguagem e, desse modo, algo de natureza social e política. Nesse sentido, a literatura encontra-se profundamente imbricada num real que, como também o livro refere apelando a Foucault, se faz transdiscursivamente nos fornos da História. Foi a complexidade dessa construção transdiscursiva que, neste livro, se observou no âmbito da história da literatura brasileira, assumindo-se o risco de uma hermenêutica politópica (sempre descentrada e sempre incompleta na pluralidade dos seus *topöi*) que, contudo, se rejeita enquanto mero processo de dispersão ou, pior, enquanto processo que leva à impossibilidade de uma procura que possa vir a permitir transcender a mesma dispersão. Ou seja, estamos perante uma obra que se entende a si própria como resposta à sua própria condição pós-moderna, mas que desafia o conservadorismo de muito do que hoje se entende como pós-modernidade, assumindo inteiramente a unidade entre político e poético (o fazer da/na linguagem) e recusando abdicar de alguns fundamentos teóricos do marxismo, no momento em que esse pensamento, mais do que considerado *démodé*, se vê atirado, de forma quase sempre leviana, para fora do espectro analítico e/ou científico. Mesma quando, neste processo histórico que nos cabe viver e pelos próprios preceitos marxistas, se torna uma exigência reconfigurar o pensamento de acordo com as nossas diferentes circunstâncias, em vez de simplesmente aceitar a falta de alternativas de um devir que abdica de ativar o potencial criativo de cada cidadão ou cidadã para meramente se dedicar à pura repetição do que já é — como alguma poesia conceptual e, dita, pós-moderna celebra, mas também como muitos dos nossos políticos, nos planos nacional e internacional, advogam hoje.

Levar-nos a refletir sobre esta nossa condição pós-moderna, num momento em que os desenfreados processos de globalização do capitalismo e do neoliberalismo se pretendem constituir como "um real" a que não há fuga, traduz também, e sem dúvida, a grande atualidade da obra em causa. É esta reflexão sobre a linguagem e o poder que a inscrevem nessa mesma esteira de uma tradição de literatura de resistência sobre a qual, nesta como em outras obras, Bosi se debruçou ao longo de sua carreira. Trata-se, afinal, de uma resistência aos processos de colonização do presente. E, no atual contexto, falamos, mais do que nunca, de processos de colonização através da linguagem, nomeadamente, da linguagem dos meios de comunicação de massa. "Colonizar", afirma o autor, "quer dizer agora massificar a partir de certas matrizes poderosas de imagens, opiniões, estereótipos."[2]

Mas o nosso presente inscreve-se nos processos de colonização do passado e será, precisamente, a essa linguagem e a essa História que este pensador brasileiro aqui se dedica. Partindo da exploração etimológica das palavras *culto*, *cultura* e *colonização*, que nos levam ao étimo comum *colo* (eu moro, eu ocupo a terra, eu trabalho, eu cultivo o campo), revela-se, de imediato, a coexistência das duas retóricas fundadoras da sociedade brasileira contemporânea. Poderemos, ao reconhecê-las, responder depois ao convite de Alfredo Bosi e alargar a perspectiva, passando a olhar através dessa lente para a nossa contemporaneidade de crise econômica mundial.

De fato, o colonialismo significa não só o domínio econômico de um povo sobre outro, mas também o confronto, que permanentemente se pretende neutralizar, entre duas linguagens que são simultaneamente duas formas de compreender o real: a linguagem do dominante e a linguagem do dominado. A complexidade acentua-se quando o discurso dominante, procurando a neutralização desta diferença, acaba também por assentar ideologicamente numa contradição — como é o caso do discurso do capitalismo (um sistema que exige explorados e exploradores) e do cristianismo que a ele sempre esteve subjacente (que prega o livre-arbítrio, a igualdade e a fraternidade). Explorando a contradição, Bosi irá proceder à arqueologia dos discursos colonialista e pós-colonialista produzidos no contexto da formação do Brasil, procurando assim, sobretudo, revelar a contradição inerente a um discurso pretensamente humanista e universalista, que procura legitimar, em simultâneo, duas retóricas paralelas: a das palavras de gente como o padre Antônio Vieira e a das palavras defensoras de um liberalismo econômico traduzido nas práticas da escravatura e do extermínio. A essas podemos facilmente ver corresponder no mundo contemporâneo, respectivamente, o discurso jurídico e político da equidade e da democracia a par do discurso sobre a necessidade da competitividade — uma contradição reconfigurada que este livro descreve como "uma vasta engrenagem de produzir desigualdades".[3]

Esta tem sido a história do mundo: ciclos de colonização sempre recorrentes ao longo dos vários séculos, ciclos em que "a produção dos meios de vida e as relações de poder, a esfera econômica e a esfera política, se reproduzem e potenciam".[4] De forma quase irônica, podemos pensar no discurso político hegemônico no mundo de hoje: "*Tomar conta de*, sentido básico de *colo*, importa não só em *cuidar*, mas também em *mandar*".[5] Porque a colonização é sempre um projeto totalizante, bem sabemos que a legitimação deste poder assenta, em termos ideológicos, na produção de mediações simbólicas que possibilitam e manifestam enraizamento da experiência atual. Há que consagrar o cotidiano. E é aqui que a esfera do culto e da arte, que a este se liga desde os primórdios, surgem como um outro universal das sociedades humanas, a par da produção dos meios de vida e das relações de poder. O culto que hoje passa pelos fanatismos religiosos e, sobretudo, pela crença desenfreada no consumismo, sustentado pelas "matrizes poderosas de imagens, opiniões e estereótipos" com que as novas tecnologias invadem cotidianamente as nossas vidas. Porém, também como o próprio autor sublinha, a própria ciência não foge à regra — pois não temos nós que usar termos como *aculturação, assimilação, encontro de culturas*, que nada mais fazem do que encobrir diferentes posições de poder? É a própria ambiguidade do discurso científico que aqui se expõe na sua tentativa, sempre frustrada, de legitimação e/ou neutralização do conflito entre linguagens diferentes e antagônicas. Como bem se reconhece: "A luta é material e cultural ao mesmo tempo: logo, é política".[6] Olhando, por exemplo, para as 2ª e 4ª de *Dialética da colonização*, percebemos até que ponto esta luta se trava também no espaço de escrita e do pensamento que fazem de Bosi um intelectual na verdadeira acepção da palavra, ou seja, podemos observar como o autor se debate com esta conformidade da linguagem científica, incluindo a conformidade com a sua própria linguagem. Em "Post-scriptum 1992", "Olhar em retrospecto" e "Posfácio 2001", assumindo inteiramente o processo dinâmico que é sua própria história e a sua própria linguagem a fazerem-se, Bosi revê, discute e sistematiza o seu próprio pensamento a cada nova edição, sempre numa procura de que a verdadeira ciência nunca abdica. Por isso, nesta última edição brasileira e de forma só aparentemente paradoxal, irá terminar/começando — apresentando cinco *hipóteses de trabalho*: (1) Colonização, culto e cultura; (2) Uma cultura abaixo do limiar da escrita; (3) Cultura de fronteira; (4) Dois sentidos opostos da pós-modernidade; e (5) Cultura de resistência.

Em 1992, porque me debruçava então sobre a poesia dos/as emigrantes portugueses/as nos Estados Unidos e no Brasil, interessaram-me, de imediato, a questão da "cultura de fronteira" e as formas que Bosi coloca "Sob o limiar da escrita". A partir destas formas — ou sobre estas formas — assenta muita da criação literária que mais tarde se canoniza no Brasil, uma apropriação, por parte da classe dominante, de tudo o que possa legitimar a retórica da "nacionalidade" (o mesmo processo descrito por Benedict Anderson no seu trabalho sobre as "comunidades imaginadas" no âmbito da invenção dos nacionalismos europeus no século XIX). Contudo, essa apropriação não tem um resultado único e a complexidade de linhas (artísticas e ideológicas) aí inauguradas fazem-se o verdadeiro objeto a problematizar neste livro.

Bosi irá também falar de "expressões de fronteira", de arte e cultura de fronteira, que identifica com formas de arte e de cultura populares. Curiosamente, também Boaventura de Sousa Santos nos apresentava, numa altura em que a questão da semiperiferia do sistema mundial era objeto de estudo do grupo de investigadores/as que com ele trabalhavam (e onde me incluía e incluo), a cultura portuguesa como uma "cultura de fronteira", explorando a complexidade da imagem de Portugal que, ao longo da história, nos apresenta — perante nós próprios e por nós próprios, e perante os outros e pelos outros — simultaneamente, como uma potência "avançada e colonizadora" (o Próspero shakespeariano). Numa espécie de sociologia das emergências, esta simultaneidade da metáfora da fronteira nos dois autores não deixa de ser curiosa e abriu-me a possibilidade de estabelecer pontes muito úteis. Para Bosi, e no contexto do país colonizado, a cultura de fronteira resulta, acima de tudo, de uma tradição oral intimamente ligada ao homem pobre e dominado. O que se privilegia, em Bosi, é a variável da classe social, defendendo-se que, num processo de colonização, a única aculturação entre as diferentes etnias — a verdadeira mestiçagem — só acontece no encontro da tradição oral do migrante pobre com a tradição oral do nativo igualmente pobre ou do escravo: só aí há um equilíbrio de poderes. Contudo, para além do encontro das várias tradições orais, distingue-se ainda uma outra forma de expressão de fronteira na cultura popular, que tem que ver com o cruzamento destas tradições com o desejo de imitar os modelos "eruditos" do colonizador. De qualquer das formas, e sobretudo ao nível das práticas religiosas, será esta cultura de fronteira, esta cultura "sob o limiar da escrita", esta cultura do homem dominado (também, por isso, do emigrante pobre que vem do país colonizador), que acabará por exercer aquilo a que o autor chamará uma "resistência passiva" — um "contrassaber", diria eu usando o termo de Sousa Santos.

Trata-se de uma cultura que se opõe aos projetos mais agressivos do capitalismo ocidental e à cada vez maior hegemonia da classe burguesa colonizadora, ao seu elitismo de inovações eruditas cujos reflexos encontraremos na escrita da elite em formação da terra colonizada. Nesse processo de colonização se encontram, coabitando, o arcaico e o moderno. Era também esta linha de investigação que Bosi queria ver confirmada por novas pesquisas de campo — e que hoje se torna cada vez mais clara quando observamos a complexidade da nossa contemporaneidade pós-moderna num mundo cujo mercado de trabalho nunca antes se viu assim transnacionalizado. Nesse mundo, cruzam-se permanentemente formas de globalização hegemônica (modernas) e formas de globalização contra-hegemônica (de índole arcaica, como, por exemplo, a de novos movimentos sociais como os movimentos ecologistas que lutam em prol do respeito pela terra). Estas formas serão entendidas então como uma espécie de formas "pré-pós-modernas" como os meus próprios estudos sobre a poesia das comunidades portuguesas emigrantes, nos Estados Unidos e no Brasil, me comprovavam. Essa resistência e esse contrassaber continuavam a existir, confirmando, portanto, a sua hipótese. Falamos, em qualquer dos casos, de uma simultaneidade estrutural de espaços e tempos sociais distintos que se revela, também estruturalmente, nos discursos em análise e que é, mais uma vez, reveladora de contradição estrutural do próprio capitalismo: a presença simultânea e antagônica de duas identidades e de duas linguagens, a do dominante (do centro industrializado, rico e moderno) e a do dominado (da periferia "em desenvolvimento", pobre e não moderno).

Tudo nesse espaço significa, simultaneamente, sobrevivência e resistência, filtrando-se o que vem do centro hegemônico através de processos tradutivos, ou seja, de processos de ressignificação. Nesse processo criativo se *localiza* o particularismo imposto como *globalismo* e, por isso, mesmo quando "primitivas", "iletradas", "conservadoras" e "fora do tempo", estas formas de resistências são manifestamente discursos contraculturais, fomas contraideológicas, contrassaberes.

No campo literário, o elitismo estará, todavia, sempre presente. Como Bosi refere, o colonizado (e teremos de ler aqui "o/a emigrante pobre", o/a cidadã/o dos países semiperiféricos ou periféricos, do Sul) viveu (vive) sempre ambiguamente o seu próprio universo simbólico, tomando-o como positivo (em si) e negativo (para o outro e para si como introjeção do outro).[7] Porque a "colonização retarda, também no mundo dos símbolos, a democratização",[8] talvez a situação de globalização do capitalismo atual não nos apresente uma imagem muito diferente desta, notoriamente assente numa rígida hierarquia, a que cada vez mais falha a capacidade ideológica de uma linguagem legitimadora. De uma forma, ou de outra, os valores do colonizado (do emigrante, do pobre, das minorias — dos que se encontram condenados a ser ou "exteriores ao centro" ou "internamente excluídos", para usar a terminologia de Balibar) estão sempre a jogar-se ambiguamente no seu próprio universo simbólico, entre um discurso de exclusão (do racismo, por exemplo, como Bosi muito bem refere a propósito do intelectual negro ou mestiço) e um discurso de inclusão (da democracia igualitária e do fracassado Estado-providência). Bosi opta, assim, pela arqueologia do discurso histórico e/ou literariamente canonizado, procurando o percurso paralelo e também o entrosamento dessas duas retóricas, através dos contrastes internos do intelectual que vive em colônias, deixando entrever mais de uma linha cruzada no que chama "sentimentos de contradição".[9]

Ainda a propósito do que o autor chamará "Cultura brasileira e culturas brasileiras", e desmistificando o conceito singular que sugere uma unidade, de fato inexistente, antes se propõem quatro conceitos distintos e explícitos de *per se* — cultura universitária, cultura criadora extrauniversitária, indústria cultural e cultura popular — cujas interações e cruzamentos se procurarão analisar após o perspectivar histórico de cada um dos conceitos e do seu desenvolvimento na sociedade brasileira. Ao recorrer a autores como Horkheimer, Adorno e Eco para contextualizar a sua reflexão, o que me pareceu (parece) interessante foi poder constatar, através deste estudo, que o Brasil é, precisamente pela sua história de colonialismo e de semiperiferia no panorama do sistema-mundo, um bom exemplo para testar muito do pensamento que se tem produzido sobre a literatura e a cultura da modernidade e da pós-modernidade.

Mesmo mais de vinte anos volvidos sobre a primeira edição deste texto e apesar das muitas mudanças e melhorias, a verdade é que, olhando para o que se passa no Brasil atualmente, talvez o panorama geral brasileiro continue a não permitir ao autor ter uma visão otimista e talvez, ainda, pelos mesmos motivos. Nesta obra de 1992 se chamava já a atenção para a hegemonia da cultura universitária tecnicista e da indústria cultural, para a pouca atenção prestada às várias formas de cultura popular, para a inclusão neutralizadora das manifestações criadoras individuais e para a repressão das formas críticas onde quer que elas surjam. Poderíamos provavelmente utilizar as mesmas palavras para falarmos da situação global e cada vez mais, aí também, os mecanismos de dominação são menos sutis: também nas grandes cidades dos países centrais começam a aparecer as forças de segurança a reprimir gente que exige melhores cuidados de saúde ou uma escola decente. Digamos que esse sentimento de pessimismo é hoje, cada vez mais, global.

A nota de otimismo só é recuperada na abordagem do discurso da pós-modernidade, que Bosi entende precisamente como um resultado da desintegração do discurso pretensamente unificador e totalizante. Inevitável — agora mais do que nunca, neste contexto de crise econômica — parece ser a revelação permanente de que, neste sistema econômico, existem e existirão sempre, em paralelo, as duas linguagens de que vimos falando, sempre em rígido confronto, antagônicas e inconfundíveis: a linguagem dos que dominam e a linguagem dos que são dominados. Esse antagonismo, hoje evidente, reflete-se nas duas retóricas paralelas e antagônicas de um pós-moderno/plus-moderno, que mais não é que o triunfo do simulacro e do jogo cuja verdade só pode ser infinita "in-verdade"; e a retórica de um pós-moderno/antimoderno, que não deverá alguma vez renunciar à possibilidade de tentar compreender e procurar reconfigurar o real, desde logo, na linguagem. Trata-se neste último caso do pós-moderno (antimoderno), de algo que se constitui como parte da própria cultura de resistência e/ou da fronteira. Hoje, a mesma e a outra, reconfigurada: esta parece ser a nossa atual dialética da colonização. Lidar com ela revela-se como o desígnio simultaneamente político e poético do nosso século XXI. Tentando compreender o passado, penso que Alfredo Bosi foi capaz de nos aproximar mais verdadeiramente do nosso presente e hoje, volvidos mais de vinte anos, percebemos que demonstrou até ter sido capaz de detectar sinais do que então era um possível futuro.

Uma genealogia dos escritos de Alfredo Bosi sobre a obra de Machado de Assis

Hélio de Seixas Guimarães

Num ensaio de 1978, que serviu de prefácio a uma antologia de contos de Machado de Assis publicada em espanhol, Alfredo Bosi fazia um diagnóstico e expressava um desejo em relação ao entendimento da obra de Machado de Assis: "*Sigo notando que no importa mucho para nosotros, hoy día, saber que el contexto condicionante sea explicado por el narrador en términos de un estado natural del hombre. En realidad, si optamos por el otro extremo del proceso, viendo en la competencia social el móvil de las asimetrías, tal vez podamos algún día escribir las debidas interpretaciones, sin olvidar que Marx quiso dedicarle a Darwin El Capital y que fue este último quien no aceptó. Machado de Assis parece haber fundido la naturaleza y la sociedad en la misma imagen*".[1]

O comentário indica que àquela altura dos anos 1970 as leituras de Machado de Assis enfatizavam cada vez mais os fatores sociais no entendimento do comportamento das personagens machadianas, e o desejo expresso pelo crítico era por maior equilíbrio entre as explicações baseadas na natureza humana e aquelas fundadas na ação das forças sociais sobre os indivíduos.

Definia-se ali um problema que acompanharia o intérprete Alfredo Bosi nos vários ensaios que dedicou a Machado de Assis nas últimas quatro décadas: até que ponto as personagens criadas por Machado de Assis agem por instinto, até que ponto respondem a determinações sociais? Armava-se também uma nova etapa de uma discussão crítica de longo alcance — relacionada à ênfase nas dimensões nacionais ou universais da obra de Machado de Assis —, na qual Alfredo Bosi passaria a ter papel fundamental, no sentido de propor uma relativização permanente das leituras da obra machadiana baseadas em categoriais sociais ou sociológicas.

No ensaio de 1978, que em 1982 seria publicado em português com o título "A máscara e a fenda", Bosi detectava uma tendência crescente, que tivera início na década de 1930 com os estudos de Lúcia Miguel Pereira e Astrojildo Pereira, e ganhava fôlego na década de 1970 com os livros recém-lançados de Raymundo Faoro, *A pirâmide e o trapézio* (1974), e de Roberto Schwarz, *Ao vencedor as batatas* (1977). Ainda que por caminhos teóricos distintos, todos esses críticos aprofundavam as conexões entre a obra de Machado de Assis e a realidade histórico-social brasileira, identificando nas assimetrias sociais os móveis principais das personagens de Machado de Assis. Eram tempos de aprofundamento da dimensão realista do escritor, que tiveram com a obra de Faoro um passo decisivo.

No primeiro ensaio dedicado a Machado, Bosi também enfatiza as questões da hierarquia social. Seu ponto de partida e sua principal baliza crítica estão na leitura de Lúcia Miguel Pereira, que articula o conjunto da obra machadiana em torno das questões relacionadas à ambição e à ascensão social. Não por acaso será a ela que dedicará "A máscara e a fenda" quando da sua publicação, com algumas modificações, na coletânea *O enigma do olhar* (1999). Entretanto, já no primeiro ensaio incidiam outras questões, que relativizavam o enfoque social. Da leitura de Alcides Maya, Bosi recuperava o conceito do *humour* como matriz fundamental da prosa machadiana, e de Augusto Meyer trazia a imagem da máscara e a ideia de um mascaramento que possibilitaria a irrupção, a partir de Brás Cubas, do demônio interior do autor Machado de Assis. Tais conceitos e imagens, tão caros a Meyer, teriam desenvolvimento importante na crítica de Bosi, em grande parte baseada na dinâmica entre a máscara e o olhar, respectivamente metáforas do constrangimento da vida em sociedade e do que há de "homem humano" nas personagens machadianas. Com a leitura de Faoro, sobre o qual mais tarde escreveria com grande admiração,[2] Bosi compartilhava o interesse pelo lado *moralista* de Machado, escritor interessado principalmente nos comportamentos humanos dos seus personagens e narradores, com os quais mantém uma relação complexa, que inclui também a simpatia, não só o julgamento e a crítica.

Do contraste entre a mascarada e a compenetração da condição humana irrompia o humor machadiano, que o crítico estudaria em minúcia no ensaio "Brás Cubas em três versões" (2006),³ a partir dos escritos de Augusto Meyer e Luigi Pirandello.

No ensaio inaugural, Bosi mostra como os personagens dos contos, envolvidos com a ascensão social, aprendem a necessidade das aparências e adotam as máscaras necessárias para fazer a transição com o mínimo de sofrimento. Escritos em torno de um momento de grandes mudanças na sociedade brasileira, o Segundo Reinado, os contos analisados trazem personagens às voltas com os dramas de uma consciência dividida entre a moral tradicional dos sentimentos e os novos padrões de uma moral utilitária, que remete ao triunfo do realismo e da burguesia.

A assimetria de classes é assim identificada como situação matriz das primeiras narrativas curtas de Machado, marcadas por personagens às voltas com estratégias de traição e engano, expondo as contradições entre os modelos idealizantes e as práticas utilitárias, visando-se à afirmação da autonomia do sujeito. Entretanto, no curso da obra Machado aprofundaria cada vez mais "a certeza pós-romântica de que é uma ilusão supor a autonomia do sujeito", enfatizando a necessidade de se aderir à aparência dominante, à máscara, para triunfar, arte que as personagens das obras mais tardias dominariam à perfeição.

Escrito quase dez anos antes de "A máscara e a fenda", o capítulo dedicado a Machado de Assis na primeira edição da *História concisa da literatura brasileira*,⁴ já estava bastante marcado pela leitura de Lúcia Miguel Pereira, matizada pelos ensaios de Augusto Meyer. Do estudo crítico e biográfico de Lúcia Miguel Pereira vinha o reconhecimento da incidência da situação pessoal de Machado de Assis sobre sua obra como pressuposto crítico válido, no qual as dimensões sociológicas e psicológicas confluem para o entendimento tanto do autor como de sua obra. Entretanto, para o historiador da literatura, o Machado-artista se sobrepõe ao Machado-homem, no que acompanha a reação de Augusto Meyer ao biografismo que predominou na crítica machadiana nas primeiras décadas do século XX, e que teve Lúcia Miguel Pereira como principal figura. O autor da *História concisa* seguia as trilhas da melhor crítica até então produzida sobre Machado, definindo ali a grande questão que mais tarde acompanharia o intérprete de Machado de Assis: a calibragem dos modos como natureza e sociedade incidem e respondem pelos atos das criaturas machadianas e a investigação das margens de manobra que cada personagem — mesmo as que pertencem à mesma classe social — tem em relação às determinações externas. Também ali se estabelecia um vocabulário crítico próprio, que se adensaria nos futuros escritos.

Assim, um dos pontos que impressionam o jovem autor da *História concisa* é o "manejo do distanciamento", a seu ver responsável pela grandeza dos romances pós-Brás Cubas, que atinge o ápice na "figura absolutamente machadiana do Conselheiro Aires". O narrador e autor ficcional do *Memorial de Aires* será um dos grandes focos de interesse de Bosi dentro de toda a galeria de personagens de Machado de Assis. O diplomata aparece como alter ego não só do escritor, marcado por "um sentido agudo do relativo", mas também de um crítico inspirador de Bosi, Antonio Candido, a quem ele, certamente não por acaso, dedica o ensaio "Uma figura machadiana".[5] Aires pode ser lido também como o alter ego do próprio Alfredo Bosi, que em toda sua trajetória enfatiza as mediações, ressalta a ambiguidade das figuras machadianas e relativiza qualquer interpretação definitiva e cortante. O conselheiro é ainda dublê do crítico literário, entendido como aquele que escreve sobre o ato de escrever, um mediador, um homem reflexivo.

Todas essas dimensões de Aires ressaltam da primeira leitura dedicada especialmente ao *Memorial de Aires*, publicada em 1973 como introdução ao volume na Série Bom Livro, que formou gerações de leitores. No breve prefácio, Bosi afasta-se um pouco mais das interpretações biografistas, que colavam as personagens do romance à história de vida de Machado, e segundo as quais d. Carmo estaria calcada em Carolina. Na narração do *Memorial*, Bosi nota a abertura de um "intervalo entre o foco narrativo e o objeto", o que implica distanciamento e permite caracterizar "o olhar do Conselheiro" como o de alguém que "não ri nem chora, não ama nem detesta, *compreende*".[6] Configuravam-se nesses termos questões que atravessariam todo o seu trabalho crítico em torno de Machado de Assis, ganhando maior desenvolvimento no ensaio "O enigma do olhar".

O "manejo do distanciamento" de 1973 resultará na proposição de uma "estilística do distanciamento" de 1999, que seria definidora da escrita de Machado, na qual operam aproximações e distanciamentos dos personagens e narradores em relação à matéria narrada. Esse movimento será associado também a uma fenomenologia do olhar — do escritor, e também dos seus narradores. Para Bosi, o envolvimento destes com o narrado e o vivido é dinâmico, não está determinado por um ponto de vista extático e unívoco, que as leituras de matiz predominantemente sociológico tenderiam a fixar a partir da caracterização social dos narradores e das personagens.

Em sentido diverso ao das leituras derivadas do estudo de Helen Caldwell, que levou às últimas consequências a categoria do narrador não confiável na interpretação de *Dom Casmurro*, Bosi sustenta que o escritor não vê Brás Cubas e Bento Santiago de um ponto fixo, a distância, como seres execráveis e a serem execrados pelos leitores. Escritor, narradores, personagens e também nós, leitores, participamos da mesma natureza humana. A crítica de Bosi converge mais uma vez com a de Augusto Meyer, para quem Brás Cubas seria a expressão do lado demoníaco do autor, o seu dâimon, "o homem subterrâneo", e não algo ou alguém externo ao autor, que encararia suas criaturas com distância, instrumentalizando-as para exercer a crítica à sociedade brasileira ou ao capitalismo, que constitui o cerne das leituras com ênfase nas dimensões histórico-sociais.

Para Bosi a relação do autor (que ora coincide e ora diverge do homem Machado de Assis) com seus narradores não é uma relação dissociada, ou sempre igualmente distanciada, que em última análise serviria à denúncia dos procedimentos abjetos da elite brasileira do século XIX, da qual personagens como Brás Cubas e Dom Casmurro seriam tipos representativos, habilmente construídos pelo escritor como inimigos de classe. Segundo o crítico, a relação do autor com esses narradores está marcada pela circunspecção, o que implica afastamento e compreensão, crítica e também compaixão. O autor oscila em movimentos de distanciamento e aproximação em relação ao narrador, assim como este se aproxima e se distancia de si mesmo enquanto personagem, ao refletir sobre a experiência passada que é a matéria principal da narração. Isso seria suficiente, como Bosi afirma em "O enigma do olhar", para dialetizar o tipo social, que responde a apenas um aspecto das grandes personagens e dos narradores machadianos.

Tanto em "O enigma do olhar" como em "Brás Cubas em três versões", o crítico analisa essa dinâmica de distanciamentos e aproximações, chamando a atenção para as particularidades de tom, especialmente no que se refere a *Dom Casmurro*:

> No caso de *Dom Casmurro* a ideia de divisão autor-narrador envolve outra ordem de dificuldades. O romance tem a sua lógica própria: Bentinho não é uma réplica de Brás Cubas, sendo necessário refletir sobre a diferença para não julgar o narrador de sobrevoo atendendo-se apenas à sua tipicidade de classe.
>
> Machado timbrou em reconstituir, aprofundar e tonalizar a história interna da voz narrativa, o que dá um Bentinho vacilante, vulnerável, temeroso, se não tími-

do, desde o início das suas relações familiares, impressionável ao extremo e, por longo tempo, apaixonado pela mocinha de origem modesta com quem deseja casar e de fato se casa desfrutando alguns anos de felicidade conjugal. Trata-se de uma história de amor, suspeita, ciúmes, e desejos de vingança, e não de uma crônica de casos sensuais e saciedades entremeada de comentários cínicos, como a de Brás Cubas. Ignorar ou desqualificar o tom com que o drama é narrado, e supor que o autor tenha forjado, o tempo todo, um narrador desprezivelmente caviloso ao qual se deve recusar todo crédito, é levar a extremos problemáticos a hipótese da dissociação.[7]

Bosi contesta aí a hipótese de um foco narrativo explícito, associado ao narrador, e de uma consciência autoral que funcionaria de alguma maneira contra esse narrador, ou crítica à sua posição (de classe), o que apenas inverteria a tradição de suspeita que por várias décadas recaiu sobre Capitu. A refutação mais enfática dessa hipótese interpretativa viria em 2002, num volume de divulgação sobre o autor e a obra, no qual defende a inexistência de preconceito de classe nas relações entre as famílias de Bentinho e Capitu, e, mais ainda, vê uma sincera alegria no modo como a mãe de Bentinho se exprime ao prever o casamento do filho com a filha do Pádua:

> Afirmar que Dom Casmurro nos engana a nós, leitores, porque é impostor e embusteiro, é converter o drama em farsa montada a frio, hipótese cerebrina de fundo ultraideologizante que tende a substituir personagens de carne e osso por alegorias de classe social.[8]

A hipótese pressuporia um autor idealista que criou um narrador realista para "melhor condená-lo à luz de uma visão moral exemplar pela qual os maus devem ser e serão escarmentados pela sua conduta".[9] Para Bosi, essas entidades não são dissociáveis, e ele acredita que o lugar ideológico de onde o homem e o autor Machado de Assis viu e julgou as relações interpessoais não era assim tão marcado ou determinado, mas amplo, ambivalente e ambíguo.

Na primeira versão de "A máscara e a fenda", Bosi apontava nos primeiros escritos ficcionais de Machado as contradições entre "os chavões idealizantes" e "uma conduta de classe perfeitamente utilitária" e, nos mais tardios, a convergência entre "o ideológico do fatalismo e o contraideológico do escárnio" para concluir: "Machado certamente não é utópico nem revolucionário (na medida em que este se acerca da área da utopia): ele nada propõe, nada espera, nada crê".[10]

Desde os primeiros escritos, Machado é figurado por Bosi como um cético, que não acredita em nada e nada espera, não vislumbrando qualquer possibilidade de redenção ou superação do que quer que seja. Com isso, Bosi descarta qualquer possibilidade de visão unívoca ou de questão fechada, por parte do escritor, sobre o processo histórico ou a política. Assim, delineia também um observador agudo do seu entorno, ao qual dá representação sem nenhum tipo de julgamento peremptório, o que confere à obra de Machado uma capacidade rara de apreensão da realidade em seus mais diferentes aspectos e dimensões e o põe num lugar peculiar entre os escritores realistas.

Embora tenha definido a ficção de Machado de Assis como "o ponto mais alto e mais equilibrado da prosa realista brasileira" na sua *História concisa da literatura brasileira*, nos ensaios posteriores Bosi especificou seu entendimento do realismo machadiano, defendendo tratar-se de um *realismo aberto*, que não decreta a priori a exclusão de qualquer aspecto do real.[11]

Esse realismo aberto acomoda outras dimensões do real, que não apenas a organização da sociedade em classes ou uma visão coerente e distanciada do processo político e social:

> Assim, o romance é o lugar da intersecção dos dois modelos narrativos, o realista convencional e o realista resistente ou estoico. A intersecção adensa até o limite do enigma o sentido do olhar do autor, que é sempre um problema e requer uma interpretação. Pascal, jansenista, e os moralistas céticos do Seiscentos, como La Rochefoucauld e La Bruyère, também admitiam, ao elaborar a sua fenomenologia ética, a existência de almas raras que resistem a si próprias e ao "mundo" (por obra da graça ou por íntimo orgulho), ao lado da maioria absoluta que verga ao peso da condição comum dos mortais feita de egoísmo e com toda a sua sequela de trampas e vilanias.
>
> O fato de os primeiros interagirem com os últimos na mesma sociedade e até no mesmo círculo familiar dá ao realismo de Machado uma amplitude e uma diversidade de modulações psicológicas que tornam problemática qualquer definição unitária e cortante da sua perspectiva. Talvez seja viável afirmar que a visada universalizante de Machado, tão aguda no exercício de desnudar o *"moi haïssable"*, consiga superar dialeticamente (conservando em outro nível a matéria superada)

os grandes esquemas tipológicos pelos quais só haveria duas personagens em cena: o paternalismo brasileiro e o liberalismo europeu. Estas figuras do entendimento, abstratas e necessárias, resultam insuficientes para captar a riqueza concreta dos indivíduos ficcionais.[12]

Ainda que reconheça a existência de tipos na obra machadiana, a ênfase recai sobre a singularidade das personagens, com suas complexidades psicológicas e existenciais que as aproximariam da pessoa humana, no que há nela de singular, inefável e indefinível.

Bosi argumenta que na obra machadiana as personagens de mesma extração social não se comportam de maneiras semelhantes, e cita as diferentes heroínas dos primeiros romances de Machado — Guiomar, Helena, Estela. Todas são pobres, mas têm reações e comportamentos bastante diversos em relação aos mais ricos e às possibilidades de ascensão social que a elas se apresentam. Da mesma forma, e isso é bastante enfatizado tanto em "O enigma do olhar" como em "Brás Cubas em três versões", Brás Cubas e Bento Santiago são personagens muito distintos entre si, ainda que ambos sejam homens da elite.

Mais recentemente, Bosi voltou à questão dos modos de comportamento dos personagens no capítulo final *de Ideologia e contraideologia*, intitulado "Um nó ideológico". Nele, trata das oscilações da consciência de Brás Cubas em face da personagem Eugênia, que não se restringiriam às diferenças de classe. Para Bosi, são oscilações existenciais e morais que incorporam e transcendem a tipologia social do narrador-protagonista no seu papel de rentista ocioso, o que fica mais nítido se considerada a arqueologia cultural de Machado, que inclui o moralismo francês e a linhagem humorística inglesa.[13] Trata-se, defende o crítico, de observar as assimetrias sociais e os modos diversos com que elas ressoam no interior das personagens, que não se esgotam nos tipos justamente porque são capazes de refletir sobre si mesmas e sobre suas experiências.

Numa dimensão mais abstrata, para Bosi o sentido da grande literatura, e é disso que se trata no caso de Machado de Assis, não se esgota na apreensão do quadro ideológico dominante. Ela é grande justamente por ser capaz também de captar as dimensões contraideológicas do seu tempo, por meio da pluralidade de vozes que necessariamente compõem a grande obra de arte. Seguindo as leituras dos teóricos italianos fundamentais em sua crítica, Francesco De Sanctis e Benedetto Croce, Bosi afirma que o contraideológico salta à vista a partir do contraste com o ideológico, e é dessa dinâmica que o crítico hermenêutico precisa dar conta, enfatizando um aspecto que lhe parece fundamental na literatura: a resistência à opressão e aos valores dominantes.

Subjacente a essa visada crítica está a categoria da intuição, que vem de Croce, para quem "arte é intuição". Com Croce, Bosi compartilha uma posição radicalmente antipositivista, o que contrasta com as leituras de fundo sociológico, que lidam com a ideia de "forma objetiva", que está na tradição marxista. Na crítica de Bosi, como referência ainda anterior a Croce, estão presentes formulações de Francesco De Sanctis, para quem a forma artística é irredutível a ideias gerais ou alegorias. A intuição é um dos fundamentos da crítica de Bosi, que aponta para uma dimensão da experiência humana (e autoral também) que foge à pura objetividade e racionalidade, abrindo uma possibilidade de entendimento subjetivo e, no limite, até irracional, que aponta para o enigma, noção que lhe é tão cara.

Se a referência local e histórica (o Rio de Janeiro do Segundo Império) é "quase tudo", Bosi argumenta que ela não é tudo, afinal a obra de Machado é inteligível em outras línguas, culturas, tempos e lugares muito diferentes dos que participaram de sua produção.

> O objeto principal de Machado de Assis é o comportamento humano. Esse horizonte é atingido mediante a percepção de palavras, pensamentos, obras e silêncios de homens e mulheres que viveram no Rio de Janeiro durante o Segundo Império. A referência local e histórica não é de somenos; e para a crítica sociológica é quase tudo. [...] Se hoje podemos incorporar à nossa percepção do social o olhar machadiano de um século atrás, é porque este olhar foi penetrado de valores e ideais cujo dinamismo não se esgotava no quadro espaçotemporal em que se exerceu. Largo e profundo é, portanto, o campo do "quase" naquele quase tudo.[14]

Ao polemizar com a crítica histórico-social, que identifica uma intenção fundamentalmente mimética e alegórica e um tom predominante satírico no texto de Machado de Assis, o que resultaria numa ação denunciadora e acusatória em relação à formação social brasileira, Bosi enfatiza as dimensões psicológico-existenciais e o tom humorístico, defendendo haver também aceitação e compreensão, por parte do autor e dos seus narradores, daquilo que é objeto de crítica. O que se privilegia não é o resultado, a objetivação na forma, como propõe, por exemplo, Roberto Schwarz, nem a definição de uma intenção autoral, como faz John Gledson, mas a apreensão de uma fenomenologia, a descrição de um olhar em movimento, que seria o de Machado, o do crítico e deveria ser também o olhar adotado pelo leitor. O interesse crítico oscila, portanto, entre a instância autoral, pensada como variável, incongruente, múltipla, humana, e o leitor, que deveria ser capaz de compreender e aceitar essa oscilação, sem querer produzir uma explicação final ou determinar um sentido fechado para o texto.

Buscando um olhar hermenêutico para as "três dimensões" dos textos literários — a representativa ou mimética, a expressiva ou existencial, e a construtiva ou formal —, Bosi entende que, dialeticamente, o adensamento crítico em apenas uma dessas vertentes, pelo viés sociológico/histórico, ou psicológico/existencial, ou formal/intertextual, sempre será insuficiente, demandando os outros vieses.

Assim, na mesma pista, mas na contramão da especificação dos nexos entre a obra e a vida brasileira, que dominou os estudos machadianos a partir da década de 1970, o movimento geral das leituras de Bosi vai no sentido de atenuar não só o que considera uma sobrevalorização da dimensão mimética da obra machadiana, como também o esforço de determinar um vetor ideológico unívoco. Isso implicou também a relativização do realismo baseado nas diferenças sociais e do peso das questões materiais sobre o comportamento das personagens.

A relativização, gesto constante nas leituras de Bosi, se explicita ainda mais a partir da publicação de *Brás Cubas em três versões*,[15] em que, como indica o título, examina três vertentes de leitura do romance: a intertextual, também definida como construtiva, realizada por José Guilherme Merquior, Enylton de Sá Rego e Sergio Paulo Rouanet; a baseada nas motivações morais e cognitivas do humor, que se poderia chamar expressiva, representada por Alcides Maya e Augusto Meyer; e a histórico-social, definida como mimética, levada a cabo por Lúcia Miguel Pereira, Astrojildo Pereira, Raymundo Faoro, John Gledson e Roberto Schwarz. Sem descartar nenhuma, mas tendendo para a abordagem expressiva, Bosi propõe uma leitura que busque maior equilíbrio entre as dimensões formalistas, psicoexistenciais e miméticas. A partir de *Brás Cubas em três versões*, insinua-se uma quarta dimensão, explicitada em "Machado de Assis na encruzilhada dos caminhos da crítica" — a dimensão dialógica, a dos leitores que, em tempos e lugares diversos, vêm atribuindo sentidos e ênfases variadas aos múltiplos aspectos contidos no texto prismático de Machado de Assis.[16]

Desde que Alfredo Bosi escreveu o prefácio que está na origem de "A máscara e a fenda", os estudos literários caminharam em direção a uma maior especialização dos seus objetos e métodos e multiplicaram-se as visadas teóricas e críticas lançadas sobre a obra de Machado de Assis. A obra crítica de Alfredo Bosi atravessou as últimas décadas atenta e sensível às mudanças, mantendo admirável coerência com seus princípios hermenêuticos e com a busca de apreender na obra de Machado de Assis o equilíbrio dinâmico entre sociedade e natureza, tipo e pessoa, realismo e universalismo.

PUBLICAÇÕES DE ALFREDO BOSI SOBRE MACHADO DE ASSIS

"Machado de Assis", in *História concisa da literatura brasileira*. São Paulo: Cultrix, 1970, pp. 193-203, 271-3. Recolhido em *"Misa de gallo" y otros cuentos*. Bogotá, Norma, 1990, pp. 15-31.

"Apresentação", in Machado de Assis, *Memorial de Aires*. São Paulo: Ática, 1973, pp. 3-8.

"Prólogo", in Machado de Assis, *Cuentos*. Caracas: Biblioteca Ayacucho, 1978, pp. ix-xxxix. Recolhido com modificações e com o título "A máscara e a fenda" em BOSI et al., *Machado de Assis*. São Paulo: Ática, 1982, pp. 437-57; *Encontros com a Civilização Brasileira*, Rio de Janeiro, n. 17, nov. 1979, pp. 117-49; *Machado de Assis: o enigma do olhar*. 4. ed. São Paulo: WMF/Martins Fontes, 2007, pp. 73-125.

"Uma figura machadiana", in *Esboço de figura: homenagem a Antonio Candido*. São Paulo: Duas Cidades, 1979, pp. 157-68. Recolhido em Alfredo Bosi, *Céu, inferno: Ensaios de crítica literária e ideológica*. São Paulo: Ática, 1988, pp. 58-71; *Machado de Assis: O enigma do olhar*. São Paulo, Ática, 1999, pp. 127-48.

"A escravidão entre dois liberalismos". *Estudos Avançados*, São Paulo, v. 2, n. 3, dez. 1988, pp. 4-39.

Machado de Assis: O enigma do olhar. São Paulo: Ática, 1999.

Machado de Assis. São Paulo: Publifolha, 2002.

"O teatro político nas crônicas de Machado de Assis". *Revista da Academia Brasileira de Letras*, v. 41, 2004, pp. 20-30. Disponível em: <http://www.iea.usp.br/publicacoes/textos/bosimachado.pdf>. Acesso em: 12 abr. 2017. Publicado em *Brás Cubas em três versões: Estudos machadianos*. São Paulo: Companhia das Letras, 2006, pp. 73-103.

"Raymundo Faoro leitor de Machado de Assis". *Estudos Avançados*, São Paulo, v. 18, n. 51, ago. 2004, pp. 355-76. Publicado em *Brás Cubas em três versões: Estudos machadianos*. São Paulo: Companhia das Letras, 2006, pp. 104-30.

"O realismo na obra de Machado de Assis", in Ivan Junqueira (Org.). *Escolas literárias no Brasil*. Tomo I. Rio de Janeiro: Academia Brasileira de Letras, 2004, pp. 375-401.

"Brás Cubas em três versões". *Teresa — Revista de Literatura Brasileira*, São Paulo: FFLCH-USP/ Ed. 34/ Imprensa Oficial, n. 6/7, 2006, pp. 279-317.

Brás Cubas em três versões: Estudos machadianos. São Paulo: Companhia das Letras, 2006.

"Relendo Machado de Assis". *Jornal do Brasil*, Rio de Janeiro, 21 jun. 2006. Disponível em: <www.academia.org.br/artigos/relendo-machado-de-assis>. Acesso em: 15 ago. 2016.

"Figuras do narrador machadiano". *Cadernos de Literatura Brasileira*, São Paulo: Instituto Moreira Salles, n. 23-4, 2008, pp. 126-62.

"Rumo ao concreto. Brás Cubas em três versões". *Luso-Brazilian Review*, v. 46, n. 1, 2009, pp. 7-15; "Rumo ao concreto: *Memórias póstumas de Brás Cubas*", in *Entre a literatura e a história*. São Paulo: Ed. 34, 2013, pp. 73-82.

"Machado de Assis na encruzilhada dos caminhos da crítica". *Machado de Assis em Linha*, ano 2, n. 4, dez. 2009. Disponível em: <http://machadodeassis.fflch.usp.br/sites/machadodeassis.fflch.usp.br/files/u73/num04artigo02.pdf>. Acesso em: 12 abr. 2017.

"Um nó ideológico: Sobre o enlace de perspectivas em Machado de Assis", in *Ideologia e contraideologia: Temas e variações*. São Paulo: Companhia das Letras, 2010, pp. 398-421. Publicado também em *Escritos* (Fundação Casa de Rui Barbosa), v. 2, 2009, pp. 7-34.

Machado de Assis. Coleção Os Essenciais. Rio de Janeiro: Academia Brasileira de Letras, 2010.

"O duplo espelho em um conto de Machado de Assis". *Estudos Avançados*, São Paulo, v. 28, n. 80, jan./abr. 2014, pp. 237-46.

"Prefácio", in Alcides Maya, *Machado de Assis: Algumas notas sobre o humour*. Rio de Janeiro: Academia Brasileira de Letras, 2015.

O itinerário de duas teses e a compreensão da obra de Alfredo Bosi

João Carlos Felix de Lima

INTRODUÇÃO

Creio ser desnecessário apresentar o crítico e historiador Alfredo Bosi. Todos que estejam *nel mezzo del cammin* e tenham frequentado um curso de letras ou humanidades já se depararam com *História concisa da literatura brasileira*, sua obra mais disseminada e lida. O que apenas alguns sabem, no entanto, é que Bosi, até 1970, pertencia à cátedra de literatura italiana na USP, tendo defendido uma tese de doutoramento sobre Luigi Pirandello e outra, de livre-docência, sobre Giacomo Leopardi. Para que evitemos o olvido característico de nosso tempo, segundo Márcio Seligmann-Silva e Paulo Eduardo Arantes, e forcemos a entrada de linhas de continuidade entre as obras, o exercício de rememoração será fundamental.

Por isso, é bom lembrar que, em primeiro lugar, é fácil admitir que alguns fatos concorreram para que esse movimento de breve mas intenso tráfego pela literatura italiana acabasse parcialmente ocultado das gerações posteriores. Embora tenha sido parte de importante fortuna crítica na vida de nosso autor, sua migração desponta em um momento em que a internacionalização do conhecimento e o interesse pela cultura brasileira eram vivenciados em ritmo acelerado. Um segundo motivo deve-se a que as teses não tenham sido publicadas, padecendo do "mal das estantes", forma sugestiva de indicar como os trabalhos acadêmicos, cada vez mais, merecem ou desmerecem leitores interessados. Um terceiro, e último, motivo alia-se ao interesse e dedicação exclusivos (ou quase) de nosso autor à literatura brasileira, e sua própria produção indicar certo pertencimento, agora, a novos interesses como pesquisador. É possível encontrar intelectuais que pensem esses textos como "apêndices de pesquisador", o que, em minha concepção, é um erro de perspectiva histórica que só a crítica poderá desfazer a seu tempo. Neste caso, defendo que essas teses são um momento importante que ajudou a consolidar mais de uma das veredas interpretativas expostas em alguns livros publicados por Alfredo Bosi.

Espero deixar claro que as teses se constituem não apenas como parte fundamental do trabalho de Bosi, mas também de seu itinerário pessoal. Parte disso pode ser compreendido no "crítico lúcido da identidade pessoal", como Bosi disse de Pirandello, e também que a leitura de sua obra lhe apontava possíveis respostas às suas inquietudes, dentro das quais estava a preocupação com uma teoria da *pessoa*.[1] O que o atraía neste autor era "um conflito muito agudo entre fôrma social, [diz Bosi] eu sentia as atitudes, o comportamento que você precisa ter enquanto professor, enquanto casado, enquanto pai de filhos, tudo aquilo que os italianos chamam *generalità*".[2]

Leopardi o teria "convidado", termo seu, "a atentar para o labor paciente da universalização, formalização e composição, que só um autor de têmpera consegue dar às suas experiências mais radicais".[3] A tese sobre Leopardi fora escrita no período extremado do Estruturalismo, tanto no Brasil quanto no mundo. Bosi preocupava-se à época em demonstrar o quanto em Leopardi sua porção universalizadora encontra forma. Coincide com os anos mais difíceis da ditadura, e identifica-se com o movimento de resistência do poeta. Bosi diria ainda das misérias da ditadura, da tortura, dos presos políticos. "Nós", completa, "estávamos realmente nos anos de chumbo. Eu acredito que tudo isso concorreu para que a tese tivesse também esse final prometeico."[4]

Julgo importante perfazer esse percurso, em vista de conseguirmos determinar, já a partir dele, conceitos importantes que se horizontam nesses anos definidores, cujo tempo, aliás, é singular para a crítica literária brasileira. Não custa lembrar que muitos dos desenvolvimentos da estética posterior de Bosi alimentam-se de matérias vertidas e gestadas ainda nesse tempo. Deixar de iniciar-se neste caminho é perder totalmente de vista a perspectiva histórica da carreira intelectual do autor que estudamos, havendo o risco de subdeterminarmos o alcance de suas proposições teóricas — basta lembrar que um de seus conceitos mais importantes, o de literatura e resistência, é já refletido e gestado nesses escritos.

Quanto ao que viemos até aqui falando, parece interessante mencionar dois dados. De um lado, a data em que defende a primeira das teses, 1964, coincide apenas fortuitamente com o Golpe. Bosi estava mais motivado pela esperança de renovação no âmbito social, promessas já sentidas pela pragmática de João Goulart, por exemplo. O vento do espírito sopra onde quer, e, nessa perspectiva, a tese inicia reflexões pensadas anos antes, como veremos, e são de fundo pessoal-ético-religioso. O jovem Alfredo Bosi iniciava ali um itinerário que não seria apenas o do grande autor italiano, mas também, em certo sentido, de si mesmo.[5] De outro, 1970, por sua vez, é quando defende a tese sobre Leopardi. Fazia apenas um ano que o AI-05 havia sido assinado, reordenando todo o projeto de ensino, divulgação e pesquisa no Brasil, especialmente via universidade brasileira, o que contribuiu, como depois se esclareceria, para que se repensasse as questões estéticas e éticas com base em perspectivas de esquerda, próximas a análises de ideologia, hegemonia e poder. Ademais, como se verá, outros domínios estéticos se orientam no país, como o Estruturalismo e outras leituras imanentes da coisa literária. Vejamos, então, o andamento intelectual que acontece nesse interregno de seis anos.

A CONSCIÊNCIA FRATURADA NA OBRA DE PIRANDELLO:
O *ITINERARIO DELLA NARRATIVA PIRANDELLIANA*

Defendida como tese de doutoramento em língua e letras italianas, o *Itinerario della narrativa pirandelliana* parte de pressupostos estéticos que se acentuam ao longo de sua carreira. Bosi procura determinar a gênese espiritual (*genesi spirituale*) de Pirandello. A associação entre o *itinerario mentis* do escritor dentro de seu contexto histórico é fundamental nesse sentido. Ao lembrar a fortuna de Pirandello, Bosi declara serem suas narrativas denegadas, em parte, justamente pela presença inebriante de seu teatro que, de tão estudado, leva o filho de Pirandello, Stefano Pirandello, a dizer: *"Gli piaceva pensare che allora il suo teatro sarebbe apparso come una parentesi nella sua più vasta opera di narratore"*.[6] Bosi almeja analisar suas narrativas, de tal forma que esta análise seja contígua ao teatro, isto é, *"più minuta di Luigi Pirandello narratore, in quanto narratore, anteriore e posteriore al dramaturgo"*.[7] É forte o compromisso com a ideia de "autoria", então repensada e combatida por modelos estruturalistas, e a ideia de história, posta nos termos de uma análise baseada na "cronologia". *"La storia di un'opera letteraria è pure la storia di un'anima e dei rapporti con lo svolgimento culturale in cui va inserita."*[8]

Perpassa pela tese de Bosi uma linha de raciocínio que se desdobra em quatro momentos de análise, esboçados no andamento constitutivo da obra pirandelliana:

a) *Le novelle e i romanzi giovanili, ancora caldi di residui veristi, se pure impostati sui motivi della solitudine e del'evasione, schiettamente personali;*

b) *La maturità espressiva rispechiante quell'umorismo patético di cui Pirandello si fece, fin d'allora, il consapevole interprete;*

c) *Il radicalizzarsi dei motivi psicologici e gnoseologici stilizzati discorsivamente, che segna la immediata;*

d) *Le vie d'uscita verso i miti della natura e della vita inconscia (il sogno o il mistero), stilizzati in modi approssimativamente surrealistici.*[9]

Como se vê, a análise aposta nos *momentos decisivos* da prosa de Pirandello. Bosi estuda os contos, as novelas, os romances, ainda alçados sob o traço do verismo; o momento posterior a essa fase, do *humorismo*, do qual Pirandello é intérprete e teórico; os motivos psicológicos de seus escritos e as saídas em direção aos mitos da natureza e da vida inconsciente. Na análise, a confusa perspectiva de causa e efeito, que se mostra na equação obra × autor, impressionista na sua origem, é evitada ao se mencionar os pressupostos de sua escrita: *"nessuna confusione com 'fondamenti' e 'cause', como potrebbe concludere una prospettiva positivistica"*.[10]

Bosi menciona *"le linee di pensiero e le correnti di sentimento"*[11] que atravessam as concepções de e sobre Pirandello. Conecta à sua análise um método que é preocupado com o que é *"storico, poiché si rispettano l'ordine cronológico e gl'incontri con le correnti culturali contemporanee al Nostro"* e *"estetico, in quanto si stabiliscono i necessari rapporti tra le caratteristiche personali che informamo l'umanità di Pirandello e la loro espressione letteraria"*.[12] De tal forma que chama atenção no itinerário de Pirandello sua adesão a uma escrita que mais prescinda de *"comunicazione immediata"* e de uma *"antiletterarietà"*,[13] movimentos de aproximação e de (auto)censura em torno de possíveis distorções retóricas, então em voga.

Ele vê a necessidade de partir das camadas mais interiores, subjetivas, até chegar às categorias estruturantes que definem a literatura de Pirandello. Enxerga-se nessa travessia a própria construção da Europa *fin de siècle*. Esse tempo *"simboleggia tre generazioni spirituali e si ferma alle soglie della più trágica di tutte — quella che assistente alla seconda guerra mondiale"*.[14] Parte, assim, de uma visão geral dos movimentos estéticos, situando Pirandello no contexto imediato que o encerra. Na opinião de Bosi, Pirandello

> fu uno dei pochi spirit italiani che, in un'epoca di tendenze rettoticamente nazionalistiche (e quindi provinciali), riscci a dare un respiro europeu alla letteratura italiana e, di conseguenza, raggiunta l'universalità, varcare gli angusti limiti Del pubblico nazionale, come lo attesta la sua fulminea fortuna in tutto il mondo.[15]

MOVIMENTOS DE RENOVAÇÃO NA LITERATURA ITALIANA

Giovanni Verga inseriria nuances trágicas em torno de personagens "vencidas" (*vinti*). Ele participa de uma geração cuja pobre realidade está envolta na moralidade dura e sofrida do povo da ilha. É por isso que Verga caminha por outras paragens, revelando

> l'abisso economico, sociale e espirituale tra la nuova struttura del regno d'Italia, sedicente liberale e democratica, e l'arcaico, semifeudale mondo sopravvissuto della civilità siciliana, borbonica ancora e latifondaria nella campagna, cziosa e baroccamente aristocratica nelle cità.[16]

Segundo Bosi, o crítico Sapegno foi incisivo quando apontou que o naturalismo era *"dunque quella che meglio di tutte aderiva allo slancio vitale, al ritmo progressivo della storia, quella che raccoglieva la parte più positiva e feconda dell'eredità romantica per trasmetterla alle generazione future"*.[17] Tratava-se de uma espécie de pacto sectário em prol de uma forma literária que melhor redescobrisse o homem por trás da pobreza. Nesse sentido, havia

> una struttura politica essenzialmente burocratica e polizialesca, inetta a produrre una vera solidarietà delle forze sociali diverse, a sanare il conflito fra il nord e il sud della penisola, a

> *immettere nella vita dello stato, come elemento attivo e participe, le plebi meridionale suffocate della miseria, dall'ignoranza e da um'inveterata consuetudine di rapporti feudali.*[18]

Bosi aponta que tanto as políticas de Direita como as de Esquerda, dadas as disparidades evidentes, sentiam esse desequilíbrio com tamanha intensidade que ambas se expressavam como possuindo plataforma política semelhante. Pirandello capta tais direções: sua prosa, inicialmente verista, serve também como *"documento di una situazione morale"*: seu romance *I vechi e i giovani* é o fiel da balança. Dado o método de Bosi, há um esforço no sentido de aderir explicitamente a uma reconstituição do *itinerario mentis* do autor. Daí que opte por descrever as escolhas filosóficas de Pirandello, voltadas inicialmente para as questões positivistas, embora essa cultura não tenha chegado a *formá-lo*, já que Pirandello preferia os idealistas e Schopenhauer.

A nova prosa personificaria a ruptura na ciência e na fé, estaria também fortemente carregada de subentendidos, memorando a inefabilidade das almas humanas e do mundo. A expressão direta desse mundo seria um grave problema para esses autores e viria quase sempre formulada de maneira *aproximada (aprossimative)* aos homens que se pretendia representar. O leitor teria acesso às dúvidas (*dubbi*), às oscilações (*oscillazioni*), às angústias (*angoscie*) das almas. São Manzoni e Verga, ambos mestres dessa arte, que pintam a vida de forma mais viril (*virile*) e distanciada (*distaccata*). Trata-se mais de *evocar* que de *representar* diretamente os sentimentos complexos e nuançados. Haveria um descompasso na psiquê das personagens, cujas aspirações são infinitas (*infinite*), cujo mundo correspondente demarca espectros de finitude opressiva (*finito, oppressivo*). Esse descompasso ou falha (*mancati*) das personagens é, no fundo, a característica mais evidente do romance decadente: seus autores de algum modo são cantores de decepção e de impotência.

A geração espiritual de escritores que nasceu sob o influxo dessas ideias acabou condicionando a eclosão de predicados na literatura de Pirandello, sempre mais adequados conforme a personalidade do escritor: em Graf, misticismo e melancolia (*misticismo e malinconice*); em Pascoali, mistério e inefabilidade (*mistero e ineffabilismo*); em D'Annunzio, esteticismo e veleidade "sobre-humanas" (*estetismo e velleità "superumane"*); irônica autoanálise (*ironica autoanalise*) em Svevo. De que que modo Pirandello responde a essas colocações de cunho ético-estético?

Para interpretar esses distintos modos de representação na Itália, Bosi dirá: "*e, senza varcare i limiti del pensiero italiano, ecco rivelarsi al nostro spirito come unilaterali non solo la visione economicistica dei materialisti storici, dal Labriola al Gramsci, ma anche l'idealismo storicista di Benedetto Croce*",[19] ou seja, Bosi encontraria no meio-termo dessas correntes a forma adequada para a interpretação de Pirandello. Por essa via, de forma embrionária, vemos mais claramente como Bosi se situa em relação ao economicismo unilateral, incapaz, segundo ele, de ligar as unidades espirituais da criação às suas condições materiais mais evidentes. O economicismo se revela eficaz somente quando lido de modo complementar, como instância de "fomento" cultural. "*L'opera scaturisce dalla concreta trama storica in cui sono largamente compresi i bisogni economici.*"[20]

A TÔNICA DA PARTICIPAÇÃO E DA INTERPRETAÇÃO

As abordagens da hermenêutica histórica são tópicos bem desenvolvidos na crítica brasileira no momento em que Bosi escrevia suas teses. Antonio Candido nesse sentido já se constituía escola: tão importante é sua tese que compreende a obra crítica de Sílvio Romero, a notória força de *Formação da literatura brasileira* e uma série de ensaios esparsos tanto quanto influentes, no que dão bem a dimensão disso. A opção pela vertente culturalista (em Hegel, Dilthey, Weber e Mannheim) já vinha sendo desenvolvida pela crítica esposada por Otto M. Carpeaux, autor cuja leitura Bosi diria ser sua preferência desde a adolescência, fato lembrado por ele anos depois. Está atento, por isso mesmo, a essa constelação de autores e a essa tradição a qual se filia, e cujo desenvolvimento merece ainda um pouco de análise. Permita então, nesse sentido, alocar aqui um longo trecho que diz muito das opções de Bosi em vista de suas escolhas analíticas:

> *Nell'analizzare il fruto di una personalità artistica, ciascuna delle due teorie sceglie "a priori" il momento che più spetta alla sua particolare visione del mondo: il materialista storico, il momento del contenuto bruto, anteriore ed esteriore alla scelta dell'artista, dogmatizzando poi che infatti non c'è stata una vera scelta, essendo impossibile all'artista il sottrasi alle forze sociali che lo hanno formato prima e durante la creazzione letteraria; l'idealista, invece, insiste sul momento creativo, insostituibile, generato da una fantasia individuale, da um complesso di stati d'animo e da uma specifica struttura morale, aspeti*

insomma che isolano Ed enfatizzano i fattori personali, mettendo tra parentesi le pressioni socio-economiche.

D'altra parte uma posizione meramente eclettica non sarebbe in grado di risolvere il nòcciolo del problema, a meno che si sfugga ai principi fondamentali delle teorie in conflitto. Il materialismo, per quanto dialettico si voglia, è pur sempre materialismo nelle sue categoria organatrici delle attività spirituali; e l'idealismo, pure affermandosi, nella prospettiva crociana, assolutamente storicistico, prescinde dai concreti nessi economici nel momento di caractterizzare l'essenza di un'opera d'arte e nell'altro, susseguente, di valutarla in quanto arte.

"Tertius non datur?" È il caso di riformulare la questione. Di che cosa in determinate circostanze culturali (categoria della società), ma che si differenziano da altri atti ugualmente culturali in virtù di una specifica direzione della fantasia e del sentimento, contemplare e creatrice ad um tempo (categoria della esteticità). Negare recisamente, polemicamente, qualsiasi dei due momenti ci sembra ignorare il metodo dialettico hegeliano da cui derivano tutt'e due posizione e postulare principi generativi assoluti (materia o espirito), appunto le caratteristiche della metafisica razionalista, che questi discendenti di Hegel intendono superare.

L'unico punto di riferimento reale e vivo da considerare nello studio di un'opera d'arte non è, né può essere, una categoria astrattamente presa (materia o spirito; socialità o esteticità), ma la personalità dell'autore: l'uomo ad un tempo agente della forma artistica e paziente di una data struttura sociale.

I rapporti tra il complesso socio-culturale e l'opera letteraria sono stabiliti dalla personalità dello scrittore: questa non deve essere considerata, idealisticamente, come um assoluto e incondizionato spirito creatore, né, meccanicamente, come un amasso incongruo di dati sociali, mera passività da specchio; ma come possibilità di mediazione, di attività, di formatività.[21]

Há um programa de interpretação literária esboçado nessas considerações, cuja importância em seguir é evidente, em vista das conclusões grávidas de sugestões e ideias. Um primeiro ponto destacado da leitura deste trecho é a insistência no uso do termo "personalidade artística" (*personalità artistica*) compreendendo o ponto de partida para Bosi. Ricos em modulação, esses postulados não deixam de ser um bocado problemáticos porque supõem de algum modo que o analista dispõe do conhecimento dessa personalidade e sabe, enfim, *quais* motivos e *quais* meandros essa subjetividade percorreu na construção de sua obra. O velho problema da intencionalidade é talvez um passo em falso, como se vê, em direção a algum subjetivismo ou psicologismo. As forças com que lida o pesquisador em um caso como esse, isto é, em que envolvem uma "alma" (*anime*), merecem cuidado no sentido de se prismatizar os eventos, sob o risco de, não o fazendo, cair no dogmatismo que Bosi rejeita. Há uma dupla negação que ausculta tanto o momento econômico em que se ampara a crítica materialista, tout court, quanto a crítica idealista, que insiste no instante criador. Ambos isolam os fatores espirituais da criação e estancam da análise justamente os resultados procurados por ele nas narrativas pirandellianas.

Há, também, no trecho, a rejeição a uma opção interpretativa "meramente eclética" (*meramente eclettica*), dado que o mesmo nó (*nòcciolo*) da questão permaneceria intacto. Ela apenas ocultaria os elementos teóricos conflitantes. Por isso mesmo, a opção de Bosi, nesse momento, dirigiu-se no sentido de adotar uma categoria da *sociabilidade*, ressaltando-se a necessidade de conciliar numa mesma chave interpretativa o fator diferenciador: direção específica da imaginação e do sentimento. Visto no seu conjunto hermenêutico temos, na mescla totalizadora proferida pelo autor, os fatores *socioeconômicos*, os fatores *criadores* (dentro dos quais se pode ler o estilo pessoal), e os elementos de *sociabilidade*. "O único ponto de referência real e vivo que deve ser levado em consideração no estudo de uma obra [...] é a personalidade do autor [...] agente da forma artística e paciente de uma estrutura social dada."

Todas essas relações pressupõem recursos de *mediação*, de *formação* e de *atividade*. A leitura de Pirandello acaba sendo um exemplo nas considerações de Bosi referentes a esse aspecto da teoria, por ter deixado textos, críticos e autobiográficos, que corroboram os insights de Bosi. Isso se mostrou importante inclusive na escolha dos temas da tese, por conta das relevâncias semânticas que Pirandello aventa.

Disposto nesse movimento dialético, há um consequente suporte fenomenológico que sobressairia na teorização da tese. Fiel a seu objeto, Bosi ancora-se firmemente em filosofias de caráter *personalista*: na Fenomenologia axiológica de Max Scheler, no personalismo social de Maurice Nédoncelle e Emmanuel Mounier, na "Filosofia do espírito" de Louis Lavelle e René Le Senne, no espiritualismo cristão, instanciado por inúmeros autores, como Luigi Stefanini e Luigi Pareyson, e, na vertente judaica, por Martin Buber. Essas influências são mediadas pela presença de Hegel.

Nesse tempo, fundamentais são os movimentos espirituais e políticos que se horizontam na própria vida de Bosi, concatenados por suas pessoais escolhas filosóficas. Por isso, seria importante identificar suas relações tanto com a Ação Católica, quanto com as Comunidades Eclesiais de Base (CEBS), ambas instâncias vinculadas a mudanças surgidas nos anos 1960 na Igreja católica no Brasil, e a guinada em relação aos menos favorecidos, traços que integram a biografia de Bosi, e explicam, em parte, sua militância e o *perfil crítico* adotado. O excurso não é despropositado, pois clarifica uma fase importante na trajetória, talvez pouco conhecida, de Bosi. Pode-se indicar aqui um nexo de causalidade entre o movimento existencial do autor e o desenvolvimento estético da tese. Notemos que o panorama da Igreja católica, nessa época, caminhava entre, de um lado, "o pleito por reformas na sociedade latino-americana", e, de outro, "[à] defesa da revolução socialista e a sua prática na conscientização popular",[22] mesclando tanto "reformas" quanto transformações mais amplas.

São partes, portanto, de escolhas e defesas teóricas nesse tempo, e resultam em uma opção ético-religiosa. Isso indica quais as marcas do tempo que ele vive, e a influência nítida de perspectivas novas dentro da tomada de direção nesse momento importante de sua formação, que é, diga-se, quase correlato à sua entrada na graduação na USP.

A Ação Católica propiciou um clima de redefinição do catolicismo brasileiro, que aderia mais marcadamente às frentes e às demandas sociais. Francisco C. Rolim explicita que essas novas posições assumidas pela Igreja refletiam a presença significativa de membros representantes das camadas pobres da sociedade. O catolicismo

> é chamado a defrontar-se com a concepção leiga dominante na sociedade [...] e isto coloca o problema de saber como se opera, através dos mecanismos institucionais religiosos, a apropriação do saber religioso, desde sua forma mais difusa até a seleção de determinados valores religiosos transmitidos ao povo.[23]

É bom lembrar as influências de parcelas católicas europeias que contam com nomes e influências advindas de intelectuais como Emmanuel Mounier e Teilhard de Chardin, bem como do padre Lebret.[24] Bosi participou da Juventude Estudantil Católica (JEC), parte de uma das cinco organizações da Ação Católica brasileira. Ele menciona sua entrada ali aos dezesseis, dezessete anos, início da década de 1950, quando conhece a obra daqueles intelectuais. Vindo de uma experiência social forte na Europa, Lebret pôde chamar a atenção de Bosi para os aspectos econômicos *e* sociais, precisamente aquela ética pronunciada pela ação religiosa, que situava os atos pessoais do agente em um todo vinculado ao conceito de solidariedade, "muito próxima", diria Bosi, "do que se pode chamar de socialismo cristão", do qual Bosi se diz hoje adepto.[25]

Tudo isso serviria como preparação, pelo menos no Brasil, para o II Concílio Vaticano (1962-1965), o que, não resta dúvida, é importante para a recondução do papel da Igreja na sociedade brasileira. As JECs, bem como as CEBs, são pontos de sustentação da visão comprometida e engajada de Bosi.

Sobre as preferências analíticas de Bosi, é interessante lembrar que Erich Auerbach aposta em postulações muito similares ao que vimos aqui. Ele havia esposado seus postulados teóricos em tese de doutorado, defendida e publicada em 1921, intitulada *Zur technik der Frührenaissancenovelle in Italien und Frankreich*.[26]

Claro que tudo isso contribuiu para a compreensão, no âmbito do plano expressivo da tese, de índices característicos da estética pirandelliana, procurados por Bosi nesse momento. Alguns personagens são *"antieroi[s]"* e, portanto, em *"il cui stato d'animo abituale oscilla tra lo stupore davanti alla incomprensibilità della vita e il progressivo staccarsi da ogni vincolo sociale, verso la fuga incoercibile"*.[27]

A possibilidade de declarar o "irrepresentado" pela literatura facultou a Pirandello a certeza de que vivia um conflito irremediável, determinado por sua condição agônica. Não é, contudo, o Verismo como forma estética que Pirandello condena, é a *própria realidade em si mesma, "la cui mimese fedele recherebbe la visione dell'uomo qual è, quell'antieroi dipinto, secondo Pinzone, da una labile non arte"*.[28]

Bosi dirá que, agora, trata-se de associá-los a aspectos lidos em seu teatro: "tipo, persona, *ne'lle ântico senso teatrale di maschera: colui che ha uma struttura morale qualsiasi, colui che fa una parte determinata, la qual elo definisce, lo caraterizza, lo rende qualcuno"*.[29] Em Pirandello, o personagem não seria mais visto como *pura personagem*, mas como ente existencialmente ancorado na experiência vital, que figura, talvez, entre suas mais importantes contribuições no plano estético-narrativo. Mudança similar de perspectiva é observada por Michel Zéraffa, que estudou paradigma semelhante ao de Bosi, sete anos depois da defesa da tese, no âmbito da criação individual dos romancistas modernos (entre 1920 e 1950), captando duas situações estéticas novas que os levam, tanto Bosi quanto Zéraffa, a distinguir enfaticamente a diferença entre pessoa e personagem:

a primeira é que era necessário levar em conta um fenômeno de acumulação das obras romanescas que em larga medida determinou a mais ampla das reflexões sobre a arte do romance que jamais foi efetuada, e que foi uma das causas de desconfiança unânime com respeito à personagem — ou ao menos ao tipo [...] o romancista inovador procurava espontaneamente outras vias além daquelas do figurativo. [a segunda está na] recusa da "personagem" [que] não manifesta somente a exigência de verdade e de autenticidade; sendo a do *retrato*, esta recusa procedia de móbiles estritamente estéticos e inscrevia-se, por reação e negação, na história da arte.[30]

Nas palavras de Bosi, tão características desse momento são os termos "destino e fatalità, *che ricorrono in boca alla madre del ragionatore Griffi*". Griffi, personagem que mata a esposa infiel e sai da cadeia em busca de suas origens, não consegue desligar-se de seu destino, destino irremediável pelo qual *"la vita è e non può non essere quale è"*.[31] Por isso, algumas falas de personagens confundem-se às do narrador; elas perfazem *"quello cioè della incomunicabilità senza riscatto"*.[32]

As conclusões a que chega Bosi são muito consequentes dentro desse quadro. Como vimos, seu texto se cobre de uma atitude *expressiva* somada aos fatores de *conteúdo*, ambos tomados na condição histórica singular do autor da obra. Aqui, antes de tudo, Bosi se questiona quais os limites hermenêuticos de se pensar o fator "momento social" na narrativa de Pirandello, regido pelo binômio "natureza-sociedade" (*natura-società*).

Pelo menos dois romances podem indicar a mudança de perspectiva e de tom em torno do que vimos falando até agora: *Il fu Mattia Pascal* e *Uno, nessuno e centomila*, romances que demonstram o pessimismo de Pirandello. "O pirandellismo traduz uma falta profunda, logo uma profunda necessidade de *ser* [...] o relativismo não é menos um fator de reunião do que de dispersão da pessoa."[33]

Pirandello interessa-se muito pouco pela vida cotidiana, normal, antes, espraia-se na constatação de que as *relações convencionais* não são material suficiente para sua prosa. Os personagens "desajustados" (*disaiutati*), ou seja, aqueles que não se integram são os que o interessam. Posteriormente, Pirandello desenvolveria uma ligação extrema com ideias subjetivistas e anárquicas, inversa à perspectiva de um Verga, por exemplo, cuja atenção se dava em torno da vida em sociedade, não em sua distância.

O antideterminismo da perspectiva bosiana pode ser localizado nessas narrativas em que o anti-herói pirandelliano se mostra consciente de sua situação e de sua *diferença*. Bosi localiza, em *L'esclusa*, pequena narrativa de 1893, características para uma saída à brutalização que o determinismo social representa para o autor: as personagens apresentam níveis de "autoanálise" (*un'autoanalisi*), e de "autoconsciência" (*un'autocoscienza*), que se estenderiam por outras narrativas, de incontestável beleza e igual ciência. As personagens daí resultantes não deixam, no entanto, de viver conflitos. São ruídos de consciência moral em confronto com a ideologia social, com a *communis opinio*. Para Bosi, passa-se de uma visão determinista para uma visão mais livre do social, menos *"rigidamente costruita del reale"*.[34]

A partir disso, passa-se a desenhar o modelo com que Pirandello erige o cabedal de onde parte sua ficção madura e especifica os valores assumidos pelo autor. Segundo Bosi, isso começa com *Il fu Mattia Pascal*, escrito entre março e junho de 1904: o teatro lhe absorveria quase integralmente depois disso. Como dissemos:

> *da questi anni in poi, assai scarsa appare la produzzione narrativa di Pirandello, tutto intento ad esprimerse in un'altra forma artistica, meglio adatta a radicalizzare la problematica che veniva maturando nelle novelle e nei romanzi e, anche, più propizia ad una viva, immediata comunicazzione col pubblico.*[35]

Pirandello intentava resolver um grave problema de estilo, plasmando, para tanto, *"l'amaro sentimento dell'esilio in un'opera di ampio respiro narrativo"*.[36] Não esqueçamos que os temas de Pirandello sempre estiveram pautados pelo extremo individualismo das personagens e por evasões desesperadas. Segundo informa Bosi, faltava ainda a Pirandello o senso de construção e desenvolvimento narrativo, que se resvalaria nos finais abruptos e improvisados de alguns textos, problema a ser sanado por *Il fu Mattia Pascal*. *"Sfogato allora il più urgente sentimento, gli venne la pazienza di costruire, analiticamente, un lungo racconto, in cui il lettore potesse accompagnare le vicende di una vita e capire, guidato dalla prospettiva del personaggio stesso, il perché del suo smanioso desiderio di evasione."*[37] Bosi pergunta qual o limite a que leva a autoanálise da personagem, que, por sinal, envolve-se em inúmeras séries casuais que darão argumentos para os críticos indicarem a inverossimilhança do romance, como se o acaso pudesse ser medido por alguma lei estatística. Pirandello se verá obrigado a respondê-las; tal escrúpulo se revelará ingênuo (*scrupulo ingenuo*), dirá Bosi.

É importante contemplar, na messe mesma do romance, o motivo principal que norteia o autor, isto é, a "evasão impossível" (*evasione impossibile*), não a onipresença do Acaso. Daí o *tráfego* e o *consórcio* entre autor e narrador que Bosi aposta ser o desenlace mais sério e consequente para o analista.

Apoiando-se no mito do renascimento, o narrador deixará entrever todo o desejo de memória, encarnado em Adriano Meis, personagem de *Il fu Mattia Pascal*, passado que foi "*laboriosamente messo su dal narratore che aveva fatto maturare (anche se 'a furia di ammaccature') l'uomo nuovo nel cuore del vecchio*".[38]

Remontando ao mito primordial, ainda em *Il fu Mattia Pascal*: "*Il mito della libertà naturale (intravisto nella novella* Fuoco alla paglia*) si rivela ora, nella breve vita di Adriano Meis, non la desiderata forma di evasione, ma una pura* impossibilità".[39] Desejo de evasão que afetara a visão de Pirandello. Trata-se de "dispersão da pessoa", como quer Zéraffa.[40] No romance, finca-se a situação-limite em que se encontra Mattia Pascal-Adriano Meis: está morto para a sociedade, mas na realidade vivo; ama Adriana, mas está casado; ausência e presença que se atualizam pendularmente no herói. "*Daprima, la 'serena ineffabile ebbrezza'; alla fine, il 'tristo fantoccio odioso': ecco la parabola di una fuga, della pretesa ricostruzione d'un 'io', violentamente sradicato dalle sue condizioni originarie.*"[41]

Lida na boca do senhor Paleari, praticante de teosofia e espiritismo (consideradas como formas, talvez, de evasão relativa), a estranha "teoria da lanterninha" será parte dessa visão simbólica que une a vontade de evasão à impossibilidade de atingi-la. Essa teoria, lida em *Il fu Mattia Pascall*, apresenta uma feição fenomenológica: "*l'uomo non soltanto vive, ma si vede vivere, onde lo sdoppiamento della personalità consistente Nei piani della spontaneità vitale e della rifflessione (nata dalle esigenze sociali), tragicamente opposte, in quanto il secondo piano minaccia e non di rado riesce ad abolire il primo*".[42] Esse fato, por exemplo, liga as narrativas *Il fu Mattia Pascal* a *Sei personaggi in cerca d'autore*, ou mesmo *Così è (se vi pare)* e *Quando si è qualcuno*, e reconduz a discussão em torno da ironia e do humor, que, como se sabe, tem em Pirandello um desenvolvimento abrangente. Momigliano, um de seus intérpretes, verá essa discussão como "*il centro della biografia sentimentale di Pirandello*".[43]

Lidando com a movimentação agônica dessas personagens, Bosi conclui que, para Pirandello, a forma com que as pessoas nos enxergam pode ser apenas uma prisão que se opõe à fluidez com que vivemos a vida e que também sentimos correr dentro de nós; vida que é "múltipla, policromática, infinita" (*moltepli-

ce, policromica, infinita). E não será demasiado apontar no autor de *Um, nenhum, cem mil* uma repetição quase obsessiva em torno desses motivos, estruturados pela presença do discurso reflexivo (*discorso riflessivo*) e de enredos intencionais (*intrecci intenzionali*); somados a personagens de índole vária; ora, ligados ao contexto, ora, vivendo conjunção reflexiva na qual se manifesta o movimento subjetivo e problemático. Bosi deduz daí a consideração mais importante e consequente para a construção de seus conceitos pósteros:

> *I caratteri strutturali suaccennati possono analizzarsi di per sé, solo se li facciamo risalire adeguatamente all'unità intenzionale ed affettiva che tutti subordina a se stessa, determinandone la necessità o (nei momenti meno riusciti) indicandone la superfluità e l'impertinenza.*[44]

Cerca de dezoito anos depois, essa nota será desdobrada no importante ensaio "A interpretação da obra literária", incluído em *Céu, inferno*. Como lemos, a *unidade intencional do texto* passa a integrar o momento coordenador da perspectiva analítica. É nela que se lê o movimento dos valores associados na defesa que o artista fará de suas ideias. Esse núcleo contém, em si mesmo, a matéria da "*totalidade* vigente em toda a grande obra de arte", como dirá uma vez mais em "Narrativa e resistência".[45] Ao mesmo tempo, impõe ao leitor de Bosi a presença de seu ideal crítico, isto é, a leitura fenomenológica da obra literária, auscultada na proposição de sua *intencionalidade* e *história*.[46]

Afiançando contra a crítica estrutural, sói como importante essa frase no contexto do até aqui lido, e basta mencionar que, três anos antes, em 1961, Bosi já alertara o mesmo na sua coluna "Letras Italianas" no jornal *O Estado de S. Paulo*, em um artigo chamado "Motivo e tema". Trata-se de um axioma. Trata-se também de uma postulação ética.

GIACOMO LEOPARDI E SUA PARTICULAR CONDIÇÃO DE UNIVERSALIDADE: SOBRE *MITO E POESIA EM LEOPARDI*.
Mito e história se entrelaçam. O contexto da tese

A segunda tese que analisamos volta-se para um dos gêneros de predileção de Alfredo Bosi. Com ela, fecha-se, por assim dizer, um ciclo que compreende o conto, o romance, o teatro e, agora, a poesia. É visível a preocupação de Bosi em aferir como o poema se comporta, como ele absorve os registros históricos peculiares à compreensão do autor, e como o autor "de têmpera" resolve os seus próprios impasses formais.

Especialmente sobre esta década, 1970, Bosi diria que toda a intelectualidade se viu compelida a responder aos impasses da época. Muitos dos analistas literários, especialmente na USP, professavam algum tipo de historicismo, mas havia outros centros, como a PUC do Rio de Janeiro e de São Paulo, fortes baluartes na defesa do estruturalismo. Este fato está aliado a uma numerosa publicação de livros em torno da perspectiva estruturalista.[47] Isso se deu de tal forma que, quando escrevia sua *História concisa* e enquanto ministrava palestras em algumas universidades, ele perceberia que "os alunos não queriam saber de História Literária".[48] Segundo Luiz Costa Lima, a "esquerda lhe tinha ódio [e] os conservadores e a direita não tampouco o tinham em alta conta".[49] Por isso tratava-se de "premissa articulada a outra: *a função básica do analista seria interpretar textos*, não buscar o desenvolvimento de um quadro teórico capaz, idealmente, de abranger o que se entende por fenômeno literário".[50]

Aliado a essa asserção, que de alguma forma deixa também preestabelecida a vontade de História, ausente no campo estruturalista, as palavras de Lima são coincidentes com as de Bosi quando este afirma a realidade da resistência da crítica literária brasileira na época, porque a crítica, por paradoxal que pareça, ruinosamente assumia uma feição *acrítica*. Daí a categoria da *negatividade*, fundamental na crítica materialista, ser tão importante nesse momento. A fala de Lima ganha especial relevo explicativo no sentido de se encontrar um *telos* sociológico para a "baixa" da coisa literária, em suma: *"o favor que o estruturalismo em literatura recebeu está ligado ao desaparecimento da função que a burguesia assegurava ao objeto literário"*.[51]

Dentro dessa conflagração específica em que a sociedade brasileira vive, e os fluxos teóricos advindos das instâncias sobretudo francesas, Antonio Candido, que Bosi menciona como uma das fontes do historicismo por ele defendido, escrevera em meados da década de 1970 um texto acerca de *O cortiço*, "A passagem do dois ao três", em que se posiciona a respeito do estruturalismo, e que gerou um saudável debate com Affonso Romano de Sant'Anna. A premissa fundamental, para Candido, deita raízes em "encontrar correlações mais flexíveis, que expliquem um maior número de situações narrativas particulares; [e] encontrar elementos mediadores específicos entre aquelas duas grandes 'situações' particulares".[52]

O avanço da teoria, como se vê, se deu a par de consideráveis e acaloradas discussões sobre os rumos metodológicos e políticos da teoria. Bosi permanece nesse tempo *in media res*. Aposta no estudo do mito, mas defende que as correlações deverão ser situadas historicamente.[53] Essa vontade de história já se insere, inclusive, no frontispício da tese, com duas citações de Vico e uma outra de Nietzsche. Vico, aliás, já havia elaborado estudos sobre o mito como constitutivo de um tipo especial de linguagem poética, na qual, também, o desenvolvimento humano teria passado por estágios dentro dos quais o mito figuraria como etapa. Era "uma linguagem genuína, com seu próprio princípio de estruturação e a sua própria lógica".[54]

Nesta década, o mito já era então muito estudado em todos os campos do saber, mas ainda era visto por alguns como fruto de mera superstição e pouco visto como parte integrante da vida da cultura; segundo alguns, tampouco sua explicação poderia apresentar-se como uma possível *forma mentis* de uma época. Bosi faz considerações a esse respeito, aliás, quando recenseia as três teorias clássicas do mito, admitida a classificação de Richard Chase, no livro *Myth and Method*, de 1960.

Atesta-se na tese a importância de repor Leopardi na cultura contemporânea, na intenção de estudá-lo sob o prisma de um "critério mais amplo que supere certos eternos retornos do mesmo na [sua] fortuna crítica".[55] À dimensão "ideológica", Bosi acrescentaria outra, a "estrutura" propriamente dita.[56]

O fluxo *ideo-afetivo* (termo de Bosi) exprime-se diferentemente nas várias instâncias dos textos de Leopardi. A causalidade sócio-estética exige justeza, e insere-se em "ordens fenomênicas que não vivem o mesmo tempo".[57] São estruturas do tempo do autor, encaradas sincronicamente. É interessante entender que elas escapam a essa dimensão, postando-se na ordem de fluxos transversais de tempo, minando a leitura *imanente* e *direta* do texto.

Este momento é atravessado pela necessidade de mediação das camadas estéticas na malha textual, na recuperação de sentidos justapostos que os conceitos da História evidenciariam. Não são simples relações, e o pensamento estruturalista da época, de algum modo viciado na matematização do literário, pressupunha uma quantificação do literário. O problema seria então dinamizar, "dialetizar" é o vocábulo que Bosi usa com frequência, ou, antes, propor "uma dialética concreta entre as *situações* e as *possíveis respostas do sujeito*".[58]

Fica muito claro que a tese está cindida entre esses dois conceitos, estrutura e ideologia, quando se trata de pensar as relações de *sentido*, ou de uma fenomenologia da cultura, nas obras de Leopardi em questão. Esses conceitos situam-se em polos diametralmente opostos em seu interior: de um lado, está o devir histórico, matéria do contexto literário, da vida do sujeito na sua concretude e vivência específicas. De outro, as estruturas "inertes", termo igualmente usado por Bosi, cujos índices estão na matematização das balizas literárias, desde sempre criticadas por ele mesmo.

Veja-se que o estruturalismo da tese é muito peculiar no seu desenvolvimento, mas *não em sua gênese*, e é pensando nisso que não podemos dizê-la como puramente estruturalista, na medida em que há um compasso de resistência franqueado em suas páginas. Não à toa, vincado a parte da obra de Lévi-Strauss, cuja análise dos mitos seria *sintática*, Bosi, por uma questão de adequação ao objeto, acaba resvalando-se pela hermenêutica, via Paul Ricœur, e, por isso, seu ponto de vista estaria comprometido com uma proposta eminentemente *semântica*.[59]

O APORTE FENOMENOLÓGICO E A MORTE DO AUTOR

Bosi discute que melhor seria identificar em Leopardi sua ideologia e a estrutura que o acolhe. A obra deveria ser analisada em seus problemas de "composição", de "semântica" e de "situação do objeto *no* processo cultural".[60] O motor da análise deveria partir, portanto, do caráter *intencional* da obra literária e, não obstante, se vê enfaticamente a condenação da teoria da "morte do autor", já que ela, na expressão de Bosi, seria antes um "fetiche da obra sem inventor", disposta a forçar "o seu espírito a conjeturar as mais arbitrárias teorias de interpretação que, na falta de uma consciência intencional, se aferrarão sempre mais ao princípio do Inconsciente".[61]

Como Bosi parece dialogar com Barthes e outros estruturalistas, vale a pena ler no texto sua resposta mais imediata, que parece querer entender as dimensões fundamentais que cercam o texto, dentro do qual, o contexto que o origina, a voz que o pronuncia, sem, contudo, incorrer em nenhum tipo de paralisia crítica. Segundo a perspectiva de Bosi, a consciência do autor-artista existe e está fundada no seu contexto histórico; suas imagens, seu *pathos*, impregnam-se nos símbolos que a escrita erige. E ganharia corpo

> [Na] *imaginação*, [na] *memória*, [na] *emoção* (não passiva, mas ativa, como o provaram as belas análises de Scheler e de Sartre), da *inteligência* e [da] *vontade*, que compõem o texto enquanto projetam e *resolvem as tensões da cultura latentes no escritor*. A duração e as coisas, o vir-a-ser e o-que-já-veio-a-ser, o processo e as estruturas só adquirem uma feição reconhecível na arte se o situarmos a partir das operações subjetivas que os tornaram evidentes aos nossos sentidos.[62]

Como vimos, reconheça o leitor que esses termos se repetem inúmeras vezes, não apenas aqui, diga-se, pois que se resvalam em textos de jornal publicados à época e em arguições de tese por nós estudadas; e se configuram, portanto, como programa de leitura do texto literário. As potências da *imaginação*, da *inteligência* e da *memória* são alçadas a um nível de força pouco usual na crítica brasileira de então, e não são tomadas em abstrato, salvo como ponto de partida teórico. Serão vistas, a seu tempo, no corpus daquilo que Leopardi escreve, fincadas na sua *história e mitologia pessoal*. Bosi chegaria a afirmar que o impulso maior no estudo do poeta se dava em torno não apenas do mito, mas em estreita "vinculação concreta entre *ideologia, afetividade* e *estrutura literária*".[63]

PENSAMENTO DE RESISTÊNCIA. URGÊNESE DO CONCEITO

As dimensões mais valorizadas por Bosi nos textos de Leopardi, e que mais lhe chamariam a atenção desde o início, quando ainda leitor adolescente, foram a "mítica" e a "estoica", resistências "à fragilidade do homem, à indiferença da natureza". Esses termos são visíveis, por exemplo, na dialética de pessoa e sociedade, tangentes ao tratamento estético dado a Pirandello. Emergem dali os pontos mais latentes do conceito de literatura-resistência, ainda por desenvolver.

Segundo constatamos, é no pós-guerra que críticas mais afeitas às dimensões de resistência são gestadas. Houve uma renovação dos estudos históricos e linguísticos em torno do poeta na Itália, daí que se optasse por "uma poética conatural à Resistência" que "afetaria também as leituras leopardianas".[64] Trata-se ali de repor o poeta em situação, substituindo-o ao fetiche do antigo Poeta Absoluto, renegado por Bosi.

Bosi acatará as sugestões de Ricœur na sua análise do mito, baseando-se no livro *Finitude et culpalité*, isso porque tanto a conjugação dos estudos da tradição semítica quanto a indo-europeia lhe permitiam "colher o seu sentido vivido e operante nas estruturas mentais em que eles aparecem".[65] Há uma coincidência entre as estruturas analisadas por Bosi em Leopardi, e a descrição dessas mesmas estruturas na segunda parte da obra de Ricœur, intitulada "La Simbolique du Mal", ancorada nos exemplos dos mitos da decadência, ou da Queda, pródigas na poesia de Leopardi. Contudo, a essas mediações implicava uma dialetização pela história, de acordo com as propostas de Goldmann e de Lefebvre, este, sobretudo em *Reflexions sur le structuralisme et l'Histoire*.

Os quatro grandes mitos estudados por Ricœur operam "à luz de um critério que leva em conta não só o tipo da narração como também o sentido genérico que o mito manifesta".[66] São eles "os mitos de criação", os "mitos da queda", os "mitos trágicos" e os "mitos da alma exilada". Associados ao herói trágico, os textos de Leopardi vinculam-se a uma ideia de revolta contra a "finitude".

Para o autor, ambas as linhas de pesquisa lidas até aqui, o Estruturalismo e a Fenomenologia, buscam *"colher o sentido ou a sintaxe do espírito humano pela análise do mito"*, pois ambas postulam que as narrativas, Bosi usa o termo "histórias", que os povos se contam "assumem formas de ciência do concreto, de *modus operandi* analógico".[67] À noção de que o mito é um "mediador analógico entre o homem e a natureza", segue-se que ele "funda a inteligibilidade da vida da cultura que o elabora".[68]

Bosi passa então a recensear as inúmeras formas de admitir o mito no seio social, sem, contudo, definir-lhe a fórmula mais precisa, já que as hipóteses de trabalho são o que importa na construção do texto. Portanto: "o mito é uma força cultural", básica no homem, é-lhe constitutiva; também é "autoconsciência da sociedade em forma analógica", isto é, é "modelo exemplar", daí se admitir a coexistência dos conceitos. Bosi aventa o real liame que o interessa: a vinculação entre "mito e literatura".[69]

Pelo fato de o mito estar situado na História, fica possível identificar nele seu vínculo ideológico. O comportamento da análise deve procurar, no *continuum* entre mito e criação poética, um sulco que lhe preserve as características mais substantivas; na medida que a arte é construto social, podem-se ver ecos do historicismo de Vico aqui. Quer dizer, o mito *"pensée analogica"*, ou *"ratio analogica"*, está no mesmo plano do humano; é o que define a arte. O poema fundamenta-se como instância de uma conjuntura social ampla e ao mesmo tempo tão complexa que pode superar o mito como "realidade simbólica".[70] Leopardi aparece na história literária europeia como partidário de um pessimismo refratário às alternativas visíveis nas propostas liberais que gerariam um "Blake", um "De Sanctis", um "Shelley". Leopardi encerra uma opção estoica, cujo "titanismo" parece sem alternativa: *sem saída* parece ser o discurso que atravessa todo o Racine e Pascal, gênese da tese de Lucien Goldmann, que tem forte ascendência no materialismo do autor.[71]

Bosi sustenta que o tempo do autor conjuga a história pessoal à História.

> A fábula da queda não poderia ter vingado como *leitmotiv* em pleno Quattrocento florentino, nem entre as luzes voltairianas da Enciclopédia, momentos ambos de euforia burguesa e de uma autoimagem expansiva da razão humana; mas pontilhou a longa marcha das contradições que essa mesma cultura burguesa conheceu desde o Pré-romantismo. A negação passional ou estoica de um Vigny e de um Leopardi da ideia de progresso espiritual, e a sugestão, em um Chateubriand e em um Scott, de um retorno ao natural e ao arcaico, não foram por acaso motivos bastantes para a reemergência dos mitos da queda e do paraíso perdido?[72]

> Tal é o que o texto admite. Os predicados da cultura do autor e de sua memória são mediados por análise interna que se limitasse a apalpar simetrias e assimetrias no corpo das frases de um texto nos contaria, quando muito, o que está presente, isto é, o que foi materialmente montado na obra; mas [...] não nos contaria o que essa concreção vai implicando sem dizê-lo maciçamente. Por isso, *só a análise dialética*, que põe em tensão o "ausente" da *gênese com o presente literal do corpo*, pode conferir à leitura a dignidade do inteligível.[73]

Bosi fala de relações entre a *cultura*, a *vida* e o *espírito* do autor do poema, "ainda mais delicadas do que as existentes entre a infra e a supraestrutura de uma sociedade".[74] Daí que se pretenda desentranhar os "contrastes ideológicos" dos vários momentos existenciais do poeta, transpostos para seu pensamento mítico. Aponta-se o "bloqueio afetivo" de Leopardi, sentido desde sua infância, objetivando tensões que seriam a base de sua fuga. É certo que sua literatura professa isso de forma muito insistente, seja na sua leitura dos antigos, de onde extrai sua monumental erudição; e, depois, da paisagem natural, atração clássico-romântica do poeta. Ele sofreria, nas suas próprias palavras, uma "conversão filosófica", e se aproximaria de um estoicismo muito particular cada vez mais insistente; por isso também que Leopardi rejeite os "sulcos tradicionalistas dos primeiros românticos, [e] desdenh[e] também os caminhos da promissão que os segundos, liberais, abrem à revelia das santas alianças".[75] Sua negação ao progresso conforma-se em uma microideologia que se acomoda muito apropriadamente ao "eixo temático das *Operette*".

ASPECTOS RESIDUAIS E MÉTODO NA ANÁLISE DA POÉTICA DE LEOPARDI

O principal ponto para Bosi na arqueologia que faz de Leopardi é identificar a passagem em que a visão *receptiva* torna-se *ativa*, ou "construtora de um universo literário". Certa resignação irá acompanhá-lo inclusive na sua isenção em participar das lutas políticas de sua época, quando se insurgiam os burgueses "empenhados na luta liberal". Esse absenteísmo pode ser lido nas páginas algo cínicas do *Zibaldone* e de suas últimas poesias. O progressivo movimento de luta política ficará por conta de seus amigos, e não comparecerá em seus escritos, pois seu titanismo é de outra índole.

Bosi cita em rodapé o ensaio de Mauss sobre as técnicas do corpo, ponto que o interessará de perto nas análises posteriores, sobretudo quando compõe *O ser e o tempo da poesia*. Parece que o ensaio "As técnicas do corpo", de Marcel Mauss, causou-lhe forte impressão, a ponto de, a partir daqui, remeter o estatuto da literatura em termos não mais somente *escriturais*, mas nos termos de uma *bio-escrita do corpo do sujeito*, cujos caracteres imprimem-se na "Memória", no "Corpo", no "Olhar" e na "Imaginação", figurando como parte de seu programa crítico até hoje, e cuja citação mais atrás ilustra bem esse ponto. É bom que se lembre que esse traço Vico já indicava em suas obras, da qual dá testemunho o ensaio que escreve sete anos depois sobre o autor da *Scienza nuova*: "a linguagem se formou, *ab initio, no espaço da corporeidade*",[76] ela deve, portanto, ser compreendida no espaço da afetividade.

Segundo Bosi, Leopardi não recusa à sua poesia as nuances que os sentimentos em oposição cantam, por isso seria anacrônica análise "que abstraia estilemas de contextos radicalmente diversos". O autor pretende indicar que essa medida é sentida como crise, uma crise que Leopardi sente de modo muito particular.

A análise dos poemas é momento que encerra tudo isso que vimos falando até aqui. Bosi aplica algumas categorias estéticas que Roman Jakobson cultivava em seus textos, mostrando sua pertinência e acuidade. Os voleios sintáticos e semânticos que a configuração do texto assume, bem como o andamento das frases e o emprego vocabular que Leopardi dirige, são perseguidos por Bosi no sentido de entender sua ossatura mais precisa.

Veja-se o seguinte trecho em que Bosi aporta esse veio interpretativo:

> A ambiguidade do discurso em uma canção que se deseja mítica desde o título ("o delle favole antiche") leva a duas constatações de níveis diferentes:
> a) no *plano histórico-literário*, a precariedade de uma poética figurativa em pleno Romantismo e, em particular, nas *condições existenciais* vividas por Leopardi;
> b) no plano estético, a convergência de dois tipos de atividade poética no mesmo texto: a *estrutura*, própria do *pensamento concreto* [...]; a *reflexiva*, ou de segundo grau, que trabalha, em termos psicológicos, aqueles dados da mensagem. [...]
> A *dualidade de processos ajuda a entender melhor a condição literária do poeta* Leopardi e, sob um ângulo mais lato, a condição do escritor nesse momento central da poética romântica.[77]

Queremos chamar a atenção para o vocabulário de Bosi no texto, que, como se vê, é coeso à poética do estruturalismo no que concerne à infusão das imagens como sombras de uma mitopoética "primordial". Isso tudo, porém, quer dizer muito pouco, se não os dialetizarmos conforme lemos. A história, individual, mas também social, aparece aí como fator dinamizador da poética de Leopardi. Bosi acompanha as mudanças graduais no esquema do poeta italiano, ressaltando sua impossibilidade de permanecer alheio aos ventos fortes do Romantismo.

Os "Idílios" marcam, nesse sentido, essa inflexão. O raciocínio que se segue é que "seria ingênuo supor que um poeta [...] possa *produzir absolutamente fora de seu tempo* pelo fato de declarar-se *contra o seu* tempo", diz Bosi, citando Adorno,[78] donde a leitura das condições materiais que Bosi almeja ainda compreender, a despeito das condições desse tempo. É o que se pode intuir pela perspectiva de Adorno, quando lê em Bach uma *corrente transversal* iluminista.[79]

Das análises surgem alguns dos primeiros movimentos de Bosi no sentido de configurar uma poética da memória e, conseguintemente, do corpo, em Leopardi, então apenas pronunciada: "a ênfase na memória poética faz refluir a beleza do universo para o mundo do sujeito onde vêm a coexistir presente e passado".

Mas seria um pouco mais: isso se daria em prol de uma intervenção particular de acesso à fantasia e à memória, entes, de algum modo, coletivos, mas singularizantes: literatura é experiência. Entendo que isso pode ser melhor compreendido considerando-se que as formas literárias são um tipo especial de experiência orientada, ou, relacional. Ela constrói balizas conceituais sobre significados postos, e são ativados pela experiência anterior do leitor. Essas balizas são conduzidas tanto pelo narrador quanto pelo personagem; a própria forma literária é significante por si mesma. "O estado especificamente humano começa, como persuasivamente se disse, com estas formas da experiência humana e desenvolve-se sob a influência delas."[80]

Enfim, toda a gama de significação disposta em Leopardi parte, no caso do texto bosiano, para uma discussão sobre seu teor poético, de que as discussões na época muito se ressentiam. Porém, o fulcro que Bosi persegue é reclamado justamente aqui: *"a análise estrutural não é ainda a interpretação da obra. Nem, de resto, pretende sê-lo. A hermenêutica do todo simbólico ou mítico é operação que requer, mas transcende, o registro das suas estruturas".*[81] Ou seja, as questões que são discutidas no estruturalismo, como um todo, podem se constituir em um passo necessário para a consecução da "análise", tanto é verdade, que Bosi se vale de muitas delas. Não deixam, contudo, de ser ainda uma operação *"transitiva"*, ou mesmo, uma *"plataforma"*, todas expressões de Bosi. "O recorte das estruturas dá-lhe uma plataforma, isto é, ministra o dado de base, precisamente aquilo que se busca situar e interpretar."[82] Esse traço já havia sido pensado por Bosi desde pelo menos 1961, no texto "Motivo e tema", que já citamos, publicado em *O Estado de S. Paulo* em 21 de julho de 1961. Diria Bosi: "*O problema real* [da interpretação] *surge quando do inventário das características estruturais se deva ascender à interpretação e ao juízo de valor*" [grifos meus]. "Mais uma vez Leopardi aceita como sinal dos tempos um gênero de escritura, isto é, um código, *menos poético*, menos ousado [...] que o preferido pelos antigos. A estes convinha uma prosa de alta nobreza, a que não faltava um não sei quê de indefinido, uma 'mezza tinta' de poético."[83]

GÊNESE DA RESISTÊNCIA

Um último aspecto que será estudado por Bosi resolve-se em torno da resistência. Há que se lembrar, então, o retorno do poeta à poesia, aos "grandes idílios", dos quais tanto a crítica estima. Muitas características passam pelos últimos escritos de Leopardi, dos quais se ressalta *"a radicalização dos traços negativos herdados à mitologia da queda"*; *"a sátira social e política"*; e, por último, *"a afirmação prometeica"*.[84] Bosi identifica em Leopardi justamente uma alteração nítida na sua escritura, cujos "extremos de renúncia às ficções do idílio ou se furtam de todo ao metro e viram prosa [...] ou requerem um andamento cortado [...] ou, enfim, buscam na poética do prosaico o seu melhor código".[85] Esse o índice de uma "crise ideoexpressiva".

O "tom heroico" e de "desolada negatividade" é o aspecto ressaltado aqui e em muitas entrevistas, indicando o apelo que essa poesia, resistente sem dúvida, tem diante da condição histórica, da messe social em que vive o poeta. Por isso, Bosi ressalta nesses textos o uso do verbo no tempo *futuro*, "homólogo", segundo sua leitura, "às conotações modais do *imperativo* e à semântica do *vocativo*, constante nessa fase".[86]

Bosi encontra em "La ginestra", poema bastante citado de Leopardi, a constelação quase total dos rudimentos da força final desse poeta, a suma, diríamos, dessas características que o movem. Ressaltam-se nele: "a labilidade da sorte humana de que são símbolo as ruínas de Pompeia"; "a denúncia do idealismo fácil"; ainda "o ataque a certas faixas do pensamento romântico (idealismo, neocatolicismo)"; a recorrência "ao processo das ilusões", que faz, segundo o autor, "contraponto a imagem simbólica da giesta que resiste".[87]

Trata-se, sem dúvida, do prometeísmo do poeta. Por isso, afirmaria que suas constatações se afigurariam em si mesmo a propósito dessas duas teses. A citação alude a outros aspectos que não o apenas literário. Para ele:

> Primeiro, é possível fazer uma correlação entre mitos. Segundo, que a poesia pode resistir. [O motivo da resistência] vai aparecer como uma segunda natureza ética em mim. Em outros momentos... eu vivi todos os anos da ditadura, não se confinava à temática literária, era realmente uma atitude de vida, que coincidia com este último Leopardi. Ela foi defendida no período mais negro da ditadura, nos anos 70. Aqui, em São Paulo, vivia-se a tortura, a questão dos presos políticos, nós

estávamos realmente nos anos de chumbo. Eu acredito que tudo isso concorreu para que a tese tivesse também esse final prometeico.[88]

Era preciso "enfrentar" [...] "o conjunto de uma obra" [o que] significa estudar sua "realidade diacrônica", ou seja, passa-se "da *análise estrutural*" à "história dos processos e, desta, ao objetivo da leitura integral, a *interpretação* do texto com todo o leque de códigos culturais que ela implica. *Interpretar uma obra supõe, mas ultrapassa a sua literaridade*".[89] Afere que "não há interpretação fora da totalidade". Cabe lembrar as considerações em rodapé no sentido de pronunciar constatação semelhante em Goldmann, por isso a obra deve ser lida como um todo de *cultura*, de *pessoalidade*, de *história*, no seu limite, imersa no ímpeto da pessoa. A *diacronia*, termo ainda muitas vezes auscultado nos anos seguintes, prepara o terreno da interpretação, serve para "detectar processos básicos que recorrem nos códigos literários [...] [e] como tal, faz *abstração* dos sentidos que esses esquemas assumem na fatura de uma obra particular".[90] Permanece aberta a questão da hermenêutica do texto literário, que colhe esses sentidos onde apenas estão *pronunciados* por seus esquemas estruturais.

A interpretação, quando resguardadas suas implicações totalizantes, no que guarda certa relevância cultural, deve imiscuir tanto "o eixo diacrônico" quanto "o eixo sincrônico", momentos em que "um ministra ao outro material para a inteligência do texto". A conjugação dos dois fatores torna a obra *presente para mim*. Assim: "deter-se nesse foco vivo de relações é colher o nexo entre gênese e estrutura, *tempo* e *ser*: na verdade, a única relação concreta que nos dá um fenômeno simbólico, pois a *pura historicidade e a espacialidade da estrutura pertencem não à obra mas a esferas mais abrangentes de conceptualização*".[91]

Fica claro, na opção de análise do autor, a abertura para um tempo dilatado de tensões culturais fincadas nas estâncias de configuração do homem no seu tempo. Sente-se nessas considerações finais a "perplexidade ante a radicalização dessa divergência que", diz, "vejo ser hoje a praxe nas ciências humanas". Enfim, trata-se de compreender a situação de seu próprio tempo, termo que recolhe de Espinosa. Essa é uma condição peculiar àquele momento: verdadeiras cisões no campo das temáticas operadas nas ciências ditas *humanas*. Duas instâncias resistentes podem ser lidas aqui: a dimensão do ser (a forma) e a do tempo:

> o estudioso de literatura tem por objeto um dado *eminentemente simbólico*: o *texto*. O trânsito entre os códigos sincrônicos e diacrônicos que o constituem impõem-se,

portanto, a todo aquele que se abeira de um poema, de um romance ou de um drama para saber, afinal, que sentido terão nesse *infinito discurso* que falamos e que fala por nós.

ATO FINAL (IN)CONCLUSIVO

É possível identificar continuidade histórica entre aquelas contribuições originais das teses e as considerações que fará depois. Desde logo algumas linhas de força em *comum* tanto num trabalho quanto noutro são importantes de ressaltar: ambos estão envoltos em apenas um autor da tradição literária. No caso de Pirandello, Bosi vasculha os três momentos mais críticos que lhe atravessam a escrita, de tal modo que possa ter uma visão do particular para o geral. O mesmo passo foi dado em direção a Leopardi, quando, aprofundando a visão mítica extraída de seus poemas, e transitando, ainda, pelos cadernos e diários, sobretudo o *Zibaldone*, Bosi substanciou o modo como Leopardi plasmou as formas, indicativas da mudança de percepção por que passou sua poesia ao longo dos anos. Em vista dessas duas leituras motivadas e significativas, indica-se que Bosi aproveitou ideias retiradas do círculo hermenêutico para interpretar a obra desses autores. Partindo do *particular* para o *universal*, e do *universal* para o *particular*, termos caros a essa tradição filosófica, Bosi nuclea o entendimento da obra dos dois autores italianos.

Tal método de leitura apresenta-se, no caso da primeira tese, ainda algo incompleto. Há ali um forte apelo em demonstrar influências, mas instada a necessidade que tem a obra do autor italiano por ser entendida na sua relação dialética com o que afiançam os dados históricos disponíveis e, no caso do analista, com o que apresenta a crítica literária da época. Na entrevista "Céus, infernos", Bosi mantém-se insatisfeito com o resultado, embora guarde desta tese um consórcio entre vida e literatura, dado que, segundo suas palavras, o que lhe atravessava naqueles instantes era o desejo de entender como derivavam os conflitos entre *fôrma social* e *persona*, bem como os *momentos resistivos de uma poesia*, no caso da segunda.

Aporta-se como constitutivo da compreensão da obra literária, mediada que é por circunstâncias autorais, até onde se conhece dela. Indica-se isso em Pirandello por seus diários, pelas menções às opiniões de seu filho, na súmula literária ainda incompleta até aquele ano de 1936, quando falece. No *Zibaldone*, Leopardi expõe projetos, traduções e fatos cotidianos, muitos deles aparentemente prosaicos, demonstrando certa evolução de um pensamento que se fazia. Esse lance de dados biográficos e autobiográficos ressente-se na vontade do autor de compreender-lhes a obra mediante uma base segura do entendimento da intencionalidade por elas pronunciada sincrônica e diacronicamente (a história é a história do tempo do historiador, como disse Croce). Tal se mostra caro em vista de Pirandello, ainda informe se pensada na *personalidade do autor*, e tal ainda se mostra fulcral no caso de Leopardi. Interessante notar que, a despeito da dimensão fenomenológica que aqui se anuncia, Bosi quase se exime de apresentá-la com mais pormenores na primeira tese, possivelmente quando mais se utiliza do conceito.

Parece-me acertado identificar um primeiro foco da análise da intencionalidade do autor, e, também, o tom da obra, em um texto que data da década de 1940, escrito por Carpeaux, chamado "Poesia e ideologia":

> [os leitores] confundem duas coisas que estão juntas em cada palavra falada ou escrita: a expressão e a intenção. Consideram apenas o que o outro lhes diz, sem considerar como o diz e por que o diz. Confundem o *stateman*, a afirmação, e a *expression*. Confundem na noção vaga "sentido" quatro coisas muito diferentes: o sentido propriamente dito, a afirmação; o acento sentimental da afirmação, sempre mais ou menos acompanhada de emoções; o tom, que depende da atitude do que fala em relação ao ouvinte; e a intenção, consciente ou inconsciente, com a qual o escritor quer influenciar o espírito do leitor.[92]

Bosi já o disse, e não custa repetir, que Carpeaux foi uma de suas leituras prediletas antes ainda de ingressar na universidade.

Como dissemos, a matéria resistente, lida no final da tese, aponta para um insight que Bosi leu no livro de seu antigo professor Valter Binni, cujo título chama-se *Leopardi progressivo*. Nele, Binni aposta que os últimos poemas de Leopardi apresentavam essa matéria resistente, vinculando-se como "saída possível", termos de Bosi, que o professor havia lido no poeta italiano, e que parece ter certa ascendência sobre Bosi. Ademais, para além do literário, já o vimos, as teses, e, sobretudo, esta sobre Leopardi, são-lhe afiguradas como uma "segunda natureza ética", de feição "prometeica", dados os acontecimentos resultantes daqueles anos 1970.

Vistas assim no seu conjunto, ainda é possível verificar a vontade de teoria e história que norteiam as escolhas, seu edifício teórico também, que guia a consumação das teses. Daí o resultado lido em *História concisa da literatura brasileira* e em *O ser e o tempo da poesia*, coetâneos a esse tempo, e desdobramentos, mesmo que parciais, de seu progresso intelectual. Note ainda que os títulos das obras posteriores por si só denunciam as linhas de continuidade que esboçamos, seja em *Literatura e resistência*, seja em *Dialética da colonização*, seja em *Ideologia e contraideologia* ou *Entre a literatura e a história*.

A obra de Alfredo Bosi parece aderir à definição proferida em inúmeros textos de Matthew Arnold, a de que a literatura é sempre uma crítica da vida. Ontem, e hoje, a poesia jamais se ausentou da história. Na perspectiva de Bosi, tampouco os métodos que a procuram.

Água de beber[1]

José Miguel Wisnik

Muitos puderam experimentar nas aulas do professor Alfredo Bosi, ao longo de décadas, momentos de descoberta, de esclarecimento, de desvendamento, de encantamento e de chamada ao posicionamento crítico. Muitas vezes saímos da aula contentes com ela e descontentes de nós (adaptando uma frase de Vieira que Bosi aplica aos ensaios de Otto Maria Carpeaux), isto é, mobilizados pela sua capacidade de ir ao núcleo espinhoso dos temas, contemplando tanto a consolação autêntica que a literatura nos possibilita, ao iluminar o mundo, quanto o mal-estar que grita surdamente no mundo tocado pela reflexão. Reconhece-se nele, de certo modo, uma pendulação dialética, à maneira de seu mestre Carpeaux, entre o desejo de superar os limites da literatura e o reconhecimento da necessidade premente da "inutilidade" da literatura. Para ele, assumir profundamente a Universidade sempre se fez acompanhar do aviso para que não nos fechemos na sua "ilha de ilusão". No seu caso, fez isso indo ao encontro dos que ficaram fora dela e pensando alternativas para uma política educacional transformadora.

Foi sempre um desafio, um prazer e uma dádiva atravessar essas paragens, as explícitas e as implícitas, as conexões cerradas de suas exposições e os recados que ela dissemina, os meandros heurísticos e fôlego hermenêutico, as sutilezas e as nuances da observação e o seu empuxo totalizante, guiados pela sua visão de grande amplitude da literatura e pela sua extraordinária capacidade de transitar com propriedade pelos campos da história, da sociologia, da antropologia, da psicologia e da filosofia.

Seja num curso sobre Literatura Colonial, Romantismo ou Modernismo, o chão secular inteiro da história moderna era convocado direta ou indiretamente como contraponto às complexidades da literatura. Além do mais, se podíamos aprender, por exemplo, a distinção entre *classe*, *casta* e *estamento*, ou a etimologia da palavra *decisão* (cair do alto), *concreto* (crescer com), *adolescente* (particípio presente do mesmo verbo cujo particípio passado é *adulto*), sem falar em *colo*, *culto* e *cultura* como modulações, na mesma raiz, de toda a dialética da colonização, podíamos ainda ser transportados, em certos momentos, para o neolítico, para a origem das cidades, para o mito de Prometeu, para a questão da *pessoa* nas sociedades tribais, para o mito tupi-guarani da *terra sem mal* (a antropologia indígena apresentada em suas múltiplas refrações), bem como nos depararmos com o exame crítico da sociologia desenvolvida na USP, o esclarecimento de seus pressupostos e a discussão de seus limites. Num primeiro curso seu sobre Modernismo, na graduação, a concepção de linguagem das vanguardas estéticas era confrontada com a teoria do inconsciente de modo inusual então, e mesmo depois.

Yudith Rosenbaum chamou a atenção para a presença no seu texto crítico, em especial no ensaio "Céu, inferno", de um vocabulário afinado com a psicanálise — sem se prender a ela, mas como indicação da relevância da subjetividade numa crítica que não perde de vista o histórico-social: "esfera do imaginário", "retalhos de sonhos e de desejos", "angústias do sujeito", "carências e faltas transmutadas em realizações compensatórias", "frustrações infantis", o "trançado de sonho, desejo e realidade". Observa ainda Yudith que a sua crítica é atenta às "vozes singulares", aos temas "da identificação, do devir da fantasia, da passagem do estado de falta à completude", assim como às instâncias sutis do repente, do imprevisto e do acaso.

Lembro de nosso saudoso colega João Luiz Lafetá (cujo aniversário se comemoraria justamente hoje, dia 12 de março) contando, ainda na época das comissões paritárias da Maria Antônia, sobre o seminário que o jovem professor Bosi tinha apresentado sobre o então recente *As palavras e as coisas*, de Michel Foucault. Assim também conhecemos sua exposição sobre Vico ou a discussão das teorias do biólogo Jacques Monod sobre acaso e necessidade, sinais por escrito daquilo que se respirava nas aulas, de uma maneira tal que não tem como ressoar se não for na memória: uma inquietação reflexiva de largo espectro, de vocação universalista, travando embates cada vez mais acirrados e recrudescidos com o contemporâneo. Ressalta de tudo o domínio muito pessoal, à sua maneira único e marcante, de um amplo campo de questões tratadas com rigor e extrema articulação num estilo nada propenso, como sabemos, à divagação e à digressão.

Quando, em boa hora, o professor Alfredo Bosi passou a atuar na área de Literatura Brasileira, a primeira disciplina de pós-graduação ministrada por ele foi sobre a poesia de Jorge de Lima, no início dos anos 1970. A escolha do poeta era o sinal de uma de suas marcas pessoais, quase um pronunciamento implícito: como católico de esquerda, chamava a atenção de maneira discreta e incisiva para temas menos caros ao materialismo predominante, como a irredutibilidade da pessoa, sua constituição moral, a infância, a memória, e, certamente, o lirismo visionário e religioso do poeta alagoano. Essas chaves retornarão em ensaios seus muito posteriores sobre a irredutibilidade da pessoa, sua constituição moral em Machado, sobre infância e memória em Graciliano Ramos e Guimarães Rosa, sobre a grande construção poético-religiosa em Dante. Bosi modulava esses temas com ampla erudição e arguta percepção dos pressupostos críticos envolvidos nas escolhas, próprio de quem estava cônscio das teorias críticas correntes, mas ferroando-as ainda com um crivo que lhes era estranho.

Essa posição tinha extraordinário rendimento naquela época em que as defesas de teses eram momentos graves e importantes da vida acadêmica: as suas arguições iam quase sempre a pontos nodais e a núcleos problemáticos implicados nos trabalhos. Ver, a título de exemplo, a "Arguição a Paulo Emílio" e a "Homenagem a Sérgio Buarque de Holanda" em *Céu, inferno*, que contêm, ambas, leituras compreensivas e agudas das forças dinamizadoras e das contradições envolvidas nas obras desses dois grandes intelectuais da Universidade de São Paulo.

O curso de Alfredo Bosi sobre Jorge de Lima apresentava, ainda, certo perfil generoso marcante nessa época nos estudos literários uspianos: a bibliografia abria um leque amplo, indo do estruturalismo à estilística, da análise das tensões subjacentes entre acento prosódico e métrica do verso à *Interpretação dos sonhos* de Freud, da *Semântica estrutural* de Greimas ao ensaio sobre lírica e sociedade de Adorno. Esse leque amplo de abordagens não significava, de modo algum, abandono ao ecletismo. De maneira comparável à experiência dos cursos do professor Antonio Candido no mesmo período, embora de modo diferente, cada item da bibliografia proposta vinha relacionado com a leitura de um poema específico de Jorge de Lima que parecesse solicitar a especificidade daquele viés crítico. Embora as bases hegelianas e croceanas de sua formação e a sua forte ligação com o historicismo humanista o colocassem muito longe do formalismo e do estruturalismo, o professor Bosi estava pondo em prática aquele princípio tácito da boa cepa uspiana, então vigente, de incorporar as abordagens formais numa visada maior que incluía, no caso, a psicanálise e a teoria crítica. A confiança no arco dessa aliança metodológica, proposta como modelo de formação apontando algo por vir, que era auspiciosa, e com a qual o curso de Letras rebatia e respondia com grandeza às demandas tecnicizantes do período, foi quebrada depois com o acirramento da controvérsia e com a disposição mais militante e reativa dos espíritos, separados em campos opostos e ideologizados.

Lembro-me de um debate moderado por Alfredo Bosi em um Encontro da SBPC, realizado em uma sala apinhada da Universidade, no final dos anos de 1970 ou início dos de 1980, entre Luiz Costa Lima e Roberto Schwarz, com participações especiais de José Arthur Giannotti e Marilena Chaui. Entre os temas candentes que se colocavam ali — o embate entre marxismo e estruturalismo, o frankfurtianismo e a questão da cultura popular —, Bosi parecia saber orquestrar os pressupostos envolvidos nas diferentes posições, vendo-as de modo a apontar o perigo da conversão dos seus pontos de vista em ideologias. (Se me permito fazer essa narrativa, não é porque queira afirmar a superioridade de alguém sobre outros, mas de nomear a singularidade de uma posição, num dado momento histórico.)

Se é verdade também que Alfredo Bosi realiza como poucos o ideal integrador da Faculdade de Filosofia, Letras e Ciências Humanas, isso certamente não seria possível sem o concurso da literatura como a instância dialógica e aglutinadora por excelência, capaz de solicitar, provocar, alterar, questionar e atravessar a especificidade e a especialização dos discursos. Sei que não se pode atribuir à ideia da vocação universalizante da literatura uma validade genérica. Ao contrário, quero dizer justamente que essa proposição é historicamente situada: foi possível ao professor Alfredo Bosi cumprir com excelência, e talvez consumar, entre nós, o grande ciclo da crítica literária historicista e humanista, de formação filológica e histórica, de cunho a um tempo estético e social, que se propõe a acompanhar a literatura através de um grande arco temporal, que remonta a

Homero, como uma linha de força anti-ideológica — uma linha de força com vocação para atravessar, rebater e resistir à dominação das ideologias.

Aqui se colocam duas questões difíceis. Um ponto de corte a ser estudado, como tema de história da cultura, faz da ideia de que semelhante envergadura possa se concentrar hoje na "massa crítica" de uma só pessoa (como nas de Auerbach e Carpeaux, Antonio Candido e Bosi) uma perfeita miragem (aqui também não comparo pessoas, mas procuro distinguir um paradigma: o do crítico que parece carregar consigo a *literatura toda*). Por outro lado, a herança dessa tradição está posta, como desafio e problema, num mundo cujo diagnóstico extremado o próprio professor Bosi fez (busco resenhá-lo, sabendo que ele levanta questões polêmicas que não cabe discutir aqui): a literatura sugada para o hipermimetismo espetaculoso e mercadológico que tomou para si os efeitos da sociedade do espetáculo; desfigurada em citação e glosa infinita, sem nervo, sem centro e sem sujeito nas correntes críticas pós-modernas; reduzida a testemunho sem espessura poética nas reivindicações politicamente corretas dos estudos culturais; reduzida a esquematismo tipicizante em prejuízo da sua singularidade irredutível. Essa avaliação devastada do contemporâneo, em que o discurso capitalista (penso no sentido psicanalítico do conceito, tal como tem se desenvolvido a partir da teoria lacaniana) ganha um poder de intrusão subjetiva e objetiva inédito; aponta, no limite, para um ponto de ruptura daquela linha de força de que a literatura é testemunho de longo alcance no historicismo humanista (Bosi fala numa época de "provação"). Mesmo ali onde possamos não nos identificar completamente com a sua posição (as diferenças, como diz ele mesmo citando Simone Weil, não impedem as amizades, nem a amizade as diferenças), pensar a complexidade dessas questões é um desafio incontornável que se coloca para os estudos literários e para professores, alunos e pesquisadores de outras gerações, sabendo que estamos diante de um legado problemático, de uma irradiação generosa e de uma lição de grandeza.

Como traço marcante de sua personalidade intelectual, pode-se dizer que Alfredo Bosi buscou efetivamente discutir e compreender questões difíceis e complexas, alargando o campo do nosso entendimento e oscilando, muito à sua maneira, entre ser compreensivo e implacável, implacável e compreensivo. Não quero deixar de frisar ainda que seu ensinamento, pela sua natureza aberta e interrogativa, não é redutível a fórmulas prontas e facilmente aplicáveis de antemão.

E quero, finalmente, cantarolar uma canção. Ela vem comemorar, aqui, o pleno restabelecimento do professor Alfredo depois da doença que o levou a sofrer uma delicada operação do coração. É a música de Antonio Carlos Jobim para as palavras que Vinicius de Moraes escreveu quando abraçou a causa da justiça social e se converteu à esquerda:

Eu nunca fiz coisa tão certa,
Entrei pra escola do perdão.
A minha casa vive aberta,
Abri todas as portas do coração.

Água de beber,
Água de beber, camará.
Água de beber,
Água de beber, camará.

O pré-modernismo como conceito de história literária

Luís Bueno

Em 18 de janeiro de 1931, ao introduzir sua resenha sobre uma nova safra de livros de poemas, que incluía *Libertinagem* e *Alguma poesia*, uma semana depois de tratar daquele que seria o último livro de Hermes Fontes, Tristão de Ataíde diria:

> Vimos, da última vez, a figura de Hermes Fontes como uma das mais típicas desse período poético sem nome que se estende do fim do simbolismo ao início do modernismo. Foi uma era de poetas sem escola, sem discípulos, sem imitadores, poetas *sem trama* poderíamos dizer, que urdiram individualmente os fios esparsos de ligação linear entre uma e outra época. Foram habilíssimos manejadores de rimas e ritmos. Tiveram abundância de estro, riqueza de imagens, poder verbal. Mas não marcaram a sua época com um nome coletivo, tal e qual sucedera, um século antes, com os poetas que fizeram uma ligação semelhante entre o classicismo e o romantismo. E o *nome*, parecendo um acidente sem importância, é quase sempre a expressão de uma realidade marcante e definida. O inominado é geralmente, ou mesmo sempre, o indefinido. [...]
> Esta esterilidade criadora essencial ou formal (pois é preciso não confundir a capacidade criadora *material*, que poetas desse período tiveram em grau maior do que seus sucessores, com a capacidade *essencial* que não possuíram), essa incapaci-

dade de renovar as raízes de sua estética não podia durar muito. E uma nova geração aparecia.¹

Nesta observação o crítico sintetizou um dos problemas mais fascinantes — e duradouros — da história literária brasileira, numa avaliação da poesia que não seria arbitrário estender também, em traços gerais, à prosa. De um só golpe, apontou tanto a falta de espírito coletivo da literatura brasileira da virada do século XIX para o XX, período sem nome que gerou uma variedade difícil de se reunir sob um único conceito, quanto uma de suas características essenciais, o esteticismo que teria resultado estéril.

Oito anos depois, o mesmo Tristão de Ataíde criaria um nome para esse período indefinido: *pré-modernismo*. Utilizado no título de mais uma reunião em livro dos artigos que publicara em *O Jornal*, não passava mesmo de um nome, ou seja, esvaziado de qualquer ambição de se constituir em conceito de história literária. Nem mesmo as motivações que teve para a criação desse nome o crítico esclarece no prefácio à primeira edição do livro, em que se restringe a recordar seus primeiros anos de atividade crítica. Somente no prefácio à segunda edição, quando o termo já pudera se difundir, é que ele vai um pouco além. E o elemento ressaltado é o meramente cronológico. Afinal, os artigos ali reunidos haviam sido publicados originalmente entre os anos de 1919 e 1921, ou seja, literalmente às vésperas da eclosão do modernismo, ou, como ele próprio os definiu, anos que "foram a vigília do movimento modernista", cheios da "expectativa que desde o fim da guerra começara a trabalhar todos os espíritos da nova geração [...]. Esperava-se alguma coisa. Não se sabia bem o quê".²

Não é arbitrário especular, no entanto, que o nome tenha surgido por analogia com um outro, "pós-modernismo", em torno do qual se organizou o número 4 da revista *Lanterna Verde*, publicado em novembro de 1936, que trazia o título de "O sentido atual da literatura no Brasil" e geraria um grande debate em nosso meio literário. O propósito era o de fazer um balanço do modernismo, por meio de artigos de autores que participaram, de uma forma ou de outra, do movimento, como Jorge de Lima, Murilo Mendes, Renato Almeida e Manoel de Abreu, mas também de intelectuais ainda jovens em 1922 que fariam parte da geração que sucedeu à dos modernistas, como Octávio de Faria e Lúcia Miguel Pereira. O artigo final, "Síntese", era assinado justamente por Tristão de Ataíde que, além de passar em revista todos os artigos que o precediam, chegava a uma conclusão contundente: o modernismo acabara. Tal conclusão se constrói pela avaliação de que o momento então atual da literatura brasileira, chamado exatamente de pós--modernismo, é "mais grave, mais profundo, mais social e mais espiritual"[3] que o modernismo, e por meio de quatro afirmações gerais sobre o modernismo que o crítico desenvolve pouco a pouco. O último desses tópicos caracteriza o movimento de 22 como uma preparação para o novo momento pós-modernista: "O modernismo preparou um renascimento literário pós-modernista".[4]

Visto de hoje, não deixa de ser curioso comparar a emergência dos dois termos, "pré-modernismo" e "pós-modernismo", e notar a ideia de que se atribui ao modernismo, e não ao pré-modernismo, um papel preparador, precursor. Também curioso é que o termo "pós-modernismo" não teve largo curso, enquanto "pré-modernismo" foi adotado de forma ampla pelo menos a partir da década de 1950. Isso não significa que um conceito de história literária tenha se criado. O que se constituiu foi um rótulo que assinalava um tempo, sem caracterizá-lo.

Se não cabe aqui uma longa história do uso desse *nome*, é viável ao menos rastrear seu uso desde a publicação da segunda edição do livro de Tristão de Ataíde, em 1947, até a década de 1960. Por meio desse movimento, torna-se possível aquilatar o ponto em que as coisas estavam nesse campo quando Alfredo Bosi publicou seu *O pré-modernismo*, em 1966.

O ano de 1950 serve como um bom ponto de partida, numa espécie de capítulo das negativas, porque nesse ano foram publicados dois textos fundamentais da crítica brasileira que, em maior ou menor medida, debruçaram-se sobre a literatura do início do século XX: *Prosa de ficção (De 1870 a 1920)*, de Lúcia Miguel Pereira, e "Literatura e cultura de 1900 a 1945", de Antonio Candido. E nenhum deles faz qualquer uso do nome criado por Tristão de Ataíde. No final da década, no entanto, a situação é bem outra.

Em 1958, José Paulo Paes publicou um pequeno volume sobre Augusto dos Anjos, e nele o termo pré-modernismo aparece, mas ainda não é um conceito, é apenas um nome ou, quem sabe, um anticonceito, já que o ensaísta irá caracterizá-lo como "um vácuo de nossa história literária".[5]

No ano seguinte, Afrânio Coutinho publica o terceiro volume de *A literatura no Brasil*, dedicado ao simbolismo, ao impressionismo e ao modernismo. Ele prefere pensar no período a partir de um outro nome, sugerido por Tasso da Silveira, "sincretismo". Sua preocupação é de sublinhar o que há de importante naquela literatura: "Em confronto com o estado de conformismo, estagnação e apatia de certos setores da década de 1910 e 1920, nota-se também nessa fase [...] um anseio de renovação".[6] O nome pré-modernismo aparece em função adjetiva, pois se fala em "clima pré-modernista", que abarcaria tanto a estagnação quando a inquietação daquelas décadas.

Em 1960 é lançado o quinto volume de uma ambiciosa coleção de antologias publicada pela editora Civilização Brasileira, Panorama da Poesia Brasileira, totalmente dedicado ao pré-modernismo, que salta ao título. Fernando Góes, seu organizador, na introdução que faz para apresentar a alentada seleção de poemas, preocupa-se menos em definir o que é pré-modernismo e mais em defender que não se trata de momento desprezível da história literária brasileira. Depois de elencar alguns críticos que teriam apontado como infecundos aqueles anos, ele lança a pergunta: "Terá sido essa fase, na verdade, assim tão vazia, tão pobre de valores?".[7] Para respondê-la, no entanto, ele recorre à velha ideia de que essa concepção tão negativa não passava de um mal-entendido que "reside no fato de nela não ter surgido nenhuma escola literária definida".[8] Menciona alguns títulos que considera importantes do período e passa a uma breve descrição da poesia que nele se fez. Mais uma vez, o que temos é muito mais um nome do que um conceito desenvolvido.

Em suma: o nome está fixado, mas ninguém se ocupou de dar um passo efetivo no sentido de transformá-lo em conceito. Não há dúvida, no entanto, que, mesmo assim, agora está em pleno uso, e prova disso é que, poucos anos depois da iniciativa da Civilização Brasileira, surge a coleção Roteiro das Grandes Literaturas, da editora Cultrix, com volumes dedicados à literatura alemã (por Otto Maria Carpeaux), inglesa (Jorge de Sena), portuguesa (Massaud Moisés) e norte-americana (Leon Howard), e também sete volumes sobre a literatura brasileira — e não se trata de antologias, mas sim de apanhados da história dessas literaturas. Ao pré-modernismo é dedicado um volume específico, que viria a ser o primeiro livro publicado por Alfredo Bosi.

E logo na curta introdução — menos de cinco páginas na primeira edição — o nome pré-modernismo finalmente encontraria seu teórico, aquele que proporia um conceito para o período. Diante da falta de unidade e da ausência de escolas que marcaram aquele momento, o nome é visto sob dois aspectos. E o crítico demonstra plena consciência de que é preciso dar o passo definidor, já que abre o livro referindo-se ao pré-modernismo apenas como um nome, um "termo", e vai além:

O termo *Pré-Modernismo* foi criado por Tristão de Ataíde para designar o período cultural brasileiro que vai do princípio deste século à Semana de Arte Moderna. Em que sentido devemos entendê-lo?
1º) dando ao prefixo "pré-" uma conotação meramente temporal de anterioridade;
2º) dando ao mesmo elemento um sentido forte de precedência temática e formal em relação à literatura modernista.[9]

A solução é elegante, verdadeira navalha de Occam a atravessar um campo cheio de dificuldades, indicando que interessa a um conceito de pré-modernismo a integração de dois sentidos gerais. Lembremos o dilema que Lúcia Miguel Pereira apontara logo na abertura de *Prosa de ficção*, evocando um filósofo de grande interesse para o próprio Bosi:

> Benedetto Croce adverte os estudiosos de literatura contra o duplo perigo do historicismo e do esteticismo, considerando a ambos degenerescência da crítica. E do mesmo passo que tem por inconcebível uma crítica sem o conceito de arte fornecido pela estética, parece-lhe indestrutível a identidade entre a crítica e a história literária.[10]

Que o crítico tem consciência aguda do problema, embora evite discutir longamente seus pressupostos, fica estabelecido numa passagem como esta: "Contemplado *sub specie historiae*, Coelho Neto sobressai como a grande presença literária entre o crepúsculo do Naturalismo e a 'Semana de 22'".[11] Visto sob a ótica puramente histórica, Coelho Neto dominaria o pré-modernismo. Visto sob a ótica estética, seu esteticismo se afastaria radicalmente do modernismo e por isso seu nome nem deveria ser mencionado. É por isso que ele é ali tratado, em atenção ao primeiro sentido do termo — mas sem qualquer intenção de reabilitação em atenção ao segundo.

O interesse por esses dois sentidos do termo "pré-modernismo" é uma forma eficaz de enfrentar o dilema. Permanecer no primeiro seria repetir o que Fernando Góes fizera em sua antologia e manter tudo precisamente onde já estava, ou seja, seria apenas reafirmar um nome sem enfrentar o problema da falta de unidade. Permanecer no segundo seria relegar uma enorme produção ao esquecimento para que se destacassem apenas os poucos autores que teriam algo a dizer para os modernistas.

Não é fácil manter esse equilíbrio e, para obtê-lo, o livro todo terá uma espécie de andamento binário, uma busca constante por identificarem-se os elementos que o crítico chama de "conservador" e de "renovador" nos autores analisados.[12]

Tal andamento já se revela no primeiro capítulo, dedicado à poesia neoparnasiana, na qual se localiza a "persistência de uma concepção estética obsoleta", malgrado "aqui e ali os momentos de feliz expressão artística".[13] Nesse diapasão são lidas as obras de José Albano, Amadeu Amaral, Goulart de Andrade, que compõem uma espécie de tipicidade do momento, ainda que se ressaltem, na análise, seus traços individuais. Em seguida, são convocados os poetas que, de alguma forma, fogem ao epigonismo parnasiano: Martins Fontes, Hermes Fontes e sobretudo Raul de Leoni. Neste último se sublinham a aceitação que o poeta teve do modernismo e a que o modernismo teve dele, caracterizado ao final da seguinte maneira: "poeta de formas antigas, era inteligência ousadamente moderna".[14] Esse primeiro capítulo tem ainda uma *coda*, em que se faz rápida referência aos livros anteriores a 1922 de vários dos poetas que participariam do movimento modernista.

O movimento é bem claro: do que é pré-modernista em sentido histórico para o que o é em sentido estético. É claro que não se trata de fórmula aplicada em todos os capítulos, tanto que o livro se encerra com uma breve apresentação da obra de Antônio Torres, o autor de *As razões da Inconfidência*, na qual não se encontra qualquer referência ao modernismo. O que se quer apontar aqui é um movimento geral que orienta a visada histórica. É assim que a prosa de Coelho Neto e Afrânio Peixoto, tema do capítulo IV, é confrontada com a de Lima Barreto e Graça Aranha, no V, ou que, na abertura do capítulo III, fala-se de um regionalismo "sério" e um "de fachada",[15] ou ainda na reveladora contraposição que se faz entre Rui Barbosa e Euclides da Cunha.

Diante disso tudo, o leitor que folhear a *História concisa da literatura brasileira*, publicada apenas quatro anos mais tarde, poderia se surpreender quando lesse a seguinte definição: "*Creio que se pode chamar pré-modernista* (no sentido de premonição dos temas vivos de 22) *tudo o que, nas primeiras décadas do século, problematiza a nossa realidade social e cultural*".[16]

A surpresa teria duas fontes. A primeira seria a definição em si, que projeta na visão de Brasil o elemento caracterizador do pré-modernismo. E, bem vistas as coisas, não há propriamente surpresa. É que aos poucos, uma terceira dimensão do conceito de pré-modernismo, jamais explicitada, vai se construindo: a de que, para além das questões estéticas de apego ao passado ou de abertura para a renovação literária, marca o que há de melhor no período, para o historiador, a posição do escritor diante da realidade brasileira. Tal dimensão aparece disseminada por todo o livro, dando fundamento à definição do que difere o que seria o melhor do que seria o pior regionalismo, na natureza do discurso eficazmente persuasivo de Rui Barbosa, na condenação do alheamento da poesia neoparnasiana, na caracterização da obra de Afrânio Peixoto como ligada à belle époque e assim por diante. Mas se revela também, com especial clareza, na abordagem da obra de Lima Barreto, um dos pontos mais altos do livro, na qual Alfredo Bosi mantém o tempo todo atenção simultânea à visão de Brasil e à forma literária, como se observa numa passagem como esta:

> Aliás, não é só no campo ideológico que sobressai a coexistência de representação e espírito crítico; também no estilístico. E qual poderia ter sido a linguagem desse lúcido cronista do subúrbio carioca? A mais corrente e a mais desataviada possível? Sim e não. O que parece apenas espontâneo e instintivo em sua prosa é, na verdade, consciente e não raro polêmico.[17]

Ou seja, em todo o livro, a ideia de que durante o pré-modernismo se constatou a permanência de uma concepção parnasiana de literatura vai se ligando à imagem de uma intelectualidade incapaz de ver o Brasil em suas múltiplas dimensões, cujos valores estão em consonância com os do leitor culto médio do período, assim caracterizado: "[u]m leitor que julga amar a realidade, quando em verdade não procura senão suas aparências menos triviais ou menos trivialmente apresentadas; um leitor que se compraz na superfície e no virtuosismo".[18]

A segunda surpresa, a que viria entre parênteses, seria a ausência de qualquer menção à dimensão cronológica do termo pré-modernismo, a clara assunção de que ele se define por seu caráter premonitório em relação ao modernismo. Se o movimento que se descreveu há pouco é fiel ao método de exposição do livro de 1966, não há propriamente razão para surpresas porque, ao fazer o movimento constante da dimensão cronológica para o que se chamou aqui de dimensão estética, o livro deixa claramente indicado que o que interessaria na construção da história literária brasileira é mesmo o segundo.

E é este pré-modernismo o que aparece na *História concisa da literatura bra-*

sileira: exatamente aquele ligado à nova definição. Na sessão dedicada a esse período, não encontramos mais os autores que eram examinados no livro de 1966 em função de seu posicionamento cronológico no período, aparecendo como pré-modernistas apenas quatro autores: Euclides da Cunha (mais a referência ao pensamento social do período, com a rápida menção a Alberto Rangel, Carlos Vasconcelos, Alberto Torres, Manuel Bonfim e Oliveira Viana), João Ribeiro, Lima Barreto e Graça Aranha.

Coelho Neto, Afrânio Peixoto e Xavier Marques agora surgem definitivamente como autores ligados ao passado, como cultores de um "naturalismo estilizado".[19] Monteiro Lobato é tratado logo em seguida a eles, ou seja, ainda ligado ao naturalismo, numa sessão dedicada ao regionalismo. Raul de Leoni e os neoparnasianos também são enquadrados na sua relação com a poesia do século XIX. Aliás, estão todos lá, no século XIX, no capítulo "Realismo".

A explicação para essa diferença, nós a encontraremos explicitada na introdução à parte sobre o modernismo na *História concisa*, que aliás deixa claro que a radicalização poderia ainda ser maior:

> Se por Modernismo entende-se *exclusivamente* uma ruptura com os códigos literários do primeiro vintênio, então não houve, a rigor, nenhum escritor pré-modernista.
>
> Se por Modernismo entende-se algo mais que um conjunto de experiências de linguagem; se a literatura que se escreveu sob o seu signo apresentou *também* uma crítica global às estruturas mentais das velhas gerações e um esforço de penetrar mais fundo na realidade brasileira, então houve, no primeiro vintênio, exemplos probantes de inconformismo cultural: e escritores pré-modernistas foram Euclides, João Ribeiro, Lima Barreto e Graça Aranha (este, independentemente de sua participação na *Semana*).[20]

Se não há surpresa, ou seja, se a visão da história literária brasileira que *O pré-modernismo* exprime é compatível com a da *História concisa*, também não há continuidade. Na verdade, há uma radicalização do segundo de dois eixos que orientavam o primeiro livro, e toda a diversidade que interessava a ele, a que se destacava de Tristão de Ataíde a Fernando Góes e era tida como a marca dos anos que precederam a Semana de Arte Moderna e que levara Tasso da Silveira a utilizar a palavra "sincretismo" para sintetizar, agora é substituída por uma linha divisória definida de maneira rígida pelo modernismo — afinal de contas, para recorrer a texto bem posterior, Alfredo Bosi o caracterizaria como o momento da "emergência do novo".[21]

O que se aproxima dele é pré-modernista, o que dele se afasta deve ser compreendido como ainda ligado ao século anterior.

Visto assim, em perspectiva, o primeiro livro parece apenas um passo necessário para se conciliar a noção nebulosa que circulava após a criação do nome *pré-modernismo* por Tristão de Ataíde com a visão da literatura brasileira que interessava ao crítico. É como se o historiador da literatura, muito jovem, interagindo com o seu meio, trabalhasse a partir da concepção geral que o dominava, organizando-a e a redefinindo. Num segundo momento, já fortalecido pela experiência e pisando num terreno que ele próprio havia preparado, radicaliza o conceito que propusera pouco antes.

A pergunta que interessa fazer agora, passados cinquenta anos da publicação de *O pré-modernismo* e 46 anos da *História concisa* é: qual dos conceitos de pré-modernismo consagrou-se? E aqui a resposta é menos fácil e depende mais da posição que o modernismo e a Semana de 22 passaram a ocupar na história literária brasileira do que do pré-modernismo em si.

É bem verdade que um intelectual como José Paulo Paes, já formado à época em que *O pré-modernismo* foi escrito, tenha tido um comportamento diferente daqueles que surgiriam depois. Ele, que no final dos anos 1950 via um vácuo na literatura brasileira das primeiras décadas do século xx, quase trinta anos depois trabalharia com o conceito do primeiro livro de Alfredo Bosi em sua importante proposta de vê-las como manifestação do art nouveau.[22] O esforço do poeta e crítico parece ter sido o de compreender sob outra luz o caráter ornamental presente exatamente naquela literatura que entrava no primeiro livro de Alfredo Bosi, estendendo-o à leitura de Augusto dos Anjos.

Já um crítico mais jovem, como João Luiz Lafetá, em *1930: A crítica e o modernismo*, tese defendida em 1973 e publicada no ano seguinte, embora nem sequer se preocupe com o conceito de pré-modernismo, o tempo todo trabalha com noções de "velho" (associada a Agripino Grieco e Octávio de Faria, por exemplo) e "novo" (a Mário de Andrade), que se compatibilizam com a visão de que o modernismo foi divisor inequívoco de águas, a mesma que dá fundamento à radicalização levada a cabo por Alfredo Bosi na *História concisa*.

E esse tem sido o motivo pelo qual o conceito de pré-modernismo continua cercado de polêmicas. No ensino médio, desde pelo menos o final dos anos 1970 ele é descrito nos termos em que a *História concisa* o coloca, mas, na prática, o elenco de autores estudados é um pouco mais amplo, incluindo, além dos quatro ali definidos, Augusto dos Anjos e Monteiro Lobato.[23]

Na crítica, as preocupações têm sido outras e as mais diferentes, sempre relacionadas com a posição que o modernismo e a Semana de 22 ocupam em nossa história literária. Luís Augusto Fischer, por exemplo, chega a exclamar no título de uma crônica: "Pré-modernismo é a mãe". Nela, a propósito da introdução de uma edição do *Triste fim de Policarpo Quaresma*, revolta-se contra o pré-modernismo porque

> Os paulistas resolveram que seu Modernismo deveria estar no centro da história da literatura brasileira, tanto quanto estivera o Romantismo. A equação seria, e acabou sendo [...] a seguinte: aquilo que o Romantismo foi para o Brasil pós-independência, o Modernismo o seria para o Brasil Moderno, do século 20, a saber, a expressão da identidade brasileira legítima.[24]

Heitor Martins vê uma linha de modernização que teria sido abortada pelo movimento de São Paulo:

> A invasão futurista de 1922, de certa maneira, provoca uma implosão da modernidade criada dentro do projeto literário brasileiro tradicional, que vimos descrevendo, substituindo-a pela importação das vanguardas. A modernidade deixa de ser uma resultante do progresso local para ser uma união hipostática com o progresso alheio.[25]

Vera Lins, na conclusão de um estudo sobre os escritos de Gonzaga Duque, segue caminho semelhante e sugere que o modernismo é mais variado:

> A história de Gonzaga Duque se encaixa noutra, na história do modernismo brasileiro. Contar essas histórias pode preencher um vazio que fica no lugar desse outro modernismo que, a partir dos simbolistas, começa a ser entrevisto — tanto um modernismo na cidade do Rio de Janeiro e a valorização de uma produção das primeiras décadas [do século xx] que precisa ser lida, porque ficou à margem de um cânone pobre quanto outras correntes que conviveram com o cubo-futurismo.[26]

Enfim, os exemplos poderiam ser multiplicados — e aqui nos concentramos apenas no final dos anos 1990, num movimento nem sempre de confronto, mas seguramente de alargamento, que vem de antes. Da mencionada recuperação do art nouveau feita por José Paulo Paes, da antologia de textos anarquistas organizada por Antonio Arnoni Prado e Francisco Foot Hardman,[27] do estudo de Flora Süssekind sobre a modernização técnica do Rio de Janeiro e suas ligações com a literatura do período,[28] da exposição sobre o pré-modernismo organizada por Júlio Castañon Guimarães na Casa de Rui Barbosa em 1986, que contou com a realização de um congresso a partir do qual se publicou um livro com contribuições muito variadas,[29] e muitos outros.

Seja qual for a forma imaginada para que se continue a alargar, hoje, a visão histórica do modernismo e a da literatura das duas primeiras décadas do século XX — afastar de vez o conceito de pré-modernismo, recuperar as suas duas dimensões ou, mais uma vez, reelaborá-lo desde suas bases —, a sistematização feita no livro de estreia de Alfredo Bosi, que fez de um simples nome conceito de história literária, segue sendo referência e estímulo ao pensamento.

Machado de Assis em perspectiva comparada[1]

Marcus Vinicius Mazzari

> *Como os estudos comparativistas abrem caminho para nossas leituras brasileiras!*
>
> Alfredo Bosi, *Ideologia e contraideologia*

> *Mas a verdade é que se nós, alemães, não olharmos para além do estreito círculo de nossas relações, cairemos facilmente em pedante presunção.*
>
> Goethe em conversa com Eckermann

Ao abrir a série de capítulos dedicados ao "estudo intrínseco da literatura", na última seção de um manual que por várias décadas gozou de extraordinário prestígio nos meios acadêmicos, René Wellek e Austin Warren fazem a seguinte afirmação: "O ponto de partida natural e sensato do trabalho de investigação literária é a interpretação e análise das obras literárias em si próprias".[2] Se o leitor dessa *Teoria da literatura* se ativer ao termo "ponto de partida", poderá concordar sem maiores problemas com tal assertiva, mesmo estando convicto das insuficiências de certas abordagens "imanentes" ou sendo adepto dos procedimentos da Estética da Recepção, voltados ao contexto histórico, social e cultural em que as obras surgem e atuam sobre o horizonte de expectativa de seus leitores.

Mas, com toda sua sensatez didática, a afirmação acima parece assinalar tão somente o momento em que se iniciam os desafios para o intérprete confrontado com a pluralidade de sentidos da obra literária, com forças inconscientes e influências culturais que constituem sua complexa estrutura, ou ainda, conforme sugerido por Alfredo Bosi no ensaio teórico que fecha o volume *Céu, inferno*, a renitente opacidade de suas imagens: "Se os sinais gráficos que desenham a superfície do texto literário fossem transparentes, se o olho que neles batesse visse de chofre o sentido ali presente, então não haveria forma simbólica, nem se faria necessário esse trabalho tenaz que se chama *interpretação*".[3]

Na perspectiva assumida pelo crítico, compreender e interpretar um fenômeno literário equivale a inteirar-se de seus perfis, "que são múltiplos, às vezes opostos, e não podem ser substituídos por dados exteriores ao fenômeno tal como este se nos dá". Colhidas em meio a tantas formulações exemplares, essas palavras fazem ressoar o princípio hermenêutico que obsta à exegese operar exteriormente ao seu objeto, ou seja, o texto literário, que se configuraria assim não apenas enquanto "ponto de partida", mas como permanente instância de controle das operações interpretativas. Em si legítimo e com frequência necessário, o recurso a dados extraliterários deve vir sempre conjugado ao movimento concêntrico que, transitando entre o todo e as partes, afinado também com o *tom* e a *perspectiva* que enformaram a trama artística, faculta ao hermeneuta apreender unidades de sentido cada vez mais amplas.

De que modo tais colocações teóricas se traduzem na práxis da análise e interpretação, demonstram-no alguns dos ensaios enfeixados no mencionado volume, como o que lhe empresta título, "Céu, inferno", no qual observamos a visada comparativa, mas, ao mesmo tempo, também diferencial de Alfredo Bosi avançar na direção do "centro vivo" de textos de Graciliano Ramos (*Vidas secas*) e Guimarães Rosa (*Primeiras estórias*), norteada pela tarefa de "enfrentar o problema crucial que é a determinação das *perspectivas*; e mostrar como estas desempenham o seu papel ativo de 'formas simbólicas', de acordo com as hipóteses fecundas que Erwin Panofsky aplicou às artes plásticas da Renascença". Ou então o ensaio subsequente, intitulado "*O Ateneu*: opacidade e destruição", obra-prima de crítica literária em que os vários perfis desse "romance pedagógico ou de terror" se desvendam mediante o aprofundamento hermenêutico no tom unificador que o atravessa da primeira à última página, assim como nas contradições ideológicas que se instalam no cerne do ponto de vista narrativo adotado pelo jovem Raul Pompeia.

Dialética da colonização (1992) concretiza igualmente, em vários de seus capítulos, os princípios teóricos discutidos no ensaio "A interpretação da obra literária". Numa linguagem límpida e precisa, o autor empreende um percurso transversal por cinco séculos de história brasileira, e podemos observar então como o confronto com textos de José de Anchieta, Gregório de Matos, Antônio Vieira, José de Alencar e Castro Alves traz à tona elementos que também ajudam a elucidar contradições que vincam o processo colonizador brasileiro, contemplado ao longo do livro tanto em suas manifestações simbólicas quanto nas materiais. O movimento concêntrico entre as partes e o todo se desenvolve com admirável maestria, integrando à interpretação dados tomados às esferas econômica, política, social, e isso desde o ensaio sobre "As flechas opostas do sagrado" — imagens que, num primeiro plano, significam as "teodiceias" dos dois povos que se chocaram no início da nossa colonização: "Infelizmente para os povos nativos, a religião dos descobridores vinha municiada de cavalos e soldados, arcabuzes e canhões". Mas ao leitor abre-se também a possibilidade de enxergar na imagem das "flechas opostas" as duas linguagens mobilizadas por Anchieta em seus textos: na linguagem dos símbolos exprimiu (em latim, espanhol e português) as inquietações e os arroubos característicos da *devotio moderna*, enquanto que o procedimento alegórico, amplamente apoiado no idioma tupi, revestia os autos que perseguiam a finalidade de catequizar os indígenas, o que leva o intérprete a afirmar ter sido a alegoria "o primeiro instrumento de uma arte para massas criada pelos intelectuais orgânicos da aculturação".

Amplo e vário é, portanto, o espectro de temas, de poetas e narradores abordados por Alfredo Bosi em seus livros, seja nos dois acima mencionados ou em outros, como a própria *História concisa da literatura brasileira* (1970), ou ainda *O ser e o tempo da poesia* (1977), *Literatura e resistência* (2002), *Ideologia e contraideologia* (2010), *Entre a literatura e a história* (2013). Já *O enigma do olhar* (1999) e o posterior *Brás Cubas em três versões* (2006), títulos tomados aos ensaios de maior densidade teórica em seus respectivos volumes, estão dedicados exclusivamente à figura de Machado de Assis, o que constitui fato inédito na trajetória de um crítico que somente em trabalhos acadêmicos debruçou-se sobre um único autor (Pirandello no doutorado, Leopardi na livre-docência). No primeiro ensaio, observamos o empenho hermenêutico em perscrutar o "enigma" de um olhar ao mesmo tempo local e universal, que constrói "tipos" mas também "pessoas", e a interpretação percorre amplas dimensões da narrativa machadiana, desde *A mão* e a luva, *Helena*, *Iaiá Garcia*, passando depois mais detidamente por *Dom Casmurro* e *Quincas Borba*, e chegando até *Memorial de Aires*.

No segundo ensaio, empreende-se nova aproximação aos múltiplos perfis que constituem a extraordinária fisionomia artística de Machado; mas desta vez, como deixa entrever o seu título, à luz primacial de *Memórias póstumas de Brás Cubas*, romance que certamente se insere no conceito de "literatura mundial" (*Weltliteratur*), lançado por Goethe em 1827, e com o qual o autor de *Ressurreição* estreia sua condição de *twice-born*, para lembrar aqui a expressão sob a qual Otto Maria Carpeaux aproximou o escritor brasileiro de célebres conversos na cultura ocidental.[4]

Observe-se, antes de tudo, que discutir "três versões" na copiosa e notável fortuna crítica desse divisor de águas do romance machadiano e brasileiro não é o verdadeiro escopo do ensaio, mas sim o caminho heurístico elegido pelo intérprete a fim de delinear uma nova visão da obra que o eu-narrador dedica ao primeiro verme que roeu suas "frias carnes". Para isso, o primeiro passo de Bosi é reconstituir em linhas gerais o enredo romanesco e, desse modo, chamar a atenção para o "duplo jogo de presença e distanciamento" que a escolha do insólito ponto de vista de um *defunto autor* trouxe às memórias que se encenam como póstumas: a "presença" do eu enquanto protagonista e, portanto, testemunha dos acontecimentos, e o "distanciamento" operado por uma consciência narrativa que já transpôs a "curta ponte" que separa a vida da morte. No corpo do ensaio, é precisamente essa duplicidade que adensa e amplia o significado que a abordagem hermenêutica busca desvendar no romance, empenhada em superar interpretações que colocam os nexos intertextuais em primeiro plano ou que enxergam em Brás prioritariamente um tipo balizado pelas coordenadas econômicas e sociais do contexto em que se move.

No fundo, as considerações iniciais do ensaio desenvolvem-se em torno da "perspectiva" subjacente às memórias, das implicações acarretadas pela adoção, então inédita no romance machadiano, do foco narrativo em primeira pessoa. No segmento seguinte, "O outro fora e dentro do eu", enfocam-se episódios fundamentais do enredo, quais sejam, o do "almocreve", da "borboleta preta", do "embrulho misterioso" achado na rua e, sobretudo, o complexo narrativo em torno de Eugênia, introduzido no capítulo "A flor da moita". O crítico visa demonstrar à luz desses episódios como a elaboração, numa dimensão reflexiva post mortem, dos acontecimentos vivenciados mostra-se capaz por vezes de "abrir frestas no subsolo" da consciência do narrador, o que acarreta uma dialetização do tipo rentista no Brasil do Segundo Império, que é a condição social efetiva de Brás Cubas. A análise enfoca em especial, e de vários ângulos, o episódio da bela, mas pobre e coxa Eugênia, iluminando minuciosamente toda a labilidade da relação que o especioso Brás estabelece com a moça. Elucida-se aqui, de maneira exemplar, como se processa na consciência do defunto autor a elaboração do comportamento do jovem rico que se assustara com a possibilidade de apaixonar-se por Eugênia, cuja dignidade a faz afirmar-se como pessoa, em vez de reduzir-se à "tipicidade" a que o olhar de Brás procurara rebaixá-la. Condição econômica e status social mostram-se sem dúvida como forças motrizes do comportamento do jovem mimado, mas a consciência narrativa logra descer a subterrâneos da personalidade e desvendar aí outros traços do "eu detestável" (*moi--haïssable*) de extração pascaliana.

O segmento seguinte, "Três dimensões de Brás Cubas", se debruça minuciosamente sobre as vertentes críticas indiciadas no título, a saber, a "construtiva", a "expressiva" e a "mimética".[5] A primeira a ser enfocada alinha-se na tradição dos estudos de intertextualidade, que buscam as referências mais remotas para as memórias de Brás Cubas na *satira menippea* do século III a.C. e nos *Diálogos dos mortos* de Luciano de Samósata, redigidos por volta do ano de 160 d.C. Intertextos mais recentes são, conforme explicitado pelo eu-narrador nas palavras iniciais "ao leitor", os romances *Voyage autour de ma chambre* (1794), de Xavier de Maistre, e sobretudo *The Life and Opinions of Tristram Shandy, Gentleman* (1759-67), de Laurence Sterne. Desse modo, a discussão da vertente "construtiva" ou "intertextual" concentra-se em especial num ensaio redigido originalmente em inglês ("The Shandean Form: Laurence Sterne and Machado de Assis"), no qual Sergio Paulo Rouanet, com grande riqueza de detalhes, vincula à influência do romancista inglês com "alma de esquilo" (lembrando a observação de Friedrich Nietzsche) aspectos da narrativa solta e ziguezagueante que outros intérpretes farão remontar antes à condição socioeconômica ou à melancolia e ao *humour* de Brás Cubas.[6]

Em seguida, Alfredo Bosi aprofunda-se na vertente pela qual revela maior admiração, representada pelas análises do "crítico-artista" Augusto Meyer, chamado ainda o "mais sutil dos leitores de Machado". A atenção percuciente às múltiplas manifestações do humor machadiano teria permitido a Meyer aprofundar a sondagem, na figura do defunto autor, tanto do "homem subterrâneo", de matriz dostoievskiana, como das afinidades com o posterior "relativismo de Pirandello na figuração do teatro da vida". Essa perspectiva de leitura, fundamentada em procedimentos da literatura comparada assim como nas lições de mestres da Estilística como Karl Vossler, Leo Spitzer, Damaso Alonso, levou Meyer a intuir logo as profundas diferenças no "tom dominante" ou no "étimo espiritual" entre os romances de Sterne e Machado, o que consequentemente já apontava para os limites da tese intertextual. Pode-se dizer assim que, para Alfredo Bosi, a exegese de Augusto Meyer representa um ponto culminante na filologia machadiana, e essa apreciação retornará, conjugada com o elogio dos procedimentos da literatura comparada, no posterior ensaio "Um nó ideológico: sobre o enlace de perspectivas em Machado de Assis", fecho do volume *Ideologia e contraideologia*: "O trabalho da autoanálise e da sátira introjetada descobre o *homem subterrâneo*, aquele subsolo do *eu* machadiano, que Augusto Meyer iluminou sob a inspiração de suas leituras de Dostoiévski e de Pirandello. Como os estudos comparativistas abrem caminho para nossas leituras brasileiras!".[7]

A última das "três versões de Brás Cubas" que se passa em revista é então a leitura sociológica, que nos textos de Astrojildo Pereira sobre Machado ("Romancista do Segundo Reinado" é de 1939) se manifesta na chave de um marxismo mediado pelas concepções estéticas bastante simplificadoras de Plekhanov, mas que posteriormente atingiria momentos de alto nível com os estudos de Raymundo Faoro e Roberto Schwarz, sendo este último o que mais longe levou a tese que sustenta a existência de uma homologia entre estruturas estilísticas do romance e estruturas sociais moldadas pela parelha capitalismo-escravidão — ou a existência de nexos, como formula Bosi, "entre a ideologia do rentista no Brasil Império e os modos de pensar, sentir e dizer de Brás Cubas". Para essa leitura, o eu-narrador figuraria prioritariamente como "espelho ou voz da sua classe social", cujos verdadeiros interesses econômicos encontram-se mascarados pela ideologia do liberalismo. Movido pelo objetivo de redimensionar a visão apresentada por Schwarz nos extraordinários livros *Ao vencedor as batatas* e *Um mestre na periferia do capitalismo*, Alfredo Bosi envereda também por um estudo minucioso do papel histórico desempenhado pelo liberalismo no Brasil do século XIX, insistindo em especial na distinção entre duas correntes liberais em acirrado confronto, uma por assim dizer "retrógrada" e conservadora (equivale a dizer: escravocrata) e outra progressista, posto que comprometida organicamente com os ideais abolicionistas. E assinale-se ainda que, para Bosi, a tendência liberal excludente, comprometida com a escravidão, não representaria uma excrescência brasileira, um deslocamento aberrante de ideias europeias para o nosso contexto, mas antes — conforme se formula no ensaio "Um nó ideológico" — "um complexo de medidas econômicas e políticas efetivas que regeram todo o Ocidente atlântico desde o período napoleônico e a Restauração monárquica francesa".[8]

Enfocando as especificidades de cada uma das vertentes acima delineadas e, ao mesmo tempo, relacionando-as entre si, essa incursão pela fortuna crítica das *Memórias póstumas* desdobra-se sob amplo horizonte hermenêutico, e um de seus resultados poderia ser formulado do seguinte modo: assim como a leitura intertextual-construtiva (Rouanet) e a existencial-expressiva (Meyer) não alcançam dar conta de dimensões do romance machadiano que devem ser escavadas nas esferas econômica e social, assim também a perspectiva sociológica chegaria aos seus limites ao subordinar à situação de classe do eu-narrador Brás Cubas os traços formais e existenciais derivados do convívio de Machado com a tradição literária e filosófica do Ocidente. Nas palavras de Alfredo Bosi, o Machado "brasileiro" é também "universal", sua mente "ultrapassa os limites geográficos da periferia".

Como perceberá o leitor, o confronto com essas "três dimensões de Brás Cubas" constitui-se também numa espécie de heurística para o esboço de uma visão própria do romance enquanto texto multiplamente determinado, o que impõe a necessidade de evitar a confluência do discurso crítico para um "único fator explicativo, causa das causas, em prejuízo de uma abordagem compreensiva". Estabelecida tal advertência, o intérprete irá procurar surpreender na trama romanesca a interação viva dos vetores formais, existenciais e miméticos, sem atribuir a nenhum deles o papel de instância última, isto é, monocausal e sobredeterminante. Ponto fundamental nessa abordagem é o diagnóstico do "sentimento amargo e áspero" que, segundo palavras do próprio Machado no prólogo à terceira edição do romance, teria penetrado a "alma deste livro, por mais risonho que pareça". Se ao infiltrar-se pelas confissões de Brás, esse tom de amargura por um lado distancia sua narrativa dos modelos de Sterne e Xavier de Maistre, pelo outro lhe confere uma especificidade que também não prescinde da amplitude, profundidade e universalidade características das grandes obras da literatura mundial. Para o intérprete, tal sentimento funcionaria como o poderoso "dissolvente contraideológico" que possibilitou a Machado fazer com que o defunto autor de 1869 (cujo ponto de vista post mortem articula a crítica do comportamento do Brás protagonista nascido em 1805) se visse e julgasse a si mesmo "pelos olhos do intelectual desenganado de 1880", numa referência à dimensão empírica da redação do romance.[9] Mediante tal alargamento e entrelaçamento das temporalidades, Machado traz para a sua alça de mira não apenas o liberalismo retrógrado encarnado em personagens como Cotrim, Damasceno e o próprio Brás, mas também o liberalismo progressista e democratizante formado nas décadas de 1860 e 70 e ainda, extrapolando as fronteiras nacionais com o seu ceticismo *moraliste*, o "progressismo *em geral*".

Mas se Alfredo Bosi não alça nenhum desses vetores à condição de "instância última" em seu confronto com a obra machadiana, não se pode deixar de notar sua inclinação pela via existencial-expressiva aberta por Augusto Meyer. É o que também se verifica no posterior ensaio "O duplo espelho em um conto de Machado de Assis".[10] Deixando aqui o viés intertextual de lado — que poderia ter sido relacionado ao conto "Barba-azul", de Perrault, ou a narrativas que, pelo menos desde E. T. A. Hoffmann, trabalharam com o motivo do "duplo" (*Doppelgänger*) —, o crítico esboça uma sólida interpretação sociológica, apoiando-se sobretudo nos conceitos de "alienação", "reificação" e "fetiche"; em seguida, porém, busca superá-la mediante a leitura existencial, mostrando que a causticidade do narrador Jacobina, seu caráter refratário ao diálogo e à interação com outras pessoas (o adjetivo "casmurro", empregado por Machado, teria advindo do árabe *cadzur*, significando "insociável") são índices de uma consciência infeliz que já traz em si a crítica ao sucesso econômico e social alcançado pelo antigo alferes da Guarda Nacional. Nessa perspectiva, a causticidade do Jacobina maduro e capitalista corresponderia ao "sentimento amargo e áspero" do defunto autor Brás Cubas: "Note-se que, além de casmurro, Jacobina é, quando fala, cáustico, isto é, sarcástico. Essa ferinidade, que não consegue dissimular-se no homem taciturno, é a expressão infeliz daquele resquício de alma interior que sobreviveu sob o domínio da mirada alheia".

No ensaio intermediário, enfocam-se obras-primas da crônica machadiana, tanto as que tomam sua motivação nos chamados *faits divers* como as que tratam de efemérides culturais e acontecimentos políticos, internacionais e nacionais

("Velho senado" é aqui exemplo dos mais magistrais). O estudo reconstitui assim a visão que Machado lançou sobre o "teatro político" encenado pelo "barro humano", e o caminho nele trilhado não deixa de estar vinculado ao ensaio anterior, pois se trata também de compreender o nexo íntimo entre procedimentos literários — em especial, uma sátira que deixa entrever leituras intensas de Swift e Voltaire — e um amplo "moralismo cético".[11] É plenamente consequente que tal visada crítica traga novos subsídios para a apresentação de um Machado brasileiro e universal, isto é, atento aos estímulos locais, ligados ao seu aqui e agora, mas reagindo a estes com respostas elaboradas por uma consciência lapidada no convívio com grandes tradições da cultura ocidental — respostas, portanto, que "terão a complexidade e a profundidade do sujeito que as sente, pensa e elabora".

Na composição das crônicas, o intérprete vê operar, como nas narrativas ficcionais, uma "estilística do distanciamento e da atenuação", o que novamente impõe a tarefa de sondar a perspectiva e o tom que as enformaram. Torna-se necessário escavar em suas camadas mais profundas e, no âmbito dessa empresa, procura-se ultrapassar a relação direta que as crônicas entretêm com os fatos brutos da realidade política e social, para trazer à luz traços que ajudam a iluminar a complexa fisionomia intelectual e artística de Machado.

Um passo até certo ponto surpreendente no ensaio é quando Alfredo Bosi aponta para os eventuais limites ideológicos do cronista, o que se dá mediante o contraste com concepções e a práxis de contemporâneos: as "crônicas jacobinas de Raul Pompeia" ou o *"pathos* liberal-progressista que sopra nas páginas animosas de Joaquim Nabuco"; "os ensaios históricos dramáticos de Euclides da Cunha, inteligência sensível às grandes fraturas de raça, classe e cultura que dividiam a nação brasileira", e ainda o "protesto encrespado, feito de amor e ódio, revolta e esperança, que sai das páginas abolicionistas de Luís Gama, André Rebouças, José do Patrocínio ou Cruz e Souza, mulatos e negros que se indignam, porque motivados por um ideal de futuro libertador".

Nada de jacobinismo, *pathos*, dramaticidade ou protesto encrespado nas crônicas machadianas. O leitor que percorrer algumas das comentadas por Alfredo Bosi poderá sair dessa incursão com sentimento semelhante ao que infunde, por exemplo, a leitura de textos de Jonathan Swift, *As viagens de Gulliver* ou a *Modest Proposal* de 1729, referente ao abate e emprego culinário de crianças pobres irlandesas — célebre sátira a que o cronista carioca faz alusões inequívocas numa crônica de 1º de dezembro de 1895 que comenta escabroso canibalismo perpetrado por um professor inglês numa escola da Guiné (mas também não deixando de lembrar casos de antropofagia no sertão de Minas). Um trecho da crônica: "Pode ser que o professor quisesse explicar aos ouvintes o que era o canibalismo, cientificamente falando. Pegou de um pequeno e comeu-o. Os ouvintes, sem saber onde ficava a diferença entre o canibalismo científico e o vulgar, pediram explicações; o professor comeu outro pequeno. Não sendo provável que os espíritos da Guiné tenham a compreensão fácil de um Aristóteles, continuaram a não entender, e o professor continuou a devorar meninos. É o que em pedagogia se chama 'lição de cousas'".

Temperada com fingido indiferentismo (no fundo, apenas uma "lição de cousas"), a sátira machadiana certamente não perderia sua eficácia se voltada para formas posteriores de barbárie, e não é difícil que o leitor do século XXI se ponha a especular sobre possíveis reações do cronista a notícias veiculadas cotidianamente. Não raro são fatos que escarnecem das palavras e, nesse sentido, talvez se possa redimensionar a hipótese, acima apontada, dos "limites ideológicos". Pois à sátira, como se sabe, tudo é lícito, mesmo estimular o riso com o mais chocante e horroroso. Vergonha profunda, revolta, desespero talvez sejam os sentimentos que se ocultam sob a superfície satírica, e nessa direção apontam também os comentários de Alfredo Bosi sobre a crônica de 1º de dezembro. Contudo, na maior parte das vezes — e felizmente talvez para as sensibilidades menos calejadas —, é apenas ceticismo ou mero pessimismo que se mascaram no *humour* de um Machado que confessara a Mário de Alencar ter perdido "todas as ilusões sobre os homens".

Seja como for, a abordagem desdobrada no ensaio "O teatro político", acompanhando atentamente os movimentos de superfície e de profundidade dessas obras-primas da produção jornalística machadiana, alcança surpreender no fundo do olhar do cronista um "veio de inconformismo" que o leitor poderá relacionar ao ressaibo amargo e áspero das memórias de Brás Cubas: em sua negatividade, tanto um como o outro se revela então capaz de desdobrar o potencial crítico de "dissolvente contraideológico".

Fechando o volume, Alfredo Bosi retorna de certo modo a uma das vertentes discutidas no ensaio de abertura, ampliando-se o confronto crítico com o já clássico livro de Raymundo Faoro *Machado de Assis: A pirâmide e o trapézio*, exaustivo mapeamento do universo ficcional de Machado à luz da vida política e econômica do Segundo Reinado. O passo inicial do ensaio é enfatizar os seus vínculos com outro célebre livro de Faoro, *Os donos do poder*, cuja segunda edição inteiramente refundida apareceu em 1975, apenas um ano após a publicação de *A pirâmide e o trapézio*. A tese da existência, no Brasil do século XIX, de "dois liberalismos", que entram em conflito aberto nas décadas de 1870 e 1880, ocupa posição central na discussão a que esses dois livros de Faoro são submetidos na primeira parte do ensaio. Entrando em seguida na rigorosa abordagem, de inspiração weberiana, que faz Faoro da obra machadiana, o autor confere especial relevo ao momento em que o sociólogo parece dar-se conta da insuficiência de seu método para compreender em profundidade o olhar do nosso maior romancista. É neste momento que ganha espaço a perspectiva hermenêutica, movida pela consciência de que a grande literatura não é apenas reflexo, mas também — ou sobretudo — "reflexão", trabalho da fantasia criadora com o singular. Instala-se então, no cerne da argumentação de Faoro, um dualismo epistemológico cujos resultados mais ricos podem ser acompanhados no último capítulo do livro, intitulado "O espelho e a lâmpada".[12] Na dimensão imagética e conceitual da formulação de Faoro, o "espelho" representaria a operação mimética, calcada numa estética da representação. A esta vem juntar-se a "lâmpada" que, referida aos procedimentos narrativos, metaforiza a "estilização da sociedade" empreendida por Machado numa dimensão muito além do mero espelhamento; relacionada à abordagem crítica, a "lâmpada" significa a "prospecção hermenêutica" empenhada em acompanhar e iluminar os complexos movimentos da subjetividade e da consciência narrativa.

A pirâmide (desenho da estrutura vertical das classes) e o trapézio (desenho da estrutura horizontal dos estamentos); o espelho e a lâmpada; o quadro e o olhar; a explicação das ciências exatas e naturais e a compreensão das ciências humanas: se já nesse estudo sobre a obra machadiana não se trata de oposições estanques, mas antes de perspectivas complementares, a discussão que lhe dedica Alfredo Bosi forceja sempre por tornar ainda mais fecundo o diálogo entre a sociologia e a hermenêutica, numa interação que, como se diz na conclusão, "não desprazeria ao mestre de Raymundo Faoro, aquele Weber que sondou, em toda a sua obra, as intrincadas relações entre o indivíduo e a sociedade".

* * *

Conforme poderá perceber o leitor ao término de *Brás Cubas em três versões*, os ensaios que o constituem, embora independentes, se relacionam entre si por inúmeros vasos comunicantes, derivados organicamente da perspectiva crítica do autor. Desse modo, ao mesmo tempo que o estudo final retoma e desdobra alguns aspectos do confronto com a vertente sociológica, estudada no ensaio de abertura, também lhe aporta retrospectivamente valiosos subsídios para reforçar a hipótese da importância do procedimento hermenêutico para a compreensão das *Memórias póstumas* como "texto multiplamente determinado", pois constituído pela interação dinâmica dos vetores formais, existenciais e miméticos. Essa visão do grande marco no romance machadiano se reitera, quatro anos após a publicação de *Brás Cubas em três versões*, no já mencionado ensaio que fecha o volume *Ideologia e contraideologia*, e o crítico saberá conjugar então, com grande maestria, a análise do entrelaçamento das temporalidades relacionadas à trajetória de Brás e ao ponto de vista do romancista de 1880 com o empenho em reconhecer os fios com que o defunto autor tramou um "nó ideológico" no fundo inextricável a seus intérpretes.

À complexidade ou, para recorrer a um termo tão caro a Goethe, à incomensurabilidade da criação literária nada mais justo do que fazer corresponder uma abordagem dúctil, multifacetada, rica em perspectivas. Recorrer, para a interpretação da obra machadiana, a estudos de Max Weber ou Karl Marx (como fazem Raymundo Faoro e Roberto Schwarz de maneira soberana) revela-se de extraordinária eficácia, mas não menos fecundo é empreender também a sondagem, no processo constitutivo do ponto de vista dos narradores machadianos, das marcas deixadas por influências tão decisivas ao romancista: os pessimistas Leopardi e Schopenhauer;[13] Montaigne, Pascal, La Rochefoucauld e outros mestres da análise psicológica que, como disse Nietzsche em *Humano, demasiado humano*, "semelham arqueiros de pontaria certeira, os quais sempre e sempre atingem o alvo — mas o alvo da natureza humana".

Daí se justifica a necessidade, no trabalho de interpretação literária, de "pacientes escavações no Sujeito e na História", conforme postula Alfredo Bosi no ensaio final do volume *Céu, inferno*, pois somente assim se pode fazer frente ao desafio de "decifrar essa relação de abertura e fechamento, tantas vezes misteriosa, que a palavra escrita entretém com o não escrito". Por conseguinte, o movimento de aproximar-se e apartar-se dos efeitos imediatos do texto revela-se como operação hermenêutica por excelência, e neste ponto talvez se possa identificar uma afinidade com o próprio processo de criação literária: não por acaso, um passo inicial no ensaio "Brás Cubas em três versões" foi, como já referido, apontar para o "duplo jogo de presença e distanciamento" desenvolvido pela perspectiva do defunto autor. Sendo assim, não se poderia enxergar nesse traço das *Memórias póstumas* a manifestação do paradoxo, discutido entre outros por Adorno em sua *Teoria estética*, do duplo caráter dialético da obra de arte, ou seja, enquanto *fait social* estar ancorada na sociedade e, ao mesmo tempo, afirmar sua independência e autonomia em face desta?

Pode-se dizer que a essa concepção de literatura Alfredo Bosi sempre procurou fazer justiça em seus escritos teóricos e, mais ainda, em sua práxis de intérprete. Não seria uma concepção estranha ao velho Goethe, que observava em uma de suas *Máximas e reflexões*: "Não há meio mais seguro de esquivar-se do mundo do que pela arte; mas também não há meio mais seguro de vincular-se ao mundo do que pela arte".[14]

Alfredo Bosi e a crítica fora do Brasil

Pedro Meira Monteiro

A reflexão sobre objetos e sujeitos periféricos é um dos eixos mais significativos da reflexão crítica contemporânea. Inegavelmente, há algum charme em aproximar-se desse espaço "periférico", de onde se pode imaginar uma série de conexões e cumplicidades com um universo que se situaria à margem de qualquer centro simbólico. Nem é preciso demorar-se sobre a importância, para os estudos sobre a cultura e a literatura, de tal marginalidade. Para aqueles que foram formados na academia anglófona, e mesmo para aqueles de nós que trabalhamos nela há algum tempo, o império dos assim chamados *post-colonial studies* e *subaltern studies* (que de resto se interseccionam todo o tempo) nos coloca numa situação bastante complexa.

Há algum regozijo em pertencer a um campo que diz respeito a sujeitos dominados, violentados e descartados por todas as formas de pensamento hegemônico. Sabemos e repetimos que o lugar de onde emana o discurso etnocêntrico é um ponto cego, que se torna invisível a si mesmo. Por exemplo, um europeu racista do século XIX (embora talvez não seja necessário ir tão longe) estabelece uma relação de alteridade com o colonizado sem jamais provocar em si mesmo a sensação incômoda e fecunda da alteridade. Para colocá-lo de outra forma, poderíamos supor que todo pensamento colonialista, propriamente eurocêntrico (e, a rigor, falocêntrico), apagou os traços da leitura clássica de Montaigne, que se abria ao Outro a ponto de ver o próprio refinamento do Renascimento como um rito exótico.[1] O *eu* de Montaigne é um *Outro* por ser capaz de estranhar-se, enquanto o *eu* etnocêntrico não se torna ele mesmo um Outro, não se distanciando jamais daquele centro simbólico que será, então, tomado como o umbigo do universo. Umbigo que pode aliás viajar em livros e mentes, embora termine por ser localizado, amiúde, numa Europa ideal, de onde proviria toda uma estirpe espiritualmente elevada.

Curioso que os estudiosos das literaturas e culturas lusófonas compartilhemos, com nossos colegas de inglês e literatura comparada — para ficar apenas com estes campos mais próximos, na academia anglófona —, a mesma crença na importância da periferia ou, quando menos, na importância daquilo que implica o desvio e a diferença em relação a uma identidade fundamentada e cristalizada, tida como "culta", em oposição à impureza da ignorância e dos saberes não letrados. Falamos, contudo, uma língua periférica, ou "representamos" o universo dos falantes dessa língua, o que nos coloca diante de uma série de armadilhas no plano institucional, onde um domínio pobre do inglês, por exemplo, pode despertar um verdadeiro desejo calibânico: aprender a língua da instituição é a forma, muitas vezes, de poder finalmente amaldiçoá-la.[2]

Mas a língua periférica nos coloca numa situação ainda mais complexa: fazemos parte da cidade letrada e, no entanto, no âmbito institucional, habitamos a sua periferia, deslocados de um centro simbólico, onde a língua de Próspero é falada e os seus livros são reverenciados. Em suma, a angústia poderia resumir-se a uma pergunta muito conhecida, embora submetida a uma ligeira inflexão: "Can a subaltern field speak?".[3]

É com tal pergunta em mente que venho sugerindo, há vários anos, a importância do trabalho de Alfredo Bosi não apenas no quadro da crítica brasileira, mas também num campo que, salvo engano, vem crescendo. Refiro-me à reflexão, nos países anglófonos e mesmo além deles, sobre a produção cultural dos territórios em que a língua portuguesa é falada e onde muitas vezes ela mesma é a língua do poder, isto é, a língua de um Próspero local.

No esforço por trazer o nome de Alfredo Bosi para mais perto do debate intelectual na academia anglófona, um primeiro movimento foi uma pequena entrevista publicada, em inglês, na revista da American Portuguese Studies Association.[4] Depois disso, recebi-o nos Estados Unidos, em sua primeira viagem a este país, em 2008, onde ele proferiu uma série de palestras, em Princeton e Yale.

A visita de Bosi (que só se dispôs a enfrentar a fila do consulado norte-americano em São Paulo quando George W. Bush já havia deixado a Casa Branca) marcava a publicação de seu ensaio "Colônia, culto e cultura" nos Estados Unidos, como volume inaugural da série Luso-Asio-Afro-Brazilian Studies & Theory, criada por Victor K. Mendes, da University of Massachusetts em Dartmouth, numa tradução de Robert P. Newcomb, e fixação do texto por Anna Klobucka. Publicado em 2008, *Colony, Cult and Culture* se encontra disponível on-line para livre consulta, com uma pequena introdução crítica e um extenso corpo de notas que preparei tendo em mente um público não afeito aos debates da historiografia brasileira. Tais notas esclarecem referências que o texto original em português supõe naturais para o leitor.[5] A empreitada resultaria, mais tarde, na tradução e publicação integral da *Dialética da colonização* pela University of Illinois, traduzida, ainda, por Robert P. Newcomb.[6]

Naquele momento, como organizador do livro em inglês, me vi diante de um processo de desnaturalização do texto: retirado de seu contexto original, o ensaio de Bosi se desnudava exatamente naquilo que ele tinha de opaco. Ou seja, trazia uma série de referências que à primeira vista poderíamos supor de alcance universal, mas que, lançadas em outro contexto, para um *outro* leitor, exigiam explicação. O *eu* do texto era um *Outro*, quando deslocado. O texto exigia um paratexto, o que, no plano filológico, é a prova cabal do estranhamento.

No entanto, havia ali, no texto de Bosi, ressonâncias muito interessantes com questões que inflavam a discussão do estatuto pós-colonial na academia anglófona. O próprio conceito de "colonialidade" do poder e sua crítica ao caráter autorreferente da razão colonial parecia correr em paralelo àquilo que define a empresa crítica de Bosi, isto é, a exploração dos espaços "contraideológicos", ou ainda, em termos que recendem à matriz gramsciana em que tantos de nós bebemos, tais espaços e potências poderiam ser nomeados "contra-hegemônicos".[7] Como é sabido, a busca de tais espaços esgota o campo da alta literatura, avançando sobre um terreno que vai além do plano estrito da letra, num diálogo cerrado e radical com as tradições orais, do canto à fala cotidiana. É mais uma vez a cidade letrada que, incomodada com o círculo narcísico que marca sua diferença absoluta em relação ao resto do mundo, encanta-se com o espelho deformante de seu Outro. A letra, por fim, tenta dar conta de sua diferença (aqui, não mais absoluta), interrogando e flertando com aquele espaço onde o iletrado reponta como organizador de um outro centro possível do discurso.[8]

Uma pergunta despontava então: seria possível e desejável trasladar um pensamento como o de Alfredo Bosi, que radica na noção da ideologia como falsa consciência, a um debate pós-marxista, já marcado pela experiência do desconstrucionismo, como é o caso dos debates sobre a subalternidade esgrimidos a partir dos grandes centros universitários de língua inglesa? Seria possível aproximar o que Bosi chama de "contraideologia" da desconstrução de um discurso colonial a partir das suas margens — margens também do próprio campo acadêmico?

É claro que a noção de ideologia como *encobridora* (ou falseadora) pressupõe que no outro polo — o da contraideologia — reside um núcleo de verdade que a ideologia, mais que negar, *silencia*. Nesse sentido, a ideologia seria uma espécie de cerrada malha discursiva que oculta a experiência do Outro.

Nesse molde de pensamento, o núcleo contraideológico se conecta à experiência *popular*, lida e sentida como vivência plena. Na história das ideias na América Latina — ou talvez, em termos mais amplos e generosos, no chamado Terceiro Mundo —, forma-se um quadro epistemológico em que o pensamento católico, em sua legitimação da *vox populi*, vai de encontro a uma ampla gama de leituras de Marx. No caso de Alfredo Bosi, tal encontro remete à sua formação intelectual ítalo-brasileira, quando, na Itália do início dos anos 1960, ele testemunhava o embate ferrenho entre croceanos e gramscianos, enquanto aprofundava sua paixão pela poesia de Leopardi e pelos personagens angustiados de Pirandello. Mas em que medida o corte italiano nos ajuda a imaginar essa inusitada zona de interseção entre o pensamento de Bosi e tendências acadêmicas recentes no meio intelectual de língua inglesa?

No cenário acadêmico italiano de então havia, de um lado, uma aposta idealista — em seu limite *espiritualista* — no poder semovente da palavra poética, que em Benedetto Croce é imbuída de um ânimo, ou sopro vital, capaz de pôr o discurso em movimento. Sabe-se que, sem esse sopro original, não há poesia para Croce. De outro lado, o debate no seio do marxismo, em especial no caso dos leitores de Antonio Gramsci, supunha a preponderância de condições concretas a partir das quais o jogo político se monta.

Não se tratava, no entanto, de uma matriz ingenuamente idealista a que se apõe o materialismo. Tratava-se, antes, de reconhecer e buscar a linguagem em seus momentos "aurorais". É o que leríamos mais recentemente, quando, referindo-se ao entreguerras na Europa, Bosi analisa, lado a lado, Antonio Gramsci e Simone Weil:

Mas é possível entrever, em meio a posições estéticas diversas, um fio conceitual comum, que propõe uma forma de arte aderente às coisas e aos homens e, ao mesmo tempo, distanciada do ponto de vista burguês que transforma os homens em coisas para melhor explorá-los e consumi-los. Há uma poesia pura que se forma a partir de uma intuição iluminadora dos fenômenos. Nesse processo de revelação, o poema (como o considerava Croce) é um conhecimento auroral e se exprime *aquém dos discursos de persuasão*, portanto aquém da palavra movida pela retórica ideológica. É a poesia dos trovadores provençais, de Petrarca, de Villon, de Shakespeare, de Racine, dos metafísicos ingleses, de Goethe, de Hoelderlin, de Leopardi, de Mallarmé, de Valéry, os dois últimos intensamente lidos por Simone Weil. (Tivesse ela conhecido a poesia de Ungaretti, de Lorca, de Manuel Bandeira, de Jorge de Lima ou de Cecília Meireles!) Mas há outra poesia que, pelas circunstâncias históricas em que foi gerada, teve de atravessar o pantanal das ideologias espalhadas por todos os cantos da vida em sociedade. Trata-se de uma palavra de resistência, saturada de pensamento crítico, não raro amargamente satírica ou paródica, ferina por necessidade e não raro por prazer, enfim, didática, mesmo quando lhe inspira desgosto a "heresia do ensino" que tanto aborrecia Baudelaire. Essa é a poesia entranhadamente política, contraideológica, que Benjamin admirava em algumas líricas ardidas de Brecht.[9]

Percorrendo o arco do pensamento de Bosi, o momento talvez mais agudo de reflexão sobre tal potencial liberador (leia-se, contraideológico) da poesia se encontra porventura num ensaio produzido em meio à ditadura, na década de 1970, quando o próprio horizonte mítico era reclamado e finalmente devolvido à sacralidade do espírito comunitário, ou talvez à sacralidade do indivíduo que se entrega à recordação ainda plena de sentido:

> A resposta ao ingrato presente é, na poesia mítica, a ressacralização da memória mais profunda da comunidade. E quando a mitologia de base tradicional falha, ou de algum modo já não entra nesse projeto de recusa, é sempre possível sondar e remexer as camadas da psique individual. A poesia trabalhará, então, a linguagem da infância recalcada, a metáfora do desejo, o texto do Inconsciente, a grafia do sonho.[10]

Voltando a escritos mais recentes, o âmbito da "resistência" o faria evocar as complexidades da fatura do narrador machadiano, em quem vozes contraditórias se mesclam, deixando que uma visão de mundo senhorial ou aristocrática seja rasgada por pungentes mergulhos que dão acesso ao sofrimento do Outro, subitamente guindado à condição de sujeito. Veja-se, por exemplo, sua comovente interpretação de Eugênia, a "flor da moita" em *Memórias póstumas de Brás Cubas*.[11]

Ainda no âmbito da matriz italiana, nota-se que a própria liberação das classes oprimidas dependeria da quebra da hegemonia burguesa — quebra que, de uma perspectiva gramsciana, se faz mediante o tecer de uma resistência também de ordem cultural, o que aliás permitiria a Gramsci tornar-se mais tarde uma referência importante nos "estudos culturais", fazendo uma carreira fulgurante justamente nos Estados Unidos que ele olhava com tanta desconfiança — como Bosi, aliás.[12]

O crítico brasileiro viveu profundamente esse embate entre gramscianos e croceanos e, em certo sentido, trouxe-o de regresso ao Brasil, pouco antes de 1964.[13] Mas o que ele encontrou na volta da Itália, senão justamente o vasto campo de articulação das esquerdas que então se dava no Brasil? Após o fiasco da renúncia de Jânio Quadros, uma frente progressista plural (comunistas, socialistas, cristãos de esquerda) tinha o respaldo do governo João Goulart, o que de certa forma aceleraria a reação que levaria à encruzilhada em que se dá o golpe de Estado, em março de 1964. A isso juntava-se a liberalização do clero a partir do Concílio Vaticano II e a formação daquilo que veio a chamar-se Teologia da Libertação. Em traços esquemáticos, nesse ambiente da utopia do pré-64 até a resistência durante a ditadura, Alfredo Bosi forja uma concepção do *sujeito popular* que, no plano conceitual, acaba por realizar aquele casamento que era praticamente impossível na Itália, entre croceanos e gramscianos. A mudança política, em suma, passava a ser condicionada à existência de um sujeito capaz de transmitir o seu sopro liberador ao tecido social, criando algo que já se pode associar, com todas as letras, a uma *resistência cultural*. Em outras palavras, a alma e a matéria se enlaçavam, mediadas pela cultura popular, contra-hegemônica, resistente e, finalmente, contraideológica.

Evidentemente, tal concepção da ação popular pode levar à idealização de um sujeito sofrido, a eterna vítima imolada pelo capital — e tal vítima seria o sujeito do povo, compreendido como o indivíduo exemplar que percorre a via-crúcis da exploração e que, em si mesmo, detém o segredo de toda redenção. No entanto, esse sujeito popular, para Bosi, não é um personagem monolítico, nem é um elemento puramente sacrificial, ou redentor. O sujeito dominado é um sujeito cultural, de uma *outra* cultura que permite avaliar, a partir de sua própria diferença, a incompletude da cultura dominante, que encontra nesse Outro popular um ponto opaco, resistente a qualquer definição que se faça a partir dos termos forjados apenas no interior da cultura letrada. Ou seja, a produção cultural desse Outro popular é o espaço de desmontagem de algo que se pode identificar como o *lógos* do dominador, ou do colonizador. Não que haja uma oposição absoluta entre os polos do culto e do popular, ou mesmo uma linha divisória clara que permita qualquer maniqueísmo, quando se trata da avaliação do potencial liberador ou aprisionador da cultura. Aqui, a questão da memória mobilizada pela coletividade traz ao primeiro plano a necessidade de atenção ao fenômeno religioso, que fornece muito do tom, aliás, da *Dialética da colonização*, livro que se constrói a partir de aulas dadas ao longo da década de 1970 na Universidade de São Paulo.[14]

A escrita desse clássico da historiografia literária brasileira se inicia, então, no contexto da ditadura, com a aposta radical numa leitura a contrapelo da literatura, a qual, para revelar-se propriamente contraideológica, não precisa ser, necessariamente, uma literatura *popular*. Muitas vezes ela é a mesma literatura canonizada pelos manuais de história literária, embora na *Dialética da colonização* o crítico vá buscar as fissuras daquele discurso que encapsula o Outro e o reduz a uma identidade clara e compacta.

Em *Ideologia e contraideologia*, refererido acima, Bosi regressaria ao tema para promover um longo traçado do conceito de ideologia — palavra que, embora tenha surgido no nosso vocabulário a partir do contexto revolucionário francês, remonta pelo menos à Antiguidade. Mais especificamente, remonta à reação de Sócrates aos sofistas, ou talvez, à reação dos sofistas a Sócrates. Na *Defesa de Sócrates* que nos deixou Platão, o filósofo é sacrificado pela pólis porque teima em se manter fiel aos seus demônios, isto é, àquelas vozes que lhe falam desde a juventude. Tais vozes são o *motor*, ou, quando menos, nelas está a *partida* do discurso socrático, o qual tem como imperativo a fala privada, o que evidentemente afronta a transparência do espaço público e inferniza os sofistas, cuja retórica obedece não aos demônios privados, mas sim ao compromisso de ganhar a massa, a um só tempo agradando-a e convencendo-a.[15] Os sofistas serão, para Bosi, os primeiros "profissionais" do "mercado ideológico", como veremos logo mais...

Curiosamente, a "transparência" aqui não é sinal positivo. Antes, ela é a vigília da cidade, da pólis regulada e policiada pelos sofistas. A contraideologia depende, então, da manutenção de um espaço opaco, privado, em que surge a revelação de uma outra verdade. Tal verdade não guarda, contudo, a pretensão da universalidade diante da massa. Diferentemente, ela opera a partir de um núcleo pequeno, o qual, da perspectiva contraideológica (e cristã, poderíamos já dizer) de Alfredo Bosi, é a *comunidade* em sua plena realização. Em suma, haveria uma verdade partilhada e comum ao grupo periférico, alijado do centro de domínio de onde emana um discurso que vê, a si mesmo, como universal e irresistível. Salvo engano, este é o ponto de encontro e de afastamento entre a perspectiva de Bosi e aquilo que nos acostumamos a identificar como uma perspectiva das margens, a partir dos chamados estudos "pós-coloniais".

Afastamento, por quê? Talvez porque uma perspectiva formada a partir da cartilha desconstrucionista não possa se deter sobre o momento de cristalização da verdade comunitária. A verdade da comunidade é um horizonte ético que, para usar outra fórmula corrente, só é válida quando se limita à estratégia instantânea dos subalternos. Aqui, a linguagem de sabor gramsciano leva à engenhosa ideia de um "essencialismo estratégico", segundo a qual o grupo se encerra e se basta apenas momentaneamente, o que nos lembraria a precariedade de toda cristalização identitária.[16]

Aproximação, por quê? Talvez porque o horizonte ético que afronta a transparência do discurso (chamemos ou não, a tal discurso transparente, de "ideologia") se furta à normatividade da língua do dominador. No cenário imaginado por Shakespeare, de tão vastas consequências para os intelectuais latino-americanos, Próspero fala de uma ilha repleta de ruídos (*full of noises*), e nós bem conhecemos o valor do ruído como avesso da linguagem. Há uma poética propriamente *política* nessa aproximação pelo avesso, como se o conhecimento do sistema (capitalista, colonial, neocolonial, pós-colonial) se desse ali onde ele se esgota, no ponto onde ele não se fecha, onde se encontra a sua fissura, ou seja, *na margem*. A margem, em suma, é o espaço em que o sistema é confrontado pela *alteridade*, que não é absoluta, porque não se trata de um Outro vingador, anunciador da subversão final. Ao contrário, a margem é o espaço em que a *diferença* se intromete no *lógos* colonial (imperialista, ou etnocêntrico) e faz com que a máquina produtora de discursos (que é a ideologia) deixe de funcionar, ainda que por um breve instante.[17]

Volto à imagem do ruído que soa às margens porque, do ponto de vista da transformação social, o sistema só pode se tornar *outro* quando não há mais como pretender que esse ruído marginal não possua articulação própria. Uma vez articulado, o ruído às margens forma um discurso paralelo. A articulação de um *lógos* (que paradoxalmente pode ser iletrado) às margens do sistema pode encontrar, mesmo na literatura mais tradicional, uma janela por onde o Outro fala. O resultado é rascante ou não, podendo ser alegórico, satírico ou utópico. O ouvido do crítico, da perspectiva de Alfredo Bosi, deve se abrir a tais espaços e fissuras, porque através deles sopra a voz do Outro. Mas, como bom materialista (sua aposta espiritualista não descarta as condições sociais, insista-se), Bosi reclama atenção ao lugar concreto de onde emana essa voz.

Retomando ainda uma última vez *Ideologia e contraideologia*, vejamos como se articula o problema em seus parágrafos iniciais, que aliás se desenrolam sob a epígrafe de Elias Canetti, em *A província do homem* ("O mais difícil é redescobrir sempre o que já se sabe"):

> Começo por uma hipótese semântica. Suponho que haja uma esfera de significado comum aos vários conceitos que já se propuseram para definir o termo *ideologia*. Trata-se da ideia de *condição*. A ideologia é sempre modo de pensamento condicionado, logo relativo. Essa hipótese é flexível, mas pode enrijecer-se sempre que transponha a estreita faixa que a separa de um pensamento determinista.
>
> Que as construções de ideias e de valores dependam, em maior ou menor grau, de situações sociais e culturais objetivas: eis o núcleo vivo das diferentes perspectivas que compõem a história acidentada do conceito de ideologia. Essa hipótese é testada pela sua versão negativa, isto é: se a mente humana fosse, em qualquer situação, isenta e absolutamente capaz de abstrair dos dados sensíveis as ideias que lhes corresponderiam adequadamente; ou, em outras palavras, se a inteligência nunca estivesse sujeita a contingências físicas e sociais, não haveria lugar para a falsa percepção das coisas, a que chamamos *erro*, nem para a manipulação do conhecimento com que tantas vezes se caracteriza a ideologia.
>
> A possibilidade do erro como ilusão dos sentidos ou efeito de paixões é, desde Platão (que nos dá a ouvir o discurso de Sócrates nos *Diálogos*), uma constante na história do pensamento ocidental. Os homens erram, ou porque se enganam, ou porque distorcem a verdade por força dos seus interesses: este é o sumo das críticas que Platão faz à versatilidade dos sofistas, primeiros profissionais da retórica e do mercado ideológico que a história da filosofia registra.[18]

Como conclusão, poderíamos afirmar que o erro em questão pressupõe, é claro, uma verdade. No entanto, sendo contraideológica, tal verdade é situacional e transitória. Não há como acessá-la senão pela linguagem, mas uma linguagem outra, que recusa os lugares assinalados pelo comércio dos interesses dominantes. O sujeito — quer o chamemos de *colonizado*, quer o chamemos de *subalterno* ou *popular* — fala das margens, que testam a adequação entre a inteligência das coisas e seu lugar real no mundo.

A ideologia se desmonta quando a articulação do universo conhecido se desfaz, nos limites do mundo que somos capazes de reconhecer. Quando já não há mais *re-conhecimento* do mundo, isto é, quando o mundo que conhecíamos previamente não se confirma diante de nossos olhos, é porque um outro mundo nasceu diante de nossas vistas, e o círculo vicioso da ideologia foi rompido.

A duração desse outro mundo é matéria de debate. Trata-se de questão espinhosa saber se ele está aqui, ou se descansa sempre além. Mas, num caso como no outro, haverá uma passagem que, se não é para *o outro mundo*, é pelo menos para *um outro mundo*. A diferença é sutil, mas, nos dois casos, o sujeito à margem põe à prova este mundo, como ele é.

O mundo como ele é: haveria, ao fim, melhor definição da ideologia?

Sob o signo de um poder maligno: Jacob Burckhardt e Alfredo Bosi[1]

Robert Patrick Newcomb

Para os interessados em estudos comparativos da obra do crítico literário e cultural brasileiro Alfredo Bosi — autor de amplo espectro de *O ser e o tempo da poesia* (1977) e *Dialética da colonização* (1992), entre muitos outros estudos —, o historiador cultural suíço Jacob Burckhardt (1818-1897) certamente não é um cotejo muito intuitivo. Do mesmo modo, podemos supor que pouquíssimos estudiosos de Burckhardt já ouviram falar de Bosi, cuja recepção fora do Brasil tende a estar circunscrita a círculos de estudos lusófonos e latino-americanos. Ao menos superficialmente, os dois autores são bem diferentes: Bosi tem dedicado a maior parte de sua produção crítica a analisar como o discurso literário e a cultura popular atuam em contextos coloniais e neocoloniais como resistência a estruturas de poder. Em contraste, Burckhardt, escrevendo em bucólico isolamento na Basileia, Suíça, defendeu assiduamente a "alta" cultura europeia que, a seu ver, era ameaçada tanto por políticos gananciosos como massas plebeias. Ele se descrevia como um conservador (ainda que bastante heterodoxo) e tinha pouca consideração pela cultura popular e por povos não europeus, chegando a declarar em *Historische Fragmente* (publicado postumamente em 1929, e doravante referido como *Fragmentos*) que "somente as nações civilizadas [i.e., greco-romanas e, subsequentemente, europeias], não as primitivas, fazem parte da história em um sentido mais elevado".[2] Apesar de diferenças em formação, ideologia e enfoque crítico, a comparação entre Bosi e Burckhardt revela-se frutífera para aqueles interessados na vasta e conflituosa relação entre poder e produção cultural, e, em particular, para aqueles que se inquietam com a contradição manifesta na posição simultânea da cultura como produto e como crítica confessa do poder.

Organizarei minha análise em torno da ideia formulada por Burckhardt, e aceita por Bosi, de que "o poder em si é maligno", algo que repetiu como um mantra ao longo de todas as suas reflexões historiográficas. Na primeira seção, esboçarei a concepção bifurcada de poder de Burckhardt, concentrando-me em sua distinção entre o poder concebido em termos morais (e categoricamente condenado como "maligno") e o poder considerado como uma força histórica construtiva, uma precondição necessária, ainda que moralmente dúbia, para a ascensão da civilização e, portanto, para a criação da cultura, que ele identifica quase sem reservas com "o bem". Na segunda seção, mudarei o enfoque para a concepção de Bosi, que vê a cultura como *resistência* personificada, e argumentarei que a perspectiva do historiador — o poder como algo "maligno" — contribui para dar coerência à posição de Bosi, que simultaneamente insiste que a cultura está enraizada nas estruturas sócio-históricas de poder (e deve sua existência a elas) e que o crítico tem a obrigação ética de resistir a essas mesmas estruturas.

DE BURCKHARDT A BOSI

Uma das poucas referências escritas que Bosi faz a Burckhardt está nas páginas iniciais de *Dialética da colonização*, no capítulo sugestivamente intitulado "Colônia, culto e cultura". O crítico aqui se refere às "palavras agonísticas" de Burckhardt sobre a natureza do poder e cita suas *Reflexões sobre a história*. A referência ocorre ao longo de uma discussão sobre a capacidade e a obrigação da cultura de resistir às estruturas coloniais e neocoloniais de poder:

> Uma certa ótica, que tende ao reducionismo, julga de modo estrito o vínculo que as superestruturas mantêm com a esfera econômico-política. É preciso lembrar, porém, que alguns traços formadores da cultura moderna (traços mais evidentes a partir da Ilustração) conferem à ciência, às artes e à filosofia um caráter de resistência, ou a possibilidade de resistência, às pressões estruturais dominantes em cada contexto. Nas palavras agonísticas do historiador Jakob Burckhardt, para quem *o*

poder é em si maligno, "a cultura exerce uma ação constantemente modificadora e desagregadora sobre as duas instituições sociais estáveis [Estado e Igreja — o texto é dos meados do século XIX], exceto nos casos em que estas já a tenham subjugado e circunscrito de todo a seus próprios fins. Mas quando assim não se dá, a cultura constitui a crítica de ambas, o relógio que bate a hora em que forma e substância já não mais coincidem".

Esse vetor da cultura como consciência de um presente minado por graves desequilíbrios é o momento que preside à criação de alternativas para um futuro de algum modo novo. Em outro contexto ideológico, Antonio Gramsci propôs a crítica do senso comum e a consciência da historicidade da própria visão do mundo como pré-requisitos de uma nova ordem cultural.[3]

Esta é a única referência de Bosi a Burckhardt em *Dialética da colonização*; na verdade, a única menção que pude encontrar em seus principais textos críticos. É seguro dizer, pois, que Burckhardt não figura ao lado de Otto Maria Carpeaux e de Benedetto Croce como um de seus referenciais teóricos recorrentes. Bosi confirmou essa ausência em um simpósio realizado em 8 de outubro de 2008, na Universidade de Princeton, em que respondeu à minha pergunta sobre a possível influência, afirmando que "evidentemente Burckhardt não foi autor de cabeceira" ao longo dos anos de sua formação ou durante a composição da *Dialética* — embora, significativamente, reconhecesse "afinidades eletivas" e concordasse com o juízo de Burckhardt acerca do caráter intrinsecamente maligno do poder, ainda que qualificasse a ideia como "idealista". Ele explicou que chegara a Burckhardt e, em especial, a sua obra *A cultura do Renascimento na Itália* (1860) pelo crítico austro-brasileiro Otto Maria Carpeaux.[4] Confirmou esta aproximação via Carpeaux em uma entrevista inédita, concedida a Breno Longhi, em 4 de junho de 2008. Nela, menciona dois ensaios com temas de Burckhardt, de abertura e de conclusão da coletânea de ensaios de Carpeaux, *A cinza do purgatório* (1942),[5] e enfatiza a importância que a posição crítica de Burckhardt face ao poder temporal teve para Carpeaux, um judeu austríaco exilado no Brasil por conta do nazismo.[6] Ao explicar o papel de Carpeaux como intermediário intelectual entre Burckhardt e Bosi, vale a pena citar a seguinte passagem de "Jacob Burckhardt e o futuro da inteligência":

"Todo poder é mau." Aqui está o centro da doutrina burckhardtiana, muito impregnada de Schopenhauer e do seu pessimismo anti-histórico, muito impregnada do fatalismo dos estoicos; [...] As obras da civilização necessitam de ordem, é verdade. Mas o estado florescente da arte, sob a ordem dos déspotas, não passa de uma razão atenuante, boa para fazer reaparecer os tempos longínquos, sob a luz de uma falsa transfiguração. "Uma ilusão de óptica nos engana sobre a felicidade em certas épocas, em relação a certos povos. Mas essas épocas eram também, para outros, épocas de destruição e de escravatura; tais épocas são consideradas felizes, porque não se leva em conta, *et pour cause*, a euforia dos vencedores." A felicidade não é senão uma ilusão de óptica dos historiadores.[7]

Para Carpeaux, o grande insight de Burckhardt parece ser que as conquistas da civilização, tornadas possíveis *pelo* poder, são ilusórias e não devem distrair o crítico da necessidade de discernimento moral ou ético, o qual deverá condenar o poder como uma força categoricamente má, a despeito de seu papel como motor do "progresso" histórico. Este, porém, à luz da Segunda Guerra Mundial e do Holocausto, deve ter se afigurado para Carpeaux como um conceito particularmente dúbio. De fato, se contextualizarmos sua apreciação de Burckhardt, notaremos que os horrores das duas guerras mundiais levaram a uma ampla reavaliação para melhor do historiador suíço nos círculos intelectuais alemães, com Friedrich Meinecke e outros o acatando como um profeta pesaroso do totalitarismo do século xx.[8]

Burckhardt elevou o juízo moral denunciatório a uma posição de paridade com as observações que fez sobre o poder como força histórica construtiva e Bosi evidentemente herdou essa postura. Bosi discorre sobre a importância, para o escritor — no caso, o romancista brasileiro Raul Pompeia —, de "descobrir na metaforização do poder uma crítica radical e uma pulsão de revolta que tem ganas de incendiar, pela virulência da palavra, a pólis insofrível".[9] Contudo, o tom geral do argumento do ensaísta brasileiro sobre a relação poder/cultura é nitidamente mais otimista que o de Burckhardt. Em *Dialética da colonização*, descreve a si mesmo como testemunha, por exemplo, de um período de "renascimento latino-americano e afro-antilhano". Burckhardt jamais teria julgado a sua época, o final do século xix, tão favoravelmente.[10]

Seja como for, é o reconhecimento por parte de Burckhardt — e, eu diria, de Bosi — dos aspectos simultânea e, talvez, contraditoriamente morais e históricos do poder, atuando uns sobre os outros de forma dialética, que distingue o compromisso lúcido do historiador suíço de introduzir o juízo ético na observação histórica de um moralismo simplista ou redutor.[11] Friedrich Nietzsche, jovem colega de Burckhardt na Universidade da Basileia, nos esclarece a relação entre essas duas dimensões em uma carta de setembro de 1886 para Burckhardt:

> Não conheço ninguém que compartilhe comigo tantas preocupações intelectuais como você; [...]. As condições misteriosas de qualquer crescimento em cultura, aquela relação extremamente dúbia entre o que é chamado de "aperfeiçoamento" do homem (ou mesmo "humanização") e o engrandecimento do tipo humano e, acima de tudo, a contradição entre todo conceito moral [*Moralbegriff*] e todo conceito científico [*wissenschaftlichen Begriff*] de vida.[12]

Do ponto de vista do artista ou do crítico, o problema diz respeito ao fato de participarmos inevitavelmente das mesmas relações de poder que deveríamos nos sentir compelidos a condenar. Bosi explica: "Se a arte é idealmente livre em relação à ordem social, a pessoa pública e histórica do artista evidentemente não o é, pois vive nela, e dela faz parte. Daí vem o dilaceramento entre a sua atividade criadora e o seu papel na máquina do sistema".[13] Ou valendo-se da intuição de Gramsci: "Cada um de nós forma-se e age no interior de instituições, pois a cultura preexiste e sobrevive à ação do sujeito".[14] Para Burckhardt, a inevitável dívida da articulação cultural com o poder impõe certo ceticismo acerca do valor das supostas realizações de determinado período histórico — embora o historiador suíço explique seu ceticismo aqui com referência específica ao caráter intrinsecamente maligno do poder e ao possível viés da parte do observador, e não por meio dos padrões estruturais mais amplos que Bosi prefere. Este, mais preocupado com os efeitos concretos do poder coercitivo sobre grupos oprimidos do que com seu valor moral essencial, propõe um curso mais radical para o crítico, que ele explica em seu ensaio perspicaz sobre o romance de Pompeia, *O Ateneu* (1888): "Se a lógica do sistema é inapelável, a reação da consciência insubmissa deverá praticar as táticas de uma guerrilha que começa na mente".[15]

A concepção bifurcada (e, devemos admitir, um tanto ambivalente) que Burckhardt tem do poder parece-me uma das características mais fascinantes de sua visão de história.[16] Em suas *Reflexões*, ele esclarece as implicações específicas para a cultura da distinção que faz entre abordagens morais e abordagens históricas do poder. Aqui ele apresenta a cultura (*Kultur*) como um dos "três poderes" cujas contínuas interações — e não algum tipo de *Weltplan* predeterminado — definem o curso da história. Ele explica:

Chamamos de Cultura a soma total de criações espontâneas do espírito que não reivindicam para si uma validez obrigatória universal. Ela age ininterruptamente, como elemento modificador e desagregador, sobre ambos os organismos vitais extáticos [isto é, sobre os outros dois poderes, o Estado e a Igreja] — exceto nos casos em que estes se servem completamente dela e a limitam, utilizando-a meramente para lograr seus próprios objetivos. Excluída esta possibilidade, portanto, ela constitui a crítica de ambos os fatores restantes, o relógio que soa a hora fatídica em que a forma e o conteúdo da Religião e do Estado já não coincidem exatamente.[17]

A cultura, apesar de suas pretensões de remover-se da esfera de ação histórica (lembremos que, para Burckhardt, ela "não reivindica [...] para si uma validez obrigatória universal"), o que pareceria promover sua função crítica, pode facilmente ser submetida ao Estado e à Igreja, que "se servem completamente dela [...] para lograr seus próprios objetivos". Ou seja, a cultura pode ser perenemente cooptada pelas mesmas forças que a criaram. Em outras palavras, a cultura é uma força que simultaneamente produz história e é produzida por ela — e, portanto, está firmemente situada no bojo das estruturas de poder temporal, mesmo que exerça concomitante uma função moralizadora que aspira a removê-la dessa esfera.

Retomando a paráfrase que abriu esta primeira seção, Bosi se refere aqui primeiro à expressão burckhardtiana *o poder é em si maligno*, repetida ao longo de todo o *Fragmentos* do historiador suíço e também no póstumo *Reflexões sobre a história* (1905) como uma espécie de declaração de sua convicção de que o poder (*Macht*) persistirá como "parte da grande economia da história mundial" [*grossen weltgeschichtlichen Dekonomie*] — ou, para empregar a metáfora de Gregório de Matos, a "máquina mercante" do mundo.[18] O corolário da ideia implicitamente anti-iluminista de Burckhardt sobre a inextinguibilidade do mal é a sua opinião de que as aptidões humanas — entre elas, a predileção da humanidade por ações más — permanecem constantes à medida que o tempo histórico avança. De fato, Burckhardt acreditava que o significado de "bem" (que ele entusiasticamente associava com *Kultur*) só é inteligível graças à persistência do mal no mundo como termo de oposição, tornando assim sem sentido e inútil toda e qualquer tentativa humana de livrar o mundo do mal. Ele explica: "O mal, como governante, é de suprema importância; é a única condição do bem altruísta".[19]

Burckhardt vale-se da ideia do caráter necessariamente maligno do poder (ideia que, pelo menos em termos de fraseologia, ele toma de Johann Georg Schlosser [1739-1799]) para condenar — ou, nas palavras de Bosi, "chamar pelo nome vero" — diversas figuras ou mesmo períodos históricos inteiros,[20] embora ele admita em outra ocasião que esse tipo de julgamento histórico é necessariamente influenciado pelos "preconceitos de nosso egoísmo".[21] Por exemplo, Burckhardt refere-se à ideia de um poder necessariamente maligno e ao "privilégio do egoísmo" ou luxúria de poder (*machtgieng*) como seu corolário no âmbito do comportamento individual para explicar as justificativas dadas pelo Estado de Poder (*Machtstaat*) a suas inevitáveis tendências expansionistas.[22] Suas repetidas denúncias contra o militarismo bismarckiano mostram-nos que, para ele, o poder está intimamente ligado ao ego individual e, mais uma vez, é ao mesmo tempo destrutivo (e, portanto, condenável) e construtivo (logo, necessário).

A análise de Bosi, como a de Burckhardt, também é marcada pelo espectro de um expansionismo agressivo, embora em seu caso o réu não seja o Estado militarizado em si e sim o sistema capitalista/imperialista do qual o Estado é apenas uma manifestação, juntamente com a ideologia, que é ao mesmo tempo produto e baluarte do sistema.[23] A despeito de enfatizar os impulsos expansionistas do colonizador como parte de um processo maior (e "processo colonizador" é precisamente o termo que ele emprega) e de sua definição relativamente neutra de poder como uma "formação econômico-social" no primeiro capítulo de *Dialética da colonização*, nota-se nele mais do que alguns traços da mesma denúncia apaixonada e da mesma preocupação moralizante evidentes em Burckhardt — especificamente ao discutir a lascívia pessoal pelo poder.[24] Veja-se, por exemplo, a descrição que faz da colonização ibérica do Novo Mundo, vista como motivada pela cobiça e por um "ímpeto predatório e mercantil" generalizado.[25] Essa descrição encontraria ressonância em Burckhardt, que descreve a colonização espanhola em termos surpreendentemente similares, impelida pela "mera ganância por ouro" e um embate dramático entre *Macht* e *Geld*.[26] Burckhardt explica em outra ocasião que "antes e acima de tudo [...] o que a nação deseja, implícita ou explicitamente, é poder", e opina que, "O poder é por natureza maligno, quem quer que o exerça. Não é algo estável, mas uma concupiscência [*Gier*], e é ipso facto insaciável, portanto, infeliz [*unglücklich*] em si mesmo e condenado a tornar os outros infelizes".[27] Mesmo se aceitarmos a necessidade histórica do poder, tanto para Burckhardt como para Bosi ele mantém seu caráter de "infelicidade" para o indivíduo (quer este o exerça ou a ele esteja submetido), para não falar em toda a sua derradeira dubiedade moral. Resumindo o problema:

> Pelo fato de o bem ter advindo do mal, e a relativa felicidade da desgraça, não podemos de modo algum deduzir que o mal e a desgraça não eram, nos primórdios, o que eram. Todo ato bem-sucedido de violência é mau, e no mínimo um exemplo perigoso. Mas quando esse ato é o fundamento do poder, é seguido por esforços incansáveis dos homens para transformar mero poder [*Macht*] em lei e da ordem. Com vigor saudável [*Kräfte*], eles partem para curar o Estado da violência.[28]

Burckhardt reconhece que, embora em termos éticos o poder deva ser condenado e, não obstante, seus efeitos corruptores sobre o indivíduo (seu parecer soa como uma versão mais radical da famosa máxima de lorde Acton), o exercício do poder é necessário para a construção social e cultural e, por extensão, para a continuidade da história. Isso fica claro em seus comentários sobre a formação do Estado. Conquanto declare categoricamente que "nenhum resultado bom pode justificar um passado maligno" — e, de fato, veja o Estado, de Roma à Alemanha unificada, como inevitavelmente fundado no delito —, ele não obstante avalia que "os homens devem acabar aceitando até os maiores horrores [...]; devem redobrar o vigor saudável [*Kräfte*] que lhes resta e continuar construindo".[29] Isso posto, Burckhardt denuncia como imperdoavelmente egoísta a abordagem instrumental (ou, como ele ironicamente a denomina, "progressista") da história, pela qual o historiador justifica horrores do passado porque criaram as condições que lhe permitiram ver esse passado sob a óptica de um dos "vitoriosos" da história:

> "Este ou aquele corredor tem de ser o mais belo porque conduz aos nossos aposentos." Que frieza e insensibilidade há nessa atitude, a de ignorar os gemidos silenciados de todos os vencidos, que, via de regra, nada mais queriam que *parta tueri* [preservar o que tinha vindo a ser]. *Quanto* deve perecer para que *algo* novo possa surgir![30]

Minha elisão do termo "progresso" ao caracterizar a posição do historiador suíço é deliberada. Ele rejeitou repetidamente a ideia, que estaria infectada por um equivocado otimismo iluminista, e julgava "supremamente ridícula" a noção de que o final do seu século XIX constituía uma "era de progresso moral". Vale lembrar que ele via o potencial moral da humanidade como algo fixo, e relativamente vil.[31]

Aqui a posição de Bosi mais uma vez se coaduna com a de Burckhardt. Ao historicizar a ideia de progresso e propô-la como uma característica do processo colonial, Bosi na verdade questiona seu valor ontológico autônomo: "Se o aumento na circulação de mercadorias se traduz em progresso, não resta dúvida de que a colonização do Novo Mundo atuou como um agente modernizador".[32] E o modo como Bosi vê a formação do Estado (e da colônia) é similarmente marcado por uma violência condenável, mas talvez inexorável: "Contraditória e necessariamente, a expansão moderna do capital comercial, assanhada com a oportunidade de ganhar novos espaços, brutaliza e faz retroceder a formas cruentas o cotidiano vivido pelos dominados".[33] Embora o foco de Burckhardt no *Machtstaat* e sua ubíqua desconfiança de abordagens historiográficas sistemáticas (critica repetidamente Hegel e "a filosofia da história") o impeçam de contextualizar o poder no cerne de uma ampla gama basicamente materialista de forças socioeconômicas, como faz Bosi, ele pelo menos sugere a ideia de sistematicidade histórica em suas referências circunstanciais à "grande economia da história mundial" [*grossen weltgeschichtlichen Oekonomie*] e a um "poder supremo oculto" [*verborgene höchste Kraft*] que faria avançar a história — ainda que o avanço se dê em direção a um futuro indesejável de coerção estatal/comercial cada vez mais eficiente, que Bosi denomina em outro contexto "essa barbárie nova em que se aliaram o poder pelo poder e a técnica mais avançada".[34] Entretanto, significativamente, as forças que Burckhardt vê em equilíbrio instável são *morais*, não *materiais*: "O bem e o mal, e talvez até a ventura [*Glück*] e a desventura [*Unglück*], podem ter sido mantidos em tosco equilíbrio ao longo de todas as épocas e culturas".[35] Ao menos, isso garantiria uma possível continuidade da alta cultura, embora, como seria de esperar, Burckhardt atenue essa avaliação aparentemente reconfortante com repetidas advertências sombrias contra as predações dos políticos oportunistas e das massas culturalmente surdas: "Filistinismo e força sempre existiram lado a lado com a cultura, e nós devemos, portanto, estar sempre em guarda contra ilusões de óptica ao avaliar a grandeza espiritual em seu próprio tempo".[36] Embora os escritos de Bosi — e, em particular, seus escritos sobre o colonialismo — sejam vigorosamente informados por um impulso ao juízo moral, o crítico brasileiro parece conceber a ética de forma bem diferente do que

Burckhardt. Além disso, eu diria que seu modo de ver a cultura como resistência abre amplo espaço para a participação popular no debate sobre poder e cultura. Isso constitui um bem-vindo corretivo para o desabono míope de Burckhardt de todas as formas de expressão cultural exceto as mais elitistas, que ele ainda por cima circunscreve ao centro europeu. Explorarei os pensamentos de Bosi sobre essa questão nos parágrafos seguintes e tentarei também demonstrar como a noção de poder bifurcado, mas fundamentalmente "maligno", adotada por Burckhardt, pode ser vista como uma contribuição produtiva para a obra de Bosi sobre cultura como resistência — noção esta que é inclusive promovida por Bosi.

DE BOSI DE VOLTA A BURCKHARDT

Uma das diferenças mais salientes entre Bosi e Burckhardt diz respeito aos tratamentos divergentes do contexto colonial, das relações colônia/metrópole e da colonização como fenômeno. Este problema, que não é atípico, surge em quase qualquer esforço comparativo de contrapor um paradigma intelectual articulado do ponto de vista da colônia ou ex-colônia, centrado na experiência colonial (neste caso, Bosi), a um desenvolvido na metrópole, que apresenta a experiência europeia e norte-americana como normativa e que basicamente não se preocupa com questões coloniais (aqui, Burckhardt). Bosi eleva a ideia da colônia e suas várias iterações (colonização, colonialismo, pós-colonialismo) para o centro de sua análise do poder, especialmente em *Dialética da colonização* e *Literatura e resistência* (2002), focando inúmeros exemplos literários e históricos luso-brasileiros e apresentando um modelo de desenvolvimento histórico que seria norteado essencialmente pelo imperialismo, do qual o colonialismo constituiria uma manifestação. Ele explica:

> O Imperialismo tem construído uma série de esquemas ideológicos de que as correntes nacionalistas ou cosmopolitas, humanistas ou tecnocráticas, são momentos diversos, mas quase sempre integráveis na lógica do sistema. Nós vivemos essa "lógica" e nos debatemos no meio das propostas que ela faz.[37]

Em contraste com Bosi, que apresenta a colônia como normativa, as referências de Burckhardt ao colonialismo são poucas e uniformemente desdenhosas — o que é curioso, dados seus comentários elegíacos sobre outras vítimas (europeias) de violência histórica. Quando apresenta seu conceito de Estado em *Reflexões*, o historiador limita-se a uma menção mínima a "possessões coloniais e a diferença entre mero domínio comercial e genuíno império colonial".[38] Pouco depois, ele se pergunta

> se a civilização realmente penetra abaixo da superfície da barbárie e o que de bom pode advir para a posteridade de povos conquistadores e bárbaros conquistados, especialmente quando são de raças diferentes, se não seria melhor para eles ceder e sucumbir (como na América) e se o ser humano civilizado pode florescer em qualquer lugar em solo estrangeiro.[39]

Além disso, nos *Fragmentos*, afirma de modo retumbante a centralidade histórica da Europa, como "um lugar onde as formações mais ricas se originam, a morada de todos os contrastes, que se dissolvem numa unidade em que tudo o que é intelectual ganha voz e expressão".[40] Embora ao menos um comentarista (o humanista mexicano Alfonso Reyes) apresente a referência de Burckhardt à importância de "híbridos" históricos como uma tentativa gradual de valorizar a fertilização cruzada racial e civilizacional, tal interpretação parece forçada.[41] Na breve menção ao hibridismo em *Reflexões*, o autor se refere ao intercâmbio intelectual e ao ecletismo, não ao tipo de contato cultural e afetivo que poderia resultar em uma sociedade multirracial do tipo idealizado por vários intelectuais latino-americanos da geração de Reyes (incluindo José Vasconcelos e Gilberto Freyre). E os comentários de Burckhardt em outras obras mostram-no pouco afeito a qualquer sociedade exceto as brancas como o lírio. Se quisermos aplicar de modo produtivo suas ideias instigantes sobre o poder a um contexto colonial que ele ignora por completo, devemos buscar um corretivo fora de seus textos — uma necessidade que ressalta a relevância de Bosi.

Como sugeri anteriormente, Bosi apresenta o colonialismo como parte de um "processo totalizante" que visa resolver as "tensões internas" das civilizações mediante iniciativas de conquista e/ou colonização de terras estrangeiras. Esse chamado "processo civilizatório" impelido pelo colonialismo abrange não só a formação e a consolidação frequentemente violentas de unidades políticas (reinos, impérios etc.) como também o surgimento de sistemas exploradores de produção e distribuição (mercantilismo seguido pelo capitalismo incipiente e tardio), mas, acima de tudo, implica a produção de cultura (tanto a "alta" como a popular, hegemônica, resistente e ambivalente).[42] Nota-se uma tensão em sua análise, que lembra bastante a enfrentada por Burckhardt nas *Reflexões* e nos *Fragmentos*, a saber, como conciliar a discrepância entre o poder visto em termos morais como insuportavelmente coercivo e o poder considerado como produtor de cultura — que tanto para Bosi como para Burckhardt oferece ao menos a possibilidade de incorporar o que poderia ser vagamente identificado como "o bem". No caso de Bosi, os efeitos deletérios do poder tomam uma forma apropriada ao contexto colonial brasileiro e à concepção de história e de produção cultural do autor, fundamentalmente materialista mas muito menos estatista (se comparada com a de Burckhardt, bem entendido). Bosi identifica o lado lúgubre do poder com os horrores da escravidão, com o extermínio de populações indígenas e com os padrões de exploração econômica por elites locais e estrangeiras — em suma, com a gama completa de tensões, crimes e desigualdades resultantes do colonialismo como processo abrangente —, e não com a ameaça específica de expansão militarista pelo *Machtstaat*.[43] Como explica em "Céu, inferno", ensaio eloquente sobre Graciliano Ramos e João Guimarães Rosa:

> Sem dúvida, o capital não tem pátria, e é esta uma das suas vantagens universais que o fazem tão ativo e irradiante. Mas o trabalho que ele explora tem mãe, tem pai, tem mulher e filhos, tem língua e costumes, tem música e religião. Tem uma fisionomia humana que dura enquanto pode. E como pode, já que a sua situação de raiz é sempre a de falta e dependência.[44]

Para o ensaísta brasileiro, a humanidade dos pobres e dos oprimidos manifesta-se, em termos de produção cultural, em uma postura de *resistência* ao poder — conceito que ele desenvolve em profundidade em ensaios como "Poesia-resistência", em *O ser e o tempo da poesia* (1977), e "Literatura e resistência", incluído no volume do mesmo nome. A resistência aparece na obra de Bosi como tema de expressão literária ou cultural e, talvez mais importante, como um processo inerente às formas de cultura popular cotidiana que frequentemente operam, como ele diz, "sob o limiar da escrita".[45] A resistência como prática literária ou artística pode manifestar-se em obras eruditas que (consciente ou inconscientemente) criticam ou se opõem às mesmas condições de poder que permitem sua consagração. Isso resulta em textos que, além de cumprirem a importante função política de articular programas de oposição, beneficiam-se esteticamente das tensões ideológicas internas. Além de enriquecerem o texto, Bosi avalia que "a boa literatura é resistência em vários níveis" e amiúde prefere escritores ideologicamente conflituosos como o padre Antônio Vieira e Euclides da Cunha. Essa tensão assume a forma de uma ambivalência evidente face ao poder, do tipo observado por Burckhardt. Não fosse pela ironia básica de que o poder é necessariamente maligno e necessariamente construtivo, não existiriam condições para serem escritos textos que invectivam contra o mesmo poder que lhes traz à existência.[46]

Fundamentalmente, para Bosi, o que permite que certo texto (ou canção, ou filme ou outra prática cultural) funcione como *resistência* é a preocupação ética de seu autor e/ou interlocutores, que inspira um questionamento da discrepância entre o poder visto em termos morais e em termos histórico-construtivos. O autor mostra-se aqui herdeiro claro da preocupação ética que vemos em Burckhardt e de sua concepção bifurcada de poder. Como avalia em "Literatura e resistência", "a escrita resistente [...] decorre de um *a priori* ético, um sentimento do bem e do mal, uma intuição do verdadeiro e do falso, que já se pôs em tensão com o estilo e a mentalidade dominantes".[47] Bosi esclarece que o impulso para o julgamento ético (que ele parece considerar intuitivo, embora plenamente realizável somente mediante ruptura com a "falsa consciência" e um compromisso subsequente com o engajamento político de oposição) não serve para libertar o romancista (ou historiador ou crítico) do poder como força histórica concreta. Ele nota, tomando por base o exemplo de Gramsci, que "a inteligência, quando não mediada pela *praxis*, deságua no idealismo".[48] De passagem, gostaria de observar que, se é certo que Burckhardt não se dedicou a atividades de oposição com a mesma intensidade dramática que o autor dos *Cadernos do cárcere*, sua visão de si mesmo como um rebelde político e intelectual que rejeitou, insistente e repetidamente, tanto o nacionalismo alemão de estirpe prussiano-militarista como a filosofia idealista e a historiografia triunfalista de Leopold von Ranke que o acompanhavam, aproxima-o sem sombra de dúvida da descrição que Bosi faz do intelectual de oposição, possuidor de um "a priori ético".

Concentrando-se especificamente na narrativa, Bosi explica que

> a resistência é um movimento interno ao foco narrativo, uma luz que ilumina o nó inextricável que ata o sujeito ao seu contexto existencial e histórico. Momento

negativo de um processo dialético no qual o sujeito [...] dá um salto para uma posição de distância e, deste ângulo, se vê a si mesmo e reconhece e põe em crise os laços apertados que *o prendem à teia das instituições*.[49]

Em outras palavras, conquanto o impulso ético que se manifesta no discurso literário rebelde possa confirmar a aspiração do autor de livrar-se das restrições impostas por sua situação contextual (o que lhe permitiria emitir juízos morais a partir de uma posição confortável de exterioridade), tanto ele como a ideia mais ampla de cultura permanecem inevitavelmente aterrados a esse mesmo contexto, que Bosi identifica aqui como uma "teia de instituições". A despeito de toda a insistência de Burckhardt na importância do juízo moral e de suas tentativas de elevar a cultura ao estatuto de um bem transcendente, ele reconhece que o crítico emite juízos por estar sujeito a uma variedade de forças históricas e materiais, e que a cultura, do mesmo modo, está aterrada aos mecanismos do poder temporal — embora reconheça o esforço dela para se desgarrar:

> Nossas reflexões, se bem entendidas, não precisam causar nenhuma violência ao verdadeiro, ao bom, ao belo. O verdadeiro e o bem são de múltiplas maneiras tingidos e condicionados pelo tempo; mesmo a consciência, por exemplo, é condicionada pelo tempo; mas a devoção à verdade e ao bem em suas formas temporais, especialmente quando envolve perigo e autossacrifício, é esplêndida no sentido absoluto.[50]

De fato, em um de seus *Fragmentos*, Burckhardt apresenta os seres humanos como constitutivamente incapazes de resolver a contradição entre o juízo exterior idealizado e sua situação contextual, o que equivale a uma variação do conflito entre poder visto pela óptica moral e em termos históricos concretos: "Nós *deveríamos* viver constantemente na intuição do mundo como um todo. Mas isso exigiria uma inteligência super-humana que estaria além da sucessão temporal e da limitação espacial e, todavia, em constante comunhão contemplativa com ele, e, além disso, em plena solidariedade com ele".[51] Com severidade típica, sustenta que a impossibilidade dessa tarefa não permite que o historiador crítico *ab-rogue* sua responsabilidade de buscar a quadratura do círculo: "Na medida em que está pessoalmente interessado, um historiador pode não ser capaz de separar-se da luta de sua localidade. Como um homem que existe no tempo, ele deve desejar e representar algo definido, mas como historiador ele deve manter uma visão mais altiva".⁵²

Como vimos, Bosi segue um rumo diferente, convocando o indivíduo a reagir a essa contradição não mediante um compromisso autoflagelante com o rigor historiográfico, mas por meio de uma postura corajosa e solidária de resistência às estruturas de poder que, para ele, provocaram a contradição. Para ele, a poesia como a prosa — mas não de maneira idêntica — está imbuída de capacidade para a resistência, e tanto o poeta como o romancista acabam invariavelmente se vendo submetidos a um poder injusto ao qual pode ou aquiescer ou resistir — por exemplo, mediante um esforço lírico de "recuperação do sentido comunitário perdido" ou uma "crítica direta ou velada da desordem estabelecida", como na poesia satírica de Gregório de Matos.⁵³ É nesses termos que lê *Os lusíadas* de Camões em *Dialética da colonização*, não como uma celebração triunfal da glória dos navegadores portugueses, mas como um texto altamente ambivalente que questiona — principalmente no famoso discurso do Velho do Restelo, Canto IV — o valor daquilo que o poeta denunciaria em outra obra como "a caduca e débil glória", particularmente por ser conquistada à custa de tanta desgraça humana.⁵⁴ É notável o contraste entre a interpretação de *Os lusíadas* por Bosi e a oferecida um tanto inesperadamente por Burckhardt (que dedica pouco tempo em suas obras a temas especificamente ibéricos) em um de seus fragmentos históricos. Para o historiador suíço, Camões atua como uma tribuna nacional. Se, para este, "Camões não é um poeta para o mundo civilizado inteiro, como foi Homero", no entanto, o poema épico que escreveu é "uniformemente permeado com a glória de Portugal e com patriotismo".⁵⁵ Burckhardt não chega a identificar a ambivalência que é visível na epopeia de Camões, mas ele reconhece o potencial do poema como símbolo nacional, e vale-se de sua leitura para retomar uma de suas inquietudes recorrentes, de que o "homem instruído" moderno ("*Gebildete*") é incapaz de apreciar a verdadeira cultura. Camões "manifestou o sentimento [da nação] de maneira clara e cabal numa época que ainda tolerava o verdadeiro sentir".⁵⁶

Nas páginas precedentes, apresentei uma análise comparativa entre Alfredo Bosi e Jacob Burckhardt que examina e tem como princípio organizador as repetidas asserções do historiador suíço sobre o caráter intrinsecamente maligno do poder e a concepção bifurcada de poder que disso decorre. Embora Bosi e Burckhardt distem um do outro em termos biográficos e ideológicos, e embora suas reflexões historiográficas e críticas tenham orientações bem diferentes (Bosi no rumo da expressão cultural erudita e popular brasileira, Burckhardt exclusivamente no da alta cultura europeia), tentei mostrar que eles compartilham uma profunda preocupação com a natureza conflituosa do poder e com as implicações consequentes deste para a cultura. Vistos lado a lado, Bosi e Burckhardt oferecem ao crítico contemporâneo um modelo notável e talvez surpreendente para análise cultural, no qual o poder atua sobre a cultura, seus criadores e seus intérpretes de miríades de formas contraditórias, e que disponibiliza tanto um persistente intento ético da parte do escritor-crítico como um vasto potencial para indivíduos de todo o espectro socioeconômico participarem da cultura como *resistência*.

História concisa da literatura brasileira:
Resistência e permanência

Roberto Acízelo de Souza

I.

A *História concisa da literatura brasileira*, originalmente publicada em 1970,[1] alcançou, no ano de 2015, sua 50ª edição. Quarenta e seis anos de carreira, portanto, e a marca prodigiosa de mais de uma edição por ano. Apesar, contudo, de tamanho e incontestável êxito, provavelmente sem par nos meios acadêmicos nacionais, não nos consta que a obra venha sendo objeto de muitos estudos específicos. Que seja de nosso conhecimento suscitou umas poucas resenhas em grandes jornais, em junho de 1971, respectivamente assinadas por Franklin de Oliveira,[2] Wilson Martins[3] e Paulo Rónai.[4]

O primeiro a inscreve nos quadros amplos da história da literatura tomada como disciplina, cujas origens situa no século XVIII, qualificando de "culturalista", com ênfase na "modulação política", sua abordagem do fato literário, ressalvando, porém, que tal opção conceitual não implicaria "relega[r] a segundo plano a especificidade literária" dos seus objetos. Wilson Martins, por sua vez, ainda reconhecendo no autor "fina potencialidade de julgamento", o acusa de ter incorrido em "simplificações ingênuas da crítica ideológica", e considera equivocada sua "perspectiva historiográfica", à medida que seus "julgamentos críticos", baseados em critérios do seu próprio tempo, o teriam impedido de constatar a importância que os escritores estudados tiveram em suas respectivas épocas. Paulo Rónai, por fim, considera "um fato cultural" o lançamento da obra, e afirma tratar-se da primeira "sinopse inteligente de toda a nossa literatura na visão de um único pesquisador, a par dos métodos modernos da teoria e da crítica literárias". E mais não se escreveu a seu respeito, salvo alguma publicação que tenha escapado à nossa atenção.

Julgamos, por conseguinte, justo e pertinente dedicar-lhe um estudo analítico, que procure descrever suas diretrizes gerais e o papel que desempenha no panorama da cultura literária brasileira.

II.

Lembremos, inicialmente, que o autor escreveu o livro quando contava apenas 34 anos, contrariando assim a conhecida convicção de Gustave Lanson, segundo a qual elaborar uma história da literatura (ele se referia à francesa, mas a ideia parece extensível à de qualquer tradição literária nacional) "deveria ser o coroamento e o resultado de uma vida inteira".[5]

Há indícios, contudo, de que ele se preparara com grande antecedência para tão ousado cometimento, interessando-se desde muito cedo por questões da disciplina. Assim, em 1958, escreve, para o periódico *O Imparcial*, resenha intitulada "*A história da literatura brasileira* de Veríssimo";[6] em 1966, publica o volume *O pré-modernismo*,[7] o quinto da coleção intitulada "A literatura brasileira", o qual, aliás, teria depois partes suas incorporadas à *História concisa*; no mesmo ano, assina resenha sobre *Literatura e sociedade*, livro de Antonio Candido, no Suplemento Literário de *O Estado de S. Paulo*;[8] finalmente, em 1967, colabora no *Pequeno dicionário de literatura brasileira*, organizado por José Paulo Paes e Massaud Moisés, com verbetes diversos, sobre *O Ateneu*, *Canaã*, *Os sertões* e o período dito *pré-modernismo*.[9] Além disso, assimilou profundamente as lições hauridas na *História da literatura ocidental* (1959-1966), de Otto Maria Carpeaux, obra que, conforme ele mesmo declara,[10] transformou em seu livro de cabeceira, e cuja visada amplamente internacionalista talvez tenha contribuído para que a *História concisa*,[11] conquanto circunscrita ao espaço das letras nacionais, se tenha esquivado a tentações nacionalistas, tão comuns — senão quase "naturais" — nas suas congêneres.

III.

Passemos agora a considerações centradas na própria obra, começando por assinalar que ela se inscreve numa linhagem dos estudos literários particularmente bem-sucedida no Brasil, por motivos que, aliás, não parece muito simples identificar: a das grandes sínteses historiográficas da produção literária do país. Assim, seus principais antecedentes próximos situam-se na década de 1950 — *Formação da literatura brasileira*, de Antonio Candido (1959); *A literatura no Brasil*, de Afrânio Coutinho e colaboradores (1955-1959); *História da literatura brasileira*, de Antônio Soares Amora (1954) —, ao passo que os mais distantes remontam à primeira metade do século XX e segunda do XIX: *História da literatura brasileira*, de Nélson Werneck Sodré (1930); *Pequena história da literatura brasileira*, de Ronald de Carvalho (1919); *História da literatura brasileira*, de José Veríssimo (1916); *História da literatura brasileira*, de Sílvio Romero (1888); *Curso de literatura portuguesa e brasileira*, de Francisco Sotero dos Reis (1866-1873); *Curso elementar de literatura nacional*, de Joaquim Caetano Fernandes Pinheiro (1862).

Ora, se acrescentarmos à relação dois títulos inaugurais e programáticos dessa linhagem — a antologia *Parnaso brasileiro*, organizada por Januário da Cunha Barbosa (1829-1832), e o ensaio-manifesto "Discurso sobre a história da literatura do Brasil", de Gonçalves de Magalhães (1836) —, percebemos que tais obras de história literária nacional parecem acompanhar os lances mais agudos do processo histórico da sociedade e do Estado brasileiros, de que seriam verdadeiros correlatos, o que explicaria sua recorrência e o relevo de que se revestem entre nós. Assim, seus primeiros projetos se dão nas imediações da independência — Januário da Cunha Barbosa e Gonçalves de Magalhães —, suas realizações iniciais nas décadas de consolidação do império — Fernandes Pinheiro e Sotero dos Reis —, e seu estágio de plena realização na época da proclamação da república (Sílvio Romero); depois, no fim da república velha, passa por um período de relativa renovação (Nélson Werneck Sodré), para enfim experimentar um momento de intensa revitalização nos tempos do nacional-desenvolvimentismo (Soares Amora, Afrânio Coutinho, Antonio Candido).

Se vale o esquema aqui sugerido, a *História concisa da literatura brasileira*, datada de 1970, diferentemente da sintonia por assim dizer positiva das suas antecessoras com momentos da vida nacional caracterizados por esperanças e otimismo, relaciona-se com o seu tempo — a ditadura, os anos de chumbo — como contraste e — para usar um termo caro ao autor — *resistência*.[12] Assim, sem entrar em confronto direto com o autoritarismo então vigente — o que, de resto, seria descabido em trabalho do gênero, de índole especulativa e avesso a intervenções —, de fato se percebe na obra um forte compromisso ético-político, verificável, por exemplo, no recurso frequentíssimo ao conceito de ideologia para as análises de textos e contextos empreendidas, e que em alguns passos aparece à tona do discurso, como no trecho em que, num comentário sobre Drummond, caracteriza-se "a civilização que se forma sob os nossos olhos" como um tempo "fortemente amarrad[o] ao neocapitalismo, à tecnocracia [e] às ditaduras de toda sorte".[13]

IV.

Quanto à estratégia expositiva, a *História concisa*, diferentemente do que é mais comum nos tratados de historiografia literária, não dispõe de uma introdução geral destinada a apresentar sistematicamente seu objeto e a periodização adotada, bem como os fundamentos metodológicos e conceituais com que pretende operar. A exposição, orientada por uma periodização tácita, se inicia, abrupto, por uma primeira parte, intitulada "A condição colonial", a que se seguem partes dedicadas às fases históricas sucessivas da literatura brasileira: "Ecos do barroco", "Arcádia e ilustração", "O romantismo", "O realismo", "O simbolismo", "Pré-modernismo e modernismo" e "Tendências contemporâneas".

Tal arranjo narrativo reflete a índole da história da literatura, disciplina notoriamente avessa à autorreflexão, dado que propensa a conceber-se como uma espécie de representação natural de determinada cultura literária nacional, por isso mesmo dispensada de maiores preocupações com justificativas epistemológicas.

Há, no entanto, momentos esparsos e rarefeitos em que o texto se detém em considerações de ordem teórica. Sobre problemas específicos de história literária, porém, os fragmentos de teorização se reduzem a muito pouco, talvez mesmo aos dois abaixo transcritos:

> [...] a dissociação entre código e tema, fecunda no momento da análise textual, vira método arriscado em historiografia. O seu uso mecânico pode gerar roteiros

mutuamente exclusivos: a história da literatura como sucessão de processos formais; ou a história da literatura como exemplário de tendências não estéticas.[14]

[...] a história literária não se faz, ou não se deve fazer, com arranjos a posteriori.[15]

Em troca, passagens de teorização sobre o objeto — a literatura — apresentam-se menos sumárias e um pouco mais frequentes. Pelo seu teor, contudo, inscrevem-se antes no ambiente conceitual da teoria da literatura do que no da história literária. Afinal — lembremos —, iniciava-se a década de 1970, que seria assinalada, na universidade brasileira, por sensível declínio do prestígio até então absoluto das disciplinas historicistas do campo literário, e pela correlativa ascensão da teoria da literatura, então recém-transformada em matéria de ensino nas faculdades de letras e prestes a atingir entre nós os seus anos de glória.[16] Nesses trechos, manifesta-se plena identificação com o axioma da teoria da literatura — aliás, transposição conceitual do preceito básico das poéticas novecentistas de vanguarda —, segundo o qual a obra de arte literária consistiria essencialmente num artefato verbal, num arranjo de linguagem. Vejam-se as seguintes, como exemplos de tais digressões teóricas:

> O poema é obra *humana*: enquanto *humano*, está sempre em função dialógica, vem de um ser em situação que fala a outros seres em situação, isto é, comunica-se *com* e empenha-se *em* um mundo intersubjetivo pelo menos dual (autor-leitor); enquanto *obra*, é objeto, produto de uma invenção, arranjo de signos intencionais que se constelam em uma estrutura [...].[17]

> [...] o texto [literário] tem um momento formativo no qual o escritor se empenha inteiramente na palavra, no ritmo e nos vários traços da linguagem que, afinal, dão à poesia o caráter de poesia.[18]

Não é difícil perceber a sintonia dessa opção teórica com a chamada *virada linguística* nas humanidades,[19] então representada pela onda metodológica do estruturalismo, a que o autor se refere diversas vezes de passagem, em geral de modo distanciado e até irônico,[20] mas a que não deixa de pagar discreto tributo. Veja-se, a propósito, o parágrafo com que encerra suas observações sobre traduções de poesia. Nele podemos entrever um trânsito de interesse cognitivo: do âmbito nacional em que se move a história literária para o universalismo da teoria da literatura, disciplina então concentrada na investigação das obras literárias tomadas como estruturas de linguagem:

> Representando escolhas díspares, essas versões brasileiras entraram para o tesouro comum da poesia que transcende limites nacionais e ensina o homem a melhor conhecer o mundo e a si mesmo, construindo sobre o que é propriamente humano: a linguagem.[21]

v.

Se, como vimos, no próprio corpo da *História concisa* quase não encontramos subsídios que nos revelem seus fundamentos metodológicos e conceituais, em compensação os achamos amplamente explicitados num depoimento do autor acerca de sua formação intelectual, feito num ciclo de conferências na Academia Brasileira de Letras, no ano de 2005, e que resultou num belo e substancioso ensaio.

No que tange especificamente à obra em análise, o autor começa por caracterizar os dois modelos que encontrou à disposição para concebê-la e elaborá-la: o modelo sociológico, representado por Sílvio Romero, e o histórico-estético, fornecido por José Veríssimo. Em seguida, avalia os resultados a que chegou:

> [...] parece-me que, na elaboração da *História concisa*, consegui respeitar ambas as exigências sem perder a consciência de que eram perspectivas diferentes a ponto de não permitirem um cômodo ecletismo. Em outras palavras: um poema ou um romance podem ser significativos do ponto de vista sociológico ou político, mas essas suas qualidades não os elevam, por si mesmas, ao estatuto de obras de arte. De todo modo, as melhores obras de todas as literaturas valem sempre pelos dois critérios, o representativo e o estético.[22]

"Cômodo ecletismo" concordamos que não há, mas, na verdade, ao manejar em suas análises aqueles fatores dos estudos literários ditos *extrínsecos*, segundo a nomenclatura proposta por René Wellek e Austin Warren que se tornou clássica,[23] o autor, conforme as matrizes tradicionais da história literária, bordeja não só a sociologia, mas também a psicologia. Isso aparece claramente numa observação que faz sobre Machado de Assis, na qual, de resto, não deixa de manifestar sua cautela no uso de referenciais tomados a essas disciplinas, consciente do risco de que, assim, eventualmente poderia distrair-se da dimensão estética, que, segundo o princípio-chave da teoria da literatura antes referido, constitui o fator propriamente intrínseco dos objetos literários:

> [...] veio-lhe [a Machado] do espírito atilado um *não* ao convencional, um *não* que o tempo foi sombreando de reservas, de *mas*, de *talvez*, embora permanecesse até o fim como espinha dorsal de sua relação com a existência. A gênese dessa postura, que vela as negações radicais com a linguagem da ambiguidade, interessa tanto ao sociólogo ao pesquisar os problemas de classe do mulato pobre que venceu a duras penas, como ao psicólogo para quem a gaguez, a epilepsia e a consequente timidez do escritor são fatores que marcaram primeiro o rebelde, depois o funcionário e o acadêmico de notória compostura. Creio que nada se ganha omitindo, por excesso de purismo estético, as forças objetivas que compuseram a *situação* de Machado de Assis: elas valem como pressuposto de toda análise que se venha a realizar do tecido de sua obra.[24]

VI.

Em síntese, diríamos que a *História concisa da literatura brasileira*, justo no momento em que, nos estudos literários, começava a retrair-se o historicismo de domínio nacional,[25] ante a ascensão vertiginosa de uma recém-chegada entre nós — a teoria da literatura, disciplina de orientação universalista e sincrônica —, representou um saudável contraponto à hegemonia que se iniciava, e, como tal, também por esse ângulo, vista de hoje, constituiu-se como resistência. Moderadamente renovadora no cânone que propõe — mantém em geral as hierarquias tradicionais, mas reserva um capítulo aos então recém-redescobertos Sousândrade e Kilkerry, além de incluir escritores até então ausentes das histórias literárias ou nelas mal contemplados, como, entre outros, Hugo de Carvalho Ramos e Manuel de Oliveira Paiva —, soube atualizar e revitalizar a historiografia da literatura brasileira, reciclando o modelo tradicional da disciplina. Assim, parcimoniosa em teorização, privilegia a própria narrativa dos eventos, reconstituindo contextos com subsídios da sociologia e da psicologia, mas, absorvendo da teoria da literatura sua ideia-chave, tudo subordina à concepção de obra literária como artefato verbal de natureza estética.[26] Além disso, adotando andamento mais de ensaio do que de tratado — entre outros expedientes, pela dicção em primeira pessoa —, e aceitando o desafio de acolher autores seus contemporâneos,[27] sabe articular fecundos modelos gerais para análises de conjuntos de textos,[28] assim como domina a ciência de entremear o relato das circunstâncias contextuais com microanálises textuais habilidosas e juízos críticos bem fundamentados.

Não é à toa, por conseguinte, que, nos seus 46 anos de estrada, encontra-se a obra na 50ª edição, vitalidade que, decorrência de seus indiscutíveis méritos, também demonstra que a história da literatura, em tempos tão refratários à sua prática, continua sendo demanda incontornável para a educação literária.

As ideias viajantes

Sergio Paulo Rouanet

Assinado por qualquer outro autor, um livro com o título de *Dialética da colonização* justificaria as expectativas mais pessimistas. Seria, de novo, a condenação do colonialismo cultural, teríamos que ouvir, pela milésima vez, a crítica do caráter mimético da cultura brasileira?

Temor infundado, no caso do autor de *Céu, inferno* e *O ser e o tempo da poesia*. Bosi sabe criar controvérsia mas não aprendeu a inspirar tédio. Em seu último livro, ele trata, sim, do confronto entre ideias importadas e a realidade local, mas de um ângulo decididamente novo.

Em primeiro lugar, a oposição obrigatória entre o estrangeiro e o nacional, entre ideias externas e realidades internas, se complica com a introdução de um registro temporal, que cria novas linhas de partilha. Examinando a rede semântica engendrada pela etimologia da palavra *colonização*: *colo*, presente do indicativo que significa eu cultivo; *cultus*, passado do mesmo verbo, e que em sua forma substantivada significa culto, ligação ritual com os mortos e com a tradição; e *cultura*, derivada do particípio futuro daquele verbo, que significa aquilo que se vai cultivar, Bosi decifra no processo de colonização a presença de três articulações indissociáveis, uma presente e material, ligada ao mundo do trabalho — *colo* — e duas simbólicas, uma remetendo ao passado e outra ao futuro.

Em segundo lugar, Bosi usa um método muito mais refinado para captar a intersecção entre ideias exógenas e fatores endógenos. Esse método inclui duas estratégias. Na primeira, ele examina textos e autores individuais, e na segunda, estuda a recepção social, coletiva, das ideias estrangeiras, mostrando como elas funcionam no novo contexto.

Na primeira estratégia, Bosi é magistral. Ele procura na imanência de uma obra as ambiguidades de uma consciência. Descobre, nos textos, uma contradição de fundo, representada pelo conflito entre as exigências materiais do presente e motivos ideológicos que vão numa direção oposta, e que servindo de contraponto a esse presente mobilizam temas da tradição ou voltam-se para um futuro utópico.

Bosi convoca como testemunhas dessa clivagem, entre outros, Camões, Anchieta, Gregório de Matos, Vieira, Alencar, Castro Alves, Lima Barreto e Cruz e Souza.

A cisão se inicia com Camões. Numa análise deslumbrante, Bosi indica o descompasso entre o tom triunfalista da epopeia, voltada para a celebração do expansionismo colonial português, e a nota de protesto e indignação contra o projeto colonial introduzida pelas mulheres, que lamentam o destino dos maridos, e pelo Velho do Restelo, que profetiza para o reino os piores desastres. Coexistem assim uma ideologia contemporânea e uma contraideologia, desentranhada do passado popular lusitano.

Em Anchieta, a dualidade é representada pela diferença entre os autos escritos em tupi para a catequese dos selvagens, didáticos e autoritários, num estilo alegórico que estigmatiza como diabólica a totalidade da cultura indígena, e os poemas sacros em português ou espanhol, instaurando com Deus uma relação dialógica, efusiva, não autoritária. Em resposta às exigências da situação colonial, essa relação "moderna" com o divino regride a formas primitivas de religiosidade, baseadas na coação sobre os corpos e as almas.

A dualidade aparece em Gregório de Matos sob a forma da tensão entre um Gregório chulo, contemporâneo de uma Bahia degradada pela mercantilização das relações sociais, e um Gregório que se vê como aristocrata, nostálgico de uma ordem dominada ainda por valores estamentais. O primeiro é o Gregório da sátira, que zomba do mercador judeu e agride as mulheres negras com que satisfaz seu erotismo; o segundo é o Gregório que celebra a mulher europeia, numa idealização muito barroca, e que se dedica à poesia sacra. Mesmo nesta ressurge a cisão: em alguns dos seus poemas religiosos, Gregório de Matos cultiva uma religião baseada exclusivamente no medo do inferno, enquanto em outros existe um cristianismo depurado, universalista, voltado para a igualdade de todos os homens. É esse cristianismo que acaba sucumbindo ao cotidiano da colônia, feito de senhores, escravos e mercadores.

A mesma tensão entre o discurso universalista do cristianismo e os interesses particulares dos colonos reponta em Vieira. Por um lado, ele demonstra que na ótica do direito natural e aos olhos de Deus não há diferenças entre os homens, qualquer que seja a cor de sua pele, e que nesse sentido a escravidão é sempre ilícita; mas por outro lado, sob a pressão dos interesses coloniais, Vieira acaba admitindo que em certos casos a servidão dos índios pode ser tolerada. Quanto aos negros, Vieira condena com indignação os sofrimentos que lhes são impostos pelos senhores de engenho, e equipara os tormentos dos escravos à paixão de Cristo; mas em vez de advogar sua alforria, diz que todas essas torturas serão compensadas no reino dos céus. De novo, o discurso emancipatório do cristianismo é neutralizado pela condição colonial.

Antonil é o intelectual orgânico da colônia, no sentido de Gramsci, rente ao modo de produção, exclusivamente preocupado com a valorização das riquezas do Brasil, sempre atento a questões práticas, como a forma correta de moer cana e administrar uma propriedade. No entanto mesmo nesse jesuíta totalmente desprovido de zelo missionário existe a remissão a outro universo de valores: para caracterizar a economia colonial, ele se sente na obrigação de usar as metáforas do Calvário, descrevendo o nascimento, a morte e o sacrifício da cana, arrancada da terra, moída, e ressurreta sob a forma do açúcar. A mesma figura da Paixão, que Vieira aplicava ao negro, Antonil adotava para a cana. Enquanto Vieira se preocupava com os sofrimentos do negro, Antonil se comovia com as lágrimas da mercadoria. Nosso primeiro economista timbrava em ilustrar, antes de Marx, o conceito de fetichismo — atribuir a coisas os atributos de seres humanos —, mas nas condições da dualidade colonial, a inversão fetichista tinha que buscar seus tropos num mundo cristão profundamente alheio às práticas da economia local.

Para o período posterior à Independência, Bosi continua fiel a essa estratégia, como na esplêndida exegese de *Guarani* e *Vozes d'África*. Mas agora predomina a segunda estratégia, que vai buscar na sociedade e não, micrologicamente, no texto o conflito entre ideias estrangeiras e práticas e instituições locais. Foi nessa ótica que Bosi estudou o funcionamento no Brasil do liberalismo e do positivismo.

Em ambos, toma partido contra os que proclamam o caráter puramente ornamental das ideias importadas. Isto significa, naturalmente, uma total ruptura com o chauvinismo epistemológico que tem afligido ciclicamente a inteligência brasileira, desde os românticos até Silvio Romero, desde os manifestos modernistas de 1924 e 1928 até o Iseb e a Escola Superior de Guerra. Mas significa, também, uma polêmica implícita contra a versão mais brilhante dessa tese, a teoria de Roberto Schwarz das "ideias fora do lugar". Para essa teoria, as ideias europeias baseadas no liberalismo e no igualitarismo ficavam necessariamente deslocadas quando transpostas para relações sociais dominadas pelo escravismo. Mas de outro ângulo essas ideias deslocadas eram funcionais, porque eram necessárias para a legitimação de uma classe que se via e queria ser vista como moderna.

Ora, para Bosi a funcionalidade do liberalismo brasileiro não se esgotou no papel de dar à nossa classe dominante a ilusão de ser moderna. E isso porque o liberalismo que funcionou entre nós não foi o europeu, e sim um liberal-escravismo que longe de estar fora de lugar se ajustava como uma luva às características do nosso modo de produção. Para esse liberalismo, a tese da liberdade de comércio era usada para defender o tráfico negreiro e a doutrina do *laissez faire* servia de escudo contra medidas governamentais contrárias aos interesses dos escravocratas. Menos irrelevante ainda foi o novo liberalismo, que surgiu por volta de 1868, e se distinguia em tudo do antigo liberalismo de oligarcas, porque queria democratizar o regime eleitoral e abolir a escravidão: impossível considerar esse liberalismo uma simples cópia de modelos europeus, pois produziu no Brasil inequívocos efeitos históricos.

Outro exemplo: o positivismo. Ele não se limitou a influenciar os militares que proclamaram a República. Foi uma força ativa no Rio Grande do Sul durante as primeiras décadas do século, e formou toda uma geração de políticos como Júlio de Castilhos, Borges de Medeiros, Getúlio Vargas e Lindolfo Collor. É toda uma mentalidade positivista que sobe ao poder em 1930 com os tenentes e com Getúlio Vargas, é positivista o programa, que se implantou com a Revolução, de industrialização sob a tutela do Estado e de arbitragem governamental nos conflitos trabalhistas.

Em suma, para Bosi as ideias não são simplesmente importadas, mas filtradas de acordo com as necessidades de grupos locais, seja numa perspectiva conservadora, como fizeram os liberal-escravistas de 1830, seja numa perspectiva transformadora, como fizeram os liberais abolicionistas de 1868. Nesse sentido, as ideias europeias, quando não são simples modismos, nada têm de abstratas, e quando se transformam em forças históricas estão sempre em seu lugar, qualquer que seja sua procedência geográfica.

Tanto em sua filologia como em sua sociologia, tanto na exegese de textos como na interpretação de fatos históricos, Alfredo Bosi chega ao mesmo resultado: no movimento que vai de sua origem ao país colonizado, as ideias se amalgamam com outras ideias, reagrupam-se em novos contextos. Elas viajam. Agem historicamente no novo habitat. Mas modificam-se, seja quando são inibidas por impulsos contrários que vêm da realidade, como ocorreu com as resistências opostas ao universalismo cristão de Anchieta, Gregório de Matos e Vieira, o que se traduz em contínuas formações de compromisso; seja quando é a realidade, representada, por classes e frações de classe, que vai à procura da ideologia, escolhendo nela materiais congruentes com sua visada política, como se deu no Brasil com os dois liberalismos e com o positivismo.

Podemos lamentar em Alfredo Bosi o uso um tanto indeterminado que ele faz da palavra *colonização*, aplicada ora como subordinação de um país a outro, ora como escravização de um grupo étnico por outro, ora como hegemonia da cultura erudita ou da cultura de massas sobre a cultura popular.

Podemos também deplorar que ele tenha considerado apenas na ótica da "dialética da colonização" certos fenômenos que têm um alcance muito mais geral.

Penso, por exemplo, na bela construção articulada em torno das três instâncias — *colo*, *cultus* e *cultura*. Etimologia à parte, são elas, realmente, exclusivas do processo de colonização, ou fazem parte de *qualquer* formação social, podendo a esse título integrar-se num modelo descritivo de caráter temporal, que complementaria o modelo espacial desenvolvido por Marx: infraestrutura e superestrutura?

Penso também na tese de que as ideologias importadas são objeto de um processo de seleção e filtragem, de acordo com interesses e valores locais. É mesmo necessário restringir esse fenômeno às ideias importadas, ou estamos diante de um fato mais genérico, o da apropriação histórica de *quaisquer* ideias, como aconteceu com a assimilação altamente seletiva da filosofia da Ilustração, que nada tinha de importada, pelos protagonistas da Revolução Francesa?

Sim, é possível formular todas essas dúvidas. O que não é possível é negar que com este livro Alfredo Bosi lança um dos ensaios mais fecundos e estimulantes sobre a cultura brasileira, comparável às grandes interpretações de Sérgio Buarque, Caio Prado e Gilberto Freyre.

Notas sobre Alfredo Bosi e a psicanálise

Yudith Rosenbaum

> *Na invenção do texto enfrentam-se pulsões vitais profundas (que nomeamos com os termos aproximativos de desejo e medo, princípio de prazer e princípio de morte) e correntes culturais não menos ativas que orientam os valores ideológicos, os padrões de gosto e os modelos de desempenho formal.*
>
> Alfredo Bosi, *Céu, inferno*

Há dez anos, por ocasião da homenagem aos setenta anos de Alfredo Bosi, em agosto de 2006, tive a oportunidade de apresentar, em mesa com colegas da área de literatura brasileira, um pequeno esboço do que desenvolvo aqui. Na verdade, tanto na época como agora, percebo que se trata muito mais de um depoimento afetivo do que uma apreciação intelectual do ensaio que me coube então comentar, "Céu, inferno", do livro homônimo. Isso porque a face sensível e generosa do homenageado, humanista na sua fonte primeira e marca do leitor crítico, eu tive o privilégio de conhecer de perto quando entrei em 2004 no grupo de estudos orientado pelo professor Bosi.

Fruto desse tempo de aprendizado e da leitura dos textos de sua autoria ao longo de mais de trinta anos, foram surgindo para mim algumas afinidades entre a visão de sujeito que emergia dos seus ensaios com os estudos psicanalíticos;

estes sempre me interessaram durante minha graduação em Psicologia e muito mais agora que pesquiso a interface entre a crítica literária e a psicanálise.

Não resisto à tentação de fazer aqui uma pequena amostra dessa convergência de preocupações. Meu intento, ainda que repleto de lacunas, será desentranhar, latente ao texto manifesto, uma concepção de homem, se não freudiana — pois não se trata de defini-lo dessa maneira e, de fato, o autor não trabalha explicitamente com essas referências —, ao menos simpática a alguns de seus pressupostos. Entre eles, as contradições entre as pulsões e as demandas da realidade como núcleo conflitivo e constitutivo da subjetividade.[1]

Atravessar "Céu, inferno" na busca de algumas pistas dispersas a respeito do olhar freudiano em Alfredo Bosi significa apenas identificar, na viva rede de pensamento do crítico, uma sensibilidade a mais. Bastaria o que a epígrafe acima parece anunciar, mas é possível ir mais longe.

Para propor essas ressonâncias, apresento inicialmente a ideia que orienta o ensaio "Céu, inferno", a meu ver, uma valiosa chave interpretativa para dois dos maiores escritores brasileiros, Graciliano Ramos e Guimarães Rosa. Ali condensam-se linhas de força presentes em vários outros textos de Alfredo Bosi. Entremos no ensaio com uma rápida síntese da abordagem comparativista que o sustenta: se a marca do realismo crítico de Graciliano Ramos em *Vidas secas* encontra-se no distanciamento ou mesmo na ruptura entre o discurso do narrador e as "ilusórias consolações" do vaqueiro Fabiano, a perspectiva de Guimarães Rosa é bem outra. Em vez de cisão, intervém um fator de aproximação, de mediação: é a religiosidade popular, tão presente na cultura rústica brasileira. Evitando a perspectiva clássica, que vê do centro e do alto as determinações centrais da matéria narrada, Rosa "teria preferido pôr-se à escuta das vozes singulares que saem da boca dos viventes sertanejos, tomando-as por inspiradas, belas e verdadeiras em si mesmas".[2] Daí teríamos uma linguagem como "jorro imediato do Inconsciente", para usar expressão do próprio Bosi em outra de suas análises sobre Rosa.[3]

Se o autor Graciliano, através de sua voz narrativa, duvida, desconfia e critica, o narrador de Rosa adere, empatiza e acredita. A palavra central aí é a *identificação* entre escritor e criaturas, cingidos pelo mesmo fio, compartilhando "um modo de ver os homens e o destino". Cito agora um trecho do ensaio, que focaliza o livro *Primeiras estórias*:

Muitas personagens das *Primeiras estórias* acham-se privadas de saúde, de recursos materiais, de posição social e até mesmo de pleno uso da razão. Pelos esquemas de uma lógica social moderna, estritamente capitalista, só lhes resta esperar a miséria, a abjeção, o abandono, a morte. O narrador, cujo olho perspicaz nada perde, não poupa detalhes sobre o seu estado de carência extrema. Apesar disso, os contos não correm sobre os trilhos de uma história de necessidades, mas relatam como, através de processos de suplência afetiva e simbólica, essas mesmas criaturas conhecerão a passagem para o reino da liberdade.[4]

E mais adiante:

E tudo quanto aparece como ilusão, luz imaginária, sonho insubsistente ou intervalo fugaz da fantasia na vida sem futuro de Fabiano e dos seus, é tomado como télos realizável entre os seres mais despossuídos dessas *Primeiras estórias*, desde que se ponham em ação as potências indestrutíveis do desejo.[5]

A visada libertadora em Rosa se origina, segundo Bosi, no interior do pensamento arcaico-popular, que é estudado na dupla vertente de seus ditos sapienciais — a prudencial, enraizada nos limites do cotidiano e que conta com o trabalho, dispensando a sorte (exemplo do texto: "Ajuda-te que Deus te ajudará") e, do outro lado, a providencial, que invoca os desígnios da divindade, cobrindo a outra metade da vida: "Mais vale quem Deus ajuda do que quem cedo madruga". No seio desse imaginário, nasceriam os atalhos do povo, como se lê no trecho seguinte:

Em todas as situações, e sobretudo nas mais espinhosas, haveria sempre uma ponte de trânsito livre, algum momento, desejado e indeterminado, em que sobrevém a mudança. No cinzento, o evento. A epifania. No contexto de uma cultura fechada, onde o pobre já conhece de antemão o pouco que lhe é dado obter com o próprio esforço, e o muito que vem das forças naturais e do arbítrio dos poderosos, fica sempre a possibilidade de sonhar com um tempo de libertação, que, se Deus quiser, um dia chegará. O que Guimarães Rosa faz é tornar mais aguda a inteligência e mais vivo o desejo dessa reversão, de tal modo que a mudança radical, quando acontece, se deva não tanto a um misterioso favor do acaso quanto à vontade profunda, gestada no coração das criaturas que esperam.[6]

Comparando os dois autores, o crítico afirma que

> [os] retirantes de vida seca também sonham, mas Graciliano não se permite sonhar com eles, pois só a vigília tem foro na História. Nas histórias de Rosa os viventes sonham, e o narrador segue-os de perto e de dentro, confiante em que um dia desejo e ventura poderão dar-se as mãos, pois afinal Deus tarda, mas não falha.[7]

Para Rosa, lido por Alfredo Bosi, o reino das necessidades não é definitivo nem imutável e do mais profundo desamparo é possível nascer a voz que o redime.

Essa leitura, tanto da desconfiança cética de Graciliano quanto da veia esperançosa de Rosa, utiliza, ao que me parece, um vocabulário bastante sugestivo de certas aproximações com a psicanálise, às quais eu aludi no início. Bastaria uma rápida passagem pela camada semântica do ensaio para mostrar isso. Na primeira parte, deparamo-nos com os seguintes termos: esfera do imaginário, retalhos de sonhos, desejos, fantasias, angústias do sujeito, devaneios, voz da inconsciência, identificação, carências e faltas transmutadas em realizações compensatórias, frustrações infantis e a belíssima expressão "trançado de sonho, desejo e realidade". Todas essas são palavras literais do ensaio aqui comentado.

Quando Bosi se debruça sobre o capítulo "O menino mais velho", de *Vidas secas*, assim se refere à desventura da criança que quer imitar o pai na montaria e acaba arremessada ao chão ao tentar saltar no lombo de um bode: "Mas o seu consolo era imaginar o futuro como satisfação dos desejos do presente".[8] Freud não o diria com maior pertinência. Talvez acrescentasse que a miragem do futuro toma como modelo experiências vividas ou idealizadas do passado.

É verdade que nem sempre os termos aqui pinçados do vocabulário de Bosi neste ensaio específico condizem, em sua base conceitual, com os termos equivalentes na psicanálise. Seria preciso investigar um a um os sentidos que o autor atribui a cada um deles para melhor modularmos a questão. A tarefa excederia o objetivo do momento. Porém, chamo atenção para uma espécie de confluência entre um campo de sentidos abraçados pela psicanálise e o olhar do crítico que apreende o jogo sem fim do desejo, sempre esquivo, e seu objeto faltante. Não vamos supor, obviamente, sobreposições simplistas — mera coincidência de nomenclatura —, mas a inclinação do crítico para as tensões entre mundo pulsional e as limitações e/ou possibilidades da cultura se mostra inequívoca. O que persigo nesse comentário, rastreando o ensaio em foco, é uma concepção complexa de sujeito que, como diz o próprio autor, desde os anos 1970, "pagava tributo às leituras psicanalíticas do texto poético".[9] Com a prosa de ficção não parece ser diferente.

Aqui vale uma breve contextualização. A formação teórica do professor Bosi, como ele mesmo atestou em seus depoimentos, bebeu na filosofia historicista de Vico e no idealismo hegeliano de Benedetto Croce, entre outras vertentes, como o marxismo de Gramsci e a estilística spitzeriana (devedora, por sua vez, de Schleiermacher e Dilthey). De todo modo, o alicerce de fundo tem, em sua base constitutiva, a "imaginação produtiva entendida como atividade espontânea do espírito capaz de tornar presente — no tempo e no espaço — o que está ausente".[10] Freud chamaria de "fantasia" a esse movimento que busca recuperar o perdido e de "vicissitudes" os caminhos que se abrem (ou se fecham) às pulsões inibidas em suas expressões livres. Ainda assim, para Freud e, mutatis mutandis, para Alfredo Bosi, a imaginação/fantasia, atributo diferencial do homem, produz formações simbólicas que pedem a interpretação do analista e a abordagem hermenêutica do crítico. Nessa via, ambos se encontrariam à procura de significações em aberto, garimpando as imagens e suas associações para surpreender sentidos nem sempre evidentes. A respeito dessa opacidade do signo, retomo o sugestivo parágrafo que abre o ensaio "A interpretação da obra literária":[11]

> Se os sinais gráficos que desenham a superfície do texto literário fossem transparentes, se o olho que neles batesse visse de chofre o sentido ali presente, então não haveria forma simbólica, nem se faria necessário esse trabalho tenaz que se chama *interpretação*.[12]

Sobre o processo analítico, tanto o crítico quanto o psicanalista percorrem redes associativas de significantes em sua escuta/leitura atenta ao que se revela destoante, imprevisto ou recorrente. Atitude que não difere, em essência, da atenção flutuante exigida do analista. E nessa atenção ao detalhe e aos disfarces da linguagem (sintomáticos, diria Freud; procedimentos discursivos e poéticos, diria o crítico literário), os mecanismos oníricos esmiuçados por Freud na obra de 1900, *A interpretação dos sonhos*, continuam a guiar várias análises de textos literários. Nas palavras de Bosi, "E como ignorar a pertinência dos conceitos de 'condensação' e 'deslocamento', formulados ao longo da análise da 'elaboração onírica', para qualificar as figuras que a retórica sempre chamou de metáfora e metonímia?".[13]

Antes de prosseguirmos a novos ângulos da presente leitura, proponho um cotejo simples entre um trecho em que Bosi se refere à *Infância* e *Vidas secas* e um parágrafo de *O mal-estar na cultura*, de Freud, escrito em 1930:

> O cotidiano deve conformar-se com as leis da gravidade, leis de determinação natural e social que cortam as asas à fantasia e constrangem a mente a preparar-se para sofrer o ciclo imperioso da escassez.[14]

> [...] é impossível desprezar o ponto até o qual a civilização é construída sobre uma renúncia ao instinto, o quanto ela pressupõe exatamente a não satisfação (pela opressão, repressão, ou algum outro meio?) de instintos poderosos. Essa "frustração cultural" domina o grande campo dos relacionamentos sociais entre os seres humanos.[15]

O imperativo sócio-econômico-cultural que "constrange a mente" está suposto em ambos os pensadores como o corpo de leis, valores e restrições que constroem a gramática do desejo. Ainda que com outros nomes ("leis da gravidade", no caso aqui), os processos de castração, que em Freud são os difíceis desfiladeiros pelos quais o sujeito é submetido à cultura, não são estranhos aos operadores de leitura crítica de Bosi.

Voltemos a atenção a outras expressões e palavras do ensaio "Céu, inferno": a já mencionada "escuta de vozes singulares" (e aqui o paralelo com uma análise, tal como preconizou Freud, se impõe de imediato, pois a sessão é exatamente o espaço dessa escuta singular), identificação, devir da fantasia, inconsciente, passagem do estado de falta à completude, o acaso, o imprevisto, o de repente... E eu completaria essa sequência com termos que poderiam também surgir na escrita de Alfredo Bosi, sem conflito com suas categorias críticas, tão afinados que estão ao seu tom e perspectiva. Refiro-me a nominações muito caras à psicanálise, como por exemplo: ato falho, lapso, lembranças encobridoras, esquecimento, todos esses modos de expressar o tal Outro do discurso, sendo formas de resistir ao que se impõe como hegemônico.

Interessante notar — e coloco apenas como sugestão inicial — que no próprio vocabulário descrito acima encontramos uma curiosa diferença entre campos semânticos: na primeira parte do ensaio, que se refere a Graciliano Ramos, o que ressalta aos olhos do leitor é um corpo de palavras voltado ao mundo do trabalho, da necessidade imperiosa, com seus retalhos e trançados; no segundo, que focaliza Guimarães Rosa, é o terreno do milagre que ganha espaço sígnico: crença, cultura popular, destino, sorte, azar, ordem do transcendente, devir da fantasia, acaso, epifania etc. Princípio da realidade, de um lado; dominância do princípio do prazer, do outro.

No caso de Graciliano, para captar em profundidade sua visão de mundo, Bosi se serve de termos da mesma esfera empática do escritor, tais como consciência narradora, pensamento desencantado, cotidiano do pobre, depressão, angústia, dúvida... Estamos na acidez do princípio de realidade; afinal, trata-se do realismo crítico de Graciliano. A ideia de que, em *Vidas secas*, o ciclo se perfaz do céu sonhado pelas personagens — como preenchimento fantasioso do espaço vicário de uma vida precária — para o inferno de uma realidade incontornável, não deve nada aos mecanismos do recalque, do delírio e do devaneio, tão presentes nos estudos freudianos.

Vejamos nesta sequência o pêndulo percebido pelo crítico entre suplência e carência em *Vidas secas*, quando analisa de perto o sonho do menino mais velho com "a serra que se confunde com o céu estrelado" e o da cachorra Baleia com "um osso grande cheio de tutano": "No âmago da condição humilhada e ofendida, os que a partilham transmutam em fantasia compensadora as carências do cotidiano".[16] E no parágrafo seguinte: "Entretanto, logo se esvai esse efeito quase-onírico de sentido: a fantasia padece um duro confronto com a cara irredutível do real".[17]

Já no mundo de Rosa, como se viu, "'do oco sem beiras' é que irrompe a voz que irá suprir o vazio dos seres", afirma Bosi.[18] O sagrado ronda os acontecimentos e a linguagem do crítico se esmera em trazer à tona a esfera arcaico-popular rosiana: desrazão, sabedoria dos loucos, força inexplicável, arquétipo, portador da salvação, canto, *poiesis*, entre outros exemplos. Ao contrário da passagem do sonho ao real, que Alfredo Bosi traçou em Graciliano, vê-se em Rosa a travessia do inferno ao céu. E para acompanhar os dois movimentos, penso que a visada interpretativa enfatiza, em Graciliano, o que a psicanálise chamaria de "processo secundário" (ou seja, as mediações psíquicas que adiam o prazer e promovem a vigilância da consciência), enquanto em Rosa seria o equivalente ao "processo primário" (responsável pela imediatez da expressão desejante), tão visível nos "rompidos" abruptos das *Primeiras estórias*.

Para consolidar essas aproximações, que, repito, são sempre de ordem analógica e oblíqua, nunca coincidindo entre si, remeto o leitor à fala de abertura de

Alfredo Bosi no III Colóquio de Crítica Literária e Psicanálise, ocorrido em 2012 na Faculdade de Letras da USP. A síntese não poderia ser mais reveladora da sua receptividade em relação às contribuições da psicanálise:

> Quem lida com poesia e com ficção, lida com uma variadíssima gama de fenômenos comuns à Psicanálise e à interpretação de textos: lida com o desejo, os sentimentos todos, todas as paixões, o imaginário, o sonho em suas múltiplas formas: ostensivas, mascaradas, reprimidas, transfiguradas, sublimadas: lida, em suma, com a intérmina fenomenologia do inconsciente e da memória, sem descartar as suas intersecções com a autoconsciência, à qual se confia a missão difícil de conservar-se lúcida e inteira em face das sombras móveis do Id ou sob as pressões terríveis do Superego.[19]

Há, no entanto, mudanças ou ressignificações que o crítico assume ao utilizar vocabulário afim à psicanálise (mas que também não é invenção dela, embora tenha se firmado nos relatos clínicos e metapsicológicos de Freud). Dois exemplos do ensaio "Céu, inferno" podem mostrar algumas apropriações com sentidos diversos do que encontramos no discurso freudiano: "sonhos, decifrado como ilusão",[20] quando em Freud, os sonhos são a via régia do inconsciente, não restritos à ilusão, que seria mais afeita ao campo do imaginário; "voz da inconsciência",[21] entendida no contexto como ausência de razão, sendo que a psicanálise utilizaria a palavra "inconsciente" para referir-se a um campo psíquico fundado pelo recalque e passível de ser representado, ainda que parcialmente, na consciência.

Uma última observação, que se pode aferir pela seleção feita aqui, concerne ao fato de apenas ter sido convocada a linhagem *freudiana* deste suposto encontro entre o saber psicanalítico e o trabalho do crítico. A vertente lacaniana, à primeira vista, não se mostra tão presente, embora seja possível pinçar expressões próximas como "estrutura de significantes",[22] mas o paralelo seria antes com o estruturalismo de Saussure e não com o lacanismo. Esse me parece não participar de modo efetivo do horizonte analítico de Alfredo Bosi.

Enfim, esse breve levantamento não pretende desvendar nenhuma filiação oculta ou sugerir fontes implícitas. As raízes que sustentam as análises são outras e os fundamentos caminham por diferentes rotas. Os apontamentos servem apenas para justificar, de minha parte, uma cumplicidade, talvez por veredas distintas, desses dois olhares, de Bosi e da psicanálise, voltados para a variedade dos conflitos humanos, seus deslocamentos, subterfúgios e outras formas inusitadas de resistir, como for possível, aos imperativos de um real adverso. Cabe lembrar que o saber psicanalítico se somou ao "zeitgeist" que atravessou as ciências humanas e as artes ao longo do século XX. Mesmo os pensadores que a ele se opuseram sentiram sua força operativa. O que dirão, então, os que, como Alfredo Bosi, tomaram com seriedade essa forma de conceber o processo de subjetivação humana.

O leitor deve notar, ainda, que não percorri uma das obras que pareceria mais sugestiva dessa aproximação de que me ocupo aqui: *O enigma do olhar*, uma leitura notável de Machado de Assis.[23] Como diz o autor, em comentário sobre o conto "O espelho", nele "se leva ao extremo o poder de pressão do Outro, cujo olhar não só oprime o sujeito, mas o constitui e o molda para todo sempre".[24] Certamente, é possível reconhecer os fios que atam essa visada a certas proposições psicanalíticas. Mas, ao trabalhar as questões da persona e da máscara social, tanto em Machado como em Pirandello (outro dos autores privilegiados pelo crítico), Bosi considera que seu foco na questão da identidade aponta para referenciais mais próximos da psicologia social, da antropologia (Kardiner e o conceito de "personalidade básica"), de Adorno (sobretudo seu "The Authoritarian Personality") e de outros autores próximos à escola de Frankfurt, como Erich Fromm e Marcuse.[25] Sem dúvida, o campo de preocupações continua sendo afim à psicanálise, mas os textos de base para as leituras mencionadas não são, propriamente, da obra de Freud.

Feito esse percurso, que apontou algumas correspondências entre o ensaio "Céu, inferno" e a psicanálise, caberia também lembrar outros textos não abarcados aqui, como a análise de *Infância*, de Graciliano Ramos.[26] Mas a tarefa de fato complementar seria pensar a contrapelo e indicar os modos de afastamento do crítico em relação à mesma psicanálise. E são muitos os distanciamentos. Mas isso deixo ao encargo dos que transitam melhor nas demais abordagens.

DEPOIMENTOS

Primeiras luzes de um aprendiz

Fernando Paixão

Era uma vez um jovem estudante de Comunicação da Universidade de São Paulo (USP) que, desde o primeiro ano da faculdade, em meados da década de 1970, se sentia atraído pelas descobertas literárias — em especial, da poesia. Pretendia formar-se em jornalismo, por razões práticas, e não foram poucas as manhãs em que atravessou o campus da universidade para trocar de ares e assistir a uma ou outra aula de Letras nas chamadas "colmeias". A partir daí, o gosto se tornou necessidade — algo que ele não sabia entender, filho de imigrantes portugueses.

Depois de passar as manhãs na faculdade, seguia de ônibus para o trabalho numa editora sediada perto da praça da Sé; ocupava-se de serviços gerais e tinha a sorte de estar num ambiente profissional e dinâmico, o que reforçou seu vínculo com os livros e despertou a ousadia de rabiscar os primeiros versos. Sem ter consciência do fato, vivia seus anos de formação atraído pela leitura de Carlos Drummond de Andrade, Manuel Bandeira, Arthur Rimbaud, Fernando Pessoa, Mário de Sá-Carneiro e tantos outros autores que confirmavam ser possível habitar o mundo das palavras.

O rapaz começava também a perceber que a poesia brasileira passava por um momento de intensa renovação. Já falecidos os poetas pioneiros ligados ao modernismo literário — com exceção de Drummond —, diferentes correntes poéticas coexistiam nessa década, marcada pelo autoritarismo dos militares que haviam assaltado o poder político. Naquele momento havia uma ampla diversidade cultural, com a proeminência dos poetas concretos ao mesmo tempo que era lançado *Poema sujo* (1976), de Ferreira Gullar.[1] Ganhava força também a chamada poesia marginal, empenhada em retomar a linguagem oral, direta e satírica.

E na esfera da crítica? Grosso modo, persistia o combate entre o pensamento marxista, expandido para diferentes disciplinas e usos, e os ventos estruturalistas que se tornaram o *dernier cri* dos estudos acadêmicos. Muitos de seus adeptos entendiam-se capazes de capturar as estruturas de linguagem que ficavam ocultas sob outros prismas; munidos de astúcia racional e dedutiva, intentavam dissecar os textos ao modo de um objeto embalsamado. Mas a vaga internacional do estruturalismo mal chegou a fazer ventania nos corredores e salas de aulas do Departamento de Letras da USP. No máximo, produziu uma leve brisa.

Foi então que caiu nas mãos daquele jovem um livro poderoso e original: *O ser e o tempo da poesia* (1977), de Alfredo Bosi.[2] Marcado pelo forte tom vermelho dominando a capa, em desenho de Lila Figueiredo, reunia um conjunto de seis ensaios, como que em forma de um hexágono em torno às questões essenciais do discurso poético.[3] Aparecia em boa hora e estava destinado a ficar na estante em companhia de outras obras apreciadas, como *A arte da poesia* (1976), de Ezra Pound, *A essência da poesia* (1972), de T.S. Eliot, e *El arco y la lira* (1972), de Octavio Paz,[4] obra de 1956, cuja edição em espanhol circulava muito por aqui.

O impacto da leitura foi imediato, pois o autor de *História concisa da literatura brasileira* (1970)[5] engendrara nesse trabalho uma visão holística da poesia, envolvendo intrincadamente os aspectos formais, temáticos e históricos. E com uma qualidade adicional: o estilo poético com que tratava do assunto. O jovem leitor ficou impressionado com a ousadia daqueles textos decididamente abstratos, densos e inspirados. Não era propriamente um livro sobre a poesia entendida apenas como linguagem, e sim um entendimento global e orgânico do ato poético, envolvendo a matéria — em sentido amplo — e a ação criadora.

Ao se abrir a página inicial, as primeiras frases logo prenunciam o estilo direto e com predomínio de frases curtas, traço que vai se manter ao longo de todos os ensaios:

> A experiência da imagem, anterior à da palavra, vem enraizar-se no corpo. A imagem é afim à sensação visual. O ser vivo tem, a partir do olho, as formas do sol, do

mar, do céu. O perfil, a dimensão, a cor. A imagem é um modo da presença que tende a suprir o contato direto e a manter, juntas, a realidade do objeto em si e a sua existência em nós. O ato de ver apanha não só a aparência da coisa, mas alguma relação entre nós e essa aparência: primeiro e fatal intervalo.[6]

Nota-se rápido o recorte filosófico que permeia a argumentação geral, interessada em formular uma visão acurada e dialetizada sobre as principais forças que atuam na expressão poética. No entanto, Bosi não assume essa tarefa de maneira neutra ou estritamente acadêmica; pelo contrário, revela-se defensor de um pensamento posicionado e adepto de certos valores estéticos e sociais. Até se pode dizer que ele assume uma subjetividade atuante e crítica nesses textos.[7] E não é outra a razão de o ensaio mais longo do conjunto ser justamente dedicado à ideia de *poesia resistência*, noção que se tornou central e foi desdobrada em escritos posteriores.

Evidencia-se ainda a larga erudição do autor, mobilizando tópicos e fontes diversas, sem perder o fio central do argumento; em vez de se fechar em conceitos fixos e operacionais, oferece uma amplitude de horizonte que nos leva a entender o que de mais importante atua no jogo da poesia. Diz ele que "a fantasia e o devaneio são a imaginação movida pelos afetos", mas o mesmo se poderia dizer de seu modo de raciocinar, tão atento às minúcias de um conceito ou aos detalhes de um verso. O que importa é a integralidade do efeito poético — espécie de devaneio da linguagem —, e não apenas a soma dos "signos" que o compõem, como defendia a óptica estruturalista.

Depois de uma primeira leitura dos ensaios, o aspirante a versejador ficou entusiasmado com o livro; leu-o novamente, sublinhou trechos, anotou comentários e procurou conhecer algumas das referências citadas. Logo foi alçado a um dos textos teóricos preferidos no que se refere à arte poética. Para além disso, outras descobertas recaíam sobre Jean-Paul Sartre, Albert Camus, Roland Barthes e toda uma série de autores — franceses principalmente — protagonistas daquele período.

E como a juventude costuma ser uma época de sentimentos intensos e absolutos, não era diferente com aquele jovem. Leitor ávido, curioso e em busca de um caminho pessoal, sentia-se emocionado quando lia um parágrafo como este, que ficou sublinhado nas páginas de Bosi:

A poesia resiste à falsa ordem, que é, a rigor, barbárie e caos, "esta coleção de objetos de não amor" (Drummond). Resiste ao contínuo "harmonioso" pelo descontínuo gritante; resiste ao descontínuo gritante pelo contínuo harmonioso. Resiste aferrando-se à memória viva do passado; e resiste imaginando uma nova ordem que se recorta no horizonte da utopia.[8]

Frases assim caíam como uma luva para fomentar a indignação de quem estava descobrindo o jogo de falsidades que move o engenho social. E apontavam a poesia como possível janela de liberdade, seja no plano da sensibilidade pessoal, seja no âmbito comunitário. Para chegar a ela, contudo, fazia-se necessário atravessar (e dissipar) toda uma névoa de ideologia incrustada nas coisas, nas pessoas e nos relacionamentos.

Não bastava a vontade de se banhar em poesia; antes, era necessário conquistá-la para depois perceber o mecanismo de suas artes e manhas. O jovem já começara a entender que o universo poético nos leva a conviver com um "talento doloroso e obscuro", conforme leria mais tarde num verso do poeta português Herberto Helder. Descendente de família humilde e conservadora, ele vivia anos de intensas descobertas emocionais e intelectuais.

A tal ponto foi seu envolvimento com uma pequena bibliografia pessoal sobre poesia que tomou o gosto da imitação. Começou por anotar os diversos pensamentos, ideias ou reflexões que lhe ocorriam e manteve esse hábito por alguns anos; diversos cadernos pretos e pequenos foram preenchidos com a letra irregular.

Numa das páginas pode-se encontrar, por exemplo, o fragmento seguinte:

Parágrafo ao vento: A imaginação literária surge por vezes de uma acomodação de experiências anteriores (sua nitidez raro se completa) que ganham expressão e relevo com o urdimento da situação presente, concentrada. Não há possível detetive para deslindar a trama, pois a simultânea presença de sua teia acelera o que o escritor imagina. Daí que esse momento seja um torvelinho indecifrável, fora da linearidade do tempo e das idades, como um bafejar do vento que nos vem bater à cara e vai embora sem qualquer aviso.

Passados quase quarenta anos da publicação de *O ser e o tempo na poesia*, a completar em 2017, aquele jovem amadureceu e continua a trilhar seu caminho.

Tornou-se editor na empresa em que trabalhava, dedicou-se ao mestrado e doutorado na universidade e publicou alguns livros de poemas. Quanto às convicções gerais, muitas delas tiveram de passar à prova do tempo, da realidade e se adaptar a uma complexidade maior do que a suposta; no campo da poesia, no entanto, seu interesse multiplicou-se por inúmeros escritores e obras, sem perder ligação com as afinidades primeiras.

Lidos e considerados aos olhos de hoje, aquelas anotações juvenis testemunham a temperatura de um período de inquietação e procura: força pura da juventude. Revelam também um impressionismo esforçado, abstrato e com notório acento elevado e idealista que enfraquece boa parte dos fragmentos. Por força da influência — angustiada, claro — da apaixonada leitura dos autores preferidos, seu estilo beira a imitação dos modelos e incorre em exageros e impulsos duvidosos de absoluto. A rigor, não resistiram à ferrugem dos anos e os defeitos se tornaram evidentes.

Ainda assim, em algumas passagens melhores é possível perceber a ascendência do pensamento de Bosi e afins; algo como um aprendiz que repete a lição dos mestres com as próprias palavras. Para além disso, ia formando uma consciência maior sobre o ofício dos versos.

De um conjunto intitulado "Poesia no espelho", podemos resgatar o seguinte texto:

> Poesia estende-se na página como paisagem. Solar, às vezes; outras, crepuscular. Pode apresentar cores, volumes ou contornos; predomina, porém, o movimento, desentranhando-se do lance de hieróglifos que é. Paisagem urdida de linguagem, bordagem do alfabeto: jardim. Tal como a floresta, em variadas dimensões registra o desabrochar e o emurchecer de matéria orgânica. A poesia abre-se paisagem de múltiplos interiores. Vigília, auréola rara. Quando a boca do tempo morde o próprio rabo.

O fragmento desenha um raciocínio genérico e onírico. Algo próximo da escrita surrealista, ao desdobrar uma cadeia livre e associativa de conceitos e imagens; mas recai no excesso de abstração e ausência fina de imagem forte e central. Defeito que aparece também em outros trechos.

No mesmo caderno, algumas páginas adiante encontra-se uma anotação sobre o mistério da poesia:

Algumas vezes acontece de os poemas e as frases detonadoras de algum poema serem capturadas dentro de uma vigília insone e tenebrosa. Não raio fulminante, a revelação abrupta e luminosa, mas, sim, a decantação das imagens apegadas ao espírito (embaralhadas, sem sintaxe) até revelar-se o flagrante ósseo de algum verso. Espera, esperança angustiosa.

Mas o melhor de tudo talvez esteja resumido numa frase rabiscada isoladamente e sublinhada:

Todo verdadeiro poema vem do escuro.

Quando publicou *O ser e o tempo na poesia*, Bosi contava com 41 anos de idade, dezoito dos quais já dedicados ao magistério na USP, inicialmente voltado para a literatura italiana e depois à brasileira. Acumulara durante esses anos uma impressionante bagagem de leitura, estendida a diferentes áreas e autores. E aquele trabalho representava um evidente esforço de esclarecer o campo de ideias e princípios que interessavam ao crítico.

Ao recordar o período que antecedeu a publicação do livro, em entrevista de 1998, ele comenta a inquietação intelectual vivida na década de 1970:

> Era um combate interior, pois toda a minha história pessoal me fazia resgatar instâncias idealistas (Croce, Spitzer, os estilistas espanhóis), intuicionistas ou existencialistas, herdeiras as duas últimas de um olhar subjetivista e, quase sempre, religioso, da condição humana: Kierkegaard, Bergson, Scheler, Marcel, Lavelle, Pareyson... Esse combate, que não renego (pois às vezes se reacende), só conhece apaziguamento na leitura de Hegel.[9]

Para além da extensa lista de pensadores e correntes, acrescente-se ainda o interesse pela teoria política e a incorporação ao seu ideário do pensamento marxista-cristão, identificado sobretudo nos escritos de Antonio Gramsci. Inspirado no conceito de "intelectual orgânico", criado pelo escritor e ativista italiano, Bosi também se envolveu com movimentos sociais ligados à Igreja católica e colaborou com grupos operários de Osasco.

No que se refere à arte, porém, a perspectiva de Benedetto Croce representava uma diretriz norteadora para compreender as contradições da experiência estética. Ao recordar as aulas de um saudoso professor da universidade, ele dimensiona a importância do autor italiano em sua formação:

> [Italo Betarello] nos fazia ler os textos de Croce, começando por *Aesthetica in nuce*. Era um choque hegeliano inesperado para um aluno do primeiro ano de Letras. Mas fundamental. Para mim, um presente. Passados mais de trinta anos, nada o substitui no atual currículo.[10]

Afirmação que confirma a assimilação por parte do crítico brasileiro de alguns conceitos caros ao filósofo italiano. Talvez não seja exagero dizer que o pensamento estético crociano representa uma espécie de eixo, coluna central em torno à qual ramificam outros de autores influentes sobre o crítico brasileiro.

Para ter uma noção da confluência de ideários entre eles, basta ler o prefácio que antecede a publicação em português da obra italiana. Ao apresentar o *Breviário de estética* (1997) —[11] título adaptado para a edição brasileira —, Bosi detém-se nos aspectos centrais que balizam a reflexão do filósofo, a saber: a intuição como fator decisivo para a produção de imagens pelo artista; a relativização dos gêneros como critério na avaliação e composição das obras; a valorização da individualidade do artista e de suas "formas peculiares" para expressar os valores coletivos, e não o inverso. Tópicos que certamente dialogam com certas afirmações de *O ser e o tempo da poesia*.

Outras marcas crocianas — com ressonâncias de fundo idealista — podem ser encontradas em *Reflexões sobre a arte* (1985),[12] texto breve e denso, em que Bosi incursiona na teoria da expressão artística. Nas páginas finais, conclui que a arte mobiliza simultaneamente as qualidades de "construir-conhecer-exprimir", tríade que lembra a síntese proposta na ideia de "intuição lírica" concebida pelo autor italiano.

Outro filósofo a ser lembrado como essencial ao modo bosiano de pensar a poesia é Gaston Bachelard. O autor francês certamente influencia o livro de 1977, embora seja nele citado apenas duas vezes, mas vai ocupar lugar de destaque no ensaio "Sobre alguns modos de ler poesia: memórias e reflexões", que apresenta *Leitura de poesia* (1996). Essa obra, aliás, foi concebida pelo estudioso brasileiro justamente para servir de exemplo quanto à pluralidade de olhares possíveis diante do objeto poético.[13]

O texto introdutório tece um depoimento em torno às grandes correntes críticas que marcaram o século xx, delineando seus atributos e fragilidades. E a síntese apresenta-se assim:

> No interior desse campo de polaridades expande-se uma crítica literária meio acadêmica, meio jornalística, estimulada pelo mercado cultural em crescimento. A abordagem do texto poético oscila entre um enfoque biográfico, às vezes brutalmente projetivo, e uma leitura erudita saturada de remissões e mediações de todo tipo.[14]

Triste conclusão para fechar um século tão ousado na experimentação das artes.

No entanto, o ensaio conclui com a figura de Bachelard, colocado estrategicamente depois do impasse constatado nas teses que se sucederam ao longo do século xx. Bosi resgata do autor de *A psicanálise do fogo*[15] um conceito que considera fundamental na arte: "a fantasia artística é imaginação formal combinada com imaginação material".[16] Foge-se aqui à sedutora hipótese de valorizar um aspecto em detrimento do outro.

O que se persegue, portanto, é a captura de um sentido de totalidade presente na expressão dos artistas singulares. Desse modo, será possível observar as marcas do tempo que permanecem nos registros poéticos. Para cumprir a tarefa, o crítico brasileiro nutre-se obviamente de uma plêiade de autores e de referências, mas submetidos sempre ao filtro de sua observação arguta.

E ainda que suas raízes intelectuais remontem a diversas linhagens, predomina por sobre todas essas influências o apego à leitura atenta dos materiais, na busca por compreender os detalhes expressivos deste ou daquele poema. Afinal, é no mundo sutil das palavras que sucedem as ocorrências simbólicas da poesia e, por isso mesmo, deve-se primeiro estar atento à imanência do texto.

Por fim, cumpre lembrar que o livro aqui comentado teve ainda o mérito de lançar as bases de um pensamento que prosperou e assumiu novos desafios. Constituiu um passo decisivo para revelar aquele que se tornaria um dos intelectuais mais respeitados do país, além de ter se mantido como fonte essencial sobre o tema. Trajetória que contrasta com muitas das referências estruturalistas e marxistas dos anos de 1970, tão cultuadas em certos círculos acadêmicos, e que ficaram na margem da História.

Saudade do Cinema Paradiso

Ivan Vilela

Eu poderia falar do Alfredo de diversas maneiras. Ora, um homem como Alfredo Bosi abriu tantas frentes de trabalho e caminhos em sua vida que poderíamos falar dele sob diversos pontos de vista.

Escolhi falar não propriamente sobre o Alfredo intelectual, mas sobre o Alfredo do povo, homem que ama a cultura popular que o cerca e age em conformidade com ela. Digo em conformidade com ela porque reparamos na cultura popular uma prática dadivosa no que toca a espalhar o conhecimento. Tudo o que é aprendido é imediatamente levado a um repositório de saberes de livre acesso a todos; ou seja, não existe, em hipótese alguma, a retenção do conhecimento. Assim é também Alfredo Bosi.

Se olharmos de uma outra maneira, também o cristianismo professado por Alfredo é este da gênese da cultura popular: o da divisão, o da partilha. Aliás, desde que o conheci percebi que era, na prática, comunista; comunista pela seara do cristianismo.

É esta característica de Alfredo — a generosidade — que o aproxima da cultura popular, na qual reina a partilha; e que raramente se encontra em homens de conhecimento ou na academia, em que frequentemente vemos o conhecimento sendo usado como instrumento de poder e para o bem próprio.

Soma-se a isso um sábio e agudo modo de olhar para essa cultura do povo, promovendo algo raro e pouco presente que é trazer o saber popular para o templo do saber erudito e dar relevância a isso.

Como poucos intelectuais de sua envergadura, vê o quão imprescindível é o entendimento da cultura popular como um elemento substancial para nos entendermos como brasileiros. Em entrevista a Günter Lorenz, Guimarães Rosa falava sobre a brasilidade como um sentir-pensar. Seria também por isso o interesse tão intenso deste em conhecer e incorporar em sua literatura a cultura de seu povo?

Os escritos de Alfredo, presentes como capítulos em diversos livros autorais ou por ele organizados, apontam para uma literatura que poderíamos chamar de engajada, mas não engajada politicamente, e sim ideologicamente com algo que se aproxima da valorização do humano sobre o material.

Seu olhar para a cultura popular e para a história nos traz luzes importantes, como perceber os meandros sutis da catequese de Anchieta, chamar a cultura popular de singular e plural, mas não caótica, destrinchar o conceito de cultura dentro da nossa sociedade, tão multicultural.

Tudo isso com um sentido que a tudo fundamenta: o do amor ao simples, ao próximo.

Não podemos esquecer que as primeiras universidades da América Espanhola datam de 1551, no Peru e no México, e 1613 na Argentina. No Brasil, a primeira universidade data de 1934. Assim visto, como não relevarmos em nosso escopo de conhecimento o saber da oralidade?

Alfredo, como poucos, aponta para esse caminho.

Saudade do Cinema Paradiso

Para Alfredo Bosi

Ivan Vilela
Ed.: Zé Guerreiro

Viola Brasileira - Afinação Cebolão

◨ = somente a corda aguda

V = somente a corda grave

fluente e com rubatos

dim. *a tempo* *símile*

J.A.R.G.

Saudade do Cinema Paradiso

Ivan Vilela

Saudade do Cinema Paradiso

Ivan Vilela

O protagonismo de Alfredo Bosi na USP

Jacques Marcovitch

Por maiores que venham a ser os meus aplausos a Alfredo Bosi na passagem dos seus 80 anos, o depoimento que começo a redigir ficará certamente aquém do respeito devido a este querido companheiro de lutas em prol da Universidade a que ambos pertencemos. Ainda bem que estou juntando meu testemunho aos de outros colegas e talvez a homenagem, sendo coletiva, faça completa justiça a tantos e tão consideráveis merecimentos.

Centrarei grande parte deste relato nas ações acadêmicas do homenageado entre 1997 e 2001, quando cumpri o mandato de reitor da USP. Naquele período, tendo Bosi como colaborador próximo, pude percebê-lo como um verdadeiro mestre do diálogo. E aqui me refiro ao diálogo na acepção de Norberto Bobbio,[1] ou seja, a interlocução que ultrapassa o mero exercício da conversa: muitas vezes opiniões verbalizadas entre duas pessoas não significam o que aparentam, pois uma delas pode estar falando para si mesma, ou cortejando eventual plateia. Dois monólogos, ensinava o mestre de Turim, não fazem o verdadeiro diálogo. Este exige, principalmente, especial atenção às palavras que contradizem os nossos argumentos.

O professor Bosi distinguiu-se na lida com as divergências no ambiente plural da academia, onde circulam as tendências mais conflitantes. Outra faceta requerida no cotidiano universitário, igualmente visível em seu perfil, era o tom de moderação com que sustentava seus pontos de vista. Nele, o comedimento, que jamais excluiu a firmeza, sempre foi uma linha costurando ideias ao redor de si, produzindo consensos e fixando o que Montesquieu chamou de pedra angular da estabilidade. Nunca é demais lembrar a metáfora das orquestras em comparação às universidades. Nas orquestras, a diversidade entre os sons de trompas, violinos e tubas, por exemplo, não impede que esses instrumentos se harmonizem perfeitamente quando regidos por bons maestros. Nas universidades, os maestros também geram convergências. E, na USP, Alfredo Bosi é um *conduttore* no mais elevado sentido desta palavra.

O meu convívio com ele, que já era de proximidade, estreitou-se ainda mais a partir do seu trabalho como diretor do Instituto de Estudos Avançados, onde ocupou (e ainda ocupa) a função de editor-chefe da prestigiada revista daquela unidade. Recordo-me da saudação que lhe fiz na cerimônia de sua posse no IEA. Mencionei, para destacar sua condição de humanista, o seu artigo "O ponto cego do ensino público", publicado em jornal de grande circulação.[2]

Naquele texto emergia, em traços nítidos, toda a sua ética de educador. Bosi apontava a deficiência nuclear do ensino de primeiro grau, a vergonhosa remuneração do mestre-escola. Resumia os dados de uma pesquisa por ele desenvolvida que era "uma luz no labirinto do fracasso escolar brasileiro". Com indicadores impactantes, ele provava que o professor primário era remunerado no Brasil como se fosse um operário não qualificado. A análise chamou-me a atenção não apenas pelo rigor metodológico, dramaticidade dos números e escrita impecável do autor. Fiquei a refletir principalmente sobre este fato extraordinariamente singular: um crítico literário, dos maiores do país, cuja paixão pelo imaginário era tão presente em toda sua brilhante trajetória, deixava de lado os livros de ficção — paixão da vida inteira — para debruçar-se generosamente, por longo tempo, sobre a dura realidade destes heróis obscuros da escola primária brasileira.

A solidariedade aos obscuros e excluídos é a atitude recorrente na biografia de Alfredo. Ouso intuir que nenhuma doutrina orienta esse alinhamento. O que o inspira não parece ser o ódio a supostos culpados pela exclusão, e sim um forte laço moral com o próximo em estado de necessidade. Noutras palavras, o Amor Mundi (Amor ao Mundo), referido pelos filósofos, talvez o sentimento que mais engrandece a condição humana.

Ao sair daquela cerimônia no IEA, o reitor atravessou a Praça do Relógio e chegou ao conjunto das "colmeias". Ali viu, na parede externa de um dos favos, esta frase rabiscada com letras vermelhas: "Professor Alfredo Bosi, muito obrigado pela aula!". Era de um estudante anônimo da USP, talvez morador do CRUSP e certamente aluno da área de Letras. O entusiasmo pela aprendizagem atenuava o erro do pichamento. Aquele agradecimento público, embora transgressivo em sua forma de expressão, também documentava o papel de liderança de Bosi. Lá estava, em resumo bruto, a missão de todo bom professor: formar discípulos e motivá-los na busca de um projeto de vida.

Quase vinte anos depois de ler a frase na parede, me pergunto onde estaria hoje quem a escreveu. Uma ilação é que tenha seguido a trilha do seu mestre. Não queira esse ex-aluno desconhecido uma hipótese mais auspiciosa. A USP, como todas as suas congêneres no mundo, precisa formar continuamente novos talentos à imagem e semelhança dos seus melhores quadros docentes. Há vários meios de manter a excelência, mas nenhum deles exclui a criteriosa reposição dos grandes professores que se aposentam.

Que aula foi essa, dentre as muitas que se acumularam na longa e exitosa carreira do professor? Teria ele passado naquele canto da Cidade Universitária e lido a mensagem que eu li por acaso? A resposta cabe ao aniversariante, a quem digo, no transcurso dos seus 80 anos, que também eu lhe devo agradecimentos pelas muitas lições de amizade e companheirismo dele recebidas.

A gratidão pública daquele jovem ecoa opiniões sobre Alfredo Bosi que venho recolhendo entre os seus colegas docentes na área de ciências humanas. Dizem-me que a sua atuação em salas de aula também segue processo dialógico, envolvendo, como queria Howard Ozmon,[3] a inteligência que ensina e a inteligência que aprende. Isso não diminui o papel formador do mestre, que repousa em pilares como a erudição, a ética, o saber específico em sua disciplina e o saber geral. São qualidades de Bosi amplamente reconhecidas e garantidoras de seu merecido protagonismo na Universidade de São Paulo.

Lembro-me vivamente do brilho com que o nosso homenageado se houve na preparação do dossiê "Presença da universidade pública". Foi o seu coordenador à frente de outros notáveis que soube reunir. As páginas daquele documento, ainda hoje atuais, mostram informações e relatos sobre o papel da instituição no progresso da ciência e da excelência acadêmica em todos os níveis. A publicação viabilizou-se com doações captadas pela Fusp — Fundação de Apoio à Universidade de São Paulo. Serviu como instrumento de legítima defesa numa fase em que retumbavam as mais ruidosas objeções ao modelo público de ensino e pesquisa. Todos os sofismas correntes foram objeto, naquela obra, de respostas pontuais e esclarecedoras.

Outro grande momento foi a elaboração do Código de Ética da Universidade de São Paulo.[4] Trata-se de um conteúdo que fala por si mesmo. A sua equipe de elaboração, liderada por Alfredo Bosi, incluía os professores Alberto Carvalho da Silva, Pascoal Senise, Fábio Goffi, William Saad Hossne e Dalmo Dallari.

O Conselho Universitário, em decorrência da redação deste documento, institucionalizou a Comissão de Ética, hoje integrante da administração central da universidade. Optou-se acertadamente, no texto do Código, por uma linha inspirada no ambiente em que suas disposições passavam a ser observadas. Deixando de lado um raivoso elenco de proibições e medidas penais, o documento adotou a mesma regra de valores que se encontra na Declaração dos Direitos do Homem — e não pode haver mais dignificante paradigma.

Esse Código é ferramenta essencial de governança, pois compõe um perfil moral do funcionário, aluno ou docente da Universidade. Reúne, por igual, os predicados de candidatos a cargos eletivos nas unidades, departamentos, comissões, núcleos, museus, congregações e órgãos centrais. Foi redigido sem casuísmos ou artifícios para condenar inocentes ou acobertar culpados. Alfredo Bosi, em texto que escreveu logo após a sua promulgação, lembrou duas sábias palavras para definir suas premissas inspiradoras: "dever ser". Não poderia ter sido mais exato e mais significativo.

No Código de Ética da USP, os títulos, artigos incisos e parágrafos conjugam-se para demonstrar uma necessária complementaridade entre o saber e o dever. Em conjunto, seguem a mesma prescrição de Blaise Pascal: "trabalhar para o bem pensar". A este conceito pascaliano agreguemos uma reflexão de Edgar Morin, para quem o bem pensar significa o abandono da equivocada noção dos saberes separados.

É preciso, aconselha Morin, "enxergar as partes no todo e o todo nas partes" —[5] o que também pode ser boa definição de universidade, o lugar onde circulam, ou deveriam circular, em sintonia, valores, competências e pensamentos. Vejo na figura de Alfredo Bosi um ativista desta solidariedade entre os elementos do todo acadêmico. As páginas da revista que ele dirige aí estão a confirmar, em cada edição, esta honrosa militância.

Quando levei ao Conselho Universitário a oferta de doação da Biblioteca

Brasiliana Mindlin, que me fora comunicada por José e Guita, o professor Bosi deu-me apoio decisivo para que obtivéssemos aprovação unânime no colegiado. Com o seu poder de persuasão, conseguiu a proeza de garantir os votos favoráveis da representação sindical, notoriamente rebelde às proposições da Reitoria.

Em outra ocasião, durante uma greve radicalizada, como integrante de uma Comissão mediadora, indicado pela Adusp, ele teve a coragem moral de insurgir-se contra falsidade veiculada pelo boletim da entidade. Transcrevo a íntegra da carta que ele enviou aos diretores da Associação:

"Na qualidade de membro da Comissão Mediadora formada pela Adusp e acolhida pela Reitoria da Universidade de São Paulo, venho à presença de V. Sa. para manifestar minha estranheza pelo modo com que, no Boletim acima mencionado, são atribuídas a mim opiniões e expressões rigorosamente opostas ao espírito do relato que fiz perante a assembleia da Adusp de 12 de junho p.p.

"Em nenhum momento de minha exposição fiz qualquer 'crítica à forma como o processo foi conduzido pelo Magnífico Reitor'. Ao contrário do que está escrito no Boletim, jamais se disse ou se insinuou que o sr. Reitor 'descredenciou o Conselho Universitário', expressão totalmente inverídica.

"Como diretor do IEA, cumpre-me testemunhar a transparência com que o Prof. Jacques Marcovitch expôs, reiteradas vezes, aos Senhores Diretores, a situação financeira da USP, sempre apoiado em dados e cálculos de natureza técnica fornecidos pela digna Comissão de Orçamento e Patrimônio.

"Ademais, é de estrita justiça atestar que o sr. Reitor esteve, em todas as reuniões, aberto às sugestões dos diretores, que foram por ele solicitados a manifestar-se livre e democraticamente sobre os assuntos em pauta. Particularmente quanto à exigência de suspensão dos piquetes de coação, os diretores sempre estiveram solidários com as declarações do sr. Reitor.

"Peço encarecidamente, em nome do inalienável direito de ver respeitada a verdade, que V. Sa. retifique em documento público as expressões que não correspondem ao teor de minha intervenção.

"Aproveito o ensejo para reafirmar minha filiação à Adusp e para externar meu respeito pela pessoa do Prof. Jacques Marcovitch, recomendando a leitura da obra *A presença da universidade pública*,[6] que tive a honra de coordenar a pedido do sr. Reitor.

"Por fim, lembro a V. Sa. que a única manifestação formal da Comissão Mediadora está expressa no documento 'Comunicado da Comissão Mediadora aos docentes da USP', entregue à Adusp aos 14 de junho, com pedido urgente de ampla divulgação. "

A gratidão é parte nobre da memória afetiva. Tenho muitos outros motivos para estimar Alfredo Bosi, mas creio que os poucos traços aqui apresentados podem ajudar a compor o perfil deste homem digno que chega aos 80 anos com o respeito geral dos seus contemporâneos.

Os fatos desta breve narrativa demonstram o quanto seu personagem central cultivou princípios indeclináveis da vida acadêmica. Estão presentes, em todos os episódios aqui relatados, o respeito pelo outro, a devoção ao ensino público, o culto da ética e da verdade.

Associo-me, portanto, às justas reverências a este intelectual completo e cidadão de elevados predicados. Em tempos de tanta desarmonia e fragmentação é bom ver brasileiros de tendências e opiniões distintas unirem-se em torno do compatriota que faz aniversário recolhendo, merecidamente, os frutos de vocação agregadora exercida ao longo de uma vida exemplar.

Tempos árduos, intérprete luminoso

Marco Lucchesi

Alfredo Bosi é um dos intérpretes mais refinados e eruditos da cena brasileira contemporânea. Devemos-lhe páginas admiráveis sobre as formas prismáticas da cultura brasileira. Inscritas no conjunto de uma obra densa e interligada, *prima facies* literária, aquelas páginas se nutrem e configuram a partir de um forte sentido epistêmico, avançando por múltiplas camadas de saber, de que resulta um diálogo inarredável com a história, como o demonstrou no livro *Entre a literatura e a história*.

E não só. O espírito leonardiano de Bosi, para além da sociologia e da psicanálise, leva-o aos mais diversos campos de leitura, dentre os quais o debate da finalidade da biologia, quando estuda o livro de Jacques Monod, os fundamentos do materialismo, as visitações teológicas a Teilhard de Chardin, as frases de Rosa e Euclides, os versos de Cabral e Camões.

Além da perspectiva do Brasil e do Ocidente, Alfredo Bosi é dos maiores italianistas brasileiros, amigo de Eco, Moravia e Ungaretti. Ainda jovem estudou o Renascimento, sob uma perspectiva radial, na cidade de Dante, seu mestre permanente, enquanto se perdia nas ruas da Nova Atenas, entre as estantes invisíveis da Academia Platônica.

Bosi foi aluno dos maiores nomes da crítica, da história, da filosofia e da filologia do século xx, de que se destacam Eugenio Garin, Giacomo Devoto, Walter Binni, Bruno Migliorini e Cesare Luporini. Tornou-se ele também sexto dentre os cinco mestres (*sesto tra cotanto senno*).

Um recorte que marcou a trajetória de Bosi, dentro do qual a filologia e a filosofia, como na *Scienza Nuova*, não são inimigas, senão irmãs que exigem intensa comunicação. A primeira coleciona, organiza e acumula, ao passo que a segunda interpreta, esclarece e articula.

Eis um dos focos da erudição luminosa de Alfredo Bosi, que não para narcisisticamente em si mesma, pois está articulada num sopro de inteligência ordenadora. Se perdêssemos, por hipótese, sua raiz italianista, deixaríamos de entender boa parte do alcance de sua reflexão.

A obra que Alfredo Bosi dedicou ao Brasil lembra a planta da catedral de Santa Maria del Fiore, com a torre de Giotto e a cúpula de Brunelleschi, o afresco do Juízo Universal, iniciado por Vasari e o mármore de Luca della Robia.

Não me refiro apenas ao aspecto dimensional, mas aos diversos extratos de leitura que se aprofundam em Santa Maria del Fiore, como um palimpsesto interminável. O nível subterrâneo, a planta original da igreja de Santa Reparata, sobre a qual se apoia Santa Maria, tem muito a dizer, desde a memória simultânea das camadas anteriores, que se estendem ao longo da base da última igreja, ultrapassando-a.

Tal analogia parece-me explicar o diálogo vigilante da dialética de Bosi, italianista e intérprete do Brasil, a igreja de base e a catedral, respectivamente, e sem conflitos, sem solução de continuidade.

Essa qualidade bifocal, ou mais essencialmente pós-renascentista, propiciou a Bosi um refinamento especial, de um Jano vigoroso nas matrizes comparatistas.

Percorro uma vez mais a *História concisa da literatura brasileira* para encontrar uma plêiade peninsular: Marino, Verga, Leopardi. Gadda, Manzoni, Pirandello. Ou ainda, na *Dialética da colonização*, em que Cinque e Seicento italiano integram parte de nossa formação colonial. Penso em *Céu, inferno*, cujo "intermezzo italiano" empresta ao volume um índice de alta biodiversidade. Ou ainda *O ser e o tempo na poesia*. E não me refiro à *storia ideal eterna* de Vico, determinante no diálogo de Bosi com Gramsci, Croce e De Sanctis. Penso no *approach* de Paolo e Francesca, na dinâmica sofisticada entre ideologia e sua razão contrária, como retoma depois em *Ideologia e contraideologia*.

Os exemplos seguem ao longo e ao largo de uma obra de amplas dimensões. Seria, contudo, uma abordagem imperfeita insistir nas duas grandes vertentes de sua obra, quando inaugura um diálogo eminentemente polifônico e de longa duração. Bosi é mais que a soma de duas forças. É um intérprete de tempos árduos, com a coragem de seguir a história a contrapelo, como Benjamin, com o Angelus Novus em meio às ruínas.

Alfredo Bosi não desiste de uma luz ambígua, plural e solitária, que incide sobre o rosto de santa Teresa de Bernini e dos profetas do Aleijadinho. *"Puro e disposto a salire"*...

O testemunho de velhos militantes: Singela homenagem a Alfredo Bosi[1]

Paulo de Salles Oliveira

Em "A escrita e os excluídos", capítulo do livro *Literatura e resistência*, Alfredo Bosi discorre, em certo trecho, sobre momentos que viveu nos anos 70 do século passado, em Osasco (SP). Estava ao lado de jovens, em sua maioria "negros e mestiços de subúrbio, filhos de migrantes com baixa escolaridade, condenados a marcar passo na sua condição de pobreza".[2] Juntamente com dois padres de alma generosa, Domingos Barbé e Manuel Retumba, Bosi atuava na consolidação da Pastoral Operária, das comunidades eclesiais de base e do Movimento de Não Violência. No texto acima mencionado, o autor faz uma indagação, um tanto cética, se na atualidade teria se alterado o grau de inclusão social daquelas pessoas. A pergunta me motivou a ir até aqueles jovens, hoje já maduros e idosos, para que eles próprios pudessem se manifestar. E assim surgiu este pequeno ensaio.

Alfredo Bosi sempre permaneceu no Brasil, mesmo nos anos mais sombrios de ditadura (1968-1974). Esse aspecto remete à luta travada pelos intelectuais que aqui ficaram, mas que raramente é mencionada, deixando a lembrança na penumbra. O tema, entretanto, merece reflexão, pois intelectuais que foram exilados, ou mesmo aqueles que se impuseram essa condição, acabaram mais tarde recebendo consideração e destaque por sua luta — o que sem dúvida é justo, particularmente para os legítimos defensores da democracia. Todavia, esta reverência não deveria apagar os que, também combativos, permaneceram em luta, dentro de seu país. Poderia se cogitar, a princípio, que tenham ficado apenas porque fossem tidos como inofensivos aos olhos do *sistema*. Longe disso: ficaram porque se recusaram a abrir mão da permanência e porque sua combatividade incorporava a lucidez de mesclar ousadia e recolhimento, sem abdicar da trajetória de resistência. Devemos a pessoas como Alfredo Bosi, e a outros tantos resistentes, a luminosidade de aqui restar e aqui combater com as armas da paz, da persuasão, da não violência e da firmeza permanente. Sem essa operosa coragem, nossa rota de embates pela cidadania por certo teria sido bem mais difícil.

É o que pretendo sinteticamente mostrar aqui, recorrendo a depoimentos de militantes da Pastoral Operária, com quem Alfredo trabalhou nos anos 1970, no município paulista de Osasco, especialmente nos bairros de Vila Yolanda e Vila Munhoz.

Alfredo Bosi nutre dentro de si um desprendimento incomum. Não menciono apenas por aquilo que ele escreve ou fala, mas também e principalmente por aquilo que *faz*, na busca incansável em não dissociar pensamento e ação. José Carlos da Silva, o "Índio", um desses militantes, hoje com 52 anos, diz que: "O Alfredo Bosi é uma pessoa que fala não só com as palavras, mas fala com a presença dele, com a atitude dele, com o jeito de ser dele. Você tem que observar porque ele vai falar pela ação".

Pensar e agir estão entrelaçados em Alfredo para atuar a serviço dos que pouco ou nada têm, dos esquecidos, dos que foram desqualificados. *Estar a serviço de* uma causa assim é entregar-se humildemente a ela, colocando-se *entre* as pessoas com quem se solidariza. Não como dono de uma verdade que supostamente deveria ser disseminada entre aqueles que não a têm, mas, sim, como um ser que se une a outros para um trabalho coletivo de libertação. O que implica não usar a imensa envergadura intelectual como índice de superioridade, mas aceitar e conviver com a temporalidade e com os percalços de quem apenas se inicia no universo letrado, incentivando essas pessoas na tomada de consciência de sua posição social e estimulando-as a explorar as potencialidades de mudança que este movimento de emancipação propicia.

"Ele é uma figura de ouro" — diz Anísio Marcolino, de Cotia, ex-operário metalúrgico, hoje professor secundário, com 57 anos:

> Uma pessoa que, pela sua simplicidade sabe transmitir muita segurança, muita sabedoria para as pessoas. Uma sabedoria que não é de arrogância. Na posição em

que ele está hoje, como catedrático da USP ou mesmo na própria Academia de Letras, ele ainda é uma pessoa simples, de extrema sabedoria, mas de uma sabedoria que é capaz de chegar ao alcance de todos.

Maria Ione Ferreira, da Vila Yolanda, hoje com 67 anos e atuante na defesa do menor e do adolescente, complementa esse pensamento:

> Ele trazia a fé e a coragem para o militante... mostrava o espaço do militante para você não sair atropelando. Ele é muito cauteloso, entendeu? Buscava (discutir) como os militantes poderiam caminhar para alcançar suas metas, cientes daquilo que queriam... Uma conversa com o Alfredo Bosi era como se você recebesse uma fiada de esperança e coragem porque é uma pessoa com uma bagagem muito fina. Fala uma linguagem do povo... não é uma pessoa que você tem dificuldade de entender. (Ele) **entende** esse povo que vem sem conhecimento, essas pessoas simples. [...] Porque o povo simples tem muito **medo** de conquistar o espaço. É muito submisso ao que vem de cima para baixo. E o Alfredo mostrava que as coisas tinham de nascer da terra. O que vem da terra é o que dá frutos.

Tanto é assim que nunca o receberam com a reserva que é habitualmente destinada aos intelectuais, mas sim como alguém que, além das qualidades apontadas, os respeita de forma integral e sincera. Sentem que a aproximação de Alfredo nunca foi fruto de demagogia ou proselitismo sectário, mas de uma adesão verdadeira, densa e sem fim à luta dos oprimidos. O que não é pouco se pensarmos na distinção que Hoggart assinala no âmbito da cultura popular entre o "nós" e o "eles".[3] Quando as pessoas do povo situam a figura de Alfredo como próxima a "nós", trata-se de algo que raros intelectuais conseguem alcançar, pois, via de regra, são vistos do lado oposto, ou seja, posicionados entre pessoas e instituições distantes, de quem se deve desconfiar, pois ora se revelam oportunistas ora se colocam refratárias ou até mesmo adversas ao universo das coisas do povo.

Marinete de Brito Brasil, com 77 anos e até hoje líder comunitária em Vila Yolanda, tem uma expressão feliz, capaz de sintetizar o que estou tentando dizer. Afirma que "nós nem sabíamos que ele era professor". E complementa, com assertividade: "O Bosi, para nós, não é o professor; o Bosi para nós não é apenas o amigo. O Bosi para nós é uma pessoa **nossa**, uma pessoa da **gente**".

Naquela época, como narra José Edilton Brasil, hoje com 53 anos, os lugares frequentados por Alfredo em Osasco eram "bairros pobres, com ruas de terra" e com muitos outros problemas. Salvador Pires, operário metalúrgico e hoje líder sindicalista em Santos, com 65 anos, afirma que: "[...] a Vila Yolanda na época era bem periferia de Osasco; era barra-pesada, não era coisa simples. Quem estava organizando sempre tinha este risco: da violência do crime e da violência da repressão política e institucionalizada".

Assim, a presença de Alfredo ali — juntamente com os padres operários — mostra ao mesmo tempo coragem, adesão verdadeira e humildade — um traço que nenhum dos depoentes deixou de sublinhar com muita ênfase. Advan Dias da Silva, ex-caldeireiro em metalúrgica, hoje com 61 anos, observa que:

> Ele tinha aquele sentimento de fazer com que a pessoa saísse dali conhecendo. Ele usava todos os seus métodos, suas formas e conseguia fazer a gente entender. Quando ele vem para este nível da classe trabalhadora, um nível despreparado, bem baixo, ele chega, escuta, dialoga, conversa... isso é uma riqueza! A gente vê que é uma capacidade muito grande da pessoa. [...] Se a pessoa tem essa simplicidade, ela acolhe tanto a pessoa de alto gabarito quanto a pequena. Ele não **espanta** a pessoa.

João Vieira de Morais, hoje com 60 anos, assim descreve essa humildade: "Ele **sente** a dor do trabalhador e tem muita humildade: de escutar, de ouvir, de transmitir. Um intelectual, uma pessoa formada, muitas vezes se distancia do trabalhador; ele não, pelo contrário. Ele desceu ao trabalhador".

A imagem faz lembrar o comentário de Sebastião Ferreira, aluno da Universidade Aberta à Terceira Idade da USP, a respeito da professora Ecléa Bosi: é "uma pessoa que olha para o chão" (no sentido do reconhecimento das pessoas simples). José Carlos da Silva, o "Índio", enxerga essa humildade no respeito ao movimento de pensar e agir do outro: "Em vários momentos" — diz ele — "acho que o Alfredo Bosi poderia até dizer muito mais do que disse, mas acho que ele tinha a humildade de esperar a gente amadurecer... e isso é uma coisa rara".

Muitos lembraram o fato de que Alfredo tinha uma vida estável e, mesmo assim, não titubeava em largar a casa, a família e ir se juntar a pessoas simples. Às vezes, passavam o domingo todo nestas reuniões.

Diz Maria Ione Ferreira:

Cada membro da comunidade levava sua comida, cada um levava o que tinha. Era uma situação muito dura porque às vezes a mulher participava e o marido não. Ou o homem participava, a mulher não. Então, ele tinha que dar um jeito de falar com a esposa para fazer um arroz, um frango... E o Alfredo compartilhava com a gente daquele almoço comunitário como um de nós, com uma pessoa simples. A gente ficava emocionada com o jeito de ele ser. Você fica emocionada de ver uma pessoa com um conhecimento tão grande, convivendo com a gente, comendo aquela farofa. [...] Todo mundo queria ficar com ele na rodinha para conversar.

Anísio Marcolino vai na mesma direção ao mencionar que:

Admiro muito nele a sua timidez e a sua humildade. Ele é uma pessoa muito humilde. Admiro também a formação cristã, que não é fanática e que tem um toque de libertação, com uma postura muito forte: se eu quero e se o mundo quer, nós temos que fazer. Não temos que esperar que aconteça. [...] Talvez o grande obstáculo nisso tudo é que provavelmente ele não encontre hoje, nas pessoas, quem tenha aquela vontade de fazer um trabalho popular.

Se a disposição de muitos de nós atualmente se arrefeceu, isso não vale para estes militantes. Os de Vila Yolanda, que começaram com Alfredo há décadas atrás, persistem em sua luta: Marinete na comunidade, Ione com os menores e adolescentes; Joãozinho no partido político, Salvador no sindicato, Eliezer na associação, e assim por diante. Não obstante o cenário político e social em que vivemos, ninguém desanimou, o que é extremamente admirável. De onde vem tanta força?

Eliezer João de Souza, hoje morador em Itapevi, com 65 anos, fundador e diretor da Associação Brasileira dos Expostos ao Amianto, explica:

O Alfredinho Bosi... a forma com que ele passava as coisas dava uma segurança... tanto que aquilo que ele passou ficou como uma rocha — uma rocha ética. [...] O aprendizado que eu tive me dá uma firmeza ética muito forte. [...] Eu fui vereador nesta cidade e eu tinha a maior possibilidade de ganhar dinheiro: a corrupção aqui vinha na ordem do dia para você. Eu podia ter mudado financeiramente. Agora... eu não ia dormir de noite. Talvez tivesse até que mudar daqui porque não tem como viver assim. Mas esse aprendizado é mais forte do que eu.

Como se pode constatar, vários anos se passaram, mas o trabalho social voluntário e militante está longe de ter sido esquecido. Está vivo na memória e no dia a dia de cada uma destas pessoas. Todas, sem exceção, queriam que Alfredo soubesse disso e que um público maior também tivesse conhecimento; sou aqui apenas o porta-voz.

Marinete de Brito Brasil permite-nos entender a extensão destas fortes raízes:

> O Bosi não se doou nem por dinheiro nem por poder e nem por glória. Ele simplesmente fazia uma coisa por amor. Eu acredito que seria muito importante que ele tivesse conhecimento do **quanto** ele nos ajudou e nunca se cansou ou se aborreceu... Aquele que eu conheci na comunidade vinte e tantos anos depois era o mesmo Bosi. [...] Aquela mansidão, aquela humildade, encolhidinho, com essa abertura, aquele homem bom que nunca deixou a gente ver dois lados nele, a não ser aquele lado paciente, humilde e — dentro daquela paciência e humildade — com vontade de fazer a gente crescer.

Momento encantador, também, foi presenciar a reação de Darci Gomes Franco, metalúrgico aposentado, hoje morador de Cotia, com 61 anos. Ao me responder qual seria o recado que tinha para Alfredo, irrompeu em pranto, emocionado, para depois completar: "O que eu poderia mandar para ele são estas lágrimas... essa emoção que eu senti agora". Essa emoção de Darci é a mesma de todos nós. E se Alfredo ainda tiver guardado aquele caderno do Bosi menino, com poemas feitos para chorar, como está assinalado em trabalho recente,[4] pediria que registrasse este momento. Ele não está na literatura, mas na poesia da alma de todos quantos tiveram e têm a felicidade de conviver e aprender com uma figura tão iluminada.

Alfredo Bosi:
Meu depoimento

Pedro Garcez Ghirardi

"Vamos assistir à aula do Bosi!" A voz ressoava animada em grupos apressados que atravessavam as "colmeias" — assim chamávamos o núcleo de salas provisórias que então abrigavam os cursos de Letras da Universidade de São Paulo. Então: pois estávamos ainda no final da década de 1970. A "aula" era na verdade uma conferência comemorativa. Ainda assim, perguntei a mim mesmo por que tanto entusiasmo na multidão de jovens; mais, por que tantos professores se dispunham a tornar-se ouvintes, como seus alunos, entre a multidão de jovens.

Não bastaria responder que Alfredo Bosi era já então um dos mais respeitados intelectuais brasileiros, ou que suas obras circulavam diariamente por nossas mãos. O que mostravam aqueles jovens ia muito além do respeito ou da reverência. Aquele que passava pelos corredores das "colmeias" despertava nada menos que alegria. Vendo-o nessa ocasião pela primeira vez, logo notei que sua figura estava longe da majestade catedrática de outros vultos. Não fosse o paletó escuro que trajava, ali se via alguém que podia confundir-se com os que lhe faziam festa: bastante novo, apesar dos fios grisalhos que apontavam, favorecido pela estatura mediana, que parecia aproximá-lo ainda mais de todos; gesto afável, sorriso modesto, quase tímido. Por que a alegria dos que acorriam a ouvi-lo?

Algum tempo depois, em conversa de intervalo de aulas, uma colega de outro curso vinha contar-nos enlevada a lição tocante que acabava de receber. O tema havia sido um conto de Machado de Assis, "Pai contra mãe". Bosi, lembrava a aluna, havia mostrado no olhar a emoção que lhe provocava a leitura, dizia ela, emocionada também. Era um testemunho que fazia pensar.

Bem mais tarde, concluído meu percurso discente em Letras, tive em alguns momentos o privilégio de me aproximar um pouco mais do professor — reservado, sim, mas sempre cordialmente afável. Foi-se confirmando em mim esta impressão: mais que o intelectual de erudição incomum, mais que o crítico que discorria com segurança sobre as principais literaturas do Ocidente, e principalmente sobre a nossa, o que tão de perto falava aos jovens era o próprio Alfredo Bosi. Era a pessoa que os alunos viam e admiravam como serena e ponderada, mas ao mesmo tempo fraterna, capaz de emoções que o irmanavam. As palavras de Bosi sobre uma grande figura machadiana talvez se possam aplicar, com mais razão, a quem as escreve: "A classicidade tranquila da última demão tenta esconder o que lhe deu a vida e a forma".[1] O que mal se poderia adivinhar, naquele encontro da década de 1970, é que ali estava alguém que, como tantos estudantes, procurava manter a esperança em tempos que pareciam negá-la. Alguém que transmitia serenidade, mesmo ao escolher caminhos que obrigavam a enfrentar tensões e conflitos.

Soubemos depois que, desde as aulas de Literatura Italiana e na melhor tradição do Humanismo, esses caminhos partiam da recusa do olhar convencional e buscavam chegar às nascentes, às fontes, com a esperança de suscitar em todos o "contato direto com os autores e as obras". Recordando esse tempo, é o próprio Bosi quem afirma: "A esperança ainda não morreu".[2] Esse diálogo com o pensamento das fontes animava, porém, a passar à ação, ao "pensamento que se fez ação", como diria ainda Bosi, ao dedicar um trabalho a algumas figuras humanas que o inspiraram.[3] Ação que não podia esgotar-se no âmbito acadêmico. *Contemplata aliis tradere*, ensina uma linhagem espiritual de que Bosi tantas vezes se aproximou, a dos "frades de São Domingos", como diz ele mesmo.[4] Levar aos outros a esperança que se hauriu nas fontes: eram tantos os que naquele período sombrio também resistiam à desesperança, buscando caminhos de ação solidária. É ainda Bosi quem nos revela uma das grandes fontes em que vislumbrou os horizontes de um desses caminhos de resistência:

> Não por acaso, eu acabara de defender uma tese de livre-docência sobre mito e poesia em Leopardi; o ensaio terminava com a constatação de que no poeta pessi-

mista por excelência se entrevia um gesto de resistência simbolizado na flor de giesta, a *"ginestra"* que vinga nas encostas do Vesúvio, cobertas de lava e de cinzas. De todo modo, eu sentia que fazer teses era certamente bom e necessário, mas certamente não bastava para um professor que pretendesse ser também cidadão.[5]

Alguém que, vivendo no mundo acadêmico, queria ser plenamente cidadão; que, além das teses, queria fazer algo mais em benefício de toda a comunidade. Este ideal o irmanava a tantos de seus alunos, que não pretendiam outra coisa. Tantos jovens que, resistindo ao pé do vulcão, como a giesta de Leopardi, buscavam combater o desalento, a negação de sentido de existência, a frieza das cinzas espalhadas por tantas forças dominantes, políticas e econômicas. Sem conhecer talvez a imagem do poeta italiano, eram jovens que se punham em resistência ao mesmo tempo firme e suave, solidária e não violenta. Atitude que, nesses termos, pode parecer utópica, ao tentar conciliar a esperança com uma realidade que parece negá-la. Bosi viveu também essa tensão, como depois viemos a saber:

> Por volta de 1972, quando estavam no auge a tortura e o desaparecimento de presos políticos, ouvi falar de uma comunidade de base que se reunia na casa paroquial de Vila Yolanda, em Osasco, com a assistência de padres operários franceses. Era uma luzinha no meio do breu da inação forçada e do desalento. Lá fui eu sem saber muito bem o que poderia fazer de útil, mas desejoso de exercer algum tipo de ação fora dos muros da universidade.[6]

Nesta comunidade de base, na casa paroquial, entre padres operários, já se entrevia "uma luzinha". Aqui são convidados a olhar para a giesta de Leopardi aqueles que fazem "a aposta na crença de Pascal".[7] A esperança do poeta descrente é proposta aos que professam a crença do filósofo. Estas esperanças distintas, embora não antagônicas, ensaiavam no Brasil daqueles anos de 1970 uma convivência nem sempre isenta de incompreensões, de tensões e de conflitos. Naqueles anos e não só neles, pois tensões e conflitos não faltaram, sempre que a esperança transcendente buscou aliar-se à esperança imanente. Voltando às primeiras lições de Bosi, voltando às fontes e à Literatura Italiana, talvez encontremos, justamente em um texto clássico um dos melhores exemplos dessa difícil convivência.

Texto clássico, repita-se, mas é preciso acrescentar que sua criação foi popular e anônima. Falamos dos *Fioretti*, obra do século XIV que aqui se evoca não só pelas raízes familiares de Bosi (a Toscana, em cuja linguagem se expressa o autor anônimo), não só por seu primeiro campo de trabalho acadêmico, a Literatura Italiana, mas principalmente por ser obra que encanta pela suavidade, apesar de nascida de graves tensões e desentendimentos. É bem sabido que a aparência serena dos *Fioretti*, seu tom pacato e sua linguagem despojada escondem o choque entre duas tentativas de compatibilizar a esperança dos crentes e a realidade hierárquica, feudal, das estruturas sociais de então. Não cabe aqui evocar essas tentativas ou seu desfecho muitas vezes doloroso, tentativas exploradas pela ficção de quem há pouco nos deixou, Umberto Eco, em *O nome da rosa*. Basta dizer que nesse fundo polêmico, decantado em linguagem serena e popular, está um dos segredos da perenidade literária dos *Fioretti*. Sua alegria, como se lê em um episódio famoso, está longe da indiferença ou da inconsciência: é uma alegria comprometida, conquistada, nos tempos mais adversos: esta é a *"perfetta letizia"*. Não estamos longe, como se vê, da sábia (*"saggia"*) giesta de Leopardi, que, na encosta do vulcão, espalha perfume aos que se aproximam. Algo de parecido, se não me engano, era o que intuíam os jovens da década de 1970, nos corredores das "colmeias", ao acorrerem a Alfredo Bosi. Crentes ou descrentes, trilhando caminhos próximos aos de Vila Yolanda ou distantes dela (a tensão dos *Fioretti* continua atual), em todos estava a esperança de viver, como o mestre, a lição da serenidade que não teme embates, da alegria que nasce da solidariedade. Esperança que, apesar de tantos anos (concluamos com Bosi), "ainda não morreu".

Descaminhos da universidade pública?
Um depoimento sobre a FFLCH/USP

Ulpiano T. Bezerra de Meneses

O que tenho a dizer é muito simples.[1] Tão simples e tão banal, e tão cheio de boas intenções que poderia até ter sido rascunhado por qualquer missionário da autoajuda. Entretanto, ainda que se fundamente menos em análise e mais na experiência que vivi como docente da FFLCH/USP, ao longo de 44 anos, penso que tenha algum sentido expor meu testemunho, a despeito dessa marca bem subjetiva.

Começo por fazer referências ao tema da memória. Vou limitar-me, porém, a extrair da minha memória alguns dados para selecionar umas tantas transformações que acredito merecerem um instante de atenção. Portanto, em vez de falar sobre o tema "Espelhos da memória", preferi usar minha memória, supondo-a capaz de fornecer pistas para a reflexão.

Não alimento nenhuma lembrança nostálgica nem qualquer disposição de lamentar o encerramento da era de ouro da FFCL — Faculdade de Filosofia, Ciências e Letras (a "Maria Antônia", na qual me formei), mas cuja riqueza e fecundidade originais jamais teriam sentido pleno e eficácia no contexto de hoje. Minha concepção de memória, porém, deve muito à de Alice — que Lewis Carroll mergulhou naquele país das maravilhas enigmaticamente e desconcertantemente lógico. Quando a menina afirma que não consegue lembrar-se das coisas antes que elas aconteçam, a Rainha de Copas replica: "Que pobreza de memória, essa que só funciona para trás!". Não há como não concordar. A Rainha justifica a utilidade do historiador para falar do futuro.

Contudo, para quem iniciou sua carreira docente nos anos de chumbo do regime militar, em que a Universidade foi atingida, mas soube responder e, sobretudo, foi defendida pela melhor parcela da comunidade acadêmica, não deixa de ser motivo de grande perplexidade perceber que, durante a última greve (2014), nem as autoridades universitárias (preocupadas essencialmente com as dimensões contábeis e econômicas da crise) e nem grevistas, e nem não grevistas se esforçaram por procurar medidas que defendessem a Universidade num momento de patente fragilidade sua. Ou fossem capazes de ultrapassar os interesses incomunicáveis de cada fortim blindado, e reconhecer que algum proveito geral caberia à sociedade, para a qual a Universidade existe e à qual deve responder.

Não estou desqualificando nem as questões contábeis e econômicas, nem as reivindicações salariais e conexas, muitíssimo menos o direito de greve, mas diagnosticando uma grave enfermidade, que chamaria de progressiva "desrepublicanização" da Universidade.

Acresce que nas duas últimas greves, ao contrário das anteriores (e penso, sobretudo na de 2002, com sua força de integração), ocorreu uma dupla tensão: o confronto entre grevistas e as "autoridades" agravou-se no embate entre grevistas e não grevistas, com agressões e violência de todas as partes (incluindo as omissões, que não deixam de ser também uma forma dissimulada de violência).

Nesse quadro gostaria de apontar duas questões selecionadas por minha memória e que representam transformações empobrecedoras: a despolitização e a privatização da Universidade e o esgarçamento de sua natureza como espaço de convivência.

DESPOLITIZAÇÃO E PRIVATIZAÇÃO DA UNIVERSIDADE

A despolitização da Universidade é um processo iniciado há algum tempo e que não destoa da despolitização da sociedade brasileira como um todo, quando da política se preservaram sobretudo as embalagens formais, como os partidos políticos, os rituais, as eleições etc. — e, mais que tudo, lamentavelmente, as vantagens e privilégios pessoais.

Não que na greve não tenha havido presença de interesses partidários e muita agitação eleitoral, mas o que tem faltado é a política como palavras e ações que despertem consciência das necessidades da pólis e contribuam para prové-las, nas diversas esferas. E caracterizadas insubstituivelmente pelo recurso às formas de convencimento e aceitação da pluralidade, no reconhecimento do bem comum, capaz de subordinar o bem individual. Pensamentos generosos, estes, mas que parecem, agora, de um arcaísmo invencível e de uma ingenuidade senil.

O trabalho numa Universidade pública não é um emprego sem marca específica: é serviço público, isto é, serviço à sociedade. Não penso em sacerdócio ou qualquer slogan adocicado, pois se trata de uma verdade republicana, uma exigência republicana. O trabalho na Universidade pública (docente, discente, administrativo, técnico) pode e deve ser via de assegurar uma vida digna, pode e deve ser via de realização pessoal, gratificante (eu diria até, para os mais necessitados, pode ser ocasião não de status, mas de alguma modalidade de reconhecimento profissional e mais amplamente social) — mas tudo isso *dentro de um horizonte de serviço público*. Se esse horizonte for apagado ou minimizado, abre-se espaço para a privatização, que tira legitimidade e o sentido maior de nossas ações.

Houve quem falasse em corporativismo sindical, que teria tomado conta de professores e funcionários durante a última greve. Prefiro, porém falar de um fenômeno que é muito mais amplo, pois atinge toda a sociedade, crescentemente: a privatização que, para mim, praticamente, seria um sinônimo da "desrepublicanização" acima mencionada.

Fala-se muito na privatização da Universidade pública, em geral atribuída, primeiro, aos *outros* e de preferência a situações institucionais escancaradas, explícitas. Especialmente na USP, ela é vista mais que tudo nas fundações, convênios suspeitos, taxas ilegítimas e ilegais, uso comercial do nome "USP", superquadra bancária, hotel (projeto) para renda no campus e outras obviedades comparáveis.

Não vou discutir esses casos, já muito comodamente debatidos, em particular porque sua perversidade fica sempre confinada no campo do comportamento de terceiros. Mas o que me impressiona é que não temos o hábito de analisar certos comportamentos nossos como igualmente privatistas, embora encobertos e dissimulados como requisições de liberdade.

O historiador José Murilo de Carvalho já observou como certas reivindicações relativas à cidadania, em que o conteúdo democrático está rigorosamente circunscrito ao indivíduo e seus interesses, mais parecem fundamentar-se no Código do Consumidor do que na Constituição.

Convém, portanto, manter disponível nosso arsenal de ataque, mas atiremos a primeira pedra somente depois que tivermos feito um exame de consciência quanto a nossos padrões cotidianos de comportamento. Penso que eles funcionam de certa forma como alimentação de uma cultura do indivíduo (no sentido grego de *idiotes*), de que as manifestações consolidadas como as acima exemplificadas são já o fruto apodrecido. De todo modo, parece inelutável que democracia sem república (não um regime de poder, mas o objetivo almejado) conduz aos excessos do individualismo.

A própria greve, por exemplo, não pode deixar de pagar um preço pelos danos que provoca no interesse público e que as atuais reposições de aula, no modelo ilusório mais frequente, não têm mínimas condições de cobrir. Os tempos da atividade acadêmica não são os mesmos que da produção fabril. Encavalar as aulas faltantes, em ritmo de fim de feira, é comprometer os prazos de decantação e maturação do pensamento, da formação dos hábitos de análise e, mesmo, do processamento da informação. Lembro que me foi contado que um aluno de sociologia dizia ter batalhado muito para entrar na USP, mas estava agora batalhando muito mais para ter ocasiões de estudar na USP. Em suma, como a greve é um direito inegociável, que não pode ser negado, é preciso cuidar que ela não se transforme numa rotina preguiçosa de moeda inflacionada, sem compromissos com as obrigações de ressarcir.

Tão somente para exemplificar outros padrões rotineiros e aparentemente inofensivos, menciono de propósito apenas dois tipos de privatização velada, sutil, aparentemente inofensiva, mas igualmente perniciosa, que contamina docentes e discentes. Professores privatizam quando não fornecem justificativas consistentes e transparentes de seus critérios de avaliação e notas (os atos administrativos, até por exigência legal, devem obrigatoriamente conter fundamentos explícitos), ou quando não são assíduos, ou negligenciam outros serviços de sua responsabilidade. Alunos privatizam quando escolhem disciplinas, não pela formação que podem trazer, mas pelas baixas cargas de exigência do docente; ou quando se matriculam apenas para assegurar certos benefícios (como acesso a serviços). Se eu tivesse que elencar outros casos da espécie, a lista poderia estender-se assustadoramente. Em todos eles, os interesses individuais é que dariam as cartas — paradoxalmente mais correntes e agravados na Universidade pública.

A UNIVERSIDADE COMO ESPAÇO DE CONVIVÊNCIA

A segunda transformação da Faculdade que vivi diz respeito à convivência acadêmica. A Universidade é por definição locus de universalidade, mas é igualmente locus de convivência. E sua dimensão de convivialidade vem-se atenuando aceleradamente. Nas unidades que dispõem de laboratórios ou ateliês ou de trabalhos de campo, o problema talvez seja menos sensível. Numa faculdade como a FFLCH, contudo, os riscos de produzir seres discretos e autocontidos (e suas consequências) são permanentes. Basta lembrar que, em alguns departamentos, o modelo de matrículas avulsas, fragmentando no tempo e no espaço a própria presença do aluno, vem impedindo a formação de turmas, afetando a existência de uma memória generacional e, por consequência, o desenvolvimento de certas formas fecundas de sociabilidade.

Convivialidade é um neologismo derivado do inglês, posto em circulação no francês do século XIX pelo escritor e gourmet Brillat-Savarin, o que já nos remete ao vocábulo latino de que deriva, *convivium*, que significa banquete, festividade, celebração, boa companhia (equivale mais ou menos ao grego *symposion*, embora neste predomine a bebida).

Quem lhe deu presença nas ciências sociais foi o filósofo e pedagogo franco-croata Ivan Illich, autor de uma crítica radical, embora por vezes utópica, à sociedade industrial e à ordem capitalista. Diz ele que a convivialidade é o inverso da produtividade industrial, que gera servidão. Seria pela convivialidade que utensílios conviviais (meios técnicos, instituições), comprometidos com as necessidades e interesses humanos estariam aptos a tornar possível a humanização das sociedades.

Dizer que a Universidade é lugar de convívio não significa que ela seja por excelência espaço de sociabilidades diversas, mas indiferenciadas. Elas todas são bem-vindas e necessárias. Mas a modalidade específica, que também traduz uma exigência, há que ser o convívio prioritariamente intelectual.

A vida intelectual tem momentos de solidão absoluta, de profunda imersão em si mesmo, mas também precisa de interação, confronto, partilha. Comparado com os padrões da velha escola da rua Maria Antônia, o debate que hoje ainda eventualmente se pratique é imagem apagada, em geral oscilando entre extremos, seja o medo anestésico da ofensa (e possíveis prejuízos para a carreira e ouras vantagens), seja a belicosidade das disputas pessoais. Recorro à memória para fundamentar este diagnóstico lamentável: há alguns anos, ao assumir a direção de uma revista acadêmica, inspirado no exemplo do conceituado periódico americano *Current Anthropology*, tentei implantar uma seção de debates, em que uma problemática controvertida, expressa num texto-base, tivesse comentadores convidados, cuja apreciação crítica seria encaminhada ao autor original, para resposta. Fui desaconselhado, pois os melindres fariam entornar o caldo. Em tempo: esse respeito ao *ego*, que impede a Universidade (pública) de exercer entre os pares sua função crítica, por certo teria acolhida privilegiada no meu elenco de privatizações mascaradas.

Dar realce à convivência intelectual não é negar ou desprezar as outras formas de convívio (esportes, festas, espetáculos, reuniões de interesses definidos, mesa condividida etc.). Entretanto, é preciso reconhecer que o convívio intelectual constitui uma das condições indispensáveis para que a Universidade pública possa cumprir adequadamente suas funções (pesquisa, docência, extensão), por intermédio das quais ela dá conta da missão confiada e mantida pela sociedade.

É a produção crítica do conhecimento, aliás, que percorre e unifica esses três campos do tripé de objetivos. A própria atividade política, indispensável, só tem sentido se tiver como marca distintiva ser irrigada pela ambiência intelectual da convivência. No caso específico da Faculdade, as atividades de cada campo devem estar comprometidas com a produção, formação e as múltiplas modalidades de atuação de uma consciência crítica da sociedade.

Convívio não pressupõe harmonia, muito menos unicidade e não descarta o conflito. Estas questões foram mais amplamente debatidas em relação ao conceito paralelo de "viver juntos", a partir, entre outros, do interesse cultivado por Roland Barthes, na década de 1970, diante das dificuldades de articular liberdade individual e vida coletiva, ou diversidade e democracia, ou então as ambiguidades da "ilusão fraterna", fraternidade (C. Lazarus-Mattel) e, mais recentemente, do multiculturalismo.

Pessoalmente, prefiro considerar que o convívio universitário não dispensa o compromisso com um *projeto*, de natureza intelectual, política, cultural. Trata-se, portanto, mais precisamente, de "trabalhar juntos". A Universidade é um lugar de trabalho de professores e alunos, não um balcão de distribuição de informação ou tarefas. Por exemplo, a biblioteca é um lugar de trabalho intelectual, não mero almoxarifado de livros ou matrizes de xerox ou, ainda, de downloads para quem não dispõe de computador próprio. Muitos brasileiros, conhecidos meus, sentiram estranheza, como estudantes na França, ao perceber que nunca os colegas nativos diziam que precisavam estudar (*étudier*), mas trabalhar (*travailler*).

Uma última questão pertinente à convivialidade deve ser lembrada: como ficam os cursos à distância ou a chamada Universidade virtual? Nenhum problema se o virtual estiver, em todo seu potencial e onipresença, a serviço dos objetivos e modos de ser da Universidade. Por isso, cursos on-line, comunidades virtuais, ambientes virtuais de aprendizado, redes de conhecimento, fóruns de debates, tutoria e toda a efervescência da cibercultura — e suas formas próprias de socialidade — tudo isso é benéfico. Já a desmaterialização da Universidade, que a expressão "Universidade virtual" impõe, deve ser vista com a maior reserva — eu diria mesmo como terceirização de sua natureza enquanto locus de convivência, particularmente quando se apresenta hegemonicamente como o paradigma do futuro. A expressão que se impõe, pois não transfere para a tecnologia uma responsabilidade intrínseca que é das decisões humanas, deveria ser "o virtual na Universidade".

A questão é complexa e não cabe discuti-la aqui. Seja como for, ela envolve de problemas epistemológicos a metodológicos e operacionais, como, por exemplo, os cortes necessários para o conhecimento no fluxo da informação, os conflitos de tempos do mundo empírico e virtual, a busca prioritária de respostas em detrimento do aprendizado de formular as perguntas etc.

Porém, não posso deixar de mencionar várias intervenções de alunos meus privilegiando a suposta liberdade flexível, dútil, sem fronteiras do espaço cibernético em contraposição ao físico, corporal. De fato, o corpo é opaco, resistente, pode ser um estorvo, mas no ciberespaço ele perde justamente a corporalidade, embora ganhe asas como um hipertexto. O mal não está, decididamente, na tecnologia, mas no seu emprego sem compromissos e visão crítica.

Há mais, contudo. Ocorre-me à memória trecho de um notável livro do sociólogo Richard Sennett (*Carne e pedra: O corpo e o cidadão na civilização ocidental*), em que, analisando os vastos e libérrimos espaços públicos providenciados na Paris pós-Antigo Regime para comemorações cívicas e observando as respostas passivas da população, ele acredita ter recebido uma lição perturbadora sobre a liberdade. A liberdade que busca vencer a resistência, diz Sennett, abolir obstáculos, começar de novo — a liberdade concebida como um volume puro e transparente — embota o corpo. A liberdade que estimula o corpo o faz aceitando a impureza, a dificuldade e a obstrução como parte da própria experiência da liberdade. A resistência, prossegue, é uma experiência fundamental e necessária para o corpo humano; graças à sensação de resistência, o corpo se vê impelido a tomar ciência do mundo em que vive. O corpo vive quando enfrenta a dificuldade. Esta é a lição do Paraíso Perdido, a versão secular do exílio bíblico. O corpo/corporalidade ainda marcam decisivamente o lugar de convívio. Pelo menos enquanto o pós-humano não chega.

CONCLUINDO

A convivialidade aparece assim, além do mais, como um antídoto às quedas de braço que marcaram muitos episódios da greve, pois fornece ambiente próprio para a política, se a entendermos na formulação de Dahrendorf, como a arte de administrar conflitos, não de obter hegemonia para dominar conflitos.

Termino com duas citações muito oportunas para reforçar qual o procedimento que combina com a convivialidade. A primeira é de Ivan Illich: "Na sua fragilidade, apenas a palavra pode reunir a multidão de homens a fim de que o turbilhão da violência se transforme em encontro convivial". A segunda é de Marcel Mauss, ao afirmar ser preciso lançar as bases de uma sociedade convivial, uma sociedade onde se possa viver junto e "se opor sem se massacrar".

Acredito na Rainha de Copas, que desprezava a pobreza daquela memória que só funciona para trás. Não estamos no País das Maravilhas, mas não duvido que os problemas que a minha memória permitiu esboçar possam ser revertidos. E assim posso também, ao contrário de Alice, lembrar dessa reversão antes que ela aconteça e fazer a minha parte com mais coragem e esperança.

ENSAIOS DE ESTIMA

"Ulisses" de Chico Buarque:
Uma reapropriação do mito

Adélia Bezerra de Meneses

> *O conto cumpre a seu modo o destino da ficção contemporânea. Posto entre as exigências da narração realista, os apelos da fantasia e as seduções do jogo verbal, ele tem assumido formas de surpreendente variedade. Ora é o quase--documento folclórico, ora a quase-crônica da vida urbana, ora o quase-drama do cotidiano burguês, ora o quase-poema do imaginário às soltas, ora, enfim, grafia brilhante e preciosa, voltada às festas da linguagem.*
>
> Alfredo Bosi, *O conto brasileiro contemporâneo*

Em sua condensada e indispensável apresentação do conto brasileiro contemporâneo na antologia que organizou em 1975, desvelando as modalidades do gênero entre nós, o grande professor e crítico Alfredo Bosi nos dá um instrumental para abordar o que talvez venha a ser a primeira incursão de Chico Buarque como ficcionista, nos idos da década de 1960. E o primeiro deles seria uma classificação: "quase-drama do cotidiano burguês", resvalando para um "quase-poema do imaginário às soltas".[1] Assim se poderia abordar o conto "Ulisses", publicado originalmente no Suplemento Literário do jornal *O Estado de S. Paulo*, em 1966,[2] e republicado ao final desse mesmo ano, como único texto em prosa no primeiro e precoce songbook do Chico, contendo letras e partituras de canções compostas até 1966.[3]

Talvez por ser o autor de 22 anos uma fragorosa revelação como compositor da MPB, premiado nos Festivais de Música Popular Brasileira, não lhe tenha sido dada então nenhuma atenção como ficcionista (contista-de-um-conto-só, diga-se de passagem). Efetivamente, só décadas mais tarde, depois de já conhecido também como dramaturgo, se revelaria a mão do romancista esplendidamente maduro de *Estorvo, Benjamim, Budapeste, Leite derramado, O irmão alemão*. Mas não deixa de ser interessante garimpar essa produção lá dos inícios e apontar o jovem autor — para se usar o instrumental crítico de Alfredo Bosi, teorizando sobre o conto — já como um "pescador de momentos singulares, cheios de significação", "explorando no discurso ficcional uma hora intensa e aguda da percepção".[4] E se é verdade que "o conto tem exercido, ainda e sempre, o papel de lugar privilegiado em que se dizem situações exemplares vividas pelo homem contemporâneo",[5] qual é a é *a invenção*, a que se refere o crítico, qual o "achamento" da situação propícia a atrair narrador, espaço, tempo, personagens e trama? Para Alfredo Bosi, *situação* é uma categoria-chave para se analisar o gênero conto, religando texto e contexto.

Pois bem, "Ulisses" de Chico trata do retorno de um marido ausente que, chegando à casa, encontra sua mulher, que, de tanto tecer para esperar, mecanizara seu ato, e resta impassível. Ela não ouve, não vê que seu marido chegara, continua a tecer. Numa retomada do mito odisseico, Ulisses é um caixeiro-viajante que à sua volta encontra uma Penélope "que lhe foi fiel", mas que, esvaziada de afeto, não se dá conta de que o marido tinha voltado e continua tecendo, alheia, como uma máquina, "em branca estátua". Ela mecanizara a espera. Não responde às saudações do marido, não reage às suas invectivas cada vez mais prementes, a incomunicabilidade é total: uma "situação típica e média da civilização moderna", do casamento corroído e da ausência de diálogo entre os viventes, num cotidiano cinzento, tecido de desencontros e perplexidade.

Com efeito, o conto de Chico põe em pauta, no registro da paródia, a relação do casal burguês estratificada em seus gestos paradigmáticos e socialmente codificados, levando ao paroxismo aquilo que se espera convencionalmente da mulher e do homem, respectivamente: passividade e ativismo; sedentarismo e itinerância; espera e aventura. Em termos do Roberto DaMatta: polarização entre a Casa e a Rua. Mas tudo reduzido às dimensões do cotidiano fosco, num mundo apequenado. Para o casal de protagonistas, heróis degradados, duas caracterizações da épica se afunilam: o marido é o viajante que chega a casa, depois de uma certa ausência; a mulher é a dona-de-casa-que-espera e tece. Mas só tece. Seu ato se autonomiza e, desconectado da intenção, de um telos, se esvazia e resta sem sentido.

Como este conto é relativamente desconhecido, difícil de encontrar impresso,[6] talvez seja o caso de um resumo:

O caixeiro-viajante que comercia sobretudo peças de automóveis "chega de galochas, barba por fazer, embrulho fofo, paletó triste... Mas Ulisses chega de braços enormes e eufóricos: "Penélope, ô Penélope! Abre os olhos e as janelas! Abre o peito, minha princesa, que o teu rei chegou!". Mas Penélope, "em branca estátua, ela e seu tricô", parece adormecida, ou "morta, tão pálida e imóvel". "Mas os dedos milagrosos continuam trazendo a lã que vai criando formas, que desmaiam pelo chão." Diante da impassibilidade total da mulher, Ulisses esmera-se em falar, dá-lhe os presentes que trouxera, tenta arrancar-lhe algum tipo de reação, apresenta-se como um homem de carne e osso, talvez meio desajeitado, contrapondo-se à idealização eventualmente esperada. Mas, nada. Aflito, nega ter ouvido as sereias. Não há *aventuras ricas de emoção* a contar, nem piadas; as pessoas conhecidas nada disseram de novo: "É bem como se a vida fosse um mau negócio". Sem mais ideias, Ulisses resolve contar à mulher o seu sonho: "Só de fingir que você estava ali me assistindo, enchi o peito e fui à guerra". Inventou um monstro, um gigante com um olho só, que ele enfrenta tentando embebedá-lo com aguardente, "usando da astúcia". Mas ao fim e ao cabo, quem se embebedou foi ele. E o monstro, para encurtar a história, "esmagou sem dó a [sua] carcaça inútil". No entanto, o sonhador foi enterrado com honras de herói nacional. Mas Penélope continua impermeável. A Ulisses "Só lhe resta um longo bocejo sem desespero". Ainda numa tentativa, reitera seu estatuto de homem não idealizado (para quem seria inadequado o tamanho do tricô); compara-se ao herói esperado, que sabia "matar monstros, varar tempestades, enganar os deuses", enquanto ele próprio sabe "truques de bem-querer". Parte para o reconhecimento das queixas antigas da cônjuge, e, numa explosão lírica (e traindo o poeta por detrás do eu narrativo), propõe: "Se você quiser, os sinos hão de cantar, hei de compor poemas, promover festanças, virar criança, fazer piruetas, soltar balão!". Numa última cartada, baixa o tom, deixa os arroubos, e parte para o reconhecimento de antigas queixas da cônjuge, com as promessas: *não beber na rua, consertar o cano da pia, comprar a tal televisão, deixar crescer o bigode...* até, enfim "fazer o nosso filho, um meninão rechonchudo, a cara do pai". Desanimado, boceja mais uma vez e adormece, ali mesmo, de galochas.

Mas antes de abordar essa trama, é o caso de tratar da atualização feita do mito odisseico. No caso, uma reapropriação que, conscientemente, o autor faz dessa herança clássica, desse "capital cultural"[7] que é a *Odisseia*, uma obra canônica por excelência — a épica grega é um dos pilares do humanismo com toda sua carga ideológica e "prática comprometida", para se usar os termos de Edward Said. No entanto, com a paródia infringe-se a intangibilidade do cânone e, num movimento de contraponto, é proposta uma aproximação com essa obra do passado para melhor conhecermos o tempo presente.

Said trata do Canon como o polo de um contraponto:

> Alguns etimologistas especulam que a palavra "cânone" (como em "canônico") é relacionada à palavra arábica *"qanun"*, isto é, "lei" no sentido legalista e compulsório do termo. Mas esse é apenas um significado um tanto restritivo. O outro é um significado musical, o cânon como uma forma contrapontística que emprega inúmeras vozes que em geral imitam rigorosamente umas às outras, uma forma, em outras palavras, que expressa movimento, brincadeira, descoberta e, no sentido retórico, invenção. Vistas dessa maneira, as humanidades canônicas, longe de serem uma tábua rígida de regras fixas e monumentos que nos intimidam a partir do passado [...] sempre permanecerão abertas a combinações mutáveis de sentido e significação; toda leitura e interpretação de uma obra canônica a reanima no presente, fornece uma ocasião para releitura, permite que o moderno e o novo sejam situados num amplo campo histórico, cuja utilidade é nos mostrar a história como um processo agonístico que ainda está sendo feito, em vez de terminado e decidido de uma vez por todas.[8]

Pontuo: movimento, brincadeira, invenção, reanimação no presente de um topos encontradiço na Literatura Ocidental e a que não falta um humor que quase mascara o desencanto. Uma paródia no seu sentido etimológico (de *para* + *ode*, canto paralelo), coerente à conotação musical que Said aponta na atualização de uma obra canônica.

Transitando — para se usar novamente as categorias de Alfredo Bosi — entre o "realista documental", o "realista crítico" e o "intimista na esfera do id",[9] urge, por outro lado, abordar esse conto necessariamente com o contraponto da *Odisseia* — que lhe dá lastro e reverberação.

Vamos à épica, onde avulta o motivo temático da tecelagem.[10] Com efeito, das múltiplas passagens em que na *Odisseia* se alude a esse topos, ressalto a narrativa que a própria Penélope, no Canto IX da epopeia faz ao "forasteiro", ainda não identificado como seu marido Odisseu:

> — Forasteiro, ai! minha grandeza, formosura e talhe os imortais destruíram quando os argivos embarcaram para Ílio e com eles seguiu Odisseu, meu esposo. Assim regressasse ele e tomasse conta de minha vida! a minha reputação seria maior e mais bela. Ao invés, vivo amargurada, tantas são as tribulações que um deus sacudiu sobre mim. Quantos fidalgos detêm o poder nas ilhas, em Dulíquio, em Same e na selvosa Zacinto, e mais quantos habitavam as cercanias na própria Ítaca de longe visível, mal grado meu me requestam e dissipam a fortuna. Por isso não tenho dado atenção a estrangeiros e suplicantes, nem de maneira alguma, a arautos, que são servos do público, e deixo fundir meu coração de saudades de Odisseu. Eles me pressionam para que me case e eu venho tecendo enganos; para começar, um deus suscitou-me a ideia de instalar em meus aposentos um grande tear e pôr-me a tecer um pano delicado e demasiado longo, e daí lhes disse: "Moços, pretendentes meus, visto como morreu o divino Odisseu, pacientai em vosso ardor pela minha mão até eu terminar a peça, para que não se desperdice o meu urdume" [...]. Assim falei e os seus corações altivos deixarem-se persuadir. Daí, de dia, ia tecendo uma trama imensa: de noite, mandava acender as tochas e a desfazia. Assim, por três anos, trouxe enganados os aqueus, sem que o notassem; mas quando, com o passar dos meses, se preencheram dias incontáveis, então, por artes das minhas servas, cachorras negligentes, eles vieram surpreender-me e interpelaram-me aos brados. Assim, tive de concluir o trabalho, mal grado meu, constrangida; já agora não posso evitar o casamento e não diviso outro recurso.[11]

Esse resumo da própria história já configura a situação afetiva de Penélope: uma rainha amante, tendida no desejo da volta do seu homem, mas dividida entre sustentar a espera e decidir-se por um dos pretendentes que lhe dilapidam os bens. O primeiro estratagema (a tessitura do manto) falhara, mas cumpriu sua missão de ganhar tempo. E evidentemente, esse manto, esse tecido, essa trama (trama quer dizer também: procedimento ardiloso!) no limite significava... tramoia. E se é verdade que "astucioso" é o epíteto privilegiado de Ulisses ao longo da *Odisseia*, pode se dizer que sua mulher é tão astuta quanto ele, tecendo infindavelmente o manto, com o qual enganará os príncipes aqueus. Esta tecelagem tem tudo a ver com a fidelidade: a trama feita e desfeita é seu ardil com vistas a reservar-se para a volta de Ulisses. E sua fidelidade é condição para o reencontro.

E se a ação de tecer tipifica Penélope, importa dizer que nessa linha de astúcias, e de fios, e de tramas, há toda uma tradição, na Grécia, de mulheres fiandeiras. Penso em Pandora (a primeira mulher), tecelã, que aprendeu a arte das fiandeiras com a deusa Atena, cujo epíteto é exatamente Atena Penitis (do mesmo radical de Pene = fio de tecelagem), a "tecelã". Mas há também Aracnê, que desafia a deusa Atena na arte da tapeçaria e acaba transformada em aranha; e Ariadne, que fornece a Teceu o fio com que ele enfrenta o labirinto; e há as Parcas, que tecem a trama dos destinos humanos. Todas, mulheres. Por que é sempre feminina a personagem que lida com o fio? Num estudo sobre a feminilidade, Freud *tece* uma engenhosa explicação: a arte da tecelagem teria sido uma invenção de mulheres, inspirada pelo pudor. Com efeito, o pudor, diz ele, teria como finalidade primitiva dissimular a fenda que existe no sexo feminino.[12] Assim, poderíamos dizer que, com a arte das tecelãs, o fendido torna-se defendido.

A respeito de pudor, por sinal, há um episódio do mito de Penélope (de fontes exteriores à *Odisseia*) extremamente significativo. Trata-se da lenda que cerca seu casamento com Ulisses: Icário, pai de Penélope, colocou sua mão como prêmio de um torneio que ele instituiu entre os pretendentes que queriam casar-se com ela, e Odisseu foi o vencedor. Depois de realizado o casamento, Icário pediu ao genro que não abandonasse Esparta, e que, com sua mulher, permanecessem morando junto a ele. Ulisses recusa e quer partir para Ítaca. Como Icário insiste, Odisseu convida Penélope a escolher entre o pai e ele próprio. Penélope nada respondeu, diz a lenda, mas enrubesceu e, de pudor, cobriu o rosto com seu véu. Icário compreendeu que sua filha tinha escolhido, afastou-se e mandou erguer, no lugar em que esta cena tinha acontecido, um Santuário ao Pudor.[13]

Para alguns mitólogos, seria esta a primeira vez que Penélope teria dado provas do seu famoso amor conjugal — e isso nessa singular escolha entre o pai e o marido. Mas o que quero reter dessa lenda, neste momento, é o elemento pudor, que aparece marcar singularmente as ações da mulher de Ulisses. Penélope: aquele que tece. Seu próprio nome (Penelopeia) revela sua vocação: do grego *pene*, fio de tecelagem e, por extensão, trama, tecido (daí o nosso pano, do latim *pannus*). E o substantivo grego *"penelope"* significa: dor. Tudo se explica quando pensamos que ela vivia na nostalgia (dor do retorno: *Nostos* = volta; *algia* = dor) de Ulisses, e que o pano que ela tecia (que tem a ver com a morte: era uma mortalha para Laertes, o pai de seu marido) era a garantia de sua fidelidade, como que vedava o acesso de sua sexualidade aos pretendentes que a assediavam. Fidelidade e sedução articuladas.

A lenda do manto de Penélope faz parte do mito da volta (o gênero *Nostoi*, dos retornos) dos heróis da Ilíada, sobreviventes da guerra de Troia. Amados e esperados, como Ulisses, ou aguardados, mas odiados, como Agamenon. É assim que Penélope e Clitemnestra, a mulher de Agamenon, que se amasiara a Egisto, representam as polarizações absolutas desse sentimento de espera. Em ambas, uma trama é posta em ação. No caso de Penélope, a tessitura do manto tinha como objetivo enganar os pretendentes e reservar-se para a volta de Ulisses; no caso de Clitemnestra, uma outra urdidura: à chegada do marido, ela lança sobre ele uma rede, em cujas malhas ele será imobilizado, e assim mais facilmente assassinado. Uma tece para esperar; a outra tece para matar. A tecelagem que praticam é oposta: uma para o amor, a outra para a morte. O manto de Penélope era o ardil, a trama (para o bem) com a qual ela enganava os príncipes aqueus e se resguardava para a volta de Ulisses; a trama de Clitemnestra (uma "tramoia", para o mal) é a malha com que ela o imobilizará, para que ele seja atingido pelo punhal de Egisto.

É interessante que essa ligação entre trama e tramoia está explicitada na própria fala de Penélope, como vimos na narrativa que ela faz ao forasteiro. "Eles pressionam para que eu me case, e eu venho tecendo enganos", diz o verso 137 do Canto XIX. "Tecendo enganos": metáforas para sua tecelagem, para ação básica dessa rainha fiandeira — um manto, sim, mas um ardil.

Que essas narrativas fiquem como pano de fundo lendário para o nosso conto, contribuindo para a atmosfera desta leitura.

Importa observar que pela mesma época em que saiu "Ulisses", de Chico Buarque, Dalton Trevisan publica um conto intitulado "Penélope",[14] que ilustra outra modulação de "reapropriação", do mito. No caso do conto de Dalton Trevisan, na corrosividade da sua ficção, flagra-se, para além da atitude paródística no manejo das relações com o clássico, algo a que Bourdieu alude,[15] uma quase que destruição da imagem tradicional do paradigma: efetivamente, no conto do autor curitibano, a fidelidade arquetípica de Penélope é posta em dúvida. Na sequência de uma carta anônima num envelope azul, contendo uma única expressão ("corno manso"), instaura-se a devastação no casamento de um casal de velhos; e quando a Velha acaba a toalhinha que vinha tecendo, em meio às suspeitas e insinuações cada vez mais opressivas do Velho, e se suicida (ela tecia a sua própria mortalha?, pergunta-se o marido), instala-se a dúvida da dúvida. Pois mesmo depois do seu enterro, alardeado em toda a vizinhança, a carta do envelope azul volta a chegar. Nos termos de Alfredo Bosi, tratando da ficção do autor curitibano na aludida introdução a *O conto brasileiro contemporâneo*, poderíamos adequadamente falar de "pungência cruel", bem como do "extremo desamparo e da extrema crueldade que rege os destinos do homem sem nome na cidade moderna".[16]

No conto de Chico Buarque não há pungência, nem "extrema crueldade" — o seu Ulisses tem, sim, algo na linha de "afeto e projeto" (para se usar outra expressão de Bosi, deplorando essa ausência na ficção contemporânea): ele até planeja, como citado no resumo do conto, aumentar a família, "fazer o nosso filho". No entanto, há um desamparo à espreita. Mas se a Penélope de Dalton acaba a toalhinha e se mata, vencida pela tensão insuportável das desconfianças do marido, qual o significado, qual a função da tecelagem esvaziada e eternizada da Penélope de Chico Buarque?

No conto do Chico, coerentemente com o título, o ativismo todo é assumido por Ulisses, enquanto a protagonista se reduz a uma única ação que iconizava a sua espera: tecer. Ela se paralisa numa ação, ela se imobiliza — valha o paradoxo — no moto-contínuo de um gesto. Como uma máquina que se avaria e não consegue ser desligada. Ulisses é o sujeito (sujeito gramatical) da totalidade de verbos de ação presentes no conto: chega, descobre, desenterra, irrita-se, decide-se, levanta, marcha, viaja, conta suas aventuras, invectiva, procura, pula, berra, bate, pede, narra um sonho; solicita, invectiva novamente, promete muitas coisas... até que, vencido, capitula: boceja e adormece. Mas se o título privilegia o homem, essa Penélope estranhada acaba sendo a personagem mais importante do casal. Primeiro, pela perplexidade provocada por sua ação nada trivial, que gira em falso e a desumaniza; em seguida, porque nem o marido, nem o narrador, nem nós leitores conseguimos atinar com a causa do seu gesto insólito. E o leitor fica a arranjar as motivações. O marido elucubra: "Parece que espera outra pessoa, outro Ulisses, um fantasma". E refletindo sobre o tamanho do "tricô" que está sendo feito: "Meus ombros não são tão largos, meu peito é a metade disso. Creia, Penélope, o Ulisses que você inventou não lhe serve". Mas o mistério resiste. Como nas boas narrativas, como queria Walter Benjamin em "O narrador", nada se explica.

Em Penélope reside o mistério de uma personagem "redonda", na classificação do Forster, depositária das múltiplas motivações formuladas pelo marido, numa vã tentativa de entender-lhe o gesto. Ulisses tenta atribuir sentidos para a sua tecelagem eternizada. Não é o gesto que é imobilizado, repito; é o moto-contínuo que é paralisado. Diz o texto: "Parece mesmo adormecida. Ou morta, tão pálida e imóvel. Mas os dedos milagrosos continuam trazendo a lã, que vai criando formas, que desmaiam pelo chão". Há aqui algo do "aprendiz de feiticeiro" do filme *Fantasia*, de Walt Disney — um objeto —, uma parte do corpo ("os dedos milagrosos", bem na linha das produções contemporâneas de um Cortázar) que adquire autonomia. A estranheza não é explicada, o insólito se instala naquela casa. "Mas não, Penélope não vai acordar." No último parágrafo do conto, Ulisses capitula, vencido pelo cansaço.

A esse ativismo todo do marido contrapõe-se a impassibilidade da mulher. Os estereótipos masculino (ativo) e feminino (passivo) encontram aqui sua mais álgida figuração. E na fidelidade ao mito, Ulisses chega das aventuras e Penélope espera e tece, nesse simulacro de gineceu que pode ser um "lar" da baixa burguesia da década de 1960.

Chico Buarque, que é um poeta que parece gostar de "falar grego com a nossa imaginação",[17] como diz na canção "Choro bandido" de 1985, convocará essa personagem mítica da mulher que tece e espera numa canção posterior (de exatos 10 anos depois, 1976), a famosa "Mulheres de Atenas", irônica e paródica. Efetivamente, numa licença poética, Chico transfere para Atenas a mulher originária de Esparta (onde Ulisses, vencedor do acima aludido torneio estabelecido por Icário, ganha como prêmio a mão de Penélope e com ela se casa). Afinal de contas, Esparta não rima com quarentenas, falenas, cadenas, melenas, pequenas Helenas, lindas sirenas, morenas, cenas, carícias plenas, obscenas... Senão, vejamos:

> *Mirem-se no exemplo daquelas mulheres de Atenas*
> *Vivem pros seus maridos, orgulho e raça de Atenas*
> *Quando amadas se perfumam,*
> *Se banham com leite, se arrumam*
> *suas melenas*
> *Quando fustigadas não choram*
> *Se ajoelham, pedem, imploram*

mais duras penas
Cadenas

Mirem-se no exemplo daquelas mulheres de Atenas
Sofrem por seus maridos, poder e força de Atenas
Quando eles embarcam, soldados
Elas tecem longos bordados
Mil quarentenas
E quando eles voltam sedentos
Querem arrancar violentos
Carícias plenas
Obscenas

Mirem-se no exemplo daquelas mulheres de Atenas
Despem-se pros seus maridos, bravos guerreiros de Atenas
Quando se entopem de vinho
Costumam buscar o carinho
De outras falenas
Mas no fim da noite, aos pedaços
Quase sempre voltam pros braços
De suas pequenas
Helenas

Mirem-se no exemplo daquelas mulheres de Atenas
Geram pros seus maridos os novos filhos de Atenas
Elas não têm gosto ou vontade
Nem defeito, nem qualidade
Têm medo apenas
Não têm sonhos, só têm presságios
O seu homem, mares, naufrágios
Lindas sirenas
Morenas

Mirem-se no exemplo daquelas mulheres de Atenas
Temem por seus maridos, heróis e amantes de Atenas

As jovens viúvas marcadas
E as gestantes abandonadas
Não fazem cenas
Vestem-se de negro, se encolhem
Se conformam e se recolhem
Às suas novenas
Serenas

Mirem-se no exemplo daquelas mulheres de Atenas
Secam por seus maridos, orgulho e raça de Atenas

Esta se tornou, na década de 1970, a canção paradigmática do feminino submetido.[18] Chico Buarque apresenta um modo de ser, na relação homem-mulher, que, num exercício de deslocamento, se situaria na Grécia. Num certo sentido, o mesmo potencial crítico (feito através da ironia e da sátira) que existe em "Mulheres de Atenas", manifesta-se no conto "Ulisses". Efetivamente, a Penélope desse conto também seria muito provavelmente uma dessas mulheres que também "não têm gosto ou vontade/ nem defeito, nem qualidade/ têm medo apenas": uma das "Mulheres de Atenas".

Ainda contextualizando o conto na sua "série literária" e, especificamente, na obra do seu autor, impõe-se uma observação: nesse mesmo ano de sua publicação, 1966, Chico Buarque compôs a canção "Ela e sua janela":

Ela e sua menina
Ela e seu tricô
Ela e sua janela, espiando
Com tanta moça aí
Na rua o seu amor
Só pode estar dançando
De sua janela
Imagina ela
Por onde hoje ele anda
E ela vai talvez
Sair uma vez
Na varanda

Ela e um fogareiro
Ela e seu calor
Ela e sua janela, esperando
Com tão pouco dinheiro
Será que o seu amor
Ainda está jogando?
Da sua janela
Uma vaga estrela
E um pedaço de lua
E ela vai talvez
Sair outra vez
Na rua

Ela e seu castigo
Ela e seu penar
Ela e sua janela, querendo
Com tanto velho amigo
O seu amor num bar
Só pode estar bebendo
Mas outro moreno
Joga um novo aceno
E uma jura fingida
E ela vai talvez
Viver duma vez
A vida

Há aí uma progressiva gradação da atitude feminina, um desenvolvimento evolutivo da mulher, no sentido mesmo espacial, de dentro para fora de casa. Assim, ao longo da canção, a mulher que está inicialmente na *janela* vai para a *varanda* (1ª estrofe), para a *rua* (2ª estrofe) e para a *vida* (3ª estrofe). A mulher sai do "interior do lar", do recesso da casa, espaço a ela reservado pelos cânones convencionais de uma certa sociedade, e se projeta no espaço aberto, sem molduras, da rua — para viver duma vez a vida. O percurso masculino é inverso: o homem está na rua, e espera-se que ele volte para casa, o que não acontece. (Semelhantemente à dupla de personagens da canção "Com açúcar, com afeto".)

No entanto, é o comportamento do homem que modela, que pauta o comportamento da mulher: não é só porque ele não volta que a mulher sai, mas porque "outro moreno/ Joga um novo aceno/ E uma jura fingida".

No início da canção, a mulher se caracteriza pelos signos habituais femininos: sua menina e seu tricô (leia-se: cuidado com filho e trabalho tipicamente feminino; além da inescapável alusão à mulher-que-espera, Penélope, enquanto seu homem vive as aventuras e odisseias a que tem direito); pela atitude passiva (na janela, espiando, imaginando, esperando). Por outro lado, quais são as ações do homem, imaginadas, aliás, pela mulher? Dançar, andar, beber, jogar: todas, energicamente ativas. Dentre os verbos que configuram a atividade feminina, não há nenhum de ação, todos revelam, como vimos, uma inequívoca passividade. Os únicos verbos que configuram uma ação — e ação radical — *sair* (presente duas vezes no texto) e *viver* são ambos modificados pelo "talvez". Pois o advérbio, reza a gramática, modifica a ação do verbo. No caso, advérbio de dúvida. Assim, a proposta da ação feminina (apesar de comportar a gradação já apontada) é virtual, não se realiza de fato, é uma possibilidade, uma eventualidade: talvez.

Por outro lado, se é verdade que há uma "inocência" inicial nas primeiras canções de Chico, contraposta à tônica erótica que vinca a sua produção posterior, não se pode dizer, no entanto, que o erotismo esteja ausente desta composição de aparente ingenuidade: "Ela e um fogareiro/ Ela e seu calor/ Ela e sua janela, esperando [...] Ela e seu castigo/ Ela e seu penar/ Ela e sua janela, querendo" — na qual o possessivo "seu", de "Ela e seu calor" (do fogareiro? da mulher?) torna o verso suficientemente ambíguo para resguardar o recato das primeiras composições de Chico, mas ao mesmo tempo já deixa reconhecer nessa personagem a mulher ardente de, por exemplo, a canção "Sem açúcar".

No conto em pauta, esse motivo da janela, importante na imagética de Chico Buarque, reveste-se do significado de possibilidade de abertura e comunicação. O protagonista, como vimos, à chegada, na sua primeira saudação, pede à mulher que abra os olhos e as janelas, que abra o peito. E logo em seguida: "Ulisses quer abrir as janelas, as janelas não deixam. O rosto de Penélope também está emperrado". Sua Penélope se transformara em "uma mulher feita parede", trancada por dentro. O penúltimo parágrafo do conto reitera, ainda uma vez, a súplica: "Penélope, pela última vez, se você abrisse as janelas...".

E é vencido pelo cansaço, depois de ter esgotado o repertório e perdido o ânimo, que Ulisses vai relaxar os músculos, pois "Afinal, amanhã é preciso trabalhar. Outra viagem, quem sabe, novas aventuras...". Mas "aventuras", pelo jeito, nunca seriam o quinhão da Penélope. Difícil não nos lembrarmos do pequeno poema de José Paulo Paes, intitulado "Ítaca":

> Na gaiola do amor
> Não cabem asas de condor.
> Penélopes? Cefaleias!
> Quanta saudade, odisseias...[19]

Condensação, ironia, ambiguidade, nessa pequena estrofe: saudades passadas de Penélope ou saudades presentes das odisseias (amorosas, inclusive)? E as cefaleias, rimando comicamente com Odisseias, seriam para o eu lírico as dores de cabeça da fidelidade, numa comprovação de que a fidelidade (gaiola do amor) tem uma dimensão de prisão que não combina com os altos feitos? Tudo isso não seria endossável pelo Ulisses do conto?

Efetivamente, o marido, esse pobre-diabo que atrai todas as nossas simpatias, no entanto pode ter culpas no cartório. Ou melhor, a sociedade que engendrou tal situação tem a culpa da insanidade de Penélope. No conto de Chico todas as simpatias são canalizadas para Ulisses, esse "herói degradado" (de que fala Lukács), que "chega de braços enormes e eufóricos", que consegue "descobrir do rosto cinzento um sorriso mágico", e que fala, e age, e fala mais ainda, e invectiva, e se desespera diante da impassibilidade, que tenta de tudo, que até conta um sonho em que começa como o quase herói de uma grande façanha de vencer o Ciclope, mas acaba por ele esmagado; que se autoexamina criticamente e se penitencia, que reitera as promessas sempre adiadas de parar de beber na rua, consertar o cano da pia, comprar a tal televisão... Mas, apesar da simpatia induzida, o leitor não deixa de se perguntar como seria a vida dessa Penélope durante as andanças do marido, ela e seu tricô.

Mergulha-se em águas pardas e paradas do mundo burguês, desprovido de significação, des-encantado (como fala Max Weber). Penélope aqui, no contexto de um capitalismo tardio, iconiza o trabalho desconectado do seu telos, esvaziado de significado. O que lhe daria sentido, que é a força do afeto, está perdido, parece que definitivamente, do lado da mulher, impermeável (que não endereça ao marido "nem sequer um desprezinho"). Mas se do lado do homem há aparentemente calor e espontaneidade, por detrás de sua exuberância e expressões afetuosas reponta a mandonice. Efetivamente, iniciando suas invectivas no registro do afeto: "Mas como, Penélope, você não escuta? Penélope, cadê seu sorriso? Suas saudades, seus braços, seus amores, cadê?".

Logo na frase seguinte, o protagonista resvalará para o autoritarismo de dono: "Mas qual, você não larga esse tricô. Ora, mulher, seu Ulisses chegou e pronto! Cadê meu jantar, cadê meu jornal, cadê?".

Há um rápido deslizamento da demanda afetiva (sorriso, saudades, braços, amores) para a exigência de ser servido (jantar, jornal). No parágrafo seguinte vem a irritação, o silêncio como sinal de protesto, o marchar de parede a parede, o pigarro, o estalar da língua, o pontapé na cadeira e o soco na mesa: "Chega! Penélope, acorda!".

Voltemos à classificação do conto contemporâneo proposta pelo professor Alfredo Bosi: creio que se poderia articular, sim, o "quase-drama do cotidiano burguês" ao quase poema "do imaginário às soltas",[20] embutindo um elemento do realismo mágico. O fantástico aqui é como um quase pretexto para apontar questões que de outra maneira não seriam tão visíveis. Como todo "estranhamento", o elemento fantástico acorda para a percepção da realidade: o "princípio de estranhamento" dos formalistas russos, em poesia, é exatamente isso — desconcertar, para atrair a atenção. Atente-se para a data de publicação desse texto, contemporâneo a produções do "realismo mágico" de Murilo Rubião e José J. Veiga; e, no âmbito latino-americano, à literatura fantástica de um Gabriel García Márquez, ou Cortázar, ou Borges, ou Asturias, ou Carlos Fuentes, entre outros.

Para José Paulo Paes (convocado aqui como crítico literário), todos os teóricos da literatura concordam num ponto essencial: "o fantástico se opõe diametralmente ao real e ao normal. E é por essa oposição de base que ele se define como gênero literário".[21] Diz ele: "É no mundo da realidade e da normalidade que vai ocorrer de repente um ato inteiramente oposto às leis do real e às convenções do normal".[22] Efetivamente, o nosso Ulisses, ao voltar da viagem, depara com o insólito num ambiente que não poderia ser mais familiar. É o cotidiano que é estranhado. O protagonista encontra "a mesma casa que deixou e uma Penélope que lhe foi fiel". Como o fato insólito, por parte da mulher — não se mostrou redutível aos quadros da realidade "normal", não seria o caso de lançarmos uma eventual visada crítica à situação que seria "normal" e que é subvertida? Volto a José Paulo Paes, em "As dimensões do fantástico":

A empresa a que [o conto fantástico] se propunha era contestar a hegemonia do racional fazendo surgir, no seio do próprio cotidiano por ele vigiado e codificado, o inexplicável, o sobrenatural — o irracional, em suma. Frequentes vezes, a racionalidade é posta a serviço da ordem social vigente, à qual ela cuida de justificar e legitimar, ao mesmo tempo em que estabelece um silêncio punitivo sobre o que considera irracional. Daí a justeza da observação de Irène Bessière,[23] de que a narrativa "fantástica" denuncia, pela recusa do verossímil, todas as máscaras ideológicas.[24]

Assim chegamos a uma possibilidade de interpretação do gesto indefinidamente repetido dessa Penélope fantasmada, no seu moto-contínuo eternizado: aqui radicaria uma crítica à ordem social vigente.

Postura semelhante à de José Paulo Paes encontramos na avaliação dos "perfis de estranheza" de Murilo Rubião e J. J. Veiga, feita por Alfredo Bosi no texto sobre o conto brasileiro, que venho acompanhando: "O fantástico irrompe, nestes, como o intruso no ritmo do cotidiano; e o evento novo, que poderia soar apenas imprevisto e aleatório, passa a exercer, na estrutura profunda da trama, a função de revelador de um processo inexorável na vida de um grupo".[25]

Creio que não há necessidade de insistir que essas observações se aplicam à Penélope do conto de Chico Buarque.

Há ainda a respeito do universo fantástico algo de significativo a apontar, e que diz respeito ao estatuto das personagens da épica clássica e da maneira como elas aparecem no conto de Chico Buarque. Sabemos que há na *Odisseia* dois tipos de personagens, além dos deuses, com que Odisseu contracena. Há aqueles de recorte "realista", supostamente históricos, inclusive, e que se apresentam como seres humanos, digamos, "reais". Entre eles, está Penélope, o filho Telêmaco, Nestor, Euricleia, os companheiros de Odisseu, Menelau, os príncipes de Ítaca que disputam a mão de Penélope etc. E há aquelas de recorte sobrenatural, seres do mundo "maravilhoso" e fantástico, compondo o "miolo folclórico" da Odisseia, que se abriga entre os Cantos IX a XII da épica, originando narrativas que se filiam ao gênero popular, encontradiças em outras civilizações, da bacia do Mediterrâneo à Índia, à África, à Nova Zelândia, ao Japão.[26] Em todo caso, elas aparecem nas aventuras que Odisseu conta ao rei dos feácios. Como o encontro com os lotófagos (que ofereceram à tripulação de Odisseu a flor do lótus, planta que, uma vez ingerida, faz perder a memória da terra natal e o desejo da volta); o encontro com a feiticeira Circe (que transforma em porcos os companheiros de

Ulisses, com sua varinha de condão); a estadia com Eolo, o rei dos ventos (que presenteia o herói com um odre cheio de ventos, que seus companheiros abrem no navio, por curiosidade, comprometendo a volta a Ítaca); o confronto com as sereias (cujo canto sedutor leva à destruição) etc. Detenho-me naquilo que foi recuperado pelo conto do Chico Buarque: o enfrentamento de Odisseu com o gigante de um olho só, o Ciclope Polifemo, de força descomunal, relatado no Canto IX da epopeia. Odisseu, preso na caverna do Ciclope, que lhe devora alguns dos companheiros, tenta vencê-lo, como sempre através da astúcia. Sem poder matá-lo porque não conseguiriam depois remover a pedra que fechava a porta da gruta do gigante, resolve embebedá-lo, para depois o cegar. Em todos esses relatos Odisseu se torna personagem, ou melhor, protagonista de narrativas antiquíssimas que com pequenas alterações fazem parte do patrimônio lendário de diferentes civilizações, o que as irmana às poéticas da oralidade de outros povos; e sempre contracenando com seres do mundo da fantasia.

Mas o curioso é que nessa reapropriação do mito feita por Chico Buarque, num texto timbrado de resto pelo realismo, a única personagem tocada por essa dimensão fantástica é Penélope, tão "real" na Odisseia. Por outro lado, o único ser de extração folclórica, que mergulha nas águas do "maravilhoso", o Ciclope Polifemo, entrará no conto como um sonho de Ulisses. Pois o marido, na tentativa desesperada de arrancar a mulher do estupor de sua tecelagem eternizada, propõe-lhe:

> A não ser que você queira ouvir meus sonhos. Porque sonhar, a gente sempre sonha, mesmo quem viaja a negócios. Entre credor e devedor, às vezes fui mais do que caixeiro-viajante. Fui inclusive, se isso lhe impressiona, o príncipe encantado dos seus sonhos. Intrépido cavaleiro a desafiar abismos inventados... Ah, monstros tão monstros inventei, que mesmo em sonho tive medo! Gigante de um olho só! Imagina, Penélope! Só de fingir que você estava ali me assistindo, enchi o peito e fui à guerra.

Mas no sonho do Ulisses de Chico Buarque, o protagonista, mesmo tendo declarado explicitamente que resolveu "usar da astúcia", característica fundamental da personagem odisseica, falha. É fracote, ruim de copo, não aguenta bebida, é vencido pelo Ciclope. Vamos ao sonho:

Encarei enfim o animal terrível. Gritei um nome feio, não ouviu. Atirei uma pedra, mas que pedrinha besta... Resolvi então usar da astúcia. Puxei do bolso traseiro uma garrafa de aguardente, dessas de estourar peito, deslocar montanhas... Foram duas, três garrafas, o monstro era duro na queda! Do mesmo gargalo bebemos quase fraternalmente. O monstro era um legítimo alcoólatra! Virou seis litros dum gole só, contou pornografias. Rimos muito, cantamos junto! E quando a festa acabou, quem estava bêbado era eu, rolando pelo chão, vomitando asneiras... E o monstro ali de pé, num ar austero de contrabaixo, olhou-me com desprezo. E pra encurtar a história, esmagou sem dó minha carcaça inútil, e saiu por aí chutando coisas. Quanto a mim, fui enterrado com honras de herói nacional. [...] Finalmente, virei busto em praça pública, mato crescendo e cachorro regando em redor de minha posteridade.

Efetivamente, a *Odisseia* que, nas palavras de Edward Said, seria um desses "monumentos que nos intimidam a partir do passado", aqui é carnavalizada. O termo é de Bakhtin,[27] em estudo sobre a obra de Rabelais, apontando na cultura popular um processo paródico, vigente na Idade Média e no Renascimento, que se opunha à cultura oficial de tom sério (religioso ou feudal). Os críticos sempre costumavam assinalar a predominância, em Rabelais, de um "fisiologismo grosseiro", que Bakhtin chama de princípio da vida material e corporal, que é uma característica do realismo grotesco, implicando um "rebaixamento", ao plano material e corporal, da terra e do corpo, do que é elevado, espiritual e ideal. É assim que Bakhtin aponta em Rabelais a importância significativa dos excrementos; nessa chave, aliás, pode ser lida a referência ao xixi de cachorro, regando o busto da personagem transformado em monumento público, bem como o vômito do Ulisses bêbado (e que não se restringiria somente às asneiras lançadas).

Remetendo às farsas medievais, em que os temas tanto da Igreja como da Cavalaria perdiam a seriedade e levavam ao riso, verificava-se sempre nas paródias, diz Bakhtin, um processo de *inversão*. No nosso conto carnavalizado não apenas tudo é reduzido de escala — do mundo heroico do mito ao mundo cinzento e desencantado do cotidiano burguês —, mas a paródia opera sistemáticas inversões do texto paradigma. Senão, vejamos: gritou... não ouviu; atirou uma pedra... mas que pedrinha besta; tentou embebedar... acabou bêbado; tentou matar o monstro... o monstro esmagou sua carcaça; virou busto em praça pública... mas o mato cresceu e o cachorro veio regar sua posteridade. É o momento satírico mais forte do conto. Não há apenas redução e apequenamento: tira-se a seriedade e o heroísmo da façanha, e o protagonista, mesmo tendo-se apresentando como "o príncipe encantado dos sonhos" da mulher, mesmo em sonho é vencido e humilhado: um episódio paradigmático do herói des-heroicizado.

Mas há que se estender o processo de carnavalização para todo o conto, ele não vige somente no sonho. Assim, a viagem de Odisseu, que atualiza o grande topos da literatura de todos os tempos o da Vita/Via (da vida enquanto caminho) aqui se transforma em viagem de negócios; o Ulisses do conto não é o grande Nauta, mas um caixeiro-viajante, às voltas com rolamentos e virabrequins, e que no seu autoexame revela ao leitor a barriga mole de guardar cerveja, os dedos curtos de contar dinheiro, as unhas sujas, as pernas bambas...; os muitos lugares visitados cristalizam-se nos cartões-postais trazidos; o topos quase ritualístico dos presentes da épica, aqui se transformam quinquilharia de bazar: "bandeirolas, bibelôs, bonecos, mil cartões-postais! [...] E mais retratos, fantasias, óculos novos, sabonete, barbante e outros encantos menorzinhos".

Voltemos para o "quase drama do cotidiano burguês", para essa "situação típica e média da civilização moderna" do texto crítico de Alfredo Bosi. Entre a chegada do protagonista, eufórico, do início do conto, e seu adormecimento ali mesmo, de galochas, desenvolve-se o flagrante da incomunicabilidade total do casal: "Uma Penélope impassível e um inútil Ulisses". O encontro do casal não se viabilizará, definitivamente.

Na épica, quando Odisseu retorna e o casal mítico finalmente se reúne, cada um contando ao outro o que se passara nessa longa ausência, e eles à noite vão para a cama, ou melhor, para o famoso leito conjugal inamovível, a Aurora atrasa, a fim de que a noite se prolongasse, para que eles pudessem saciar a grande saudade dos seus abraços. Diz o texto que a deusa Atena "demorou a longa noite nos confins da terra; deteve igualmente sobre Océano a Aurora de trono de ouro; não deixou fosse atrelada a veloz parelha que traz a luz aos homens, Lampo e Faetonte, os poldros da biga de Aurora".[28]

Mas em seguida, a mesma Atena, "Quando por fim, segundo calculou, Odisseu já tinha desfrutado quanto bastava ao coração, o leito da esposa e o sono, fez logo subir do Océano a matinal Aurora de trono de ouro pra trazer a luz aos homens".[29]

O amor de Odisseu e Penélope (com todos os reparos que possam ser feitos) tem na epopeia uma dimensão cósmica, altera o curso dos astros, interfere na chegada do sol, atrasa a vinda da luz! Aqui, no nosso conto, no penúltimo parágrafo, Ulisses, voltando a pedir que a mulher abrisse a janela, observa: "Essa luzinha elétrica e besta, esse diabo de tricô...".

Efetivamente, saímos do mundo do Mito e caímos no mundo da História.

Os filhos de Machado de Assis

Antonio Carlos Secchin

Para Alfredo, que também é da família, com o afeto de um benjamim

Brás Cubas, Rubião, Pedro, Paulo, Aires. Todos eles protagonistas masculinos. E nenhum deles foi pai. O único a gerar um filho — Bentinho — tem paternidade contestada. Passemos, agora, a outros personagens machadianos: Lobo Neves, Quincas Borba, Cristiano Palha, José Dias, Tristão, Aguiar — nem sequer um desses, conforme diria Brás Cubas, transmitiu a outra criatura o legado de nossa miséria. Nessa paisagem de desértica paternidade, outro aspecto se salienta: a virada para o polo masculino na nomeação dos romances da chamada segunda fase do autor. Se, na primeira, deparamo-nos com Helena e Iaiá Garcia, agora a galeria é inteiramente composta por varões: Brás, Quincas, Dom Casmurro, Esaú e Jacó, Aires. A ambiguidade desse masculino marcado pelo vácuo da paternidade não deixa de se constituir em outro enigma da ficção de Machado de Assis.

No que tange, porém, à descendência literária, costuma-se dizer que o autor foi bastante prolífico. Gerou uma série de sucessores que de bom grado declaram pertencer à estirpe machadiana. Em seu discurso de posse na ABL, em 1961, Jorge Amado afirmou que o romance brasileiro se desenvolvera a partir de dois troncos bem distintos: o machadiano e o alencarino, a que ele mesmo se filiava. A propósito da primeira família, declarou: "A maioria dos descendentes de Machado — com evidentes e importantes exceções — são seus imitadores copiando do mestre não apenas a posição ante a vida transposta para a arte, mas também os cacoetes e os modismos". Prosseguiu Jorge Amado: "É que Alencar nos lega a vida e a vida vive-se, não se imita, enquanto Machado nos lega a literatura, a perfeição artística que invejamos e tentamos imitar".

Com efeito, já no século XIX surgia uma espécie de clone de Machado, o ficcionista Pedro Rabello, cujo livro, de 1895, *A alma alheia*, trazia no título uma involuntária confissão de tratar-se de alguém incapaz de criar a alma própria. A respeito, numa crônica de *A Semana*, Machado de Assis registra o pastiche de Rabello, tendo, porém, o escrúpulo de omitir o fato de ser ele, Machado, o escritor pastichado. Comenta: "Tem-se notado que seu estilo é antes imitativo, e cita-se um autor, cuja maneira o jovem contista procura assimilar".

O Modernismo de 22 foi hostil ou indiferente a Machado de Assis. Mas a partir da década de 1930 começam a surgir, em qualificada escala, seus novos e autoproclamados herdeiros: Cyro dos Anjos, Josué Montello, Autran Dourado, entre outros.

Não será por esse viés — o da herança literária — que aqui falarei dos "filhos" machadianos. Procurarei localizá-los na esfera das relações pessoais desenvolvidas por esse escritor comumente descrito como alguém contido e protocolar, avesso a quaisquer manifestações públicas na ordem da afetividade.

Se não deixou sucessores biológicos, Machado cultivou zelos paternais para com dois jovens escritores, cujas obras vicejaram à sombra da frondosa acolhida do grande mestre: Mário de Alencar e Magalhães de Azeredo. Se o nome de Mário está esquecido, o de Magalhães, pode-se dizer, está soterrado. Proponho-me examinar em especial a obra deste último, tanto intrinsicamente quanto nos mecanismos de legitimação a que recorreu para alavancar-se sob a tutela do padrinho. Por fim, será também comentada a forte ligação entre Alencar e Azeredo.

Depois de 66 anos, 9 meses, 7 dias e 33 publicações na condição de acadêmico, morria, aos 91 anos, o carioca Carlos Magalhães de Azeredo, primeiro ocupante da cadeira 9 da Casa e detentor de um recorde de longevidade na ABL que dificilmente será ultrapassado, ao menos enquanto a expectativa de vida da espécie humana não atingir os 150 anos.

A bibliografia de Azeredo, entre livros e plaquetes, comporta mais de três dezenas de títulos, dos quais sequer a metade consta de sua página no portal da Academia. Isso se deve, sem dúvida, ao fato de expressiva porção de sua obra constituir-se de opúsculos impressos na Itália, publicados às expensas do autor e provavelmente numa tiragem ínfima. Além disso, nenhuma de suas obras logrou reedição. Optando por fixar residência em Roma, onde se aposentou como Embaixador junto à Santa Sé em 1934, poucas vezes retornou ao Brasil, o que rarefez ainda mais seus laços com a literatura e a cultura de nosso país, conforme relata Afonso Arinos, filho, no esclarecedor prefácio às Memórias de Carlos Magalhães de Azeredo, publicadas pela ABL em 2003.

E que memórias não poderíamos esperar de um escritor que aos quinze anos testemunhara a abolição da escravatura e que só viria a falecer após a Capital Federal já se haver transferido para Brasília! Infelizmente, sua autobiografia restringe-se aos anos da mocidade, encerrando-se no crepúsculo do século XIX. No índice onomástico da obra, Machado de Assis se faz presente doze vezes, suplantado apenas, em âmbito brasileiro, por Mário de Alencar, com treze registros, Olavo Bilac, com dezessete, e, duplamente soberano, por d. Pedro II, que comparece em 23 páginas.

Por iniciativa de Machado, Azeredo, aos 25 anos, tornou-se um dos dez acadêmicos eleitos na sessão preparatória de 28 de janeiro de 1897, para que se atingisse o total de quarenta membros fundadores. O jovem preenchia o requisito estatuário de ser autor de obra publicada, pois em 1895 estreara em livro com *Alma primitiva*.

É de notar que o começo da carreira de Azeredo foi bem promissor, amparado pelos bons auspícios de seu influente padrinho literário, que o considerava "um dos mais brilhantes nomes da geração nova". Já em 1898 saía na cidade do Porto o volume de versos *Procelárias*, revelando um largo fôlego poético desdobrado em 224 páginas. Na abertura do livro, em sequência a textos consagrados às figuras da mãe e da amada, deparamo-nos com o poema "No limiar", dedicado a Machado de Assis e iniciado pela palavra "Mestre". Trata-se de uma coletânea de fatura parnasiana, com as indefectíveis evocações da Antiguidade, a que não falta sequer o tributo a Cleópatra, num soneto alexandrino do mais ortodoxo lavor decorativo: "Nubla a sombra da tarde o céu de esmalte puro,/ Que a púrpura do poente, em franjas largas, tinge;/ E o moribundo sol verdes palmeiras cinge,/ Do palácio real dourando o vasto muro". Outro índice de sua sintonia parnasiana são as dedicatórias a Olavo Bilac e a Raimundo Correia. Como também há poemas dedicados a Lúcio de Mendonça, Coelho Neto e Valentim Magalhães, é de supor que Azeredo, apesar da tenra idade, já era maduro na arte do cultivo das relações acadêmicas.

No livro seguinte, *Baladas e fantasias*, de 1900, ele faz constar, na folha de rosto, logo após seu nome, a menção "Da Academia Brasileira". A exemplo de *Procelárias*, *Baladas e fantasias* é alentada publicação, de 391 páginas, composta de vinte narrativas. Destaque-se, a merecer reavaliação positiva, o conto "Samba", no qual um grupo de negros convoca o espírito sofredor dos ancestrais também escravos, num relato pungente contra a iniquidade da escravidão, expresso em linguagem despojada, isenta dos torneios preciosos que atravancam a fluência de outros textos. Bem mais tarde, em 1922, Azeredo voltaria ao gênero em *Ariadne*, livro dedicado a Afrânio Peixoto, reincidindo, porém, com certa frequência, conforme já sinaliza o próprio título, no imaginário greco-latino. Basta comparar as personagens negras vítimas de tortura em "Samba" com "A Vênus negra", protagonista de um dos contos de *Ariadne*, assim descrita: "Era de bronze, em verdade, não de ébano [...]. Ó Vênus negra! Ó vênus líbica! terrível irmã de Ísis e de Astrateia".

Mas retornemos ao início do século XX, quando se concentra o melhor da lavra de Magalhães. Em 1902, após a poesia e a ficção, surge o ensaísmo de *Homens e livros*, coletânea de nove estudos redigidos no exterior e aqui estampados pela nobre chancela de H. Garnier, Livreiro-Editor. São textos que transitam com acuidade e desenvoltura entre autores nacionais e estrangeiros: Leopardi, Garrett, Eça de Queirós, Alberto de Oliveira e outros. Dois ensaios se debruçam sobre a obra de Machado. O primeiro, datado de 1897, talvez seja pioneiro na apreciação global da produção do autor, e dele transcrevo alguns excertos para que se observe a perspicácia crítica de Magalhães: "Celebrar Machado de Assis é propriamente celebrar a dignidade e a elevação da obra literária"; "os personagens de Machado de Assis são geralmente caracteres indecisos, hesitantes, atormentados pela *moléstia da dúvida*" (Magalhães observou isso antes da publicação de *Dom Casmurro*); "O ziguezague está mais na lógica real que a linha reta: nada tão comum como a dualidade, a multiplicidade até de uma alma"; "a ação para Machado não vale por si própria [...]; vale unicamente como *motivo de interpretação*. Por isso ele não se apressa"; "Os objetos lhe interessam menos pelo aspecto pitoresco, que pelo sentido íntimo e pelas relações mútuas"; sobre a personagem feminina: "Perversa, em rigor, não vejo nenhuma; perturbadoras há muitas, e de penosa decifração". Datado de março de 1898, o segundo estudo centrado no escritor da Rua Cosme Velho tem por título "Machado de Assis e Sílvio Romero". Trata-se de uma refutação respeitosa, mas firme, ao venenoso livro de 1897, em que Romero hostilizara o consagrado escritor. Mais tarde, Azeredo revelaria mágoa por todos citarem a obra de Lafaiete Rodrigues Pereira, *Vindiciae*, de 1899, como o grande libelo de defesa machadiana contra as acusações de Romero, e ninguém mais se recordar de seu precursor e consistente ensaio sobre a mesma questão.

Igualmente dos albores do século xx é a mais ambiciosa investida lírica de Magalhães: *Odes e elegias*, de 1904. Em "Nota necessária" no pórtico do volume, o poeta afirma que seu livro introduz, na poética em língua portuguesa, os chamados *metros bárbaros*, entendendo-se por isso, na esteira do que na Itália fizeram Carducci e Tommasèo (nominalmente citados), a prática do verso superior a doze sílabas, até então o ponto extremo do sistema métrico português. Já a ausência de rima, outro tópico enfatizado no preâmbulo de Azeredo, não era de modo algum procedimento pioneiro: o verso branco, embora menos usual do que o rimado, já fora largamente utilizado em nossas letras; entre outros, por Basílio da Gama, Gonçalves de Magalhães e Gonçalves Dias. Recorde-se, a propósito, um saboroso poema em prosa de Mario Quintana, "O susto":

Isto foi há muito tempo, na infância provinciana do autor, quando havia serões em família.

Juquinha está lendo, em voz alta, A confederação dos tamoios.

Tararararará, tararararará,

Tararararará, tararararará,

Lá pelas tantas, Gabriela deu o estrilo:

— Mas não tem rima!

Sensação. Ninguém parava de não acreditar. Juquinha, desamparado, lê às pressas os finais dos últimos versos... quérulo... branco... tuba... inane... vaga... infinitamente...

Meu Deus! Como poderia ser aquilo?!

— *A rima deve estar no meio* — *diz, sentencioso, o major Pitaluga.*

E todos suspiraram, agradecidos.

Num raro assomo de imodéstia, em carta de 1932 endereçada a Afonso Arinos, Azeredo jacta-se de certa superioridade frente a Olavo Bilac e a Raimundo Correia: "Conheci diretamente a Itália e a Grécia; assim o que neles é de segunda mão, é reflexo mais ou menos livresco, em mim é fruto de experiência imediata". Desafortunadamente seus frutos poéticos pouco a pouco murcharam, apesar de o autor neles investir até o desfecho de sua obra, como o comprova o *Intermezzo*, de 1946, publicado sem editora, às expensas do autor, no Rio de Janeiro, constituído de peças curtas, quase epigramáticas, às vezes sentenciosas, em tudo diversas da opulência verbal de seus primeiros livros. Azeredo chega a compor trovas, como este "Madrigal para uma linda freira": "Vendo-te o rosto formoso,/ e essa alma sem par,/ Deus decidiu por esposo/ seu próprio Filho te dar".

Poeta greco-cristão, Magalhães, convicto monarquista e fervoroso católico, deve ter-se duplamente ressentido com o advento da República e com a secularização da sociedade. Tinha razão Alberto da Costa e Silva, quando, em novembro de 2000, no discurso de posse na cadeira 9 da ABL, observou que Azeredo, ao longo do século XX, permaneceu fiel ao escritor que fora no século XIX. Daí, portanto, acrescento, não ser de se estranhar que o registro de suas memórias se tenha interrompido em 1898.

Numa de suas esparsas vindas ao Brasil, em 1919, incumbiu-se da recepção de Amadeu Amaral, no único discurso que proferiu em suas mais de seis décadas acadêmicas. É peça oratória de interesse, por tratar-se de um raro depoimento público pós-morte de Machado de Assis efetuado por alguém que devia praticamente tudo ao autor de *Quincas Borba* na construção de sua carreira literária.

Nesse discurso, Azeredo, além de, como de praxe, louvar o recém-empossado Amadeu Amaral, estendeu-se em elogios ao antecessor (e fundador) Olavo Bilac, externando ainda menções de afeto e saudade a Machado. Recordou, inclusive, que fora ele, Machado, quem o apresentara a Bilac.

Mas é na extensa correspondência entre Magalhães de Azeredo e Machado de Assis que mais explícita e fecundamente se patenteiam os laços que uniam os escritores. O livro, digamos, involuntário da epistolografia de ambos acabou tornando-se o maior legado de Azeredo às nossas letras, tanto pelo que revela do jovem e impetuoso autor, quanto pelo que desvela de seu veterano e comedido mestre, 32 anos mais idoso. Cento e trinta e sete cartas dessa interlocução epistolar vieram a lume em 1969, numa edição preparada com esmero por Carmelo Virgílio, montante que se elevou a 146 na esplêndida e quase exaustiva compilação da correspondência machadiana publicada pela ABL a partir de 2008, sob a chancela de Sergio Paulo Rouanet. Dos cinco volumes em que se distribui o vasto material de 1178 missivas, Azeredo só não comparece — *et pour cause* — no tomo I, encerrado em 1869, três anos antes do nascimento do escritor.

As cartas de Azeredo são mais numerosas e extensas do que as de Machado. Com o desassombro e, às vezes, a audácia e ambição dos novatos, não se furta, às vezes, a transformar o ilustre interlocutor naquilo que hoje denominamos um "agente literário". Pede que Machado intermedeie a apresentação de seus originais junto a diversas editoras; discute valores, composição, papel e ilustrações gráficas; solicita que os preços fornecidos pelos editores sejam objeto de barganha, reivindica espaço em periódicos para seus contos e poemas, demanda opiniões e matérias, inevitavelmente elogiosas, sobre suas publicações. Insta Machado a não se retardar tanto nas respostas.

Em algumas cartas, por motivos variados, tece restrições à literatura de confrades acadêmicos: Coelho Neto, Luís Murat, Medeiros e Albuquerque, José Veríssimo e Sílvio Romero não saem ilesos de sua pena judicativa. Anotou sobre Coelho Neto:

> maravilhosamente dotado pela natureza, abusou dos seus dons congênitos, fazendo da arte uma prestidigitação. [...] Do solo fértil e escolhido, onde várias plantas de luxo cresciam [...] as mãos sôfregas do agricultor empresário arrancaram cruelmente numa só primavera flores, folhas, galhos, raízes [...]. É de estranhar que a terra esteja exausta e que das novas sementes só venham plantas raquíticas?

Tal invectiva, num tom dissonante da usual polidez de Azeredo, se deveu à sua grande decepção com o discurso acadêmico pronunciado por Coelho Neto na recepção de Mário de Alencar. Em outra missiva, afirmou, acerca de Valentim Magalhães:

Esse homem de talento escreve há vinte anos para o público, e ainda não fez cousa capaz de resistir ao tempo. Em vez de adorar a Perfeição, imola tudo à Pressa [...]. E pede indulgência para os defeitos do livro porque o compôs com demasiada rapidez [...] eu não acredito que o Valentim escreva jamais o livro capital que sonha e promete. Aquele talento de improvisador não dá para isso. E é pena, pois na verdade poucos entre nós têm amado e cultivado as letras com tanta sinceridade e constância.

Dura crítica, mas vazada com aguda compreensão. O veredito de Azeredo, no caso, tinha fundamento: Valentim revelava-se, com efeito, escritor prolífico e apressado, sem deter-se em revisões ou na leitura atenta do material que encaminhava ao prelo. Certa vez, tal desatenção o obrigou a redigir uma errata considerada das mais constrangedoras e involuntariamente cômicas da literatura brasileira — no romance *Flor de sangue,* de 1896, retificou o autor: "À página 285, 4ª linha, em vez de 'estourar os miolos' — leia-se cortar o pescoço".

Machado, por seu turno, empenhava-se em atender todas as solicitações do jovem correspondente. Avesso a controvérsia, não endossou as eventuais estocadas de Azeredo desferidas em colegas da Academia: o máximo a que se permitiu foi admitir, com elegância, quase com pudor, o desconforto frente à ofensiva que sofrera de Sílvio Romero:

É um estudo ou ataque, como dizem pessoas que ouço. De notícias publicadas vejo que o autor foi injusto comigo. A afirmação do livro é que nada valho. Dizendo que foi injusto comigo não exprimo conclusão minha, mas a própria afirmação dos outros; eu sou suspeito. O que parece é que me espanca.

Pouco depois, em outra carta, retorna ao assunto, com alguma ironia: "O livro [de Romero] aí está, e o editor, para agravá-lo, pôs-lhe um retrato que me vexa, a mim que não sou bonito. Mas é preciso tudo, meu querido amigo, o mal e o bem, e pode ser que só o mal seja verdade".

Tema constante foi a Academia — o registro do esforço tenaz de Machado para dotá-la de uma sede, os diálogos sobre a abrangência de suas atribuições, os comentários acerca de candidaturas que começavam a brotar em decorrência da morte dos fundadores. Em junho de 97, anota Azeredo: "Já é alguma cousa que a nossa Academia já tenha sala própria; mas sala não basta, deve ter edifício seu, e vasto e rico. Ao Congresso cabe a obrigação de doar-lho; não há esperança disso nesta quadra da economia?". Em setembro do mesmo ano, Azeredo propõe uma missão à ABL: "Um serviço que ela poderia prestar seria o de tratar e resolver seriamente a questão da unidade ortográfica que nos falta ainda e aos portugueses também". Igualmente lúcidas são suas palavras sobre a constituição da ABL:

> Se ela tivesse sido organizada desde o princípio sob os auspícios dos poderes públicos, certamente não valeria nada, e se tornaria com o tempo instrumento mais ou menos forçado de manobras políticas. Tiveram, porém, os fundadores o bom senso de instituí-la fora de toda a influência do Governo, afirmando assim desde logo a plena independência e a pura intelectualidade da companhia.

Nos períodos de sucessão acadêmica, Machado, em geral, comportava-se com máxima discrição, zeloso da desejável aura de imparcialidade que deveria emanar da figura do Presidente. Em carta de 1903, porém, demonstrou nítida inclinação para uma candidatura, declarando previamente seu sufrágio, com a precaução, porém, de deixar aberta a Azeredo a possibilidade de fazer livremente sua escolha: "Não quero insinuar-lhe voto, mas o candidato que parece reunir maioria é o Euclides da Cunha, autor dos *Sertões*. Estamos concertados muitos em votar nele, começando pelo Rio Branco".

Tópicos recorrentes dessa epistolografia foram as viagens de Azeredo, as descrições das cidades que visitava e seus baldados esforços para convencer Machado a abalançar-se a uma aventura transatlântica. Em 1905, mesmo com o presidente da Academia já fisicamente combalido, e psiquicamente fragilizado pela morte da esposa, Azeredo insistia:

> Venha, pois, conhecer de perto as outras pátrias que conta no mundo além da nativa. Que impressões teria de Paris, de Londres, de Berlim, da Espanha, da Itália toda, e especialmente da incomparável Roma! Não negue esse justo prêmio ao seu longo labor [...]. Hoje é tão fácil cousa uma viagem da América à Europa. Pouco mais é do que um passeio de bonde, pois de fato o hábito das passagens constantes já traçou verdadeiros trilhos através do Oceano.

Na resposta, depois de agradecer o convite, esquivou-se Machado: "Estou velho, fraco e doente. Demais, não tendo podido ir com minha mulher, como ela desejava tanto, sentiria agora um repelão de consciência indo só".

Falecida Carolina, apegou-se Machado de Assis, cada vez mais, a seu outro jovem interlocutor, Mário de Alencar, escritor igualmente amigo de Magalhães de Azeredo. Filho de José de Alencar, fora eleito para a ABL em 1905; se suas credenciais literárias se resumiam a um exíguo volume de *Versos* (1902), com 34 poemas, contou, para fortalecer sua candidatura, com ostensivo apoio e empenho de Machado, na contramão do comedimento que sempre lhe pautara a conduta na presidência da Academia. Para o espanto indignado de muitos, Mário, praticamente sem bibliografia, derrotou o renomado ficcionista Domingos Olímpio, tendo obtido 17 votos, contra 10 do adversário. Em 1906, em discurso de posse, declarou, com modéstia extrema, que ali estava para "representar" o pai, mas em tudo fez questão de dele se diferenciar: afirmou (não sem razão) que o outro era grande, ele era pequeno; apresentou-se apenas como cultor da poesia, para não dar margem a cotejos com o gênero paterno, a narrativa. Coelho Neto parecia concordar com a diminuta dimensão a que Mário se autorreduzia, quando narrou, no discurso de recepção acadêmica, certa história em que um guerreiro desse modo lamentava:

> Assim, é meu Pai o meu maior inimigo, o único para o qual é inútil a minha coragem e serão sempre fracas as minhas armas. Nunca meu nome, o meu próprio, soará [...]. Ainda que eu adotasse um nome e o levantasse com brio, mais tarde haviam de descobrir o rebuço e toda a minha glória refluiria para o túmulo daquele que, sobre haver sido grande, sempre há de ser o senhor da láurea.

A diminuta obra de Mário de Alencar se iniciou com o diminuto (9 × 13 cm) *Lágrimas*, de 1888, quando o autor, nascido em 1872, ainda era um adolescente. Os 19 poemas desse opúsculo jamais foram reeditados ou incorporados às suas subsequentes coletâneas poéticas: *Versos*, de 1902 e *Versos*, de 1909. *Lágrimas* é pródigo em dedicatórias a escritores, com notável incidência (ou "faro") em nomes que, menos de uma década depois, comporiam o quadro de fundadores da Academia Brasileira de Letras: Guimarães Passos, Olavo Bilac, Coelho Neto, Luís Murat. Aos 16 anos, talvez de forma inconsciente, Mário já começava a pavimentar o caminho em direção à ABL. No livro de 1909, apenas dois poemas trazem no título o nome da pessoa a quem são dedicados: o primeiro deles, longo texto em tercetos decassílabos, se intitula "A Carlos Magalhães de Azeredo"; o segundo, igualmente "A Carlos Magalhães de Azeredo". Na homenagem inicial, datada de 1904, Mário louva as *Odes e elegias* de Magalhães, e aproveita para fustigar a cena social e política do Brasil:

Vendo esta pátria assim tão maltratada
Dos maus filhos perversos que ela tem
E a tornam mais que todas desgraçada.

Eles que lhe asseguram querer bem,
E não fazem senão querer-lhe mal!
Que é do mal dela que o lucro lhes vêm.

Já nos chamam lá fora Senegal!
E ai de nós! Que seria com tal gente
Este país sem leis e sem moral!

Organizou depois um *Dicionário das rimas portuguesas*, em cujo prefácio, com espantosa franqueza, confessa não ver grande valia nesse tipo de empreitada, e, talvez caso único no gênero, enumera também as palavras para as quais não conseguiu encontrar a rima, a exemplo de "apêndice", "Cleópatra", "Pedro" e "taquígrafo".

Em âmbito acadêmico, Mário é recordado com simpatia por um motivo extraliterário: coube a ele a iniciativa do estabelecimento da "cédula de presença", mais conhecida como "jeton".

Seus melhores trabalhos foram publicados após a morte de Machado, em 1908, no volume *Alguns escritos*, de 1910. Textos primorosos sobre a vida e a agonia do mestre se espraiam por 51 das 158 páginas do livro. O autor é categórico na afirmação de que fora a esposa Carolina o modelo para a personagem Carmo, do *Memorial de Aires*, respaldando-se em depoimento do próprio romancista. As suas "Páginas de saudade" assim se iniciam: "Comecei a escrever estas páginas algumas horas antes de morrer Machado de Assis". Curiosa e sintomaticamente, o memorialista/prosador Alencar, até então poeta, começou a nascer no momento em que o "pai" começou a morrer.

Conquanto entre Joaquim Maria, Mário e Carlos inexistissem vínculos de sangue, os três constituíram uma efetiva família de espíritos. Comentários malévolos atribuíram a Machado a paternidade biológica de Mário. Conferiu-se erroneamente a Humberto de Campos a paternidade de tais intrigas. Humberto, na anotação de seu *Diário secreto* datada de 13 de março de 1928, refere que as insinuações partiram de Goulart de Andrade — ele, portanto, apenas as teria propagado, atitude que, a rigor, não sei se é atenuante ou agravante.

De qualquer forma, quando indagado se é verdade que Machado teve um filho acadêmico, respondo que não: teve dois, igualmente amados, o filho próximo, Mário, e o distante, Carlos, herdeiros espirituais que alçaram Machado de Assis ao patamar de uma ascendência simbólica da qual muito se orgulhavam, e que nunca deixaram de proclamar. Partilhando o mesmo "pai", forçosamente haveriam de sentir-se unidos por laços fraternos. Leia-se numa carta de Azeredo, dezembro de 1896: "O nosso Mário escreve-me muito assiduamente, e eu a ele. Sei quanto ele me quer, e eu correspondo com toda sinceridade da minha alma a esta amizade, uma das que eu espero que sejam eternas". Leia-se outra carta, novembro de 1905: "Amigos [...] com alguns estou em falta; pergunte ao Mário, um verdadeiro irmão para mim". Tal consórcio triplo de almas afins já estava, talvez, premonitoriamente inscrito no "recado do nome" de suas idênticas iniciais: M. de A., Machado de Assis, M. de A., Mário de Alencar, M. de A., Magalhães de Azeredo.

Mário viveu até o dia 8 de dezembro de 1925. Azeredo não regressou para acabar seus dias na pátria, conforme desígnio expresso em carta da juventude. Faleceu em Roma, no dia 4 de novembro de 1963, em situação de quase penúria. Vira-se forçado a vender, para subsistência, parte do mobiliário e algumas outras peças do acanhado apartamento em que residia. Sem amigos, ignorado no Brasil, desconhecido na Itália, partiu sem atingir o alto destino prognosticado por Machado de Assis, comprovando que, às vezes, até os deuses literários se equivocam em seus vaticínios.

Carlos Magalhães de Azeredo, porém, já profetizara a zona de sombra que recairia sobre sua obra, e que atingiria também a literatura de seu "irmão". No epílogo do último poema de sua primeira coletânea de versos, dolorosamente prenunciou a dissipação de seus sonhos: "E ides morrer também, num silêncio de gelo,/ Ó doces cantos meus! Inútil foi meu zelo/ Por vós! Em vão o afã da Glória me consome./ As gerações por vir não saberão meu nome".

Foi para combater esse "silêncio de gelo" que evocamos esses dois filhos esquecidos de Machado de Assis.

Circuito nada redondo[1]

Antonio Dimas

Para Fátima Quintas & Edson Nery da Fonseca, guias de confiança neste território.

Contra o gabinetismo, a palmilhação dos climas.
Oswald de Andrade, *Pau Brasil*

É de tal monta a massa de informações destas crônicas — bem mais de duzentas! — que o leitor pode ficar zonzo.

Se prevalecer o hábito arraigado da procura por um autor polêmico, em quem os arraiais acadêmicos pespegaram a etiqueta de conservador, a colheita será farta. Se a busca não for automática, podemos deparar, por outro lado, com as opiniões juvenis de quem veio a se consagrar, mais tarde, como o primeiro intelectual deste país a enfrentar nossas relações étnicas dentro de enquadramento nada convencional e sob aparência subjetiva. Neste caso, a colheita não será menor.

No entanto, se lidas com vagar e de maneira individualizada, estas crônicas de *Tempo de aprendiz*,[2] de Gilberto Freyre (1900-87) podem alumiar o caminho de quem dele se aproxima com zelo mais abrangente que o apenas ideológico. Porque estão elas repletas de embriões estilísticos e temáticos que, anos depois, haveriam de florescer com ímpeto, embora nem sempre de forma plausível e convincente. Às vezes, até mesmo inaceitáveis.

Selecionadas com a provável bênção do autor, este volumoso pacote de crônicas abre, muito mais que suas memórias, a picada para penetrarmos no esconderijo da diversificada formação intelectual do cronista e, mais tarde, pioneiro da história cultural do Brasil, na esteira de Sílvio Romero. Neste caso específico, a provável bênção que deu à escolha inicial, operada por José Antônio Gonsalves de Mello, põe uma questão preliminar: a da seleção orientada, de modo sutil e afável, de acordo com o interesse do cronista. E, na cola desta questão, segue-se uma outra: quando teremos a edição integral delas, com base em pesquisa minuciosa na fonte direta dos periódicos que as publicaram?

Se lidas sem prevenção, podem estas crônicas funcionar como uma espécie de "romance de formação", cujo narrador, ao protagonizar a maioria das cenas e situações, desdenha a eventual recriminação que possa suscitar seu entusiasmo juvenil, pronto para a surpresa da descoberta constante. Uma vez fora de seu restrito pago materno e desafiado pela cultura nova, não recuou Gilberto Freyre diante de nenhuma novidade, ávido por comentá-la e, vez ou outra, exibir-se. Sem medo do risco e do riso, o viajante compôs seu mosaico pessoal de experiências, apostando nelas como dados de uma construção intelectual em curso, onde a censura não se aconchega. É a voracidade juvenil que o empurra, indiferente à retranca da sua educação batista e provinciana. Não fosse assim, seria difícil de entender a imagem culinária e oral de que se vale para verbalizar o impacto que nele provoca Nova York: "Provinciano encontrado na maior das cidades, minha situação é psicologicamente a mesma de menino guloso diante de enorme travessa de canjica ou de pudim; sem saber por onde começar".[3] Sem saber que um dia, no futuro, a cidade seria conhecida como a *Big Apple*, prepara-se o ribeirinho do Capibaribe para devorá-la, antropofagicamente. Muitos anos depois de seu retorno, mostrou-se proveitoso o feitio pantagruélico de seu banquete, cujo acepipe mais atraente e controverso é o de nos ensinar de que matéria somos feitos.

Foram escritas entre 1918 e 1926 as crônicas deste *Tempo de aprendiz*, quando Gilberto Freyre ainda se tateava como estudante entre o Texas e Nova York, para onde se mudara, aos 18 anos, depois de uma educação quase informal e doméstica na sua Recife natal. Das quase 270 crônicas aqui reunidas, cerca de oitenta vêm da vivência juvenil do cronista pernambucano em terra norte-americana, cumprida em duas etapas: a primeira se dera entre 1918 e 1922, seus anos universitários repartidos entre o interior do Texas e Nova York; a segunda etapa se deu quando do seu primeiro retorno àquele país, em 1926, já como enviado pelo *Diário de Pernambuco* para cobrir o 1º Congresso Pan-Americano de Jornalistas, em Washington, DC.

Mas, bem antes da edição original destes dois volumes, em 1979, Gilberto publicara duas outras coletâneas: em 1934, as Edições Mozart do Recife publicaram seus *Artigos de jornal*; em 1964, saíram dele os *Retalhos de jornais velhos* pela José Olympio do Rio de Janeiro.

Para um taxonomista aferrado à minúcia precisa, elas são um prato cheio, pois que se esparramam, de forma caleidoscópica. Na ansiedade de tudo abraçar, o cronista movimenta-se em várias direções. Disso resulta fartura de opções, entre as quais se pressentem escolhas futuras, o que é fácil de perceber. Lidas hoje, com a distância folgada de quase um século e a alentada bibliografia que a obra de Gilberto Freyre gerou, estes textos curtos, de aparência impressionista e voluntariosa, tornam-se material precioso na mão de quem quer conhecer, de perto, a formação intelectual do autor. Própria do seu jeito *nonchalant* de ser, a crônica secreta informações breves à espera de alguém que lhes retire menções inocentes e as costure. Neste sentido, ela ajusta-se à noção de registro de temporalidade que lhe é inerente e conserva, jeitosa que é, a duplicidade facial de Janus, o deus latino que cuidava do tempo, ora olhando o que ficara para trás, ora vigiando o que vinha vindo. Se de qualidade, a crônica de pendor mais documental que ficcional registra, portanto, o momento passível de desdobramento e cumpre, assim, dupla função: a retrospectiva e a prospectiva. A primeira retém o tempo; a segunda projeta-o. Passado e futuro, portanto, com seu narrador postado bem no meio do caminho.

Se tivermos essa duplicidade em mente, dizem muito estas crônicas, escritas em fase de virada pessoal, quando o jovem trocava o conforto placentário do seu *locus amenus* pelas incertezas de um espaço novo, sobrecarregado de surpresas e de desafios. Mudavam-lhe o cenário e a plateia. O jovem promissor, filho de família conhecida e de prestígio no Recife, abandonava o Capibaribe para se instalar em Waco, no Texas, à beira do rio Brazos. Saía da ponta da fila, onde se cercava de referências repisadas, para se instalar na rabeira, zerando o capital social e intelectual que, bem ou mal, já acumulara. Sem contar, é claro, o familiar que carregava consigo. Ser descendente de Wanderley nada significava às margens do Brazos, território de cowboys, pradaria de algodão, espaço de segregação racial convicta e trilha histórica de gado a caminho dos abatedouros de Chicago, a famosa *Crisholm Trail*. Naquela Waco de então, cuja população não ia muito além de seus 45 mil habitantes,[4] era temerário qualquer projeto de formação intelectual que aspirasse ao cosmopolitismo e à laicidade. Não era essa a regra do jogo que regulava a Baylor University, o campus batista no Texas onde o único arrimo que Gilberto iria encontrar seria Ulysses Freyre, seu irmão um pouco mais velho e ali matriculado em curso de Ciências.

Deixando atrás de si o Recife, uma capital regional já com cerca de 230 mil habitantes e ciosa de sua história pregressa, que cidade encontraria o jovem estudante, muito indeciso ainda sobre sua carreira? Uma incógnita sobre outra, o que pouco aliviaria o cotidiano novo, já espremido por um orçamento pessoal modesto.

Quando se mudou para Waco, em 1918, a cidade transformava-se. Marcas remotas da Guerra da Secessão (1861-5) batiam de frente com o ímpeto de modernização material da uma cidade que, de um lado, oferecera cerca de dezesseis generais para o exército separatista de Confederados e, de outro, criava um nó ferroviário capaz de integrar a região com os centros urbanos mais avançados ao norte e a leste dos Estados Unidos. Nessa mudança, levas e levas de negros vieram da zona rural, em busca de oportunidades na área urbana, estimulados pela expansão da rede ferroviária e pelo comércio algodoeiro, um dos maiores do mundo. Se, no princípio, essa massa migrante era bem-vinda porque significava mão de obra barata, com o tempo, alterou-se a situação e sentiram-se ameaçados os brancos com a possibilidade de perder sua hegemonia diante de uma classe média negra emergente. Nos anos 1920, portanto, uma outra composição étnica se desenhava naquela circunscrição urbana e com ela crescia, junto, a tensão racial, caldo de cultura favorável à emergência e atuação da Ku Klux Klan. De acordo com a Texas Historical State Association, ocorreram linchamentos em Waco nos anos de 1905, 1915 e 1916. Numa ocasião, pelo menos, incendiaram uma vítima negra na praça principal da cidade. Nos anos 1920, brancos furiosos queimaram ou enforcaram negros, em público. Em 1923 mais de 2 mil membros da KKK desfilaram, em protesto, pela cidade, boicotando o comércio dos que não se simpatizavam com a causa racista. Comerciantes e políticos apoiavam a organização de forma implícita e um de seus membros se gabava de que a Ku Klux Klan controlava todo o serviço público da cidade de Waco.[5]

Dentro do campus, todavia, desafogava-se a experiência de Gilberto, que, na figura do professor J. A. Armstrong, encontrou uma escapatória intelectual que quase o converteu em estudioso da língua e da literatura inglesa, em detrimento do historiador, sociólogo e antropólogo de mais tarde. Foi através desse professor de literatura inglesa, especialista na poesia dos Brownings, que Gilberto se agarrou à universidade de província. Foi graças a Armstrong que o recém-chegado tomou conhecimento, pessoal e acadêmico, do imagismo inglês, a novidade poética mais avançada daquele momento e na qual pontificaram figuras como Ezra Pound e Amy Lowell. Mais que um simples professor, J. A. Armstrong acolheu Gilberto de modo paternal, permitindo-se sugerir-lhe cautela no começo da carreira. Pouco tempo depois de separados e já a par do mestrado que Gilberto defendera em Columbia, J. A. Armstrong, por carta, aconselhava-o:

> Se sua tese contiver coisas que aborreçam os brasileiros, espero mesmo que você não a publique. Não quero ser chato, mas você é jovem demais para dizer coisas atrozes como você disse sobre a bandeira. Aquilo pode ser tudo verdadeiro, mas não é você que deve dizê-lo. Espere uns cinco ou dez anos. Você está em vias de ser acatado pelos brasileiros agora, e, por isso, você não devia prejudicar essa oportunidade, dizendo coisas que as pessoas não haverão de receber de modo rápido.[6]

Suas relações com Armstrong ultrapassaram os limites da sala de aula e fizeram-se pessoais, sobretudo a partir da apreciação da poesia mais vanguardista que se praticava na língua inglesa daquele período. "Foi através de Armstrong que me adaptei à poesia não convencional", admitiria Gilberto Freyre em entrevista ao Instituto de História Oral de Baylor, anos depois.[7]

Foi Armstrong que quase arrastou Gilberto, de forma definitiva, para o estudo da cultura de língua inglesa. A despeito da constrição externa, prolongamento saxônico do conservadorismo nordestino de onde vinha, sua vivência inicial seria impulsionada pela atração da literatura, pautada por Armstrong, seu mentor. Foi através dele, registram isso suas memórias, que Gilberto pôde imergir fundo na poesia inglesa de Robert e de Elizabeth Browning; no ensaísmo de qualidade, assinado por autores como Francis Bacon, Milton, De Quincey, Steele, Addison, Samuel Johnson, Dryden, Defoe, Thomas Huxley, Walter Pater, Carlyle, Ruskin, Macaulay etc.; e naquilo que se fazia de mais atual na poesia imagista de Amy Lowell, na estrepitosa de Vachel Lindsay e na vingativa de Edgar Lee Masters. Foi esse professor experiente e dedicado que atraiu o jovem recém-chegado, ainda que o contato inicial entre ambos não tenha sido dos mais amenos: em exercício de redação, Armstrong suspeitou seu aluno brasileiro de plágio. Não foi esse incidente, todavia, que pôs o pernambucano de sobreaviso. Foi o contexto religioso, vincado pelo conservadorismo batista. Ainda preso à sua formação também batista, que quase o levara à escolha missionária, Gilberto espantou-se com o fosso entre a fé e a prática nos vastos entornos de Waco. Entre uma e outra, danava-se o negro em meio ao zelo racista. "O tratamento dos negros numa civilização evangélica como a americana, predominantemente protestante ou evangélica, muito me desapontou",[8] admitiu Gilberto anos depois, na mesma entrevista. Habituado a uma convivência menos áspera em sua cidade natal, onde foi criado no convívio doméstico com remanescentes da escravidão brasileira, Waco funcionaria, para Gilberto, como um laboratório vivo e consolidado de racismo regrado e oficial, onde não se contava com a pachorra católica. De seu contato direto com o bairro negro da cidade a memória se lembra, se arrepia e acusa, de pronto, a incoerência mais ampla:

> Que o "bairro negro" de Waco fosse qualquer coisa de terrível, eu imaginava. Mas é ainda mais horroroso do que eu previa. Imundo. Nojento. Uma vergonha para esta civilização filistina que, entretanto, envia missionários aos "pagãos" da América do Sul e da China, da Índia e do Japão. Tais missionários, antes de atravessar os mares, deveriam cuidar destes horrores domésticos. São violentamente anticristãos.[9]

Aquele burgo *dixie*, acanhado e preconceituoso como Waco, não encorajava. Se desafogo intelectual houvesse para Gilberto, isso se daria no enquadramento estreito da sala de aula ou do campus, por mais paradoxal que isso pareça. Em dois anos completou-se esta etapa literária do cronista, agora disposto e pronto para enfrentar a cidade grande, onde se daria sua conversão definitiva às Ciências Sociais. "Do que agora preciso é de Antropologia social e cultural",[10] admitiria ele assim que se instalou em Nova York, em 1920. Perto dos 45 mil habitantes de Waco, os quase 5,5 milhões de Nova York provocariam seus efeitos.

Dois anos, portanto, no interiorzão do Texas; outros dois numa cidade que já fervilhava e da qual herdamos do cronista duas imagens diferentes, porque construídas por ele em tempos diferentes.

É de 1920 a primeira imagem, que respira ímpeto, juventude, sedução e sensualidade, porque escrita em cima da experiência imediata; a segunda, a dos anos 1970, enquadra-se na serenidade posada da moldura oval do Senhor de Apipucos. A primeira é a do jovem em busca de emoções fortes, que desborda da moldura e pulula nesta sequência de crônicas; a segunda é a do senhor saciado, sisudo na foto, que doma o passado, modela-o para o futuro e repousa em *Tempo morto e outros tempos*, seu livro de memórias, publicado aos 75 anos.

Por causa de seu deslumbramento com Nova York, Gilberto deixou-nos dela dois modelos distintos de registro narrativo. De um lado, o cosmopolitismo exacerbado da cidade; de outro, sua excelência acadêmica, exibindo-se através da massa de intelectuais imponentes que recheavam os corredores e as salas da Columbia University. Se a lista de eminências de Baylor é muito magra e nela apenas A. J. Armstrong se sobressai, a de Columbia é rechonchuda e nela se acotovelam nomes que superaram o seu tempo: Alfred Zimmern, Edwin Seligman, Franklin H. Giddings, Franz Boas, John Bassett Moore, John Dewey, John Munro e outros. Ao perfilá-los, o memorialista modela, de forma sutil, a acuidade do aluno, abona suas escolhas e passa recibo de sua precocidade e de sua temeridade intelectual.

O cosmopolitismo acachapante desta recuperação juvenil de Nova York, presente em *Tempo morto*, materializa-se no campus de Morningside Heights, onde a procedência diversificada de professores e de alunos atiçava a competição intelectual e abafava a étnica, experiência indigesta que Gilberto trazia do sertão texano. Entre o mais remoto das crônicas e o mais recente das memórias, Gilberto acentua a discrepância entre os dois espaços — o de Waco e o de Nova York — e, ao mesmo tempo, modela os dois relatos sobre a *Big Apple* segundo um ordenamento etário. Nestas crônicas, a Nova York palmilhada pelo autor assim que desembarcou nos Estados Unidos a caminho do Texas é uma Nova York excitante, que nele desperta o sensorialismo mais epidérmico, mais imediato, mais juvenil, o que combina com a ansiedade de quem exercita as emoções sem freio de mão. A Nova York que suas memórias recuperam bem mais tarde, a caminho dos 80 anos, é, por outro lado, mais pausada, mais hierática, mais cerebral e mais consentânea, portanto, com o patamar de reverência intelectual que Gilberto construíra em torno de si, no Brasil.

Daí que o ar estouvado da crônica sobre o primeiro contato com a cidade grande, uma das primeiras deste livro, se instale, logo no primeiro parágrafo, por meio de metáfora que pinça uma experiência infantil que é, ao mesmo tempo, genérica e pessoal: a de "menino guloso diante de enorme travessa de canjica ou de pudim; sem saber por onde começar",[11] prestes a se lambuzar por inteiro. E, como reforço dessa metáfora oral e gustativa, sobrévem um conjunto de escolhas vocabulares que sugerem o desvendamento vagaroso, o acercamento, a posse, a horizontalidade, a verticalidade, quase a vertigem. Em meio a uma barafunda de sons, de cores, de formas e de volumes, o narrador apalpa a cidade, espionando-a, folheando-a, comendo-a, furando-a, atravessando-a, gozando-a. Armado destes verbos ou de seus conexos, seus pés e seus olhos zanzam à vontade, descobrem lugares e tempos, fundem passado e presente, vistoriam o lícito e o ilícito, o claro e o escuro, o retraído e o escancarado, o nobre e o popular, o centro e a beirada, o alto e o baixo e acabam por possuir, como último gesto, a cidade lá de cima, recuperando a metáfora infantil e oral que plantara no começo do texto: "Ontem subi ao minarete do Woolworth Building, o mais alto dos 'skyscrapers' de New York, feio e arrogante, um desafio a Deus e ao mundo". Do alto do edifício, continua o cronista, "vê-se o resto de New York — seus edifícios, suas pontes de ferro, suas igrejas — tudo, reduzido ao tamanho de uma cidadezinha de brinquedo, feita por menino engenhoso, com caixas de bombom e de charuto. Filosofei: New York, uma cidade de brinquedo".[12]

Ao contrário de Oswald, que descobriu, fascinado, a sua Pindorama do alto de um ateliê parisiense da *Place de Clichy*, Gilberto descobriu-a do alto do *Woolworth Building* de Nova York. Calhava-lhe bem o lugar. Sob a simbologia dos espaços diferenciados, uma indicação remota a respeito dos rumos de nossa modernização intelectual de então. Deslocava-se um pouco a nossa francofilia histórica.

Inaugurada em 1913, aquela "Catedral do Comércio" exibia, novinha em folha, sua arquitetura neogótica dominando Manhattan. Em sua imponência, reuniam-se o conforto ostensivo do contemporâneo com a lembrança deliberada do gótico medieval, uma tentativa de harmonização de contrários que já se insinuava como campo temático para o jovem estudante vindo de Pernambuco. Do topo daquela atrevida protuberância arquitetônica, edificada com dinheiro grosso do comércio de mercadoria popular,[13] o rapaz de Recife vasculhava o horizonte e avaliava uma multiplicidade étnica que não lhe seria indiferente, nem casual.

À segmentação radical que presenciara em Waco, acrescentava-se, agora, outro confronto não menos tenso, mas múltiplo, que mantinha o anterior e ainda o recobria de novas epidermes e novas cores, oriundas de outras diásporas, confluindo todas para aquela cidade que se inchava de imigrantes europeus e asiáticos. A tipologia que o cronista montou com a população de Columbia na reabertura do semestre letivo, por exemplo, é mostra evidente dessa variedade e do espanto de quem nela se vê imerso:

> 1) Uma solteirona de "pince-nez", e nariz encarnado como um tomate, colarinho de homem, um volume de William James ou do Professor Freud debaixo do braço [...]; 3) um rapagão forte, de corpo esbelto, bem-vestido, os pés nuns sapatos "Oxford" execravelmente rendilhados [...]; 5) Bela rapariga de dezoito ou dezenove anos, os peitos soltos, a saia pelos joelhos, fortes rodelas de carmim na face, o cabelo pelas orelhas (*bobbed*), masculinizada, o arzinho diabólico de "flapper" e de "vamp" [...]; 9) um lindo rosto oval, uma linda cabeleira de um negro azulado, uma linda boca de fruto maduro: estudante cubana de "business"; [...] 13) Um homem moreno, alatinado, o lado esquerdo do rosto paralítico, um bigode grosso: o Professor Franz Boas, o antropólogo ilustre.[14]

Na sequência fotográfica do campus, decomposto em detalhes descontínuos mas afivelados pela motivação acadêmica comum, Gilberto oferece o macro por meio do micro, em narrativa que não se prolonga e cujos flashes piscam de modernidade urbana.

Anos mais tarde, nas memórias do escritor adulto, a visão panorâmica e abrangente de Nova York sofrerá redução, no entanto. Em pleno viço de seus setenta, a Nova York que Gilberto recupera, então, é uma Nova York que combina melhor com seu perfil de intelectual assentado, confirmado e reconfirmado pelo prestígio alcançado no Brasil e fora dele. É uma Nova York mais professoral que mundana; mais universitária que rueira. Senhor de si e inteiramente à vontade para determinar de forma mais seletiva as estacas de seu percurso, o narrador das memórias academiza-se e aposta na sua autorreconstrução intelectual, pintalgada, aqui e ali, pela desgovernança juvenil ocasional como adorno e condimento necessário à seriedade do jovem precoce. Nessa construção retrospectiva, o memorialista centraliza lembranças mais acadêmicas, mais intelectuais, mais comedidas e deixa para as beiradas as de caráter mais mundano ou de valor epistemológico nenhum.

Boa evidência dessa mudança de tom narrativo ocorre quando a fascinação pelo brinquedo se faz assunto tanto para o cronista quanto para o memorialista. Se na crônica juvenil a cidade se tornara joguete em suas mãos, nas do Gilberto adulto e senhor de si ela provoca especulação sociológica. Se na juventude, Nova York parecia-lhe "cidadezinha de brinquedo, feita por menino engenhoso",[15] na vida do adulto ela vira objeto de estudo. Na perspectiva do memorialista entrado em anos, elimina-se a aparência lúdica da *Big Apple* e, em seu lugar, entra a reflexão mais adequada à figura do intelectual consagrado. Em *Tempo morto*, registra ele sua lembrança:

> Estou interessado em estudar o que talvez se possa chamar a sociologia do brinquedo como um aspecto da sociologia — sociologia e psicologia — da criança ou do menino. Mr. Edmonds está me auxiliando na visita à fábrica de brinquedos. Desejo anotar as predominâncias de gosto com relação a brinquedos, da criança ou do menino de uma grande cidade cosmopolita como Nova Iorque. Considero assunto importante e fascinante. Sonho com um museu de brinquedos rústicos feitos de pedaços de madeiras, quengas de coco, palhas de coqueiros, por meninos pobres do Brasil.[16]

A Nova York que suas memórias recuperam não é mais a do mero espanto, a do mero desfrute, a do prazer que a *caverna do pirata* — outra de suas imagens favoritas — escondia. A Nova York de suas memórias é mais engravatada, mais hierática, mais propensa à sintaxe convencional que à turbulência errática e picotada destas crônicas. Nas menções comportadas de *Tempo morto* reina a coordenação sequencial, onde o humor, o fuxico, a confissão indiscreta, a observação maldosa têm hora certa para entrar e hora certa para sair, obedientes à campainha dos corredores escolares e à deliberação de se legar à posteridade uma imagem pessoal, talhada a camartelo.

Foi Bilac que imaginou o cronista como um bufarinheiro. No baú desse mascate, verdadeiro depósito de surpresas, uma pilha de coisas desordenadas aguarda o leitor. Naquele interior escuro e atraente, amontoam-se surpresas caleidoscópicas. Publicada em período de Carnaval, essa crônica bilaquiana, na qual bufarinheiro e cronista se equivalem, trata das estrepolias políticas na América do Sul e na África, identificados os dois continentes como espaço de ininterrupta desordem pública. Emendando de modo hábil a confusão política com a folia das ruas, o cronista cria a imagem feliz do comerciante que se regala com a diversidade:

> Os cronistas são como os bufarinheiros, que levam dentro de suas caixas, rosários e alfinetes, fazendas e botões, sabonetes e sapatos, louças e agulhas, imagens de santos e baralhos de cartas, remédios para a alma e remédios para os calos, breves e pomadas, elixires e dedais. De tudo há de contar um pouco, esta caixa da Crônica: sortimento para gente séria e sortimento para gente fútil, um pouco de política para quem só lê os resumos dos debates do Congresso, e um pouco de carnaval para quem só acha prazer na leitura das seções carnavalescas.
>
> Aqui está a caixa do bufarinheiro, leitor amigo; mete dentro dela a tua mão e serve-te à vontade. Não fui eu quem a encheu de tantas coisas desencontradas e opostas. Eu sou apenas o retalhista, o varejista dos assuntos. Quem me enche a caixa é a Vida, a fornecedora dos cronistas — a Vida que nunca foi coerente nem metódica — a Vida que tem sempre um milhão de contradições em um só minuto do seu curso acidentado e contraditório.[17]

Bem que esta imagem de Bilac poderia funcionar como súmula destas crônicas de Gilberto Freyre. Imagem despretensiosa e fértil como o próprio gênero, aliás.

Deste conjunto nada modesto de textos curtos salta uma tal abundância de assuntos como se o mundo estivesse à disposição do cronista, prontos os dois para a devoração recíproca.

Política, literatura, urbanismo, arquitetura, artes plásticas, história, saúde pública, paisagismo, educação, vida universitária, moda, sociabilidade, culinária, preservação do patrimônio, religião e superstições compõem esta verdadeira panóplia por onde ziguezagueiam os olhos do leitor em busca seja da informação, seja das origens do intelectual em formação. E, nesse sentido, há de tudo: uma exposição sem limites; uma juventude sem censura; um repertório sem monotonia. Trata-se de uma canastra das mais atulhadas, de onde se extrai do mais conservador ao mais atrevido; do mais rasteiro ao mais relevante; do mais supérfluo ao mais essencial. De lá da escuridão do fundo, vem a repulsa ao jazz ou ao rag-time,[18] ritmos populares e de gosto bárbaro; sobe a esquisita e incômoda exaltação do analfabetismo como fator de manutenção da herança social;[19] emerge a defesa da mulher convencional, que não deve se esquecer, por mais progressista que seja, de que "cozinhar o jantar do marido é uma das suas obrigações".[20] No alto da pilha de novidades, na parte mais exposta à luz, aparece a utilização do cinema como instrumento de educação pública;[21] comenta-se a necessidade urgente de se criar uma política de defesa do patrimônio público;[22] sobressaem-se os prejuízos da monocultura agrária;[23] faz-se a defesa precoce da nossa herança negra: "temos de reconhecer em nós o africano [...] porque o grande Brasil [...] cresce meio-tapado pelo Brasil oficial e postiço e ridículo de mulatos a quererem ser de todo helenos como o Sr. Coelho Neto".[24]

E bem no meio da pilha, imprensado entre a escuridão e a luz, um exemplo, entre outros, de texto dividido. Em crônica sobre a *maternidade voluntária*, expressão de época para *controle de natalidade*, o jovem estudante conta-nos de visita que fizera a um centro feminista, dirigido por Margaret Songer (Sanger, na verdade), autora de vários livros sobre educação moral e relações sexuais do ponto de vista da mulher.[25] A narrativa passa em breve revista a polêmica e é simpática à causa. Para o cronista, a fecundidade descontrolada é motivo de desequilíbrio social e de sufoco econômico. No entanto, seus argumentos vão além e encostam, perigosamente, na eugenia darwinista, ainda uma novidade científica, naqueles anos. Sensivelmente a favor do controle da natalidade, o cronista evoca artigo científico de médico nova-iorquino, o Dr. Adolphus (!) Knoppe. Segundo Gilberto, ao defender a maternidade voluntária, o Dr. Knoppe tinha em mira os "pais imbecis, epiléticos e inclinados ao alcoolismo", propensos a gerar "crianças cegas e com outros infortúnios".[26]

Concentram, portanto, estas crônicas todo um ideário a ser debulhado nos anos seguintes. Tudo aquilo que viria constituir a carreira de Gilberto Freyre — controversa e polêmica, é verdade, mas nem um pouco irrelevante e muito menos monocórdica — germina nestes escritos juvenis. É baú para fregueses de intuitos os mais diversos.

Artigo como este não comporta, é claro, uma discussão detalhada dos temas, nem do feitio estilístico destas crônicas. Não custa lembrar, no entanto, que Gilberto Freyre, mesmo cioso de seu conhecimento e de sua oportunidade acadêmica, não perdia de vista a precariedade do periódico, cujos leitores incertos e dispersos estavam a quilômetros e quilômetros de distância dos assuntos ali contemplados, principalmente naquelas do lote inicial, escritas ainda no estrangeiro.

As crônicas deste livro carregam a factualidade de seus dias. Para usar um termo do jargão científico contemporâneo, elas devem ser vistas como uma autêntica incubadora de temática virtual. Sua relativa importância só poderia ser avaliada com a passagem do tempo. Não em termos de certo/errado, mas de sua potencialidade que favorece, de um lado, a reconstrução de um percurso intelectual; de outro, o acesso a uma agenda menos voltada para Paris, como era de praxe naquele momento.

Síntese ilustrativa desse entrelaçado entre o pessoal e o geral, o restrito e o amplo, o espaço americano e o espaço europeu, pode ser entrevista, por exemplo, em duas crônicas ligadas à vivência norte-americana de Gilberto Freyre. Uma delas, espécie de resenha premonitória, já mais no final desta coletânea, ocupa-se do livro *The Tillman Movement in South Carolina*, escrito por Francis Butler Simkins, colega de Gilberto dos tempos de Columbia. Uma outra — deliciosa do ponto de vista da reverência que se açucara em afeto — é sobre visita que o cronista fez a Mrs. Richard Rundle, ainda nos tempos de Manhattan.

Em 1926, quando F. B. Simkins publicou seu doutoramento sobre Ben Tillman, um dos líderes da Reconstrução do sul norte-americano depois da Guerra da Secessão, era estreita a amizade entre o historiador sulista e Gilberto Freyre. A dedicatória de *The Tillman Movement in South Carolina* não deixa dúvidas sobre esse companheirismo intelectual: *"TO GILBERTO FREYRE A foreign friend who taught me to appreciate the past of my native state"*.[27]

Francis Butler Simkins (1897-1966) foi contemporâneo e colega de Gilberto Freyre em Columbia. Depois de conquistar seu doutoramento em História, Simkins retornou ao Sul dos Estados Unidos, onde se dedicou à docência entre 1924 e 1966. Como especialista em *Southern History*, Simkins passou 38 desses 42 anos dando aula no Longwood College de Farmville, Virginia. Ao longo desse tempo, além de participar de instituições voltadas para a história da região, Simkins publicou livros que se tornaram referência na sua área. *The Tillman Movement in South Carolina* (1926); *South Carolina during Reconstruction* (1932); *A History of the South* (1963) e *The Everlasting South* (1963) são alguns desses títulos.

Vista no conjunto ou nos detalhes, a produção bibliográfica de Simkins merece um cotejo minucioso com a carreira de Gilberto Freyre, tarefa que não cabe aqui. No entanto, um esboço geral do que aquele professor e intelectual norte-

-americano defendeu em sua atuação docente permite-nos entender melhor as motivações que aproximavam um do outro.

Para melhor defender os valores raciais e religiosos sulistas, Simkins desenvolveu um discurso historiográfico altamente conservador, perto do irrespirável em certos momentos. Seu último livro — *The Everlasting South* — foi publicado pouco antes de sua morte, em 1966, e é verdadeira profissão de fé conservadora. Trata-se de um conjunto de cinco ensaios, cuja tese central é a vitória dos entranhados princípios sulistas, a despeito dos esforços políticos e da pregação acadêmica liberal oriundos do Norte dos Estados Unidos. Não obstante esse ideário nortista, afirma Simkins, "os brancos desenvolveram uma atitude superior e singular" diante da enorme quantidade de negros que viviam nas terras do Sul.[28] De um conservadorismo atroz e essencialista até à medula, Simkins defendia a existência de uma essência imutável para o território abaixo do Potomac e, por causa disso, fez-se paradoxal: como historiador menosprezava a dinâmica social e acreditava piamente numa sociedade refratária à mudança.

The Everlasting South é título que prima pelo imobilismo histórico e antecipa seu conteúdo. Em suas páginas, seu autor defende as peculiaridades da ortodoxia religiosa e da segregação racial do Sul dos Estados Unidos, reivindicando respeito por elas como forma de se comprovar a democracia do país. Como o próprio Simkins declara no prefácio, no Sul as várias classes de gente branca não se misturam em contato social íntimo; as pessoas que são social ou economicamente inferior conhecem o seu lugar e devem agir de acordo com isso.[29]

Em suas exéquias, James E. Patton, um de seus colaboradores, apontou de forma precisa o tema principal da historiografia de Francis B. Simkins: para ele, "um Sul diferente existe de verdade, com uma mentalidade e uma cultura próprias, [que] não chega a ser uma nação dentro de outra nação, mas que é quase isso".[30]

Foi com *The Tillman Movement in South Carolina* (1926), no entanto, que F. B. Simkins estreou como autor. Nesse livro, seu doutoramento defendido em Columbia, um pouco antes, Simkins analisa a carreira de Ben Tillman, um dos líderes civis que surgiram no Sul dos Estados Unidos na época da Reconstrução, isto é, no período posterior à Guerra da Secessão. Enaltecendo-o como modelo de comportamento político e valendo-se de metodologia muito parecida com aquela que Gilberto Freyre viria a usar anos depois, Simkins recortou com precisão o perfil de Ben Tillman, um homem, segundo o historiador norte-americano, que "acreditava na regra da democracia branca exercida através da liderança de uma nova geração, surgida como resultado das mudanças sociais posteriores a 1865".[31] Tanto Simkins quanto Gilberto defendiam e acreditavam na recuperação e na valorização da história regional como pressuposto para fortalecer e firmar uma identidade nacional. Do micro ao macro, do particular para o geral, do regional para o nacional, era, em suma, o norte de ambos.

Não estranha, pois, que a crônica dedicada ao livro de estreia de seu colega norte-americano possa ser lida como desejo pessoal, no qual se espelha e se projeta Gilberto Freyre. Graças a um narrador contorcionista, essa crônica afirma e recua, instilando a dúvida e instalando-a no seu leitor. Em frases curtas e incisivas, quase epigramáticas, que não se pode afirmar e muito menos negar como projeções pessoais, o cronista informa sobre o livro, ao mesmo tempo em que lamenta, sem nenhum disfarce, que um projeto como o de Ben Tillman não tenha sido implantado no Brasil. Depois de destacar sua figura como líder emergente, prestes a substituir a velha aristocracia agrária destroçada, Gilberto Freyre pende mais para a divulgação jornalística que para a elaboração estilística, não de todo eliminada, no entanto.

Na resenha que dedica ao livro, Gilberto Freyre age de forma capciosa, dividindo-a em dois blocos complementares.

No primeiro, o resenhista monta o cenário norte-americano e mostra ao leitor a tensa moldura social de onde provém o livro, na qual se misturam e se entrelaçam biógrafo e biografado. Tillman e Simkins são, em última instância, resultados, remotos ou não, de uma mesma aristocracia destroçada em busca de reordenamento e de reafirmação social. Em frases curtas, assertivas e de caráter pictórico, Gilberto começa por desenhar um quadro dividido em dois campos: de um lado, a beligerância afoita, moderna e industrializada do Norte contrapondo-se a uma paisagem pacífica e rural, quase edênica, do Sul, uma versão contemporânea do clássico Campo × Cidade. E no centro desse conflito, a figura messiânica de Abraham Lincoln, caracterizado como personagem reformista, debaixo de umas barbas postiças. Na primeira metade do texto, de forma taxativa e incisiva, o narrador dá preferência às elisões, suprime explicações prolongadas, pontua e pontifica. Embora pretenda passar-nos informações factuais que perseguem a objetividade, sua fala se trai ao se deixar levar por um vocabulário acalorado, adepto do visual, do tátil, do dinâmico: *mergulhos intensos / arrogante industrialismo / governos de pretos / maçonaria guerreira / golpes de cotovelo / expelir o negro do governo* etc. Por causa dessa mistura proposital, instaura-se a ambiguidade narrativa que ora aproxima, ora afasta o narrador de um dos lados em combate. Em seguida, acalmando-se, expõe ele, em parágrafo prolongado, a proposta de Ben Tillman. A exposição deixa de ser entrecortada e flui em frases que se concatenam de modo explicativo:

> Uma coisa viu Tillman quase com olhos de fanático: a necessidade de educação agrícola ou técnica do lavrador médio ou pequeno. Era preciso educar tecnicamente esse lavrador, para aumentar-lhe a capacidade de produção; era preciso educar o filho do lavrador para ser lavrador, e não para aliteratar-se em advogado ou orador bombástico do Congresso. Tillman queria opor o domínio do agricultor, mestre do seu ofício, orgulhoso dele e ligado à sua terra, ao governo estéril de "demagogos e advogados". [...] [Tillman queria organizar o agricultor] contra o mandonismo de usineiros ausentes de terras e desdenhosos de gentes rurais e contra a exploração dos demagogos e a sociologia de varanda de primeiro andar dos oradores de todo retóricos.[32]

Para Gilberto Freyre, o pragmatismo protestante do político norte-americano não compactuou com a aristocracia sulista derrotada, nem descambou para a autopiedade inoperante. Ao contrário dos senhores de engenho nordestinos, velhos conhecidos do cronista, Ben Tillman apostou na educação técnica das novas gerações, como recurso para a reconquista do poder fundiário, mais identificadas, essas novas gerações, com o campo, em vez de atraídas pelo conforto da urbanização crescente. Nessa escolha operacional de Ben Tillman, o cronista embutia sua crítica ao bacharelismo catolicão e conformado dos nossos patriarcas do açúcar nordestino em declínio.

Além de antecipar seu recado, mesmo que de forma indireta, Gilberto Freyre ainda amarrava melhor os laços que uniam resenhista e resenhado desde Columbia. Deste modo, não parece abusado considerar a resenha publicada no *Diário de Pernambuco* como retribuição agradecida a quem, lá longe, restabelecera suas ligações com a terra decadente, depois de uma temporada longa na cidade moderna. Um projeto que, diga-se de passagem, nosso cronista também acalentava e cumpriu.

Se o percurso dos dois historiadores parece paralelo no que toca à valorização do chão regional em vez do nacional, a admiração que cultivaram parece também recíproca. Com uma diferença, no entanto.

Ao situar Ben Tillman no foco de sua recuperação histórica, Simkins jogou luz sobre o patriarcado que se rebelara contra a derrota imposta pelo Norte industrializado. Cercado por um "tristonho ambiente de naufrágio ou terremoto",[33] Ben Tillman levantou-se, arregaçou as mangas, não desistiu, não jogou a toalha, foi à luta e sugeriu esquemas de regeneração social, ainda que setorizada. Encarou a derrota, sugere Gilberto, de modo construtivo e prático. Muito diferente, portanto, do desânimo que — fica implícito — rodeava o jovem recém-desembarcado em um Nordeste que se transformava e que, penosamente, passava do banguê para a usina.

"Tillman não era nenhum grande homem", explica o resenhista. "Apenas possuía audácia. Tinha personalidade. E via as coisas com um olho frio de realidade."[34]

Uma frieza que, se não demonstramos, deu-nos, em compensação, um dos momentos de lastro de nossa literatura, quando José Lins do Rego (1901-57) enquadrou aquela decadência rural em seus romances do *Ciclo da cana-de-açúcar*. Voltados para o lamento, para a nostalgia, para a perda sem retorno, para o tempo que engole inteiro quem só resmunga e se desfibra na catoliquice e na autocontemplação, os romances de Zé Lins recolheram na ficção o mundo que se esvaía pelo vão dos dedos perspicazes de Gilberto. Zé Paulino, Zé Amaro, Lula de Holanda e Vitorino Papa-Rabo, personagens criadas por Lins do Rego e integrantes da *formação da família brasileira sob o regime da economia patriarcal*, encarnam, de modo exemplar, essa nostalgia proustiana, tão do agrado do nosso cronista. Não é à toa que, na primeiríssima cena de *Menino de engenho* (1932), o romance que inaugurou o famoso *ciclo da cana-de-açúcar*, o garotinho Carlos, inteiramente atordoado com o assassinato de sua mãe, sinta tanta falta dela exatamente na hora de dormir: "Na hora de dormir foi que senti de verdade a ausência de minha mãe. A casa vazia e o quarto dela fechado". Diferente, no entanto, do menino proustiano que não dormia porque a mãe não viera lhe dar um beijo de boa-noite, Carlos de Melo revolvia-se na cama, porque dormia sozinho, numa casa vazia. Mal sabia ele que, naquele ambiente subitamente desmantelado pelo assassinato da mãe, não era apenas a casa que ficara vazia. Era bem mais que isso. Era, a rigor, todo um sistema social que se esvaziara e que abandonara o menino indefeso à mercê de um passado que se decompunha e se desmanchava. Morta de forma brutal aquela mãe de *melancólica beleza*, morria junto com ela uma estrutura já moribunda, à espera apenas de novos algozes. O assassino, o pai de Carlos, era homem da cidade e distante, portanto, dos compromissos com o campo, de onde trouxera sua esposa. Nada mais natural, pois, que fosse ele, personagem involuntário de uma transição do rural para o urbano, o responsável direto pela morte de d. Clarisse. Seria a cidade matando o campo?

Mas, como é de praxe na crônica, a dor é apenas um dos elementos que nela se aloja, nem sempre com folga. Como espaço maleável, a crônica admite de tudo em sua disponibilidade camaleônica. Cabem nela *o útil e o fútil*, segundo velha lição de Machado de Assis, lembrada com abuso. Sua prerrogativa é ser volúvel, quase faceira, quando não trêfega.

Que o diga Mrs. Rundle, velhota simpática que morava em Manhattan no tempo em que Gilberto por lá estudava. Dela pouco se sabe, a não ser por intermédio do cronista.

Diferente de Ben Tillman, de Francis Butler Simkins, do cardeal James Gibbons, de Woodrow Wilson, do marechal Ferdinand Foch, de Maurice Barrès, de Amy Lowell, de Manuel Bandeira, de Agripino Grieco e de outros personagens históricos que frequentam estas crônicas, e que podem — se necessário — passar pelo escrutínio de uma pesquisa, Mrs. Richard Rundle não pode. Dela pouco se sabe, a não ser por intermédio do cronista. Só nos resta confiar nele, pois.

Na crônica que dedica a essa descendente do escocês José Maxwell, Gilberto Freyre não disfarça seu encantamento com o passado brasileiro. Aliás, parece ser esse o único motivo que o levou a visitar essa "velhinha octogenária, porém ainda vivaz e cheia de espírito",[35] que havia morado no Rio de Janeiro durante o Segundo Império, no palacete de seu tio ricaço, comerciante de café. Foi a memória de Mrs. Rundle que arrastou o jovem estudante de Columbia; foi a memória de uma sobrevivente do Rio de Janeiro imperial de 1850 que o levou a um sobrado da Madison Avenue republicana, setenta anos depois.

Ao contrário do texto sobre Ben Tillman, no qual o cronista se demora sobre os desdobramentos políticos e sociais da Guerra de Secessão norte-americana, a atmosfera desta crônica sobre a *velhinha octogenária* nada tem de belicoso, de tenso, de desarmônico. Nela, do começo ao fim, o cronista acentua a convivência harmoniosa, a culinária atraente, o clima de festas, a bebida doce, o rumor abafado, o cavalheirismo imaculado, a cortesia repetida. Nada quebra aquele clima idílico, pontuado por coreografia cuidadosa e impecável. Qualquer ameaça, por menor que fosse, à quebra desse balé imperial, no qual a linguagem do leque substituía o ruído da voz humana, o narrador corrige prontamente. Seja configurando o velho escravo da família como um "cavalheiro requintado, de sobrecasaca e flor à botoeira",[36] seja apetrechando de bondade e de fidelidade uma "pretalhona já velhota, [...] gente boa [como] aqueles africanos fiéis de 1850!".[37] Garantido aquele passado sem tensão, sem ruptura e sem ruído, cabe ainda ao narrador dar-lhe um toque de requinte europeu, encerrando a visita em francês e convocando a figura de Verlaine, poeta que defendia as *nuances infinitesimales*, aquelas que haveriam de compor, um dia, parte substantiva de uma lição em gestação, chamada *Casa-grande & senzala*.

Ao definir a visita a Mrs. Rundle como "lição de história, viva, animada, cheia de interesse",[38] Gilberto Freyre estava demarcando um território sobrecarregado de menções pontuais, mas necessárias à restauração verbal de um mundo extinto e distante, na geografia. Daí que, dessa conversa, recolhesse o cronista notações precisas, que, um dia, poderiam ser-lhe úteis e nelas se demorasse. O *casarão sólido*, os *calções de cetim*, os *sapatos de fivela*, o *ruge-ruge de sedas*, as *barbas à inglesa*, a *alva toalha de rendas*, os *palafreneiros de libré verde*, a *pretalhona já velhota* não estão ali como mero exibicionismo descritivo nem como atestado da virtude estilística. Não são penduricalhos de prosa parnasiana. São, antes, a essência de uma visão minuciosa que já se debatia na busca de um jeito novo de fazer história, aquela que toca "em nervos" e que não fosse "apenas um esforço de pesquisa pelos arquivos", como nos ensinaria anos depois.[39]

Ao dar saliência para os detalhes, ainda que em texto ligeiro, curto e sabidamente efêmero, Gilberto Freyre esvaziava-os de seu caráter acidental e lhes atribuía consistência essencial, ressignificando-os, como querem as teorias linguísticas e literárias contemporâneas.

De si mesmo disse Gilberto um dia: *visual que sempre fui...*[40]

Nas páginas póstumas de *De menino a homem*, seu segundo livro de memórias, publicadas muito tempo depois de sua morte e que não ficaram soterradas por pouco, Gilberto Freyre oferece indícios valiosos para sua compreensão, que requer muito mais que a traiçoeira objetividade das ciências. Nessa autoconfissão, o velho recupera o jovem e fecha o circuito, nem um pouco redondo, no entanto, porque pleno de contradições e, por isso mesmo, atulhado de placas de alerta, algumas bem vistosas. Tal como estão, estas crônicas não comprovam senão essa reflexão em zigue-zague, muito indigesta ainda para aqueles que, desatentos ao detalhe, preferem o comportamento linear e escorado.

Agradeço aos colegas Susan C. Quinlan (University of Georgia) e Milton M. Azevedo (University of California-Berkeley), que me ajudaram a ampliar as informações sobre F. B. Simkins. E à Teresa Barreto (Universidade de São Paulo), leitora micro e macro.

A escada de Gonçalves de Magalhães: "Ensaio sobre a história da literatura do Brasil"

Cilaine Alves Cunha

No interior dos debates oitocentistas sobre a nacionalização da literatura e sobre a escrita de uma história das práticas literárias aqui produzidas, o texto de Domingos Gonçalves de Magalhães, "Ensaio sobre a história da literatura do Brasil" (1836), tornou-se referência. Valendo-se em certa medida do *Resumo da história da literatura brasileira* (1826), de Ferdinand Denis, Magalhães forjou nexos causais entre os eventos da história local, oferecendo "esquemas cronológicos que serviram de base à construção de uma periodologia".[1] Contemporânea das turbulências da Segunda Regência, a concepção de história da literatura inscrita em seu texto incorpora pressupostos da ideologia nacionalista e faz circular critérios que prestam suporte à invenção de uma tradição canônica.[2] Recuando a um tempo mais longínquo, ela desemboca no período em que Magalhães escreve.

"Ensaio sobre a história da literatura do Brasil" foi originalmente publicado no primeiro número da revista *Niterói*,[3] quando o autor residia em Paris para completar sua formação estudantil. Nesse momento, as elites políticas locais deparam-se, de um lado, com ameaças de recolonização do país e, de outro, com o avanço das revoluções regenciais. Nessa época, o sentimento de pertencimento à nação não estava consolidado na cultura, nem unificava a elite local em torno de um projeto comum de dominação e controle da máquina estatal. A publicação do artigo de

Magalhães é parte do cenário político em que o governo imperial, enquanto enfrenta aqueles dois conflitos, esforça-se por produzir uma direção intelectual e afetiva que legitime seu domínio e reunifique os membros da elite econômica e letrada em torno de um projeto político comum para a nação.

Ao procurar definir os princípios e a finalidade de uma história literária, Magalhães empresta de Herder metáforas orgânicas com que este apreende a formação da história e da cultura das nações. O autor de *Suspiros poéticos e saudades* também aproxima a gestação de um povo ao processo de desenvolvimento do indivíduo. Para definir os diferentes modos de formação e especificação das literaturas nacionais, Magalhães recorre a termos como "árvores enxertadas", "galho secundário", "tronco original", "frutos de diversas espécies", "águas de dois rios" etc.

No vínculo que estabelece da história de uma literatura com a de sua nação, o autor traça uma linearidade cronológica delimitada por amplos e singulares acontecimentos considerados marcantes da história do Brasil. De modo frágil, evita reproduzir o antigo modelo de narrativa histórica, ainda em voga, segundo a qual o tempo transcorre para repor uma homogeneidade de valores e princípios universais atravessando os séculos, as ações e as relações humanas. Diferentemente, no início de seu texto, o autor de *Suspiros poéticos e saudades* elege, à maneira de Herder, a transformação como categoria de apreensão dos acontecimentos históricos do Brasil e da história de produção de sua literatura ao longo dos séculos.

Em uma pioneira compreensão da história como processo de revolução, em *Também uma filosofia da história para a formação da humanidade* Herder propõe que, ao transcorrer, o tempo altera profundamente as bases históricas, morais e culturais de um povo. A série de eventos heterogêneos e dispersos na cadeia evolutiva que modifica a vida dos povos é formada, segundo ele, por grandes acontecimentos que se arremessam no interior de uma época, podendo também ser constituída por pequenos acasos, como os avanços técnicos ou as descobertas científicas, tais como a artilharia e a imprensa.[4] Elegendo o inaudito e o inesperado, Herder posiciona-se contrariamente à concepção de que o tempo reproduz sempre os mesmos valores.

Seu historicismo retroagiu a origem da humanidade ao Oriente bíblico, dizendo que sua juventude coincidiu com o Egito antigo, a adolescência com a

Grécia, enquanto Roma teria concretizado seu processo de amadurecimento e decrepitude. Ao destruir uma multiplicidade de culturas reunificando-as como "povo romano", o Império condenou-se, segundo Herder, à derrota. Remontando o renascimento da humanidade e a era moderna às invasões bárbaras, quando os germanos teriam reabilitado, ao lado dos costumes romanos, outros da infância e juventude da história de seu povo, Herder afirma que hábitos e cultura de povos anteriores não se fecham em si mesmos, com seus resíduos sendo retransmitidos de uma a outra fase. Graças à providência, mas também ao acaso, a história guarda nexos recíprocos e relações secretas em seu desenvolvimento. Cada uma das épocas antigas forneceu, nessa ótica, uma virtude modelar à cultura: a infância oriental, o modelo patriarcal comunitário e a austera disciplina filial; no Egito antigo, o cultivo da terra abriu espaço para a vida sedentária e para a cultura administrativa e política; a Grécia lega o culto do belo, a democracia, a liberdade e a obediência como base do patriotismo; e o povo romano, a monarquia, o despotismo e o cristianismo. Com a queda de seu império, os germanos, por sua vez, implementaram um modo de vida similar à cultura patriarcal no mundo antigo, além de ter realizado um retorno coletivo ao estado de natureza.[5]

Aproveitando o princípio herderiano de particularidade das culturas, Magalhães ressalta que, assim como cada fruto de cada árvore e o caráter de cada ser humano, cada povo produz seu próprio tipo de literatura. Para ele, "a literatura é variável como são os séculos, semelhante ao Termômetro, que sobe ou desce segundo o estado da atmosfera".[6] De uma época a outra e de um povo a outro, o fluxo da história modifica hábitos e costumes, a arte e a cultura, acumulando e transmitindo sucessivamente um legado cultural que favorece, nessa ótica, a "marcha do desenvolvimento" da humanidade.

Para Magalhães, apenas práticas poéticas de povos "primitivos" guardaram sua especificidade de origem, como as da Grécia antiga que teriam se engendrado naturalmente, de acordo com suas próprias leis. Sugerindo um recorte temporal estabelecido pela queda do Império Romano, o autor, um pouco à maneira de Herder, limita a esse marco o nascimento e o início do processo de transformação das literaturas modernas, desencadeado por diferentes fatores e realizado de diversas formas. Entre as causas dessas modificações, "Ensaio sobre a história do Brasil" destaca as de ordem interna, como o progresso e o grau de desenvolvimento de um povo. Já entre os fatores de ordem externa, ressalta os diferentes modos com que o contato ou a assimilação dos traços de uma civilização por outra alteram uma literatura.

De duas formas distintas, segundo Magalhães, uma cultura deixa-se modificar por outra. Numa primeira, civilizações e literaturas tornam-se "dependentes de um tronco que lhes dá nutrimento", mas dele se distingue. Sem que o legado de uma se interpenetre ao da outra, as duas, no entanto, "marcham para a par, e conhecer-se pode qual a indígena, qual a estrangeira". Como exemplo, o autor cita as literaturas europeias modernas que, nascendo filhas do cristianismo, absorveram, no entanto, fatores e elaboraram recordações dos costumes próprios da cultura grega, mas sem colocá-los em sua prática de vida. Num segundo tipo de modificação, as propriedades de duas distintas literaturas de tal forma se fundem que se torna impossível separá-las. Assim, em produções artísticas da Espanha misturam-se ideias cavalheirescas e resíduos da cultura árabe, o que faz com que, para Magalhães, o fundo seja cristão, mas a forma árabe.

Nesses modos de formação e modificação de culturas e literaturas diversas, Magalhães transforma em natureza tanto a originalidade radical, como a mistura cultural. Ao destacar o domínio árabe sobre os espanhóis e citar suas práticas cavalheirescas, alude também à dominação de Portugal pela Espanha. Com isso forja uma cadeia de eventos históricos cujos nexos não são definidos, ao menos explicitamente, pela Providência Divina, mas fornecidos pelo acaso que, assim, liga os eventos políticos e culturais de povos em contato, em geral, e do Brasil a Portugal, em especial.

Na introdução, "Ensaios sobre a história da literatura do Brasil" também se dedica a definir o campo e as tarefas de uma história literária. Ela deve recuperar a origem, o caráter, as fases e o fato (a razão, os nexos e o fim) que marca a sua progressão. Ao modo de dramas, também deve inventariar atores, cenas, circunstâncias e paixões que possam ter contribuído para alavancar o desenvolvimento de uma nação e sua literatura.[7] Buscando relações de causa e efeito do fenômeno literário com a cultura e a política de determinada fase, uma história literária deve, para Magalhães, acompanhar a marcha do desenvolvimento de um povo. Emprestando o esquema da concepção evolutiva da história, ressalta que a da literatura de determinada fase de uma região interliga-se à história particular de sua nação que, por sua vez, guarda nexo com a da humanidade.

A literatura abrange, nessa ótica, todas as ciências e artes, tornando-se representante moral de uma civilização. Ela elabora, para Magalhães, o que um povo possui de mais sublime nas ideias, de mais heroico no mundo ético, mais belo na natureza, tornando-se o quadro animado de suas virtudes. Despertando a glória de uma nação, torna-se o reflexo progressivo de sua inteligência.[8] Assim, a literatura reunificaria o Espírito do tempo, apreendendo por síntese suas crenças, os costumes, os hábitos, a capacidade cognitiva de seu povo, o grau de seu pensamento científico e filosófico. Por esse idealismo, as práticas literárias harmonizariam as diversas ideias dispersas nos outros campos da cultura em uma Ideia do todo:

> Por um espírito de contágio, uma ideia lavra entre os homens de uma época; reúne todos numa mesma crença; seus pensamentos se harmonizam e para um só fim tendem. Cada época representa então uma ideia,[9] que marcha escoltada d'outras, que lhe são subalternas, como Saturno rodeado de seus satélites, ela contém, e explica as outras ideias como as premissas no raciocínio, contêm e explicam a conclusão. Essa ideia é o espírito, o pensamento mais íntimo de sua época, é a razão oculta de todos os fatos contemporâneos.[10]

Se assim é, a escrita da história literária pressupõe o uso de recursos da história política, intelectual e artística de um povo, considerando a situação de cada uma de suas fases, as mudanças ocorridas de um tempo a outro, de uma região a outra, que por sua vez ligam-se ao todo temporal e espacial. Demandando um "concurso extenso de conhecimentos", a história da literatura pode contribuir para esclarecer a história geral dos progressos da humanidade.[11] Para compreender o Espírito e a ideia de cada época, essa concepção histórica pressupõe também a filosofia da história e o comparativismo, caso queira cotejar as modificações realizadas de um momento a outro, ou mesmo averiguar a preservação de sua matriz germinadora. O acompanhamento das mudanças sofridas ao longo dessa marcha implica que a narrativa da história literária pesquise o que a nação é comparativamente ao que ela foi.[12]

Em que pese a densidade do projeto, o autor, no entanto, desiste da empreitada, limitando-se, como diz, a comentar alguns princípios gerais que teriam presidido o recuo ou o avanço literário do Brasil desde a origem. Efetivamente, o texto procura antes e "livremente mostrar, não acabado, mas ao menos verdadeiro quadro histórico da nossa Literatura".[13] Alegando que haveria "mesquinhos e esparsos" documentos sobre o assunto e relatando as frustradas pesquisas do autor em bibliotecas de Paris, Roma, Pádua e Florença, "Ensaio da história da literatura do Brasil" renuncia também do propósito de realizar um exaustivo levantamento cronológico e documentado de autores e obras do passado.

Ao suspender a concretização do projeto, Magalhães imediatamente altera sua estratégia discursiva, modificando seu traço caráter analítico e teórico por outra programático. Enquanto abdica da metodologia, trava um diálogo com seus congêneres, deslocando a discussão sobre os critérios de uma escrita da história da literatura para o esforço em definir um programa literário que privilegie a cor local, articulado com os princípios de afirmação da ideologia de construção do Estado-nação.[14] Ao longo do "Ensaio", há marcantes signos da interlocução do autor com os seus contemporâneos, diálogo este que leva o texto a girar predominantemente em torno de um guia prescritivo de leis e normas capazes de especificar a brasileiridade da literatura.

Em um desses diálogos, Magalhães lamenta que poucos textos, e apenas de autores estrangeiros, tivessem se ocupado da literatura produzida no Brasil. Numa transferência de tarefas, desafia um escritor nacional a pioneiramente executá-las: "Nenhum nacional, que nós conhecemos, ocupado se tem até hoje com tal objeto".[15] Em um extenso trecho do artigo, o autor empolga-se com sua fé no progresso, sempre pressuposto como natural necessidade. Na passagem, o emprego anafórico da expressão "nada de exclusão", combinado com o advérbio jamais e com o pronome "tudo", forja o entusiasmo e o efeito hiperbólico da mensagem nacionalista. O autor vale-se ainda de verbos atemporais e orações proféticas que apontam para o modo volitivo de sua linguagem. Com esse conjunto de procedimentos, aciona a função programática de seu texto:

> Nada de exclusão, nada de desprezo. Tudo o que puder concorrer para o esclarecimento da História geral dos progressos da humanidade merecer deve a nossa consideração. Jamais uma nação poderá prever o seu futuro, quando ela não conhece o que ela é comparativamente com o que foi. Estudar o passado é ver melhor o presente, é saber como se deve marchar.[16] Nada de exclusão; a exclusão é dos espíritos apoucados, que em pequena órbita giram, sempre satélites, e brilhantes com luz emprestada. O amante da verdade, porém, por caminhos não trilhados, em tudo encontra interesse e objeto de profunda meditação. Como o viajor naturalista, que se extasia na consideração de uma florzinha desconhecida que o homem bronco tantas vezes vira com desprezo. O que era ignorado ou esquecido romperá destarte o envoltório de trevas, e achará devido lugar entre as coisas já conhecidas.[17]

Os tópicos do programa nacionalista de Magalhães agem na própria cronologia que forja para o tempo histórico da literatura, concebida como nacional desde sempre, dividido em dois períodos: o primeiro inicia-se com a chegada dos portugueses e encerra-se no século XVII. O segundo contempla o período entre o século XVIII e o XIX.

A desigual distribuição que toma três longos séculos como representativo de um dos momentos dessa história da literatura, e um único para sintetizar o segundo encontra respaldo no princípio que o autor elege para definir o que se entende por Espírito dessas fases. A leitura negativa do legado colonial e a interpretação positiva da ação da Revolução Francesa na cultura local fornecem os pressupostos dessa segmentação temporal. Esses dois amplos acontecimentos levam essa cultura a funcionar como uma espécie de "alimentação por retorno" dos grandes fatos da Europa.[18]

A lusofobia do autor orienta um telos que, recuado à invasão do Brasil, rompe-se em 1808. A dominação portuguesa represou, nessa ótica, o desenvolvimento da inteligência nacional e das práticas artísticas do Brasil, criando, nessa ótica, uma cultura imersa nas trevas. Mas com a eclosão da Revolução Francesa, a queda do Antigo Regime e a independência das nações, os reis tiveram, segundo Magalhães, de partilhar a púrpura e o cetro com os "homens". A partir de então, os letrados nativos começam a exercer a liberdade do pensamento e a favorecer, segundo Magalhães, o progresso nacional. Assim, desde 1831, o Brasil "pôde pautar as suas ações e seguir as pegadas da Nação Francesa",[19] tornando-se, com isso, inteiramente "filho da civilização francesa".[20]

Ao compreender que a inteligência nacional e as práticas letradas aqui produzidas caminharam por meio de uma contração imposta pela política colonial, tendo sido, em seguida, impulsionadas pela Revolução Francesa, o autor conclui que a cultura local não se constituiu como uma indígena civilizada: "é uma Grega vestida à Francesa, e à Portuguesa, e climatizada no Brasil".[21] Plantando aqui o cristianismo, a ilustração, o paganismo e a ideia de pátria como traços maiores da cultura local, o tronco europeu enxertou um galho no Brasil.

Mas o processo de desenvolvimento da inteligência local iniciou-se, de acordo com Magalhães, antes mesmo da Independência, graças à ação dos árcades, responsáveis por germinar as Luzes na América portuguesa. Esse ordenamento do passado colonial pelo nacionalismo submete a poesia setecentista "ao ponto de vista da sua maior ou menor adesão a um processo de emancipação da colônia, o que, em geral, era uma violação do significado estético de suas obras".²² Mas antes desse período, a ilustração já teria sido exercitada, ainda que "instintivamente" e a despeito da política portuguesa que proibiu a circulação de livros e a instalação de universidades. Mas com os árcades, Portugal, pensa Magalhães, apenas serviu de ponte para a definitiva introdução e expansão do iluminismo francês no Brasil.

"Ensaio sobre a história da literatura do Brasil" universaliza transtemporalmente a matéria nacionalista e preenche seu conteúdo com o cultivo da religião católica, a propagação das luzes e da ciência e o sentimento patriótico, adotados como critérios absolutos e imutáveis do progresso nacional, medidas de avaliação da inteligência local. Na apreciação das práticas poéticas do passado e do presente, adota por critério o "valor-nação" e o "valor-povo", julgando autores e obras não mais de acordo com os princípios do belo. Numa pronta recusa de preceitos clássicos, procura observá-los tendo em vista sua maior ou menor adesão à ideologia de sentimento nacional e do progresso. Como em breve se tornará norma entre intelectuais que comporão o *romantismo oficial*,²³ Magalhães substitui

> [...] o *critério formal* de beleza do ideal clássico pelo *critério histórico* do valor representativo dos autores e obras. O texto passou a valer pela sua capacidade de reapresentar os caracteres que se supunham próprios da sociedade que o gerou. Uma historicização radical da leitura substituía o julgamento neoclássico da adequação da escrita aos modelos antigos ou renascentistas. [...] O *valor-nação* e, nos historiadores democráticos como Michelet e Herculano, o *valor-povo* passaram a constituir o critério de ajuizamento das obras pelo metro de sua maior ou menor a esses valores. Nação primeiro, progresso depois, às vezes agregados, serão os motores e os cânones por excelência da historiografia que predominou ao longo do século XIX.²⁴

Para Magalhães, a capacidade cognitiva do indivíduo e de um povo manifesta-se desde tempos remotos, graças à suposta disposição natural do ser humano para tanto. O apriorismo de seu nacionalismo forja o detalhamento de cada período da história do Brasil de tal forma que cada um daqueles três princípios se gesta naturalmente, lentamente e sucessivamente.

Nos três séculos em que o Brasil "jazeu esmagado debaixo da cadeia de ferro" portuguesa, o desenvolvimento da inteligência local teria ocorrido lentamente. Só a partir do século XVII surgiram poetas e prosadores com "notável propensão religiosa". As práticas letradas exerceram-se então por meio de orações sagradas.[25] No século anterior, no entanto, a despeito de supostamente existir, nenhum escritor nativo se notabiliza. Temendo que a "mais alto ponto o Brasil se erguesse", a dominação portuguesa fechou todas "as portas e estradas que à ilustração o conduzir [o brasileiro] podiam".[26] Além disso, para Magalhães "as virtudes do cristianismo não podiam domiciliar nos corações embebidos nos vícios desses homens, pela maior parte tirados das cadeias de Lisboa".[27] Postos na condição de seres moralmente "degradados", os colonos incapacitavam-se, nessa ótica, para transmitir qualquer tipo de educação a seus filhos e aos da terra. Encontrando apenas nos conventos a via de acesso à ilustração, eles fadavam-se ao retiro e ao esquecimento, morrendo para o mundo. Nesse momento, o vate nacional dedica-se às artes por necessidade dela e para desafogar o coração, celebrar a beleza, a virtude e seus amores. Assim compreendendo, Magalhães transfere para esse período distante a romântica função sentimental da arte e o didatismo artístico próprio das letras setecentistas. Naturalizando o cultivo da fé e a ilustração, o autor supõe também que o sentimento nacional deriva de um "instinto", acionado espontaneamente pelo espetáculo oferecido pela natureza tropical. Ao pressupor que o passado já alimentava de algum modo os valores do presente, postula ainda que, no século XVI, o brasileiro envergonhava-se de ser um. Acobertando sua natividade com um nome português a fim de conquistar um lugar na espécie e em seu "país", tornava-se estranho à nacionalidade que, não obstante, lá já estava, mas reprimida.

Ainda que compreenda que os árcades tivessem sido responsáveis por plantar aqui, via Portugal, as ciências e as letras francesas ou os "frutos da sapiência", tornando-se responsáveis pelo início do consciente desenvolvimento da inteligência nacional, ainda assim, para Magalhães, eles estancaram duas outras fontes do progresso da nação. Imitando a mitologia grega, teriam perdido a chance, nessa ótica, de privilegiar a figuração das belezas naturais do Brasil, limitando-se a produzir uma cópia do estrangeiro. "É rica a mitologia grega, são belas suas ficções, mas à força de serem repetidas, e copiadas vão desmerecendo, além de que, como o pássaro da fábula, despimos nossas plumas para empavonarmo-nos com antigas galas, que não nos pertencem."[28] No mesmo passo, a imitação da mitologia grega destruiu a "sublimidade de sua religião" e enfraqueceu o gênio local: "Não, eles não meditaram, nem meditar podiam; no princípio das cousas obra-se primeiro, depois reflete-se".[29]

Com essa teleologia, Magalhães deduz que a plena reunificação, nas práticas letradas do país, do dogma católico, do sentimento nacional e da ilustração concretiza-se de modo pleno apenas em seu tempo. O início dessa consolidação remonta-se, para ele, a 1808, mas efetiva-se apenas na década de 1830, quando Pedro I, *cujo coração não palpitava de amor por sua Pátria adotiva*,[30] lega a coroa ao filho que "fora ao nascer pelas auras da América bafejado, e pelo sol dos trópicos aquecido".[31] Doravante os três princípios acima poderão ser exercidos concomitantemente na plenitude da liberdade de seu pensamento nacional.

O primeiro tópico do programa nacionalista de Magalhães prescreve a suspensão da aliança cultural do Brasil com Portugal. Enfraquecendo o legado português e encarecendo o valor da França, substitui uma tutela por outra: "Assim tem sempre o Brasil medrado, olhando para a França, e nós nos lisonjeamos que ele não retrogradará, tomando esta grande mestra por guia".[32] Nesse programa de invenção da nacionalidade literária, a reafirmação da instrumentalização da literatura pelo cristianismo ocorre num momento em que o didatismo artístico estava sendo posto abaixo e interpretada como fonte da heteronomia. Em meio aos critérios do programa de Magalhães destaca-se também a adoção da filosófica eclética como orientadora das práticas políticas e do método investigativo da história literária.

No período entre 1833 e 1837, quando Magalhães estuda em Paris, o teórico da reformulação do ecletismo, Victor Cousin encontrava-se em viagem pela Alemanha. Mas o estudante brasileiro frequentou o curso ministrado pelo substituto do filósofo francês, Théodore Simon Jouffroy. De lá Magalhães dirige uma carta a Monte Alverne, ressentindo-se que o ecletismo não vigorasse ainda no país:

> Por falta de Ecletismo um ex-Ministro disse que não havia no Brasil necessidade de escolas de Filosofia e Retórica; outro, que ainda governa, em uma portaria disse que as artes não precisam de proteção; um charlatão quis achar a alma no cadinho, um matemático olha com desprezo para um poeta etc. etc. Mas eu tenho esperança no futuro; o império da mediocridade há de cair, mas à condição de uma luta consciente, sem o que governará ainda por algum tempo os espíritos.[33]

Em "Ensaio sobre a história da literatura do Brasil", o entusiasmo do autor com o ecletismo leva-o sobrevalorizar o papel dessa filosofia no esclarecimento da vida de todas as gerações de seu tempo:

Depois de tantos sistemas exclusivos, o espírito eclético anima o nosso século; ele se levanta como um imenso colosso vivo, tendo diante dos olhos os anais de todas as gerações, em uma mão o archote da filosofia aceso como pelo gênio da investigação, com a outra aponta a esteira luminosa onde se convergem todos os raios de luz, escapados do brandão que sustenta. Luz e progresso; eis sua divisa.[34]

Roque Spencer Maciel de Barros destaca que Cousin dominou o ensino filosófico na França desde 1814 até o fim da Monarquia de Julho, quando começa a cair em ostracismo.[35] Durante o reinado de Luís Filipe, foi ministro da Instrução Pública no gabinete de Thiers. Transformado nesse período em filosofia oficial, o ecletismo esperava arrefecer as turbulências da França revolucionária. Durante a monarquia burguesa, graças a Cousin

> esquecem-se os excessos, as palavras demasiadamente expressivas do passado. Acaba-se, como diz Taine, "apresentado a filosofia como uma aliada afetuosa e indispensável da religião e todo o ecletismo como uma fé preparatória que deixa ao cristianismo lugar aos seus dogmas e todo o seu alcance sobre a humanidade".[36]

No Brasil, a proposta eclética de conciliar as diferentes e frequentemente inconciliáveis correntes filosóficas e políticas abriu a possibilidade para que a construção do Estado nacional pudesse se realizar como uma "espécie de tratado de paz" entre o racionalismo de d. Pedro II e a doutrina católica, de um lado, e entre liberais conservadores e democratas, de outro: "A monarquia adotaria, naturalmente, uma filosofia condizente com os seus ideais e essa era a filosofia eclética. Não sendo, porém, o ecletismo, por natureza, uma filosofia ligada, se assim podemos dizer, a compromissos, ela evolveria com enorme facilidade, passando por modificações".[37]

O ecletismo de Magalhães manifesta-se em sua compreensão segundo a qual "o germe da discórdia" das rebeliões regenciais não praza a Deus, sendo "um perigoso fermento" e um "ressaibo de não apurada educação". Essa singular interpretação da recente história política brasileira permite supor que, para o autor, o processo de transformação dos eventos históricos não resulta em uma radical alteração das estruturas sociais, políticas e econômicas. Em sua leitura, os conflitos regenciais resumem-se a uma guerra civil que, alterando a constituição do poder, obrigou os reis a partilharem-no com os "homens", vale dizer, com letrados e nativos brancos e proprietários. Magalhães arma, com isso, "uma interpretação conciliadora de nossa formação nacional"[38] em que espera, conforme se verá, que o poder estatal estimule e financie os letrados para que, em sua ótica, a nação desenvolva o progresso e alcance a glória mundial.

Em "Ensaio sobre a história da literatura do Brasil", a presença da filosofia eclética manifesta-se também no modo com que o autor concebe o processo de transformação e modificação das fases da história e da cultura do Brasil. A premissa de que Espírito nacional concretizou-se na cultura por etapas — primeiro de modo natural e instintivo e em seguida lentamente quando toma consciência de si nas práticas artísticas e depois na filosofia da história — comunica-se com o evolucionismo de Cousin.

Por essa filosofia, cinco são os princípios necessários e solidários que presidem a atividade e a mente humana: o útil (ciências matemáticas e físicas, a indústria, a economia e a política), o justo (a sociedade civil, o Estado e a jurisprudência), o belo, a religião e a reflexão filosófica, atividade esta culminante, para o autor, do espírito humano.[39] Para Cousin, a filosofia da história deve acompanhar o movimento progressivo de um povo em direção à conquista sucessiva de cada um desses fundamentos pela história de um povo e revelar a ideia que o sintetiza.[40] Analogamente, as sínteses traçadas por Magalhães para compreender cada um dos períodos da história do Brasil delimitam como e quando cada princípio, dirigindo nessa ótica a atividade e a mente humana, torna-se consciente na história: primeiramente o belo desinteressado, o sentimento de Deus e a intuição da pátria, com o útil e o justo reservado a Portugal; em seguida o avanço imperfeito da ilustração, mitigado pela mitologia pagã; por fim, a ação consciente e combinada de todos esses fatores na nação livre de Magalhães e seus pares.

De outra forma, a presença do ecletismo em Magalhães evidencia-se ainda na conciliação que estabelece da antiga concepção de história com o historicismo moderno, entrevista na problemática fusão da escatologia cristã com os princípios do humanismo e do nacionalismo. No início de seu texto, Magalhães supõe que a história da literatura se constitui como um campo refletor das ações humanas que devem ser por ela documentadas e legadas ao futuro:

> E quando esse povo ou essa geração desaparece da superfície da Terra, com todas as suas instituições, suas crenças, e costumes, a Literatura só escapa aos rigores do tempo, para anunciar às gerações futuras qual fora o caráter do povo, do qual é ela

o único representante na posteridade; sua voz como um eco imortal repercute por toda a parte, e diz: "em tal época, debaixo de tal constelação e sobre tal ponto da terra um povo existia, cujo nome eu [a literatura] conservo, cujos heróis eu só conheço; vós porém si pretendeis conhecê-lo, consultai-me, por que eu sou o espírito desse povo, e uma sombra viva do que ele foi".[41]

Assim, para Magalhães, os eventos históricos de uma nação não resultam da revelação divina orientando o fluxo do tempo. Definida por meio de suas instituições, costumes e crenças, a história constitui-se imanentemente. Documentando os acontecimentos de uma nação, a história da literatura, por sua vez, reverbera os traços característicos de um povo. Ao transferir para o acaso e a natureza a lei que impele a marcha de uma nação, Magalhães enfraquece o historicismo cristão e submete os eventos humanos a um tímido processo de secularização.

Herdada de Cícero e reformulada pelo cristianismo, o pressuposto de que a história é útil como instrução da vida prática implica que o passado contém uma coleção de exemplos modelares do presente. Ela fornece leis para que se evitem vícios e revigorem a virtude, comprovando doutrinas morais, teológicas, políticas e jurídicas.[42] Nessa concepção, acontecimentos particulares e inesperados, considerados raros, "são tão pouco eficazes para apagar da face da terra os eventos que se repetem de forma sempre igual, que justamente por isso não podem ser compreendidos como inauditos".[43]

Diferentemente, o pensamento moderno concebe que a história expressa a si mesma. A partir do século XVIII, a "história em si" ganha, diz Kosellech, o valor semântico de coletivo plural que reúne "um agregado desordenado de ações humanas". A secularização da história foi também proporcionada pela imprevisibilidade das reviravoltas da Revolução Francesa nas máximas perpetuadas pela tradição ditando que o passado comporta lições para o presente. Com a apreensão da imagem do período revolucionário como um evento inaudito e singular, o pensamento moderno passou a atribuir à história "uma força que reside no interior de cada acontecimento que afeta a humanidade, aquele poder que a tudo reúne e impulsiona por meio de um plano, oculto ou manifesto, um poder frente ao qual o homem pôde acreditar-se responsável ou mesmo em cujo nome pôde acreditar agindo".[44] O caráter singular e inédito dos golpes da Revolução Francesa confronta, assim, a antiga concepção histórica que reitera semelhanças entre passado, presente e futuro, o que contribuiu para o seu processo de erosão.

Em que pese o alinhamento de Magalhães à imaginação histórica moderna, quase ao final de seu texto, tratando da oposição entre originalidade e imitação dos antigos, o autor deixa escapar que o estudo da história literária não apresenta por único objetivo a documentação do passado. Ela pode contribuir também "para tirarmos lições para o presente".[45] Preservando a máxima de que ela instrui, Magalhães transfere para a história literária a função de mestra da vida, destinando à literatura e ao gênio o papel antes reservado à providência como reveladora dos acontecimentos pregressos. Com isso, o autor sacraliza e encarece a missão do escritor. Vale reiterar que, nesse momento, ele se qualifica em Paris. O entusiasmo com que valoriza a missão do artista e a defesa incondicional da liberdade como monopólio do letrado evidenciam a expectativa de que, ao retornar ao país, algum cargo no novo Estado nacional recém-instalado esteja a sua disposição.

Em meio a tantas passagens do texto que encareçam o valor do artista e a ação de seu talento na apoteose de uma nação, em uma delas o autor dirige-se aos letrados na terceira pessoa do plural, conclamando-os:

> Ele [o grande homem] existe no meio de nós sem ser conhecido, sem se conhecer a si mesmo, como o ouro nas entranhas da terra, e só espera que o desencavem para adquirir seu valor. Empreguemos os meios necessários, e nós possuiremos grandes homens. Se é verdade que a paga anima o trabalho, a recompensa do Gênio é a glória.[46]

Quando avalia a contribuição dos colonos situados em épocas remotas da América portuguesa, o autor julga que sua falta de ambição e esperanças teria causado prejuízo à glória da nação: "Não, oh Brasil, no meio do geral movimento, tu não deves ficar imóvel e tranquilo como o colono sem ambição e sem esperanças".[47] Afirmando a instrumentalização das práticas artísticas em favor da ascensão social do letrado, resigna-se por elas não terem sido, de início, exercidas por interesse:

> Ai [na colônia] canta o vate por mera inspiração celeste, por esta necessidade de cantar, para dar um desafogo a seu coração. Ao princípio cantava-se para louvar a beleza, a virtude, seus amores; cantava-se ainda para adoçar as amarguras da alma; e tanto que a ideia de pátria apareceu aos poetas, começaram eles a invocá-la para

objeto de seus cânticos. Mas sempre, como o peregrino no meio dos bosques, que canta sem esperar recompensa, o Poeta Brasileiro não é guiado pelo interesse e só o amor mesmo da Poesia, e de sua pátria o arrasta.[48]

"Ensaio sobre a história da literatura do Brasil" explicita o desejo do autor de que o governo imperial patrocine a corporação, transformado ali em necessidade da nação. Para ele, a falta de estímulo da política portuguesa aos talentos nativos foi prejudicial ao desenvolvimento intelectual e econômico local. Negando seu "orvalho protetor" e a oferta de títulos aos letrados, o governo imperial tornava-os indignos de "altos e civis empregos", impedindo, com isso, que desabrochassem.[49] De acordo com ele, deveu-se a isso o fato de as práticas letradas do período conformarem apenas manifestações esparsas, quando teriam brilhado de passagem como "pirilampos em meio às trevas".[50] Assim, uma das dificuldades do levantamento dos gênios do período colonial remonta-se, para o autor, ao desinteresse do governo português de proteger e oferecer emprego aos letrados da colônia:

> Mesquinhas intenções políticas, por não avançar outra cousa, leis absurdas, e iníquas ditavam, que o progresso da civilização, e da indústria entorpeciam. Os melhores gênios em flor morriam, faltos deste orvalho protetor, que os desabrocha; um ferrete ignominioso de desaprovação, na fronte gravado do Brasileiro, indigno o tornava de altos e civis empregos. Para eles obstruídas e feixadas estavam todas as portas, e estradas que à ilustração o conduzir podiam.[51]

Em outra parcela de responsabilidade pela desmemória dos autores e obras do período colonial deve-se, para Magalhães, aos próprios intelectuais do presente. A transferência da ação desse descaso para os escritores locais funciona efetivamente como um estímulo ao estudo e ao levantamento desses nomes:

> [...] em parte sobre nós deve recair a censura, que tão pródigos somos em louvar, e admirar os estranhos, quão mesquinhos nos mostramos com os nossos, e deste jeito visos damos de que nada possuímos. Não que pretendamos que a esmo se louve tudo que nos pertence só porque nos pertence,[52] fora insuportável; mas porventura vós, que consumistes vossa mocidade no estudo dos clássicos Latinos ou Gregos, vós que ledes Voltaire, Racine, Camões ou Filinto e não cessais de admirá-

-los muitas vezes mais por imitação que por própria crítica, apreciais vós as belezas naturais de um Santa Rita Durão, de um Basílio da Gama, de um Caldas?[53]

Para Magalhães, o mecenato é condição sine qua non do desenvolvimento da nação, auferida ali pela glória de seus letrados. Sua concepção de história literária empresta o modelo do relato dos feitos da nobreza o pressuposto de glorificação dos intelectuais nativos, considerando que a missão deles seja oferecer máximas que modelem moralmente e intelectualmente os indivíduos. A cooptação dos letrados torna-se, com isso, um dos tópicos de seu programa nacionalista.

Ao enfraquecer o historicismo cristão e substituir o papel da ação divina pela prática letrada, Magalhães, como foi tendência no século XIX,[54] esvazia seu conteúdo, mas mantém a estrutura formal e evolutiva do tempo cristão que entende que a alma caminha para purgar os pecados e se preparar para a entrada no paraíso ou no inferno, conforme o juízo final. Na substituição do conteúdo desse evolucionismo, "Ensaio sobre a história da literatura do Brasil" pressupõe que o fluxo do tempo, enquanto avança, acumula o legado da razão nacional, cristã e ilustrada em direção ao apogeu. No intervalo entre o tempo que chega e o que foi, interpõem-se os pressupostos do humanismo nacionalista que aconselha a averiguação do sucessivo aperfeiçoamento moral, social e intelectual dos indivíduos e das relações humanas nos limites da nação. Concebendo o presente como um todo harmônico da razão nacional, esse evolucionismo apaga os conflitos políticos do tempo. Na cronologia de Magalhães, a história política reduz-se a grandes linhas gerais de causa e efeito, desencadeadas, como visto, pela ação portuguesa e pela Revolução Francesa, traçadas por meio de largos quadros descritivos estáticos.

O empenho do autor romântico para naturalizar os acontecimentos históricos, assim como sua formação na ilustração católica, evidencia sua relação com o tempo histórico e com a linguagem. Ao adotar a ideologia do progresso na aferição do avanço da inteligência nacional, propondo-lhe um andamento e uma meta final, Magalhães prevê uma impossível harmonia regendo a diferença. Se, em sua ótica, o cristianismo, a ciência e a razão nacional impulsionaram naturalmente os rumos da história local até a Independência, os "germes da discórdia" só podem resultar de povos bárbaros com "educação não apurada". Nesse sentido, a projeção da responsabilidade pelo atraso da economia e da cultura à política colonial permite a Magalhães afastar-se do principal problema que assolava a sociedade brasileira do período, omitindo-se quanto ao papel da escravidão e dos negros nos rumos do Brasil.

Antes da publicação do texto de Magalhães, o *Resumo da história da literatura brasileira* (1826), de Ferdinand Denis, adotou a miscigenação como traço típico do "caráter" nacional brasileiro. Nesse texto, a proposta de especificar a literatura produzida no Brasil leva em conta, além do aproveitamento estético da paisagem local, os traços da cultura portuguesa, da africana e da indígena. Para Denis, o "caráter" típico do brasileiro seria marcado pela tristeza dos negros diante da escravidão, pela saudade da pátria sofrida pelo português e pela melancolia do aborígene em luta pela posse da terra. A máxima do romantismo segundo a qual a emoção e o sofrimento devem servir de fonte de inspiração poética transporta-se para a tipificação do caráter brasileiro.[55]

Ainda que cite e dialogue parcialmente com Denis, Magalhães descarta o legado português e situa a cultura indígena em um remoto período mítico abortado, devendo ser idealmente representado. Mas se cala quanto à contribuição da cultura africana, tratando rapidamente da escravidão. Embora postule que todos os fatos devem ser analisados para que a história possa apreender a ideia que atravessa uma época, ao se referir à escravidão, Magalhães acredita que suas considerações sobre o assunto "parecerão fora do objeto a que nos propomos". Quando se detém com mais vagar no tema, opera um desvio, adotando como sinônimo de "escravidão" a submissão imposta ao Brasil por Portugal. Entre os efeitos do violento modo de produção, privilegia o obstáculo que ele oferece ao desenvolvimento da economia nacional:

> Assim é que um bárbaro senhor algema seu escravo, receoso que ele se escape, e só lhe desprende um braço ou outro quando dele algum trabalho requer. A Economia Política tem combatido vitoriosamente o erro, que desde muito lavrava na política, que um povo não pode prosperar senão a custa de outro povo, e com o sacrifício de tudo que o rodeia. Política essa que à imitação dos Romanos, e de todos os povos dos baixos tempos, Portugal exerceu sobre o Brasil.[56]

Ao deixar de lado a violência exercida contra o cidadão negro, além de evitar tocar no tema, Magalhães procura também reforçar sua reação contrária ao legado português na literatura brasileira. Mas sobrepõe a liberdade da nação à do indivíduo. Recuando o tempo nacional a uma etapa primitiva no suposto sistema de evolução, a escrita da história da nação e de seus heróis, feita de forma virtuosa e grandiloquente, permitiu a Magalhães, como lembra João Cezar de Castro Rocha, esquecer os eventos históricos inconvenientes à política da época.[57] A busca das origens nacionais alimenta o sentimento das elites locais de fazerem parte de um mesmo passado, seu desejo de assegurar a estabilidade do presente e de transferir para um período indeterminado as promessas de conquista de um estágio superior e civilizado.[58]

Em outros fatores que, em Magalhães, contribuem para a nacionalidade da literatura encontram-se o indianismo, o nativismo e a originalidade criativa da nação e autores individuais. Tendo recusado de antemão o legado indígena na cultura do país quando a refuta como "indígena civilizada", o autor interroga se a cultura aborígene teria cultivado a poesia e se poderia inspirar a imaginação dos poetas. Para afirmar que tamoios e caetés tenham sido grandes músicos, e que os tupinambás se dedicavam também à poesia, recorre ao testemunho de Gabriel Soares de Sousa, afirmando que esse material é "precioso monumento" das letras nacionais. No uso do termo "monumento", cria uma relação da "poesia brasílica" com a dos índios análoga àquela com que Byron, Chateaubriand e Lamartine estabelecem com o Oriente. Aproximando a poesia dos índios brasileiros à de povos orientais, Magalhães toma aquela como fonte de inspiração do exotismo literário. Reinventando o povo indígena pelos princípios do nacionalismo, pinta-os como "amigo da liberdade e da independência". Se, nessa ótica, o modo de criação dessa cultura se pauta pela contemplação do céu, das montanhas, das águas e da vegetação local, ele e seu material tornam-se recursos e objetos da nacionalização da literatura. A inspiração recolhida nas belezas naturais do país poderia contribuir para a diferenciação da literatura aqui produzida de outras práticas literárias nacionais.

"Ensaio da história da literatura do Brasil" estabelece, por fim, um vínculo entre a originalidade da nação e a individualidade autoral. Nessa citação de Schiller — "O Poeta independente não reconhece por si lei senão as inspirações da alma, e por soberano seu Gênio" —, o autor busca autoridade para aconselhar a conquista da inovação poética individual. Pensa que assim a literatura brasileira se desdobrará em uma variedade plural. Ainda que valorize o estudo dos modelos, condena sua fiel reprodução. Eles devem ser aproveitados como fonte de contemplação e meditação. Os distintos produtos que daí surgirem favorecerão, nessa ótica, a eclosão de diversas poéticas individuais. Estimulando a concorrência entre os artistas, o culto da originalidade funciona, por fim, como estímulo à escalada social pelos degraus da literatura: os que nada ousarem, segundo Magalhães, podem ser arredados pelos que vêm atrás. Para ele, "nas obras do gênio o único guia é o gênio, que mais vale o voo arrojado deste, que a marcha refletida e regular da servil imitação".[59] De posse desse conjunto de procedimentos, o letrado brasileiro pode se preparar para subir a estrada "traçada pelo caracol numa montanha" e chegar ao cume, subindo sempre.

As figuras do tempo, as figuras no tempo: Representação histórica e imaginação literária na cultura brasileira

Ettore Finazzi-Agrò

> *A cronologia que reparte e mede a aventura da vida e da História em unidades seriadas é insatisfatória para penetrar e compreender as esferas simultâneas da existência social. Nos países de passado colonial como o Brasil [...], a co-habitação de tempos é mais evidente e tangível do que entre alguns povos mais sincronicamente modernizados do Primeiro Mundo.*
>
> Alfredo Bosi, "O tempo e os tempos"

Que existam tanto um conjunto de práticas quanto um âmbito epistemológico densos de referências mútuas — ou até de cruzamentos e de sobreposições — entre história e literatura, além de ter sido a constatação prévia a partir da qual montei aos poucos o meu livro *Entretempos*,[1] se apresenta, mais em geral, como uma questão teórica crucial, que foi e continua sendo debatida seja por parte dos estudiosos de estética, seja por parte dos filósofos da história. Entrar, mais uma vez, nesse debate constitui um desafio ao qual não posso, todavia, me furtar — embora seja de todo evidente que o meu trabalho pode resultar mais numa recapitulação das posições teóricas consolidadas que numa verdadeira e original contribuição à discussão desse assunto.

Com efeito, a relação entre representação histórica e narração literária foi o alvo de muitas análises e reflexões, tencionando, por um lado, distanciar a "história" da "estória" (para utilizar o vocabulário rosiano que, por sua vez, remete para a distinção clássica, no âmbito anglo-saxônico, entre *history* e *story*) e, pelo outro, estudar a relação indissolúvel entre Tempo vivido/arquivado e Tempo narrado, considerando tanto o lugar e a função do sujeito que lembra ou conta quanto o papel estruturador da forma em relação aos acontecimentos. Eu não pretendo, evidentemente, entrar nesse confronto, discutindo, por exemplo, a posição do grupo das *Annales* em oposição às teorias de Hayden White[2] ou de Jacques Rancière,[3] mas lembrar apenas como em volta da "ilusão referencial" se tenha desenvolvido uma série infinita de estudos teóricos entre os quais, pela sua natureza, a meu ver, "decisiva", eu destacaria pelo menos os três livros de *Temps e Récit*[4] que, junto com outros fundamentais ensaios como *La Mémoire, l'histoire, l'oubli*,[5] colocam Paul Ricœur no ápice dessa densa reflexão sobre o valor hermenêutico do relato histórico, posto em paralelo ou numa posição especular a respeito do discurso literário.

Diante dessa enorme massa crítica, a minha contribuição pode se colocar apenas à margem da discussão (ou "da história"), analisando, também de modo liminar ou pré-liminar, a situação que se delineia no âmbito brasileiro a propósito dessa relação, conflituosa ou harmônica, entre história e literatura. E acho que valeria a pena começar a minha discussão a partir da geração dos "intérpretes do Brasil", pensada, justamente, como instância mediana e de mediação entre uma história, por assim dizer, "letrada" e uma historiografia presumidamente científica. Com efeito, se a literatura romântica, durante o século XIX, tinha preenchido, em boa medida, o lugar da história, inventando um passado nacional embasado na figura do indígena e na sua relação, de resistência ou de convivência, com o colonizador, a partir dos anos 30 do século passado, com as obras, sobretudo, de Gilberto Freyre e de Sérgio Buarque de Holanda, vamos ter um estudo do tempo nacional que fica a meio caminho entre o olhar literário e a análise verossímil dos dados históricos.

Nessa fase de mudança, de fato — que foi, não por acaso, um dos objetos de estudo privilegiado do meu livro e, mais em geral, do meu trabalho de pesquisa sobre a cultura brasileira do século XX —, os cruzamentos entre literatura e história são inúmeros, apesar das intenções programáticas dos autores, procurando estudar de forma realista e documentada a formação da sociedade e da cultura brasileiras. Sobre *Raízes do Brasil* ou *Casa-grande & senzala* e sobre a influência, neles, de uma linguagem metafórica de ascendência literária, não convém, talvez, voltar, depois de estudos magistrais apontando, justamente, para o caráter "imagético" e impressionista de algumas interpretações propostas nessas obras. Eu quero apenas lembrar a dívida metodológica e hermenêutica que tanto Freyre quanto Sérgio contraíram com os estudiosos anteriores, a começar por Paulo Prado para remontar ao positivismo de Sílvio Romero e até a alguns representantes da historiografia romântica, todos tentando construir uma certa imagem do Brasil ligada a uma matriz ideológica bem reconhecível e censurando ou ignorando tudo aquilo que escapava a aquela ideia preconcebida. Podemos lembrar, por exemplo, a exaltação da natureza por parte dos historiadores românticos, as críticas de Sílvio Romero à obra de Machado de Assis ou, enfim, a afirmação peremptória do caráter melancólico do brasileiro, em contraste com uma "terra radiosa", presente em *Retrato do Brasil*.

Todos esses autores, enfim, forjam os dados documentários para os fazer coincidir com um cânone estético e/ou ideológico predefinido que exclui ou marginaliza tudo aquilo que não cabe nessa perspectiva hermenêutica. O caso talvez mais evidente é o de um historiador de profissão como Sílvio Romero que, na tentativa de mostrar o caráter original e autônomo da cultura brasileira, chegou a escrever trechos como o seguinte:

> Na imensa pera sul-americana, como dizem uns, no enorme presunto da América do Sul, como se poderia chamar, o Brasil, ocupando talvez mais do terço, constitui uma região especial que se distingue por mais de uma singularidade. Tendo em geral a mesma configuração dessa parte inteira do continente, é, no seu núcleo central, a região mais antiga do Novo Mundo e, talvez, da terra. Era uma enorme ilha primitiva, que se veio a ligar ao planalto mais recente dos Andes e ao das Guianas, por movimentos geológicos específicos e mais diretamente pela ação dos dois consideráveis rios que a circulam — o Amazonas e o Paraguai-Paraná-Prata.[6]

Esta imagem um tanto grotesca, remetendo para a mitologia de um Brasil-ilha — sobre a qual me detive bastante no meu *Entretempos* —,[7] assenta em pressupostos paradoxais e em metáforas comezinhas ("comezinhas" em todos os sentidos: a pera, o presunto...), entremeadas por dados geofísicos, também eles forjados em vista de uma afirmação da unicidade e coerência da história nacional.[8]

Em aberto contraste com esse uso instrumental da ciência na construção de uma história e de uma geografia sem fundamento, vamos ter, de resto, a visão de um literato — de um literato *en titre d'office*, e não ensaísta e crítico como Romero — que vai nos oferecer uma interpretação histórica do Brasil muito mais realista, apesar de pertencer à esfera da narrativa. Estou me referindo, evidentemente, ao escritor que foi asperamente criticado por Romero pelo seu "desalento mórbido" e que conseguiu, por contra, nos dar um quadro confiável e atento da sociedade brasileira. A simples constatação que um historiador contemporâneo, da importância de Sidney Chalhoub, tenha intitulado um livro seu *Machado de Assis: Historiador* nos fornece uma prova ulterior do fato que a distinção, aparentemente nítida, entre história e literatura não é, no fundo, tão nítida assim.[9]

Esse conluio, enfim, entre esferas discursivas e argumentativas distintas experimentado entre o fim do século XIX e o começo do século XX, se reflete ainda nas grandes interpretações da formação social e cultural brasileira compostas a partir dos anos Trinta do século passado, com a diferença essencial que os autores novecentistas, apesar das bases ideológicas reconhecíveis sobre as quais fundamentam as respectivas "leituras do Brasil", abrem, todavia, para uma reflexão de cunho historicista, onde encontramos um tratamento mais cuidadoso dos dados reais. Ou seja, atrás de uma perspectiva ainda muito subjetiva e por vezes literária, encontramos uma preocupação evidente em mostrar, por meio de uma avaliação atenta dos dados, as peculiaridades e as falhas da formação nacional. E se, por exemplo, Gilberto Freyre assume, por um lado, como seu ponto de partida a tarefa louvável de ressaltar o papel do negro na construção da cultura nacional, acabando, todavia, por se tornar um partidário da democracia racial e um fautor do "luso-tropicalismo", ele acompanha, por outro lado, essas conclusões discutíveis com uma análise sociológica do patriarcalismo e com uma crítica antropológica da questão étnica. E se Sérgio Buarque de Holanda opta desde logo por uma visão pessoal muito mais pessimista, ligada, no seu entender, à adoção de hábitos culturais e instituições políticas "fora de lugar", ele não se furta, todavia, a um estudo, de cunho eminentemente weberiano, das causas concretas daquela situação de impasse em que se encontrava a sociedade brasileira, ainda nitidamente classista e profundamente não democrática. E isso para não falar da perspectiva declaradamente marxista adotada por Caio Prado Jr. na sua interpretação da *Formação do Brasil contemporâneo*, atrás da qual descobrimos uma análise atenta da situação socioeconômica brasileira.

De resto, na época do triunfo das ideologias e num contexto tanto nacional — marcado pela figura de Vargas — quanto internacional — caracterizado pela afirmação dos totalitarismos — não se podiam esperar resultados diferentes (como demonstram aliás, pelo lado conservador e em oposição à visão de Caio Prado, as obras de Oliveira Viana). Aquilo que conta, porém, na perspectiva pela qual hoje olhamos para aquela fase da historiografia brasileira, é o papel funcional que o imaginário literário preenche nas grandes sínteses dos anos 30 e 40 do século passado. E essa mistura de linguagem metafórica e avaliação realista do processo histórico resulta num discurso prevalentemente simbólico pelo qual tudo se torna, afinal, dependente de uma imaginação totalizadora, que acaba por apagar as exceções eventuais, os fatos marginais, os elementos fora do quadro ou do eixo. A ilusão referencial, afetando tanto a historiografia quanto a literatura daqueles anos (pense-se apenas no realismo ostentado e politicamente orientado presente em alguns exponentes do movimento regionalista, como Jorge Amado), sendo uma instância incontornável de toda representação, tanto artística quanto histórica, da realidade, acaba, porém, por se resolver às vezes num unilateralismo interpretativo que achata as diferenças — diferenças, elas sim, concretas.

Para retomar, com efeito, as palavras de um importante estudioso contemporâneo como Georges Didi-Huberman, não se faz história decidindo "ir para o passado" para recolher os "fatos" e para chegar, assim, a construir um saber, porque "o movimento é muito mais complexo, mais dialético: ele é feito de saltos, ele deve sem fim responder a uma tensão essencial nas coisas, nos tempos e na própria *psyche*".[10] Isso significa que fazer história comporta não apenas levar em conta as ideias e os sonhos, os desejos e as idiossincrasias — chegando, enfim, a conjeturar a reconstrução de mentalidades pretéritas —, mas considerar também o caráter intempestivo do tempo, a sua fatal inatualidade, o seu escapar a toda linearidade lógica. E foi justamente nessa perspectiva que se colocaram, em relação à historiografia, dois filósofos alemães aparentemente muito distantes entre eles como, por um lado, Friedrich Nietzsche e, pelo outro, Walter Benjamin: isto é, cuidando sempre do caráter assíncrono e plural do tempo e das instâncias materiais e ideais que agitam subterraneamente — e às vezes subvertem — a ordenação consequencial dos fatos.

Não por acaso, encontramos em ambos seja um caráter aparentemente assistemático do discurso teórico, que parece proceder por intuições sucessivas sem nunca se fechar, porém, numa obra orgânica e definitiva (embora o projeto filosófico, que fundamenta aquele discurso, mantenha uma indiscutível coerência); seja uma atenção constante às relações entre história e literatura, considerada, esta, não inimiga, mas aliada e cúmplice de qualquer interpretação histórica. Heine e Stendhal (para além de Wagner) para Nietzsche e Proust e Baudelaire para Benjamin, não constituem apenas uma referência externa à interpretação, mas os próprios eixos em volta dos quais desenvolver uma hermenêutica histórica (no sentido genealógico, levando a um "grande carnaval do tempo, em que as máscaras nunca param de voltar", em Nietzsche;[11] na interpretação do progresso novecentista através de metáforas ou de figuras simbólicas — o *angelus novus*, as *passagens* — em Benjamin). Nesse sentido, a reconstrução do passado transita, quase necessariamente, pela análise atenta e demorada do discurso artístico, no intuito de desvendar, na sua aparente irregularidade e distância em relação à ordem do real, elementos que possam contribuir para uma interpretação não apenas dependente dos documentos arquivados ou de uma organização evenemencial e cronológica dos fatos, mas da memória viva e atuante que a literatura esconde atrás das imagens ou manifesta apenas nas entrelinhas.

O apelo à literatura na reconstrução hipotética da história se torna tanto mais importante no Brasil, justamente pelo fato de ser uma dimensão que vive numa perene coincidência de tempos diferentes. A ruptura com o país colonizador, com efeito, se juntando ao gigantismo geográfico e à existência de "terras ignotas" e de "homens infames" esquecidos pela história, comporta também uma laceração na sequência entre passado e presente, levando a uma diferente maneira de narrar o tempo, em que a ficção — encoberta, às vezes, pelo cientificismo, como acontece por exemplo em Euclides da Cunha — preenche o lugar vazio (ou esvaziado) da origem. De fato, a história brasileira, como aquela de todos os países pós-coloniais, vive e se alimenta da defasagem entre tempo arquivado e tempo recontado, da inconsequência entre o dado documentário e o seu aproveitamento, o que vai dar numa situação inatual ou intempestiva onde aquilo que conta não é a ordenação e a concatenação cronológica dos fatos e sim a com-presença dos tempos, ligada, eu diria, à instância atemporal e substantiva de um sujeito ausente (de *"l'absent de l'histoire"*, na definição de Michel de Certeau),[12] a quem apenas a literatura consegue, às vezes, prestar ouvido e dar voz. Contrariando a suposição fantasmática da origem ou das possíveis origens e a concatenação causal dos fatos, acho, nesse sentido, que, na construção de uma história da cultura brasileira, deveríamos deixar espaço e tempo a uma genealogia plural e anacrônica, ligada a aquilo que Ernst Bloch denominou de "contemporaneidade do não contemporâneo" e de "não contemporaneidade do contemporâneo"[13] e que Reinhart Koselleck teorizou como conluio de passado, presente e futuro numa segmentação caótica de momentos diversos, dependendo da pluralidade das ideologias e do relacionamento delas com um tempo que se mostra, necessariamente, assíncrono e fora do eixo.[14]

Para vencer a rasura ou o recalque das instâncias alternativas e evanescentes que surgiram ao lado da história oficial brasileira ou contra ela (Canudos, por exemplo, ou as dezenas de gestos incompletos de revolta em relação ao Sistema), a minha proposta — compartilhada, em boa medida, com outros teóricos da cultura brasileira — foi a de construir, juntando pedaços desconectados, uma história da cultura brasileira não pautada pelo tempo do relógio[15] e sim pela justaposição de imagens ou de figuras nas quais se condensa, por instantes, a memória de uma nação no curso do tempo — do seu tempo plural e incoerente. Uma história fora da norma então, ou, pelo menos, fora de uma concatenação causal de nomes e de fatos, uma história que seja, ao mesmo tempo, reconstrução arqueológica do passado e negação desse passado que, no icônico dinamismo da figura, não consegue passar. Porque é apenas nessa capacidade de constelar tempos heterogêneos, nessa não coincidência e nessa defasagem entre o poder-dizer e o dito (entre *langue* e *parole*, entre a instituição de um paradigma e a disposição sintagmática dos eventos), entre aquilo, enfim, que se apresenta como feito e perfeito no âmbito do arquivo e aquilo que fica sempre por-fazer e imperfeito pretendendo o gesto do arqueólogo — é nessa contingência, então, que habita não apenas a complexidade da cultura brasileira, mas mais em geral uma certa imagem da história e a própria história como sucessão caótica e heterogênea de instâncias aleatórias e como interrogação incessante desse caos e dessa heterogeneidade.

Acho, com efeito, que só considerando o decurso temporal, não como sequência ordenada de nomes rememorados e de fatos arquivados, e sim como pulular de figuras combinando imaginação e memória, literatura e história (figuras, por exemplo, como a do "homem cordial" e da "mucama" ou, mudando de registro, como a "agregada" machadiana, o "Hércules-Quasimodo" euclideano, o retirante de Graciliano, o jagunço rosiano e assim por diante); só, afinal, sob a forma de uma iconologia inconsequente ou, na esteira de Benjamin, de uma coleção de "artefatos" diversos, onde, nas imagens e nas coisas musealizadas, se cruzam tempos diferentes, podemos tentar montar uma história cultural plausível, testemunhando a pluralidade das instâncias e das vozes já inaudíveis que nessas figuras, por instantes, se cristalizam — ecoando num presente que, sempre segundo Benjamin, "não é transição, mas fica suspenso no tempo e é imóvel".[16] Cronologia histórica e cronotopia literária perdem assim os seus contornos, fluindo uma na outra, uma dentro e através da outra, deixando pairar uma interrogação que pretende uma hermenêutica sem fim e sem respostas certas.

A historiografia ideal, no seu compromisso inevitável com o discurso artístico e com a retórica da representação, tem, a meu ver, exatamente esse caráter ao mesmo tempo contingente e necessário, arqueológico e histórico, intempestivo e atento à evolução do panorama cultural, numa procura infindável daquilo que, no texto literário ou no produto artístico, faz dele um espelho — um espelho negro, às vezes, remetendo para o enigma — não apenas do passado, mas também do presente, nas suas múltiplas relações com outros tempos e outras dimensões da prática humana, com outros "dispositivos" (no léxico de Michel Foucault).[17] E para acabar esta breve reflexão sobre o tratamento do tempo e sobre o seu questionamento no âmbito brasileiro assim como num contexto teórico muito mais amplo, eu gostaria de mencionar mais uma vez um grande filósofo e histórico da arte como Georges Didi-Huberman. Ele afirmou de fato, no seu *Devant le temps*, todo consagrado à relação complexa entre temporalidade e imagem, que na escrita da história a figura se apresenta como *"agencement d'anachronismes subtils: fibres de temps entremêlées, champ archéologique à déchiffrer"*,[18] recuperando, assim, o que, no passado refletido na linguagem icônica, se apresenta como sempre inatual ou intempestivo: isto é, uma memória tentando resgatar a ausência, uma memória do imemorável.

É nessa aporia, afinal, nesse anacronismo engolindo qualquer instância crono-lógica e qualquer obrigação consequencial, que podemos enfim redescobrir, a meu ver, o sentido plural e hipotético de uma história que deveria tomar conta de tempos culturais incompatíveis, marcados por instâncias que o nosso entendimento tenta colocar numa perspectiva de objetividade, sendo, por contra, dimensões habitadas por uma subjetividade anômica e sem peso. Por isso, a meu ver, é apenas nas figuras se colocando entre imaginação e memória, é apenas conjugando sem fim a prática material com aquela imaterial, a história com a literatura, que conseguimos apanhar por instantes uma verdade complexa —

cientes, todavia, do caráter arbitrário de qualquer representação, de toda narração coerente e irreversível de um tempo pretérito, de onde nos fala, com voz já inaudível, o "ausente da história".

Os rios que vão dar no mar:
A *Invenção de Orfeu* e o épico moderno

Fábio de Souza Andrade

Poema de confluência e convivência máxima da matéria heteróclita de uma obra poética vocacionada para a variedade e a expansão, em seus assuntos e pretextos, espelhada numa vontade de formas igualmente plural e conflitiva, a *Invenção de Orfeu* encontra tradução sensível mais do que acurada na complexidade sintética de uma imagem destacada, por mais de um leitor, do corpo vasto de seus milhares de versos como pedra de toque luminosa.

Penso na expressão "um copo de mar", que, a meus olhos, resume e antecipa à perfeição as tensões extremas que sustentam e, ao mesmo tempo, ameaçam sua arquitetura intrincada e contraditória, cuja aparente fragilidade se comunica forte aos leitores. Por um lado, difícil negar o aspecto dispersivo da *Invenção de Orfeu*, sugerido, por exemplo, pela imensa e desconcertante diversidade estrófica e métrica do poema que se diz épico, ainda que moderno, e desde a origem preocupado em modalizar tal classificação. Por outro, um desejo inequívoco de unidade se expressa na sua estrutura maior, organizada em dez cantos coalhados por retomadas e variações espelhadas de versos, formas breves, alusões, temas, autores e personagens, caracterizando a repetição como um procedimento construtivo-chave, algo como um método, produzindo sentido de modo constelar.

No "copo de mar" se apresenta ainda o gosto do Jorge de Lima final pelas metáforas ousadas, pelos oximoros que se multiplicam à exaustão no poema testamento, equivalentes objetivos da vontade de imergir nas divisões internas do sujeito lírico solitário. E se o eu que nele ganha voz é figura do indivíduo, herói moderno por excelência, poeta-protagonista que assume muitas e provisórias máscaras, no outro polo, objetivo, a *Invenção de Orfeu* anuncia uma disposição ambiciosa de recapitular criticamente, no corpo do poema, nada menos que a totalidade da experiência histórica da formação brasileira, de sua história poética e literária, tomada como material que, heteróclito e heterogêneo, se mostra conatural do caráter dividido do sujeito.

Por fim, a mesma imagem, a do "copo de mar", empresta concretude à centralidade, em múltiplos planos, da metáfora náutica no poema. Nela se manifesta a importância simbólica do meio aquático para a instauração de certo princípio de reversibilidade de formas e fluidez de significados que reina no poema, metamórfico por natureza, um regime tributário tanto da herança dos simbolistas malditos franceses e de Rimbaud, como da pregnância do imaginário surrealista, das técnicas da *collage* e da montagem vanguardistas no estilo tardio de Jorge de Lima. Se o "copo de mar" aponta para a proximidade da *Invenção de Orfeu* com as vanguardas históricas, recupera simultaneamente aquilo que o liga à tradição épica, que convoca e reivindica para renovar: o inegável vínculo com *Os Lusíadas* e todo o sistema da épica contemporânea a Camões, pois é um poema que se faz de navegação, ainda que interior, e de fundação de ilhas, ainda que de linguagem.

O amplo fôlego dos assuntos, a abrangência oceânica das formas e uma instabilidade programática de significados, evidenciada no gosto pelo hermetismo complexo das imagens, sempre hesitando entre os regimes alegórico e simbólico, sugerem a dimensão do desafio crítico que representou, desde o início, a busca pelo lugar preciso da *Invenção de Orfeu* na tradição que reivindica (épica, mas também lírica e estilhaçada), nos esforços de produção moderna do poema longo ou nos mapas gerais da poesia em língua portuguesa. Minha hipótese é a de que este lugar, ainda que decisivamente apoiado e concretizado nas certezas sensíveis das imagens, é permanentemente deslizante, já que o poema se compõe de tensões constitutivas irresolúveis, sendo antes campo de forças em choque e de invenção experimental de formas, lugar de tentativas e falhas, rasuras programáticas que realçam o lugar de resistência que Jorge de Lima atribuía à poesia, especialmente a do seu tempo.

Na confluência tormentosa, brasileira, entre o rio torto da infância, o Mundaú de sua educação sentimental e formação pessoal, e o rio-mar da épica, ajuste de contas com a experiência do tempo presente entroncada em múltiplos fluxos históricos (míticos, sociais, linguísticos e literários), resultou este lugar de repuxos e refluxos, que nos obriga a examinar a trajetória total do poeta para melhor apreender sua importância singular.

Entre os leitores de primeira hora a enxergar a complexidade deste objeto crítico, ao lado do poeta amigo, Murilo Mendes, destaca-se um ensaísta português, João Gaspar Simões. Prefácio à primeira edição do poema, depois incorporado sob a forma de "Nota preliminar" à edição da *Obra completa* pela Aguilar, em 1958, seu texto se ocupa de um feixe de questões que ainda hoje preservam relevância para pensar o quadro em que o poema se forma.[1] Destas, talvez a mais relevante seja o deslocamento do eixo exclusivo da apreensão da natureza do épico na *Invenção de Orfeu* a partir de uma inserção remota na linhagem clássica da poesia heroica, em que Camões aparece como ponto de fuga de uma família que nasce de Homero, através de Virgílio, e inclui Milton e Tasso, por exemplo, tal como se fixava no então popularíssimo estudo de Cecil Maurice Bowra, para uma atenção maior à precedência da imagem enquanto recurso que singulariza o poema brasileiro.

A centralidade da metáfora serve-lhe para relativizar na *Invenção de Orfeu* a importância estrutural do elemento narrativo (a fábula, no poema, é mínima) e apontar para certa primazia barroca da imagem que, em Jorge de Lima, se renova sob o peso de autores centrais ao *paideuma* moderno, notadamente, Rimbaud e Lautréamont, em cuja obra o poeta aparece como verdadeiro demiurgo. A unidade do poema, diz, dá-se sob o signo da febre da criação e esta lógica da imaginação, afirma, não é indiferente ao contexto brasileiro, sendo antes expressão formal do Brasil entendido como espaço de fermentação de possibilidades, terra exuberante onde tudo está por fazer. Nestes termos, Simões se pergunta, provocador, se há mais elementos de brasilidade na poesia nordestina do autor dos *Poemas negros* ou na potencialização de virtualidades que a forma inquieta da *Invenção de Orfeu* sugere de maneira, para ele, inegavelmente brasileira.

Se, à guisa de *disclosure*, Gaspar Simões modestamente endossou a profecia do poeta de Juiz de Fora, a de que a *Invenção de Orfeu* demandaria gerações de críticos para sua interpretação, estas novas gerações certamente não ignoraram sua leitura em seus próprios esforços de especificar e definir os modos de ressurgimento e incorporação, refuncionalizada, de traços e temas da épica clássica e do barroco, no poema, para caracterizar seu aspecto moderno e brasileiro, correção de modelos. Mesmo as incursões muito mais recentes de outro crítico português, Hélio Alves,[2] especialista em épica renascentista portuguesa, mas também estudioso do poema de Jorge de Lima e autor de uma tese sobre o autor, embora de outra ordem, não deixam de trabalhar em contraponto com aquele primeiro deslocamento de eixo reflexivo proposto por Simões.

Escrevendo no centenário do poeta, partindo de trabalhos decisivos sobre a Invenção, como a discussão sobre o procedimento da montagem na *Invenção de Orfeu*, de Luiz Busatto, o estudo de Gilberto Mendonça Teles sobre Camões e a poesia brasileira, os textos de Vilma Arêas e Alfredo Bosi sobre o poema de amplo fôlego e Jorge de Lima, Alves retoma a questão da presença da épica portuguesa primordial na Invenção, alargando-a e precisando-a, agora sob o signo da memória textual, da repetição renovadora, no seio de uma poética moderna encravada no universo linguístico português.[3]

A ideia do poema em palimpsesto, tomada a Busatto, permite-lhe demonstrar que mesmo poetas como Virgílio, Dante e Milton chegam a Jorge de Lima por meio de traduções em português, mediadas por reconstruções de seus poemas épicos por autores poetas eles mesmos, no seio da tradição épica luso-brasileira (Odorico Mendes e Antonio Feliciano de Castilho, por exemplo). "Não é, pois, somente Camões que *Invenção de Orfeu* convoca; são os tradutores, épicos também eles, e os poetas que, como Jorge de Lima, tentaram no seu tempo a reiteração da epopeia. É o universo da narrativa verbal que o poema vai ostentar, não para o recusar, mas para o incorporar, como massa compacta para o seu subsolo. Não surpreenderá então que o poeta recorra a tudo o que a sua memória poética deixa emergir, em particular o 'vocabulário' dos arquitextos, isto é, o seu ritmo, a sua sonoridade, a concatenação dos versos, a composição formal e o conteúdo convencional, reescritos mas transparentes".[4]

Colhendo uma série de passagens marcadas pela intensa intertextualidade, Alves conclui que este material luso-brasileiro, épico, se presta no poema a uma série de modalidades de citação, "desde os sintagmas que reenviam a uma cultura épica tradicionalizada, até o trabalho de variação sobre um mote escolhido oriundo do mesmo veio literário, se constata a reiteração mesma das formas da imitação clássica",[5] mas agora remetendo sempre ao próprio discurso, ao meio linguístico revolto de sua incorporação, a *Invenção de Orfeu*, que é emulativa de si mesma. Assim, Alves demonstra, pelo cotejo de passagens, como obscuros poemas épicos contemporâneos aos *Lusíadas* devem ter sido incorporados, em citações, alusões e variações criativas, por Jorge de Lima a seu poema maior, caso do *Afonso Africano*, poema épico de Vasco Mouzinho de Quevedo, de 1611, ou do *Naufrágio do Sepúlveda,* de Jerônimo Corte-Real, 1594, que seria, por exemplo, a fonte do nome de uma das *personae* da musa na *Invenção*, Leonor.

Modalizado pelos epítetos lírico, interior, o épico moderno de que se fala em Jorge de Lima não pode ser confundido com o gênero de afirmação positiva da identidade nacional, de fiança de uma comunidade imaginária coesa e ideal, coisa que jamais foi com inteireza nem para a épica clássica, mas como território de linguagem em que se exercem os questionamentos, se avivam as incertezas, em que a narrativa história é posta à prova pela resistência da imagem, as verdades e mitos reconfigurados assim que convertidos em elementos internos ao poema.

Isto vale para a poesia que tematiza a presença e a ausência do negro na cultura e na poesia brasileiras e a que buscou insuflar fôlego épico à memória e às culturas indígenas, abrangendo os mais variados nomes, de Santa Rita Durão a Castro Alves, de Anchieta a Mário de Andrade. Em ótimo estudo recente, *Carnifágia malvorosa: As violações na súmula poética de Jorge de Lima*, Daniel Glaydson levanta a hipótese da violação como reconfiguração que a matéria histórica e literária sofre ao integrá-lo.[6] Maria Graciema Andrade, por sua vez, se aprofunda na relação de apropriação e reescrita que envolve o aproveitamento de *O índio brasileiro e a Revolução Francesa*, de Afonso Arinos, em *Invenção de Orfeu*, caminho também discutido por Suene Honorato de Jesus em sua incursão pelo poema maior do autor.[7] Lendo os *Poemas negros*, Vagner Camilo mostrou o jogo complexo de valores, literários e humanos, que envolve o tema em Jorge de Lima, ainda mais intrincado quando considerado no campo latino-americano, e americano *tout court*, ampliado.[8]

À diversidade de formas poéticas e à complexidade estrutural do poema deve corresponder uma pluralidade de perspectivas consideradas, acolhendo ideologias e contraideologias; se bem-sucedida, a *Invenção de Orfeu* será um esforço de, nos termos de Viveiros de Castro — para convocar uma voz sugestiva, ainda que remota, ao debate —, animar a épica passada sob aspecto da incorporação subjetiva, investimento de subjetividade, e nunca do distanciamento objetivo e isento.[9] Não se trata de homenagem e glosa, de modo algum, mas de participação. Sob este aspecto, a retomada das tentativas de epopeias brasileiras anteriores também é continuamente posta entre parêntesis. Xamânico e violento, modernista e antropofágico, radical para além das intenções e explicações que eventualmente seu criador tenha manifestado, é preciso conceder que, em *Invenção de Orfeu*, o culto das ambiguidades tem consequências para além dos eventuais obstáculos a uma leitura escorreita. Faz parte de sua vocação para a forma difícil, concretizada numa ilha de linguagem que se presta a um território de tentativas falhas, retomadas à exaustão para multiplicar e esgotar as possibilidades, no sentido deleuziano, possibilidades cansadas e não mais dispostas à busca pelo acerto cravado. Em termos beckettianos, falhar melhor, abraçar-se aos fragmentos no mar revolto dos versos.

Voltando ao começo, quando chegamos à *coda*, gostaria de fazer notar que já em *Poemas*, de 1927, livro de adesão plena de Jorge de Lima ao projeto modernista, o motivo náutico se fazia presente e revelador da complexidade do poeta alagoano.[10] Do ponto de vista do percurso estritamente individual, nada havia de fácil em abraçar uma poesia que ampliava seu repertório simbólico em direção ao cotidiano brasileiro, escolhendo assim participar do movimento de assimilação indireta da simplificação estratégica adotada pelas vanguardas europeias que, em face da dinâmica local das artes e do atraso social brasileiro, adquiria um sentido inesperado. O teor mimético inédito assumido pelas imagens, explorado em múltiplas direções dentro do modernismo, coloca o significado crítico desta operação poética no centro de uma disputa, estética e ideológica, que confunde os lugares do fácil e do difícil, do local e do cosmopolita, do provinciano e do moderno.

Um poema como "O mundo do menino impossível" é paradigmático desse processo. Na liberdade espacial do verso irregular, no olhar afetivo que determina a atmosfera geral do livro, na valorização da infância, alçada à altura de plenitude mítica, na sintaxe simplificada e na multiplicação de diminutivos, na disposição enumerativa, justapondo catálogos de coisas brutas observadas, na escolha pelo registro aprovador do próximo e do familiar, mas também na valorização do gesto transfigurador da imaginação, do "faz de conta" que parece brigar com sua notação poética quase imediata, da poesia nos acontecimentos.

A opção preferencial pelos "sabugos de milho" e a dissolução da alta poesia na vida prosaica não elide a importância fundamental atribuída ao papel transfigurador do trabalho poético, em particular, da imagem, agora simbólica, carregada da experiência encarnada da realidade vizinha e nordestina, que, sozinha, povoa o mundo a partir de ninharias prosaicas ressignificadas, por oposição à abstração alegorizante dos acendedores de lampiões que povoavam sua poesia anterior.

Quem percorre o sumário de *Poemas* encontra também um inventário das matrizes heteróclitas que compõem esta experiência brasileira que a nova forma quer, a um só tempo, dizer e moldar. Cortado pelos rios nordestinos (o Mundaú, rio torto, o São Francisco, o rio do Peixe sobreposto ao bíblico Jordão), caminhos sinuosos de descoberta do país em planos imprevistos, flagrantes visuais sucedendo-se em cortes cinematográficos, o livro se arma no espírito comum da época, de rever com ânimo de dessublimação voluntária — quando não de ironia e paródia — os mitos da história local. Que os recursos para tanto viessem na forma de uma linguagem aprendida às vanguardas, de inspiração internacionalista, não é a menor das complexidades da poesia do modernista convertido.

A enumeração da matéria nordestina — ordenada, quando inventário da fauna, catálogo de brinquedos infantis, desconjuntada e conflitiva, se recapitulação da história colonial — está pautada pela convivência tensa, que produz espanto e, portanto, revelação de verdades que apenas a poesia expressa a contento. Seu mecanismo já é a cópula, o choque sensível de elementos não conaturais, a mistura heterogênea submetida ao gesto expressivo que confere unidade dissonante à imagem, que não por acaso sustentará, em fieiras de surpresas encadeadas, um fluxo de fusão de imagens grande responsável pela complexidade da fase final da poesia limiana.

Não seria de todo exagerado enxergar aqui as raízes locais de sua afinidade extrema com a técnica da *collage* ou da montagem. Nestes termos, assistimos em *Poemas* um ensaio, não no sentido do menor, do preparatório, ou do toscamente tentado, mas no de primeiro ensaio da primazia da visualidade, dos mecanismos da convivência constelar e da repetição como princípios construtivos, esteios para a sustentação narrativa de um poema longo como a *Invenção de Orfeu*.

Ainda em *Poemas*, o ajuste de contas com a narrativa historiográfica, revisão da terra de maravilhas dos relatos dos viajantes coloniais, que aparece em primeiro plano em poemas como "A minha América" ou "Painel de Nuno Gonçalves", antecipa uma matéria poética que está no coração da *Invenção de Orfeu*, que também dependerá da costura paratática em vista de um tratamento estético eficaz da disposição enumerativa. Lá, ela se faz por blocos justapostos de imagens, planos contíguos que exploram as arestas, o atrito, o encaixe imperfeito, somando às imagens da história, matrizes míticas e cristãs, tratamento que permite à imagem incorporação de quase tudo ao ânimo narrativo do poema longo, de estrutura constelar e quase aberta.

O livro se deixa guiar por um fascínio simultâneo pelo rio torto, o Mundaú, cujo traçado sinuoso espelha as hesitações e divisões do poeta (que a ele se identifica nos versos de "Bahia de todos os santos" — "eu sou um rio torto e tu és a Bahia do Salvador!") e pelo São Francisco, o rio-mar, Opará, na língua da gente da terra. São talvez expressões precoces do desejo de fazer conviver de maneira tensa, em rota de colisão, o mundo tumultuado da intimidade do poeta com as vicissitudes do mundo da experiência objetiva dos homens e da história, trocando asperezas e iluminações. Viagens e descobertas modernas que, em ponto miúdo e fluvial, antecipam a complexidade irresolúvel da forma, desembocando todos, encorpados e épicos, modestos e anticlimáticos, na promessa de expansão perpétua, oceano de eterno retorno, que encontramos na *Invenção de Orfeu*.

Brasil: A dialética da dissimulação

Fábio Konder Comparato

Em obra primorosa,[1] o professor Alfredo Bosi focalizou o caráter intrinsecamente contraditório do processo colonizador do Brasil. Inspiro-me nessa visão metodológica para ressaltar aqui outra oposição entre aparência e realidade, formando uma unidade dialética: o caráter fundamentalmente dissimulado dos nossos grupos sociais dominantes, com fundas repercussões na vida social.

Para ilustrar esse propósito e, concomitantemente, prestar homenagem a um dos melhores comentadores da literatura brasileira, recorro neste texto a citações de obras de alguns de nossos maiores literatos, notadamente Machado de Assis.

O DESDOBRAMENTO DA PERSONALIDADE

Começo por lembrar o jovem personagem do conto "O espelho", de Machado de Assis.[2] Como asseverou o narrador a seus ouvintes espantados, cada um de nós possui duas almas. Uma delas exterior, que exibimos aos outros, e pela qual nos julgamos a nós mesmos, de fora para dentro. Outra interior, raramente exposta aos olhares externos, com a qual julgamos o mundo e a nós mesmos, de dentro para fora. Uma simples vestimenta — no caso a farda de alferes da Guarda Nacional — foi capaz de criar para o jovem personagem do conto uma dupla personalidade. O uniforme representou uma espécie de alma exterior, graças à qual ele já não mais se enxergava absolutamente sozinho e isolado do resto do mundo, num sítio do qual a proprietária, sua tia, se havia ausentado há vários dias, e todos os escravos fugido na noite seguinte à ausência da dona. Quando se enxergava não fardado no espelho, sua imagem aparecia "vaga, esfumada, difusa, sombra de sombra". Bastou, porém, vestir a farda e olhar-se novamente no espelho para rever-se nitidamente, "nenhuma linha de menos, nenhum contorno diverso"; voltara a ser ele próprio, pois havia reencontrado sua alma exterior.

No curso de toda a nossa história, até hoje, com ínfimas variações, esse desdobramento de personalidades perdurou no seio dos nossos grupos abastados. No meio doméstico ou na esfera privada, as pessoas vivem com os defeitos e qualidades de sua alma interior, encoberta aos olhares externos. Já na esfera pública, o personagem se transforma, ele é outro, quase que totalmente diverso.

Uma das razões explicativas dessa personalidade dúplice, que chega às raias da esquizofrenia, é, sem dúvida, a permanência entre nós do complexo colonial, mesmo após a Independência. Como asseverou Sérgio Buarque de Holanda,[3] a tentativa de implantação da cultura europeia em um ambiente que lhe era largamente estranho fez com que nossas classes dirigentes vivessem como desterradas em sua própria terra. Sua mentalidade ou visão de mundo, componente da "alma exterior" na nomenclatura do conto machadiano, nada mais era, até praticamente meados do século passado, do que a cópia apócrifa daquela vigente em terras europeias, e que tinha pouco a ver com a realidade social propriamente brasileira.

Sem dúvida, a partir do término da Segunda Guerra Mundial, com o enfraquecimento da influência econômica e cultural das potências europeias no concerto das nações, a mentalidade de nossos grupos dominantes ampliou seus horizontes, embora permanecendo sempre vinculada aos países ditos civilizados. Mas o desdobramento da personalidade permaneceu imutável, pois a "alma interior" continuou praticamente a mesma, segundo o velho brocardo: *quem pode manda, obedece quem tem juízo*.

Em suma, o caráter de nossas mal chamadas *elites* sempre foi bovarista, como bem salientou Tristão de Athayde.[4] À semelhança da trágica personagem de Flaubert, elas procuram fugir do ambiente canhestro e atrasado em que vivem, e que as envergonha, de modo a sublimar na imaginação, para o país todo e cada pessoa em particular, uma identidade e condições ideais de vida que fingem possuir, mas que lhes são de fato completamente estranhas.

Para a consolidação dessa duplicidade de caráter, muito contribuiu a civilização capitalista, que aqui aportou juntamente com os primeiros descobridores e exploradores do território. Com efeito, a dissimulação permanente, com a oposição sistemática entre aparência e realidade, constitui um elemento indissociável do espírito capitalista. Ela se manifesta, tradicionalmente, pela longa experiência da publicidade mercantil, bem como pela dissimulação do poder.

No primeiro caso, o método de atuação é o mesmo empregado por Satanás no mito bíblico da primeira e fatal desobediência do ser humano aos mandamentos do Criador, tal como relatado no Capítulo 3 do Gênesis. O mercador age como a serpente, "o mais astuto de todos os animais dos campos". Ao oferecer suas mercadorias ou serviços, ele não argumenta com base na razão, mas dirige-se, antes, aos sentimentos ou às paixões ocultas do eventual comprador.

Da mesma forma na esfera política, os líderes capitalistas procuram sempre manter-se em posição encoberta ou dissimulada, como sujeitos ao poder do Estado, quando, na verdade, vivem e prosperam intimamente ligados aos grandes agentes estatais, formando uma dupla oligárquica. Pois, como bem advertiu o historiador francês Fernand Braudel, que lecionou na Universidade de São Paulo logo após a sua fundação, "o capitalismo só triunfa quando se identifica com o Estado, quando é o Estado".[5] E em pouco tempo, graças a essa associação oculta, a vida social é inteiramente transformada pela ética da incessante busca do interesse material.

Em soneto célebre, reproduzido pelo professor Bosi no capítulo 3 da sua *Dialética da colonização*, Gregório de Matos relatou essa transformação radical ocorrida na Bahia no século XVII, quando Salvador tornou-se o principal porto comercial do Brasil:

Triste Bahia! Ó quão dessemelhante
Estás e estou do nosso antigo estado!
Pobre te vejo a ti, tu a mi empenhado,
Rica te vi eu já, tu a mi abundante.

A ti trocou-te a máquina mercante,
que em tua larga barra tem entrado,
A mim foi-me trocando e tem trocado
Tanto negócio e tanto negociante.

Deste em dar tanto açúcar excelente
Pelas drogas inúteis, que abelhuda
Simples aceitas do sagaz Brichote.

Oh se quisera Deus que de repente
Um dia amanheceras tão sisuda
Que fora de algodão o teu capote!

Essa dialética da dissimulação, na qual aparência e realidade fundem-se para dar nascimento a uma unidade contraditória, produziu a sistemática duplicação de nossos ordenamentos jurídicos. Com efeito, por trás do direito oficial — em geral de nível equivalente ao dos países mais adiantados, mas de vigência mais aparente do que efetiva —, vigora um outro direito, em tudo conforme aos interesses da oligarquia dominante. Quando chamados a julgar as lides forenses envolvendo integrantes da oligarquia, os órgãos do Poder Judiciário optam em geral pela aplicação deste último ordenamento, travestido em direito oficial, graças aos refinados recursos da técnica exegética.

Foi o que sucedeu em nossa história com a escravidão e as instituições políticas, como se passa a ver.

AS DUAS FACES DA ESCRAVIDÃO

Durante muito tempo, historiadores e sociólogos consideraram ter havido um claro contraste entre a escravidão de africanos nos Estados Unidos e no Brasil. Enquanto lá os escravos foram tratados cruelmente, aqui os cativos teriam recebido tratamento benigno, senão francamente protetor.

A meu ver, na origem dessa suposta contradição de atitudes encontramos uma diferença radical de mentalidades entre os dois povos. Os americanos, além de não dissimularem suas convicções e dizerem francamente o que pensam, não costumam ocultar seus atos de crueldade. E foi isto que esteve na origem da mais longa e sanguinária guerra civil do século XIX. Nós, ao contrário, timbramos em proclamar nossa ausência de preconceitos em relação aos negros e pobres, e encobrimos sistematicamente as brutalidades contra eles praticadas; o que nos levou a abolir a escravidão sem grandes conflitos.

Sob esse aspecto, encarnamos à perfeição o poeta fingidor de Fernando Pessoa. Fingimos tão completamente, que chegamos afinal a nos convencer de nossa "índole reconhecidamente compassiva e humanitária", como afirmou Perdigão Malheiro, autor de um tratado jurídico sobre a escravidão brasileira no século XIX.[6] E foi assim que sempre nos apresentamos aos olhares estrangeiros. Na Exposição Internacional de Paris de 1867, por exemplo, nosso governo informou, oficialmente, que "os escravos são tratados com humanidade e são em geral bem alojados e alimentados... O seu trabalho é hoje moderado... ao entardecer e às noites eles repousam, praticam a religião ou vários divertimentos".[7]

A realidade, contudo, contrastava brutalmente — é bem o caso de dizer — com essa falaciosa apresentação dos fatos.

A Constituição de 1824 declarou "desde já abolidos os açoites, a tortura, a marca de ferro quente e todas as demais penas cruéis" (art. 179, XIX).

Em 1830, porém, foi promulgado o Código Criminal, que previu a aplicação da pena de galés, a qual, conforme o disposto em seu art. 44, "sujeitará os réus a andarem com calceta no pé e corrente de ferro, juntos ou separados, e a empregarem-se nos trabalhos públicos da província, onde tiver sido cometido o delito, à disposição do Governo". Escusa dizer que essa espécie de penalidade, tida por não cruel pelo legislador de 1830, só se aplicava de fato aos escravos.

Dentre os vários instrumentos de tortura sistematicamente aplicados aos escravos, um dos mais comuns era a máscara de folha de flandres. No conto "Pai contra mãe",[8] Machado de Assis assim a descreve:

> A máscara fazia perder o vício da embriaguez aos escravos, por lhes tapar a boca. Tinha só três buracos, dois para ver, um para respirar, e era fechada atrás da cabeça por um cadeado. Com o vício de beber, perdiam a tentação de furtar, porque geralmente era dos vinténs do senhor que eles tiravam com que matar a sede, e aí ficavam dois pecados extintos, e a sobriedade e a honestidade certas. Era grotesca tal máscara, mas a ordem social e humana nem sempre se alcança sem o grotesco, e alguma vez o cruel.

Outro instrumento de tortura largamente aplicado aos cativos era o ferro ao pescoço. Nesse mesmo conto, Machado de Assis explica que tal instrumento visava a punir e desvelar aos olhos de todos os escravos fujões. "Imaginai", diz ele, "uma coleira grossa, com a haste grossa também, à direita ou à esquerda, até ao alto da cabeça e fechada atrás com chave. Pesava, naturalmente, mas era menos castigo que sinal. Escravo que fugia assim, onde quer que andasse, mostrava um reincidente, e com pouco era pegado".

Não era, aliás, de surpreender que os escravos fugissem com frequência, e que "pegar escravos fugidos era um ofício do tempo. Não seria nobre", acrescenta Machado de Assis,

> mas por ser instrumento da força com que se mantém a lei e a propriedade, trazia esta outra nobreza implícita das ações reivindicadoras. Ninguém se metia em tal ofício por desfastio ou estudo; a pobreza, a necessidade de uma achega, a inaptidão para outros trabalhos, o acaso, e alguma vez o gosto de servir também, ainda que por outra via, davam o impulso ao homem que se sentia bastante rijo para pôr ordem à desordem.

E havia mais. Apesar da expressa proibição constitucional, os cativos foram, até as vésperas da abolição, mais precisamente até a Lei de 16 de outubro de 1886, marcados com ferro em brasa, e regularmente sujeitos à pena de açoite. O mesmo Código Criminal, em seu art. 60, fixava para os escravos o máximo de cinquenta açoites por dia. Mas a disposição legal nunca foi respeitada. Era comum o pobre-diabo sofrer até duzentas chibatadas num só dia. A lei supracitada só foi votada na Câmara dos Deputados porque, pouco antes, dois de quatro escravos condenados a trezentos açoites por um tribunal do júri de Paraíba do Sul vieram a falecer.

Tudo isso, sem falar dos castigos mutilantes, como todos os dentes quebrados, dedos decepados ou seios furados.

Uma lei de 1835 dispôs que seriam punidos com a morte, após um processo judicial sumário, os escravos que matassem ou ferissem gravemente o seu senhor, a mulher deste, seus descendentes ou ascendentes; ou o administrador, feitor e suas mulheres. Mas a lei teve reduzida aplicação. Os senhores rurais consideravam pura perda de tempo recorrer a um processo judicial, ainda que expeditivo, quando, em sua qualidade de legítimos proprietários, podiam fazer o que bem entendessem com o que lhes pertencia. O escravo era uma coisa; não uma pessoa.

Apesar de ter sido mantido constantemente em recato, é inegável que o direito não oficial da escravidão jamais deixou de ser aplicado. Um bom exemplo, a esse respeito, foi a permanência do tráfico negreiro por longos anos, em situação de gritante ilegalidade.

Um alvará de 26 de janeiro de 1818, baixado pelo rei português ainda no Brasil, em cumprimento a tratado celebrado com a Inglaterra, determinou a proibição do comércio infame sob pena de perdimento dos escravos, os quais "imediatamente ficarão libertos". Tornado o país independente, firmou-se com a Inglaterra nova convenção, em 1826, pela qual o tráfico que se fizesse depois de três anos da troca de ratificações seria equiparado à pirataria. Durante a Regência, sob pressão dos ingleses, tal proibição foi reiterada pela lei de 7 de novembro de 1831.

Mas todo esse aparato jurídico oficial permaneceu letra morta, pois fora editado unicamente "para inglês ver". Como lembrou o grande advogado negro Luiz Gama, ele próprio vendido como escravo pelo pai quando tinha apenas 10 anos,

> os carregamentos eram desembarcados publicamente, em pontos escolhidos das costas do Brasil, diante das fortalezas, à vista da polícia, sem recato nem mistério; eram os africanos, sem embaraço algum, levados pelas estradas, vendidos nas povoações, nas fazendas, e batizados como escravos pelos reverendos, pelos escrupulosos párocos![9]

Efetivamente, na opinião pública o tráfico negreiro nada tinha em si de ignóbil. Antiético não era tratar seres humanos como mercadorias, mas sim deixar de pagar religiosamente as dívidas mercantis.

Machado de Assis ilustrou tal fato com o personagem Cotrim, nas *Memórias póstumas de Brás Cubas*. Como afirmado no romance,

> ele possuía um caráter ferozmente honrado [...]. Como era muito seco de maneiras tinha inimigos, que chegavam a acusá-lo de bárbaro. O único fato alegado neste particular era o de mandar com frequência escravos ao calabouço, donde eles desciam a escorrer sangue; mas, além de que ele só mandava os perversos e os fujões, ocorre que, tendo longamente contrabandeado em escravos, habituara-se de certo modo ao trato um pouco mais duro que esse gênero de negócio requeria, e não se pode honestamente atribuir à índole original de um homem o que é puro efeito de relações sociais.[10]

Diante desse quadro trágico, não era de estranhar que os próprios escravos desenvolvessem, eles também, o costume de uma dualidade de atitudes diante dos senhores.

Foi o que sucedeu, por exemplo, com a prática da capoeira,[11] uma invenção dos escravos fugitivos e perseguidos. De início, era ela uma espécie de luta corporal. Não possuindo armas suficientes para se defenderem, fazia-se necessário aos negros cativos desenvolver uma forma de enfrentar as armas inimigas, unicamente com seu próprio corpo. Tiveram, então, a ideia de seguir o exemplo dos animais, com marradas, coices, saltos e botes.

A denominação dessa forma de luta corporal veio do mato onde os escravos fugitivos se entrincheiravam e treinavam essa forma de resistência. De fato, a capoeira foi, inicialmente, uma forma de defesa dos quilombolas no meio rural. Nos espaços controlados pelo senhor, todavia, os escravos tinham necessidade de dissimular essa característica de combate corporal da capoeira, apresentando-a como uma forma de dança, simples divertimento enfim. De onde o aparecimento do berimbau, utilizado na verdade para avisar a aproximação dos senhores, feitores ou capitães-do-mato.

Com a abolição da escravatura, os capoeiras foram aproveitados como membros da Guarda Negra, fundada por José do Patrocínio para defender a Princesa Isabel e praticar distúrbios e violências nas manifestações republicanas. De onde o fato de o Código Penal de 1890 haver tipificado, em seu artigo 402, a capoeiragem como um delito especial.[12]

A DUPLICIDADE PERMANENTE DE NOSSA ORGANIZAÇÃO POLÍTICA

Sem dúvida, o dualismo estrutural é próprio do fenômeno político. Há nele sempre uma relação dialética entre as ideias e a ação concreta, entre os costumes e o direito estatal, entre o pensamento crítico e as instituições de poder. Nessa realidade essencialmente bipolar, nenhum lado pode subsistir sem o outro.

Há casos, porém, em que esse confronto real é falseado, porque ao lado da realidade política constrói-se um teatro político, onde o pensamento é declamatório e os agentes despem-se da sua personalidade vivida, para se transformarem em personagens dramáticos. Ou seja, a *persona* volta a ser a máscara teatral das origens.

É o que sempre aconteceu entre nós, desde que adotamos o sistema de representação política. Ainda aí, Machado de Assis soube caracterizar perfeitamente a dissimulação da realidade pelas aparências. No conto "A teoria do medalhão", por ocasião da maioridade de seu filho o pai decide dar-lhe conselhos de vida independente. A principal orientação dada é a do ofício a ser exercido pelo filho; a saber, o de medalhão. Consiste ele, essencialmente, esclareceu o pai, em não ter ideias próprias sobre assunto algum. E concluiu: "Tu, meu filho, se me não engano, pareces dotado da perfeita inópia mental, conveniente ao uso deste nobre ofício".

Ocorre, então, o seguinte diálogo:

— E parece-lhe que todo esse ofício é apenas um sobressalente para os déficits da vida?
— Decerto; não fica excluída nenhuma outra atividade.
— Nem política?
— Nem política. Toda a questão é não infringir as regras e obrigações capitais. Podes pertencer a qualquer partido, liberal ou conservador, republicano ou ultramontano, com a cláusula única de não ligar nenhuma ideia especial a esses vocábulos, e reconhecer-lhes somente a utilidade do *schibboleth* bíblico.

No contexto dessa dissimulação própria de toda a nossa vida política, a grande constante foi o encobrimento dos verdadeiros titulares do poder soberano. Como já foi salientado acima, desde o Descobrimento tal poder tem pertencido, sem descontinuar, a uma dupla oligárquica, formada pelos potentados econômicos privados, aliados aos grandes agentes estatais.

Ou seja, quem manda nestas terras não é isoladamente a burguesia, como sustentam os marxistas, nem tampouco exclusivamente o estamento burocrático, como pretendeu Raymundo Faoro,[13] na linha da interpretação weberiana. A soberania desde sempre pertence a ambos esses grupos, permanentemente unidos, na linha da mais longeva tradição capitalista.

Machado de Assis referiu-se *en passant* a essa constante estrutura dúplice de poder em nossa sociedade, ao assim caracterizar o personagem do conto "A chave":[14] "vê-se que é abastado ou exerce algum alto emprego na administração".

Não é, pois, de estranhar se, desde as origens, segundo a mentalidade privatista do capitalismo, a dupla oligárquica passou a servir-se do dinheiro público como patrimônio próprio, gerando a duradoura endemia da corrupção estatal; corrupção essa que, durante séculos, gozou de total impunidade, em contraste com a dura repressão da mais leve desonestidade praticada pelos integrantes da camada pobre de nossa população. É, aliás, o que o mesmo Machado ilustrou no conto denominado "Suje-se gordo!".[15]

A característica principal da nossa soberania oligárquica binária consiste no fato de nunca ter tido assento em nossos costumes políticos o louvado princípio do Estado de Direito; ou seja, a Constituição e a lei nunca sobrepujaram a vontade e o interesse próprio dos grupos dominantes.

Foi o que ilustrou Manuel Antônio de Almeida, em passagem célebre de *Memórias de um sargento de milícias* (capítulo 46). Querendo livrar seu jovem afilhado do castigo que lhe impusera o major Vidigal, a comadre protetora foi procurá-lo, e ele, querendo atalhar a conversa, foi logo dizendo: "— Já sei de tudo, já sei de tudo".

> — Ainda não, senhor major, observou a comadre, ainda não sabe do melhor e é que o que ele praticou naquela ocasião quase que não estava nas suas mãos. Bem sabe que um filho na casa de seu pai...
> — Mas um filho quando é soldado — retorquiu o major com toda gravidade disciplinar...
> — Nem por isso deixa de ser filho — tornou d. Maria.
> — Bem sei, mas a lei?
> — Ora, a lei... o que é a lei, se o Senhor major quiser?...
> O major sorriu-se com cândida modéstia.

Eis a razão pela qual nada mais temos feito, no campo político, do que viver uma série ininterrupta de "lamentáveis mal-entendidos", segundo a expressão famosa de Sérgio Buarque de Holanda.[16] Ele se referiu especificamente à democracia, mas o qualificativo também se ajusta como uma luva ao liberalismo, à república, e ao constitucionalismo aqui praticados.

UM LIBERALISMO DE FACHADA

Como bem esclareceu José Maria dos Santos,

> na América pós-colonial, onde a ficção da investidura divina chegou tarde demais para ter crédito, nunca pôde o despotismo dispensar os atavios da liberdade. O

esforço principal e constante dos publicistas, nesta parte do mundo, tem quase exclusivamente consistido em demonstrar, entre duas violências, quanto o poder pessoal absoluto se coaduna e identifica com a mais perfeita democracia, desde que, transmissível a períodos certos, não possa fundar-se em direitos hereditários.[17]

No ensaio "Existe um pensamento político brasileiro?",[18] Raymundo Faoro pôs a nu a falácia do nosso liberalismo durante o Império. Na verdade, não só então, mas também em vários outros momentos ulteriores, a ideologia liberal tem sido para nós, como bem advertiu Sérgio Buarque de Holanda, "uma inútil e onerosa superfetação".[19] Foi em nome da defesa das liberdades que se instituiu o Estado Novo em 1937 e se instaurou o regime empresarial-militar trinta anos depois.

Ao iniciarmos nossa vida política independente, o liberalismo representava o progresso e a modernidade. Não podia, pois, deixar de seduzir o caráter bovarista de nossas elites. Logo no princípio da Fala do Trono de 1823, dirigida aos membros da assembleia constituinte, nosso primeiro imperador os incitava a dar ao país "uma justa e liberal Constituição".[20] Os destinatários do discurso imperial, em lugar de tomarem tais adjetivos em sentido puramente simbólico, conforme o padrão convencional, procuraram ao contrário dar-lhes um alcance prático: a limitação do poder dos governantes, pelo reconhecimento e a garantia das liberdades civis e políticas. O monarca não demorou em despertá-los desse devaneio infantil e colocá-los com os pés no chão: a constituinte foi dissolvida *manu militari* e o país recebeu das mãos do imperante, segundo suas próprias palavras, uma Constituição "duplicadamente mais liberal",[21] posta em vigor sem debates nem aprovação dos representantes do povo.

No Império, a grande maioria dos políticos que militaram no partido liberal era incapaz de explicar como a ideologia do liberalismo podia, ainda que minimamente, harmonizar-se com a escravidão. Vinculavam-se quase todos, direta ou indiretamente, aos interesses do latifúndio; mas ao mesmo tempo sustentavam as teses, ditas de direito natural, de que os homens não se confundem com as coisas suscetíveis de alienação, e de que a liberdade é apanágio de todo ser humano e nunca uma concessão dos governantes.

Além disso, ao mesmo tempo em que defendiam por princípio as liberdades individuais, aceitavam sem maiores constrangimentos o exercício regular do poder pessoal pelo imperador. O próprio Joaquim Nabuco, líder incontestado dos abolicionistas, no calor de um debate parlamentar acabou por admitir a sua efetiva descrença no princípio do governo das leis e não dos homens, para resolver os problemas nacionais. Em discurso pronunciado no Parlamento do Império, o grande tribuno reconheceu que o imperador tinha o dever de exercer sua soberania, de origem divina, sem fazer cerimônia em relação ao Poder Legislativo constitucional:

> Eu nunca denunciei o nosso governo por ser pessoal, porque com os nossos costumes o governo entre nós há de ser sempre por muito tempo ainda pessoal, toda a questão consistindo em saber se a pessoa central será o monarca que nomeia o ministro ou o ministro que faz a Câmara... O que sempre fiz foi acusar o governo pessoal de não ser um governo pessoal nacional, isto é, de não se servir do seu poder, criação da Providência que lhe deu o trono, em benefício do nosso povo sem representação, sem voz, sem aspiração mesmo.[22]

Tratava-se, em suma, por parte de um liberal de quatro costados, de aceitar na prática o regime inveterado da autocracia, bem expresso na fórmula cunhada pelo Visconde de Itaboraí, e que refletia fielmente a realidade política: "o rei reina, governa e administra".

Nenhuma surpresa, pois, no fato de que os dois partidos do Império — os conservadores, ditos *saquaremas*, e os liberais, apelidados de *luzias* — divergentes no estilo, mas não na prática política, tenderam inelutavelmente a convergir no centro, realizando assim a grande vocação nacional: conciliar os grupos oligárquicos. Holanda Cavalcanti caracterizou essa realidade com o dito célebre: "nada mais igual a um *saquarema* do que um *luzia* no poder".

Joaquim Nabuco, ainda aí, soube tirar a lição dos fatos e anunciar o futuro. No discurso que pronunciou na Câmara em 24 de julho de 1885 acerca do projeto da lei que libertava os escravos sexagenários, observou que um deputado pelas Alagoas havia denunciado a formação de um "partido dos centros, disposto a receber ao mesmo tempo o elemento adiantado do partido conservador e os elementos atrasados do liberal, impelindo a melhor, a grande parte deste partido evidentemente para a república, e a parte atrasada do partido conservador... creio que também para a república (*risos*)".[23]

UMA REPÚBLICA PRIVATISTA

É sabido que a proclamação da República não passou de um equívoco. "O povo assistiu àquilo bestializado, atônito, surpreso, sem conhecer o que significava", lê-se na carta, tantas vezes citada, de Aristides Lobo a um amigo. "Muitos acreditavam sinceramente estar vendo uma parada. Era um fenômeno digno de ver-se." E acrescentou logo, como para justificar de alguma sorte o seu republicanismo decepcionado: "O entusiasmo veio depois, veio mesmo lentamente, quebrando o enleio dos espíritos". Tudo isso não impediu que a proclamação da república pelos membros do governo provisório principiasse pela invocação do povo; o que levou o representante diplomático norte-americano no Rio de Janeiro, embora francamente favorável ao novo regime, a deplorar, em despacho endereçado em 17 de dezembro de 1889 ao Secretário de Estado, em Washington, o pouco-caso que assim se fazia da vontade popular.[24]

Escusado dizer que não estava na mente de nenhum dos líderes intelectuais do movimento, todos positivistas, lutar contra o multissecular costume, já denunciado por frei Vicente do Salvador no início do século XVII, por força do qual "nem um homem nesta terra é público, nem zela e trata do bem comum, senão cada qual do bem particular".[25]

Na realidade, o abandono pela oligarquia do regime monárquico resultou diretamente da abolição da escravatura. Eis por que, naquele período histórico, a república foi rejeitada maciçamente pela população negra, pois era sentida por esta como uma vingança contra a Princesa Isabel, dita A Redentora, como assinalado acima.[26]

Em sua obra póstuma *Linhas tortas*, Graciliano Ramos assim caracterizou nossa assim chamada República Velha:

> A Constituição da república tem um buraco. É possível que tenha muitos, mas sou pouco exigente e satisfaço-me com referir-me a um só. Possuímos, segundo dizem os entendidos, três poderes — o executivo, que é o dono da casa, o legislativo e o judiciário, domésticos, moços de recados, gente assalariada para o patrão fazer figura e deitar empáfia diante das visitas. Resta ainda um quarto poder, coisa vaga, imponderável, mas que é tacitamente considerado o sumário dos outros três. É aí que o carro topa. Há no Brasil um funcionário de atribuições indeterminadas, mas ilimitadas. Aí está o rombo na Constituição, rombo a ser preenchido quando ela

for revista, metendo-se nele a figura interessante do chefe político, que é a única força de verdade. O resto é lorota.[27]

E de fato, como bem observou pioneiramente Alberto Torres,[28] em 15 de novembro de 1889 institucionalizamos o coronelismo estadual. Malgrado aquilo que veio determinar a Constituição de 1891 (para norte-americano ver, é bem o caso de dizer), o presidente da República tornava-se o delegado dos governadores (originalmente ditos presidentes) dos Estados na chefia do governo federal; e os governadores, por sua vez, passavam a derivar seu poder político do apoio recebido dos chefes locais, todos ou quase todos senhores de baraço e cutelo em seus respectivos latifúndios. Na verdade, durante toda a República Velha os chefes locais dominantes eram de São Paulo e Minas Gerais, estabelecendo-se assim o costume — obviamente não fundado na letra da Constituição — da alternância de um paulista e um mineiro como Chefe de Estado. Ao romper essa regra costumeira ao final de seu mandato, designando o paulista Júlio Prestes para sucedê-lo na presidência, em lugar do mineiro Antônio Carlos Ribeiro de Andrada, Washington Luís precipitou a Revolução de 1930.

Como se percebe, sob o roto véu republicano despontou, desde logo, a realidade federativa, asseguradora da autonomia local aos potentados estaduais. Era isso, de fato, o que passou a contar antes de tudo, quando, a partir do término da Guerra do Paraguai, a crescente prosperidade da cultura do café na região Sudeste do país impelia as oligarquias rurais a se desembaraçar do poder central e a reivindicar maior autonomia de atuação em seus territórios, tanto no domínio econômico, quanto no político. É de se lembrar que os signatários do Manifesto Republicano de 1870 encerraram sua proclamação, no estilo farfalhante da época, "arvorando resolutamente a bandeira do partido republicano federativo".

Com efeito, no ocaso do Império os líderes republicanos mais atilados perceberam que o essencial, na defesa dos interesses dos senhores rurais, não era propriamente a república, mas a federação. Em 1881, ao discursar na Câmara dos Deputados, Prudente de Morais, futuro Presidente da República, preferiu, em lugar de defender a introdução do regime republicano, propor a federalização do Império, segundo o modelo alemão da época. Uma adequada distribuição de competências às províncias, argumentou ele, excluiria o perigo, que pressentia iminente, de uma maioria de deputados, eleitos pelas províncias já desembaraçadas de escravos, impor a abolição da escravatura em todo o país.[29]

Por força de inércia, continuamos a manter até hoje, em nossas Constituições, a denominação oficial do país como República Federativa. Nos primeiros tempos, o adjetivo teve mais significado que o substantivo. Só que o caminho político aqui percorrido foi o inverso do trilhado pelos norte-americanos, inventores do sistema. Lá, a federação, segundo a exata acepção etimológica, foi o estreitamento da união de Estados independentes, antes ligados por um frouxo pacto confederativo. Daí o nome de União Federal, dado à unidade onde se desenvolve a ação política nacional. *Foederatio*, em latim, significa aliança ou união. Entre nós, ao contrário, a federação foi o repúdio da tendência centralizadora, prevalecente no Império. Criamos unidades políticas autônomas, em lugar da reunião de Estados que consentiram em reduzir sua margem de independência, como aconteceu na América do Norte.

É claro que esse artificialismo institucional, oposto a toda a nossa tradição histórica, desde as origens ibéricas,[30] não deixou de suscitar, ao longo do século XX, repetidos espasmos de retorno ao centralismo político. Nem se deve esquecer que a nossa forma de governo presidencialista, tal como sucede em todas as outras nações latino-americanas, mesmo em épocas consideradas de normalidade política, representa um incitamento à concentração de poderes na pessoa do chefe de Estado. Constitucionalmente, o Presidente da República Federativa do Brasil sempre teve muito mais atribuições exclusivas que o Presidente dos Estados Unidos.

Por isso mesmo, a partir de 1930, com a ascensão do capitalismo industrial e, ao final do século, do capitalismo financeiro, os quais exigem muito maior centralização de poderes na chefia do Estado, o governo da União suplantou, decisivamente, os governos das demais unidades federativas.

Como, então, defender a supremacia do bem público, isto é, do bem comum do povo, acima de todos os interesses privados, segundo exige o caráter republicano do regime?

A melhor defesa é a autodefesa. Ora, o principal interessado, ou seja, o povo, não tem condições de se defender, porque é tido, segundo a mentalidade dominante e a mais inveterada prática política, como absolutamente incapaz de exercer por si mesmo os seus direitos. Hoje, já se reconhece em toda parte que a única verdadeira salvaguarda do regime republicano é a democracia. Mas para que ela exista é preciso consagrar, na realidade e não simplesmente no plano da ficção simbólica, a soberania do povo.

Incontestavelmente, a mentalidade coletiva e os costumes tradicionais do nosso povo sempre estiveram nas antípodas da vida democrática.

O pressuposto fundamental de funcionamento do sistema democrático, como salientou Aristóteles, é a existência de um mínimo de igualdade social no seio do povo.[31] Entre nós, porém, os longos séculos de escravidão legal fizeram com que, aos olhos de todos, o povo — hoje dito costumeiramente "povão" — apareça como aquele "vulgo vil sem nome" de que falava Camões. Sendo incapaz de qualquer iniciativa útil, ele deve, por isso mesmo, ser posto a serviço da camada supostamente competente e ilustrada da população, aquela que costumamos designar, com evidente abuso de linguagem, pelo nome de **elite**.

Relembremos alguns episódios.

Os protagonistas do movimento que levou à abdicação de Pedro I, em 7 de abril de 1831, declararam realizar a conciliação do liberalismo com a democracia. Mas, pouco tempo depois, os líderes liberais arrepiaram carreira e voltaram a pôr as coisas nos seus devidos lugares. A abjuração de Teófilo Ottoni foi, nesse particular, paradigmática. Justificando-se pelas suas veleidades liberal-democráticas do passado, esclareceu que nunca havia almejado "senão democracia pacífica, a democracia da classe média, a democracia da gravata lavada, a democracia que com o mesmo asco repele o despotismo das turbas ou a tirania de um só".[32]

Retomando a mesma ambiguidade semântica, o Manifesto Republicano de 1870 empregou 28 vezes o vocábulo *democracia,* ou expressões cognatas, como *solidariedade democrática, liberdade democrática, princípios democráticos* ou *garantias democráticas.* Um de seus tópicos é intitulado *a verdade democrática.* Mas, sintomaticamente, nem uma palavra é dita sobre a emancipação dos escravos. É sabido, aliás, que os líderes do partido republicano opuseram-se à Lei do Ventre Livre, e só aceitaram a abolição da escravatura em 1887, quando ela já era um fato quase consumado.

Não obstante, instaurada a República, nossos dirigentes consideraram, pelo mesmo ato, definitivamente implantada a democracia. "Entre nós, em regime de franca democracia e completa ausência de classes sociais...", pôde afirmar Rodrigues Alves, então Presidente do Estado de São Paulo, em mensagem ao Congresso Legislativo no quadriênio 1912-6.[33]

Desde então, e até o presente momento, a empulhação democrática tem consistido em fazer do povo soberano, com as homenagens de estilo, não o protagonista do jogo político, como exige a teoria e determina a Constituição, mas um simples figurante, quando não mero espectador. Ele é convocado periodicamente a votar em eleições. Mas os eleitos se comportam, não como delegados do povo, e sim como mandatários em causa própria. São os novos "donos do poder", no dizer de Raymundo Faoro.

Ultimamente, chega-se mesmo a afirmar que, em sua pureza originária, o regime democrático supõe a divisão perene do povo em dois segmentos distintos e praticamente incomunicáveis: os cidadãos ativos, que são os que têm a vocação inata de ocupar cargos políticos no Estado — ou seja, os grupos oligárquicos de sempre — e os cidadãos passivos, que são os pertencentes à classe inferior dos governados.

Surge, porém, aí, uma dificuldade hermenêutica. Como interpretar o princípio fundamental, inscrito no art. 1º, parágrafo único da vigente Constituição, de que "todo poder emana do povo, que o exerce por meio de representantes eleitos ou **diretamente**"?

A Constituição de 1988 enumera, em seu art. 14, os instrumentos dessa democracia direta, ao declarar que, além do sufrágio eleitoral, são manifestações da soberania popular o plebiscito, o referendo e a iniciativa popular. Mas a mesma Constituição procurou esvaziar o sentido dessa disposição, ao estabelecer no art. 49, inciso xv da Carta que "é da competência exclusiva do Congresso Nacional autorizar plebiscito e convocar referendo". Ou seja, instituímos o paradoxo de o representado submeter-se à vontade discricionária do representante. E quanto à iniciativa popular legislativa, para a qual a Constituição exige a assinatura de, no mínimo, "um por cento do eleitorado nacional, distribuído pelo menos por cinco Estados, com não menos de três décimos por cento dos eleitores de cada um deles" (art. 61, § 2º), descobriu-se desde logo um antídoto: a exigência de reconhecimento, pelos funcionários da Câmara dos Deputados (para o caso, sempre em número reduzido), das assinaturas de todos os subscritores. Resultado: até hoje nenhum projeto de lei unicamente de iniciativa popular foi aprovado no Congresso Nacional.

Na verdade, uma mesma ideia diretriz prevaleceu ao longo de nossa história de país independente, com variações devidas à evolução do paradigma político mundial: atribuir à Constituição um papel legitimador do poder político já existente e organizado de fato.

Essa a razão de termos sempre logrado escamotear, na prática, a distinção fundamental entre poder constituinte e poderes constituídos, que Sieyès formulou pela primeira vez em seu célebre opúsculo de fevereiro de 1789 (*Qu'est-ce que le Tiers état?*): "Em qualquer de suas partes, a Constituição não é obra do poder constituído, mas do poder constituinte. Nenhuma espécie de poder delegado pode mudar as condições de sua delegação".[34]

E quem deve assumir, nessas condições, o papel de poder constituinte? Aqui, a resposta de Sieyès foi habilíssima, e deu ensejo, de certa forma, a todos os artifícios retóricos utilizados ulteriormente, mundo afora.

Na organização triádica da sociedade medieval, *povo* era o estamento inferior, contraposto aos dois outros, dotados de privilégios: o clero e a nobreza. Na explicação tradicional dada por Adálbero, bispo franco de Laon, em documento do início do século XI,[35] cada um desses grupos tinha uma função social a desempenhar: os clérigos oravam, os nobres combatiam e o povo trabalhava (*oratores, bellatores, laboratores*). Às vésperas da Revolução Francesa, porém, a composição do *Tiers état* era muito imprecisa. No verbete da *Encyclopédie* dedicado a *peuple*, Luis Jaucourt principia pelo reconhecimento de que se trata de um "nome coletivo de difícil definição, pois dele se têm ideias diferentes em diversos lugares, em variados tempos, conforme a natureza dos governos". Observa, em seguida, que a palavra designava outrora o "estamento geral da nação" (*l'état général de la nation*), oposto ao estamento dos grandes personagens e dos nobres. Mas que, na época em que escrevia, o termo *povo* compreendia apenas os operários e os lavradores. Como se vê, a nova classe dos burgueses, aqueles que não exercem trabalho subordinado, não se inseria oficialmente em nenhum dos três estamentos do Reino de França.

Percebe-se, pois, que a ideia, fortemente afirmada por Sieyès no capítulo primeiro de sua obra, de que "o *Tiers* é uma nação completa" representava mera extensão da fórmula tradicional, lembrada por Jaucourt, de que o povo era "o estamento geral da nação"; ou seja, a esmagadora maioria da população, diante da minoria clerical e aristocrática. Ora, isto permitia elegantemente à burguesia assumir um lugar definido no novo regime político, criado pela Revolução. Quando Mirabeau, na sessão de 15 de junho da *Assemblée Générale des Etats du Royaume*, propôs que, após a defecção dos nobres e clérigos, ela passasse a denominar-se *Assembleia dos Representantes do Povo Francês*, imediatamente dois juristas atilados, representantes legítimos da burguesia, indagaram: em que sentido seria usada aí a palavra *povo*: no de *populus* como em Roma, isto é, a reunião do patriciado e da plebe, ou na acepção deprimente de *plebs*?[36] Foi nesse exato momento que o movimento revolucionário passou a consagrar a burguesia como classe dominante.

Na América Latina, e no Brasil em particular, não foi preciso recorrer a esse artifício semântico. Proclamou-se a soberania do povo em todas as nossas Constituições, mas a designação desse soberano moderno passou a exercer a mesma função histórica que representava, nos tempos coloniais, a invocação da figura do rei. "As ordenações de Sua Majestade acatam-se, mas não se cumprem", diziam sem ironia os chefes locais ibero-americanos.

Em suma, nunca tivemos Constituições autênticas, porque o verdadeiro Constituinte nunca foi chamado ao proscênio do teatro político. Permaneceu sempre à margem, como expectador entre cético e intrigado, à semelhança daquele carreteiro no quadro de Pedro Américo do Grito do Ipiranga. A Constituição tende a ser, em grande parte, mero adereço à organização política do país; necessário, sem dúvida, por razões de decoro, mas com função mais ornamental do que efetiva no controle do poder.

À GUISA DE CONCLUSÃO

Nossa longa tradição de comportamento social dualista, no qual a aparência dissimula a realidade, não podia deixar de influenciar as camadas mais pobres da população; obviamente, não como mecanismo embuçado de dominação, como sucede no seio da oligarquia, mas como forma de devaneio para fugir à realidade opressora.

Foi o que ilustrou Carolina Maria de Jesus, em certo trecho de *Quarto de despejo* (1960):

> Eu deixei o leito às 3 da manhã porque quando a gente perde o sono começa pensar nas misérias que nos rodeia. [...] Deixei o leito para escrever. Enquanto escrevo vou pensando que resido num castelo cor de ouro que reluz na luz do sol. Que as janelas são de prata e as luzes de brilhantes. Que a minha vista circula no jardim e eu contemplo as flores de todas as qualidades. [...] É preciso criar este ambiente de fantasia, para esquecer que estou na favela. Fiz o café e fui carregar água. Olhei o céu, a estrela-d'alva já estava no céu. Como é horrível pisar na lama. As horas que sou feliz é quando estou residindo nos castelos imaginários.

Martins Pena e a comédia farsesca de costumes: *O Judas em Sábado de Aleluia*

João Roberto Faria

INTRODUÇÃO

O aparecimento de um comediógrafo como Martins Pena no Brasil dos anos 1830 é um fato extraordinário e mesmo difícil de explicar. Não tínhamos nenhuma tradição teatral, seja em termos de espetáculos, seja em termos de dramaturgia. É certo que após a vinda de d. João VI, em 1808, e de algumas companhias dramáticas portuguesas, a partir de 1813, quando foi inaugurado o primeiro teatro digno desse nome no Rio de Janeiro, as atividades teatrais se tornaram mais frequentes, mas sem nenhum colorido nacional. Todo o repertório era estrangeiro, majoritariamente português. Apenas em 1833, com a criação da primeira companhia dramática brasileira, pelo ator e empresário João Caetano, pode-se dizer que nosso teatro começa a engatinhar, embora muito lentamente, porque ainda era preciso recorrer às peças estrangeiras, vindas de Portugal, França e Itália.

É nesse contexto que despontam, no final da década de 1830, os primeiros dramaturgos brasileiros que serão encenados por João Caetano. O mais famoso deles, na época, era Gonçalves de Magalhães, que já havia publicado um livro de poemas, *Suspiros poéticos e saudades*, quando, em 1838, saboreou o sucesso da tragédia *Antônio José ou o poeta e a Inquisição*. O escritor foi saudado pelos intelectuais como o criador do teatro nacional, embora tenha escrito apenas mais uma peça, a tragédia *Olgiato*, em 1839.

Sem muito alarde, no mesmo ano de 1838 estreou a primeira comédia de Martins Pena, *O juiz de paz da roça*, de apenas um ato, que agradou o público fluminense, mas que não rendeu nenhuma homenagem ao autor. Na época, os espetáculos teatrais eram geralmente compostos por duas ou mesmo três peças: a principal era um drama, um melodrama ou uma tragédia neoclássica; como complemento, eram também encenadas uma ou duas peças curtas de caráter cômico. Na noite da estreia da primeira comédia de Martins Pena, a 4 de outubro de 1838, a peça principal foi o drama romântico *Conjuração de Veneza*, anunciado nos jornais sem o nome do autor — como era então comum. Também a pecinha de Martins Pena foi anunciada sem indicação de autoria e com título reduzido: *O juiz da roça*. O espetáculo foi em benefício da atriz Estela Sezefreda, esposa de João Caetano.

Provavelmente influenciado pelo prestígio do gênero sério nesse final da década de 1830, o comediógrafo estreante tentou uma mudança de rumo. Entre 1837 e 1841, ele escreveu cinco melodramas, de pouco valor artístico. Nenhum foi publicado na época e apenas um, *Vitiza ou o Nero de Espanha*, foi encenado em 1845, sem obter grande repercussão.[1] É preciso lembrar que à época os poucos autores brasileiros que surgiram, incentivados pelo exemplo de Gonçalves de Magalhães, preferiram as formas da tragédia e do melodrama, deixando de lado o gênero cômico, em especial as pequenas comédias e as farsas, que os intelectuais dos tempos românticos não viam como manifestações de um espírito superior. João Caetano, diga-se de passagem, não se dava ao trabalho de interpretar as personagens cômicas desse tipo de texto. Na maturidade deixaria por escrito uma prova de seu desinteresse pelas formas de interpretação do baixo cômico, dedicando a elas menos de uma página nas *Lições dramáticas*, livrinho que publicou em 1862. Tais fatos talvez expliquem as tentativas infrutíferas de Martins Pena para se fazer reconhecido como dramaturgo, e não apenas como comediógrafo, logo após a encenação de *O juiz de paz da roça*.

Diante das frustações sofridas com os melodramas e do fato concreto de ter tido sua segunda comédia aplaudida pelo público fluminense — *A família e a festa na roça*, em 1840 —, é de se crer que Martins Pena tenha refletido muito sobre suas possibilidades como escritor teatral. Acertadamente, decidiu-se pelo gênero cômico e em apenas três anos consolidou sua carreira fazendo representar, entre

1844 e 1847, nada menos que quinze comédias, a maioria em um ato. Ao longo do século XIX, essas comédias foram encenadas nos teatros de várias cidades brasileiras, merecendo sempre o aplauso popular. Já entre os intelectuais o autor foi censurado por ter lançado mão dos recursos cômicos típicos da farsa. José de Alencar, por exemplo, afirmou que Martins Pena tinha talento como observador dos costumes, mas que os pintava sem ter em mente um alcance crítico: "visava antes ao efeito cômico do que ao efeito moral; as suas obras são antes uma sátira dialogada, do que uma comédia".² Além disso, "o desejo dos aplausos fáceis influiu no seu espírito, e o escritor sacrificou talvez as suas ideias ao gosto pouco apurado da época".³

Não é muito diferente o julgamento de Machado de Assis. No dia 13 de fevereiro de 1866, na conclusão do texto "O teatro nacional", publicado no *Diário do Rio de Janeiro*, anuncia que vai escrever sobre os nossos principais escritores dramáticos. De fato, nos três meses seguintes o jornal publica longos ensaios de sua autoria sobre as peças teatrais de Gonçalves de Magalhães, José de Alencar e Joaquim Manuel de Macedo. É muito provável que, por não gostar de farsas e abominar os recursos do baixo cômico, Machado tenha deixado de lado as comédias de Martins Pena. Em seus escritos críticos há poucas referências ao autor. Reconhecia-lhe o "talento sincero e original" e a "boa veia cômica" alimentada pelas "tradições da farsa portuguesa", mas lamentava que tivesse vivido pouco, que não tivesse tido tempo de "aperfeiçoar-se e empreender obras de maior vulto".⁴

Alencar e Machado viam o teatro como literatura, acreditando na hierarquia dos gêneros ao gosto do Classicismo. Para ambos, Martins Pena teria alcançado outro patamar se tivesse se dedicado à alta comédia. A farsa, a baixa comédia, o burlesco ficavam no último degrau da escala de valores levada em conta pelos dois escritores.

A crítica do século XX, mais aberta às formas populares do teatro, não ratificou esse julgamento e recolocou o comediógrafo no seu devido lugar — o de criador da comédia brasileira. Justiça seja feita a Sílvio Romero, um dos principais críticos literários do século XIX, que enalteceu o valor documental da obra de Martins Pena, num livrinho publicado em 1901.⁵ Atualmente, com critérios menos dogmáticos, podemos e devemos valorizar o autor, destacando principalmente dois aspectos que o tornam digno de atenção ainda hoje: o que diz respeito à sua capacidade de observação, descrição e crítica dos costumes e o que se refere à carpintaria teatral propriamente dita, ou seja, ao extraordinário domínio que tinha das formas do baixo cômico, da comicidade farsesca.

Mas voltemos à estreia de Martins Pena. Ninguém podia supor, naquele mês de outubro de 1838, que surgia ali, praticamente do nada, um escritor que aos 23 anos já dava provas suficientes de um talento cômico incomum, que o tempo se incumbiria de lapidar. E demorou um pouco para que esse talento fosse amplamente reconhecido, pois Martins Pena fez representar anonimamente as comédias *A família e a festa da roça* (1840); *O Judas em Sábado de Aleluia* e *Os irmãos das almas* (1844); *Os dois ou o inglês maquinista, O diletante, Os três médicos, O namorador ou a noite de S. João, O cigano* e *o noviço* (1845). Curiosamente, a primeira peça que assinou foi o melodrama *Vitiza ou o Nero de Espanha*. Os anúncios nos jornais informavam que o "drama original em 5 atos e um prólogo em verso" era de L. C. M. Pena. A estreia ocorreu no Teatro S. Pedro de Alcântara em 21 de setembro de 1845 e a peça foi representada apenas mais quatro vezes.[6]

É, portanto, depois da encenação de *Vitiza* que Martins Pena passa a assinar suas obras e se tornar mais conhecido. Ainda em 1845, duas delas encenadas anteriormente sem o nome do autor voltam ao cartaz com o devido crédito — *O noviço* e *Os dois ou o inglês maquinista*, em novembro — e também as novas produções passam a ser anunciadas nos jornais com a assinatura L. C. M. Pena. Em 1846, são publicadas *O Judas em Sábado de Aleluia, O diletante* e *Os irmãos das almas*, com indicação de autoria; em 1847, *Quem casa, quer casa* e *O caixeiro da taverna*. Vale lembrar que, em 1842, haviam sido publicadas, sem o nome de Martins Pena, *O juiz de paz da roça* e *A família e a festa da roça*. O sucesso do comediógrafo pode ser medido tanto pelas publicações — a primeira teve uma segunda edição em 1843 — quanto pelas frequentes representações de suas comédias. Nos anúncios, enfatizava-se sua habilidade como autor cômico, os aplausos que recebia, o favor público de que era merecedor.

Em menos de dez anos, a contar da data da estreia, e levando em conta principalmente o período de 1844 a 1847, Martins Pena produziu um conjunto notável de mais de vinte comédias, que fizeram sucesso em seu tempo e que ainda hoje lemos com interesse e prazer. Como não teve antecessores no Brasil, é inevitável que façamos algumas perguntas. Com quem ele aprendeu a escrever comédias? Quem lhe serviu de modelo? Quem foram seus mestres? Que peças ele viu no teatro? O que leu? Qual foi a sua formação?

Não é fácil responder com precisão a todas essas questões. O primeiro biógrafo do comediógrafo revela que Martins Pena estudou "as primeiras letras, a aritmética e o latim" e que em seguida terminou um curso para trabalhar no comércio, conforme o desejo da família. Sem vocação para esse tipo de atividade profissional, o interesse pelas artes o teria levado a frequentar aulas de arquitetura, estatuária e pintura na Academia das Belas-Artes, dedicando-se também

> ao estudo da história, da geografia, da literatura (especialmente a dramática), e das línguas inglesa e italiana, aperfeiçoando-se na francesa, cujo estudo encetara aos quatorze anos, sem mestre, falando e escrevendo corrente e corretamente todas essas línguas. Simultaneamente cultivou a música e o canto, tendo apreciável voz de tenor, aprendendo também as regras de contraponto.[7]

Por um lado, a formação intelectual acima da média possibilitou a Martins Pena o emprego como funcionário público, na Mesa do Consulado da Corte, na Secretaria de Estado dos Negócios Estrangeiros e, em seu último ano de vida, como adido de 1ª classe à Legação Brasileira em Londres; por outro, todas as leituras e estudos o prepararam para o trabalho artístico, seja como autor de comédias e melodramas, seja como crítico de espetáculos líricos, atividade à qual se dedicou, no *Jornal do Comércio*, entre setembro de 1846 e outubro de 1847. Ressalte-se que o conhecimento do francês, inglês e italiano foi decisivo para o conhecimento da literatura dramática europeia de seu tempo e do passado. Nesse sentido, vários críticos já apontaram possíveis diálogos que Martins Pena estabeleceu em suas comédias com autores como Plauto, Molière, Shakespeare e Beaumarchais. Claro que a esses nomes podemos acrescentar os de escritores dramáticos de língua portuguesa, como Gil Vicente e Antônio José da Silva, o Judeu, que ele certamente conhecia. Interessante é a sugestão de Antônio Soares Amora, para quem foram duas as principais fontes de Martins Pena: as comédias europeias de costumes e de crítica social que leu ou viu nos palcos do Rio de Janeiro e as obras dos viajantes europeus publicadas entre 1820 e 1835, como a *Viagem pitoresca e histórica ao Brasil*, de Jean-Baptiste Debret, e *Viagem pitoresca através do Brasil*, de Rugendas. As descrições dos tipos e costumes brasileiros nessas obras teriam agido sobre o espírito de Martins Pena, afirma o crítico, "a ponto de o levar a criar uma comédia de costumes típica de seu meio social e de sua época".[8]

A possibilidade de que Martins Pena tenha lido essas e outras obras de viajantes europeus só confirma a solidez de sua formação intelectual, o preparo que foi adquirindo para escrever suas comédias. Mas é preciso observar que, além das leituras, a experiência como espectador deve ter sido decisiva ao jovem escritor, pois, se por um lado ele teve acesso à cultura erudita — ópera, dramas, tragédias —, por outro pôde se aproximar das formas teatrais populares, como as farsas e os pequenos entremezes portugueses que eram encenados nos palcos do Rio de Janeiro.[9] Num estudo de excelente acuidade, Vilma Arêas mostra como as primeiras comédias de Martins Pena — *O juiz de paz da roça* e *A família e a festa da roça* — combinam aspectos da Comédia Nova (o casal de jovens que vence os obstáculos postos à sua união) e do entremez, cujas características principais são o enredo ralo, a comicidade jocosa, a pintura dos costumes e um número musical no desfecho.[10] Também a comédia escrita em seguida, *Os dois ou o inglês maquinista*, traz a mesma combinação, embora a trama já seja mais elaborada.

As comédias de Martins Pena, da primeira à última, revelam a opção estética que fez. Embora mantenha em algumas delas o diálogo com a cultura erudita — quase sempre por meio da paródia —, sua inclinação pelas formas populares do teatro e pelos recursos da chamada "baixa-comédia" o levou a inspirar-se numa tradição que remonta a Plauto e passa pela farsa da Idade Média e de Molière, pela *commedia dell arte* italiana, pelo entremez espanhol e português. É nas peças de comicidade franca e desbragada que o autor alimenta a sua capacidade de divertir o espectador com enredos construídos com eficácia, nos quais não faltam quiproquós, coincidências, confusões, encontros e desencontros de personagens, estas concebidas em grande parte com base no exagero caricatural, como exige a estilização cômica. Mesmo assim, como busca os temas de suas comédias na realidade à sua volta, Martins Pena apresenta um notável retrato dos costumes das pessoas simples ou da pequena e média burguesia brasileira. Ou seja, habilidoso para criar enredos, situações e personagens engraçados, sempre com a ajuda de recursos farsescos — esconderijos, pancadaria, disfarces, quiproquós etc. —, levou uma boa dose de brasilidade para o palco. Vistas em conjunto, suas comédias reúnem temas e personagens dos mais diversos, formando um painel tão amplo e exato dos costumes da roça e da cidade do Rio de Janeiro, que Sílvio Romero, num rasgo de entusiasmo, considerou-as autênticos documentos dos decênios de 1830 e 1840: "Se se perdessem todas as leis, escritos, memória da história brasileira dos primeiros cinquenta anos deste século XIX, que está a findar, e nos ficassem somente as comédias de Pena, era possível reconstituir por elas a fisionomia moral de toda essa época".[11]

De fato, não há como negar tal qualidade. O universo pintado pelo comediógrafo no conjunto de suas peças é mesmo um vasto painel de costumes, com seus tipos mais diversos apreendidos pelo prisma do realismo, por um lado, e da estilização cômica, por outro. Assim, são bastante verdadeiros os lavradores, os meirinhos, os irmãos das almas, os noviços, os escravos, os guardas nacionais, os estrangeiros golpistas, as mocinhas namoradeiras, as mocinhas casadouras, os estudantes, os frades, os empregados públicos, os pedestres (homens que perseguiam os escravos fugidos), os melômanos, os moedeiros falsos, os traficantes de escravos etc. Mas quando estão em cena, individualizados, tipificados, tornam-se risíveis por força dos exageros que cometem, das situações em que se colocam, das intrigas em que se envolvem, das confusões em que se metem, da hipocrisia ou da desonestidade que tentam ocultar, da ingenuidade que os torna vítimas de espertalhões, tudo para que a engrenagem da comicidade funcione com perfeição.

Com as comédias farsescas de costumes de Martins Pena nasce, portanto, a comédia nacional. Forma pouco valorizada a princípio, seja por força dos preconceitos de escritores românticos e intelectuais do período em relação ao uso dos recursos do baixo cômico, seja pela posição secundária que ocupava nos espetáculos da época, a verdade é que ao longo do século XIX a comédia farsesca de costumes adquiriu prestígio suficiente para atrair um bom número de dramaturgos, como Joaquim Manuel de Macedo, França Júnior e Artur Azevedo, entre vários outros. Todos eles exploraram os caminhos abertos por Martins Pena, introduzindo em peças mais longas as formas populares de comicidade e ao mesmo tempo trazendo para o palco algumas facetas da vida brasileira. Para estudar a forma que aqui denomino comédia farsesca de costumes e os procedimentos cômicos utilizados pelo autor, escolhi uma de suas melhores produções: *O Judas em Sábado de Aleluia*.

ANÁLISE DE *O JUDAS EM SÁBADO DE ALELUIA*

Escrita depois de *Os dois ou o inglês maquinista*, *O Judas em Sábado de Aleluia* dá início ao ciclo das melhores comédias de Martins Pena. Como observou Barbara Heliodora, o autor começou, em 1844, a "entrosar a observação dos costumes na própria ação",[12] qualidade que não existe nas produções anteriores, nas quais a descrição dos costumes vinha desconectada da ação, que nem sempre encontrava desfecho adequado, defeito que era mascarado pelo recurso a cantos e danças. A partir de *O Judas*, encenada pela primeira vez em 17 de setembro de 1844, Martins Pena consegue "disciplinar perfeitamente o material colhido em suas observações de costumes brasileiros dentro da forma dramática escolhida, fazendo a ação consequência do conteúdo".[13]

Vejamos então como se articulam na pequena peça esses dois níveis, o da carpintaria teatral, mais ligado à farsa, e o aspecto documental, qualidade da comédia de costumes. A perfeita combinação de ambos fez a ventura do escritor.

A primeira cena é um diálogo entre as irmãs Chiquinha e Maricota. A função desse diálogo é expor ao espectador/leitor a questão central que vai alimentar o enredo. A forma de exposição é o confronto de duas posições ou dois comportamentos em relação ao namoro. Maricota é a namoradeira que fica o tempo todo à janela, flertando com os moços que passam; Chiquinha é a moça bem-comportada, que recrimina a irmã. A primeira justifica sua atitude de namorar muitos ao mesmo tempo, argumentando que quem compra vários bilhetes de loteria tem mais chances de ganhar o prêmio. Observe-se que ela usa o termo "amantes" no sentido de "namorados".[14] Assim, vemos que ela dá trela a um tenente dos Permanentes, a um moço que monta um cavalo rabão, a um estudante de latim, a um amanuense da alfândega, a um inglês, ao capitão da guarda nacional Ambrósio etc. À medida que a lista de pretendentes aumenta, a personagem torna-se cômica, porque notamos em seu exagero aquilo que Henri Bergson chamou de *rigidez*, consequência do *mecânico* que se sobrepõe ao *vivo*.[15] Ou seja, Maricota mecaniza seu comportamento e torna-se um tipo, uma personagem restrita a um único traço, sem qualquer maleabilidade. Ela é a namoradeira contumaz, e apenas isso. Toda a sua existência se resume nessa característica. "É forte mania", diz Chiquinha, que, ao contrário, desenha-se diante dos nossos olhos como personagem que respeita as convenções, a moralidade e os bons costumes da época. Logo, seu comportamento não provoca o nosso riso. Maricota é a excêntrica, a personagem sobre quem repousa a comicidade da cena. A expressão "forte mania" reforça o traço de caráter que a comédia quer enfatizar. Martins Pena está em boa companhia: Aristófanes, Plauto, Molière são alguns dos grandes comediógrafos que se valeram da "representação da mania" e das obsessões na criação de personagens cômicas, como apontam Concetta d'Angeli e Guido Paduano.[16]

Um dado fundamental no diálogo entre as irmãs é a revelação feita por Chiquinha, com palavras que merecem transcrição. Ela diz que Maricota a todos namora e "o pior é que a todos engana… até o dia em que também seja enganada". Aqui entramos no coração da farsa, tipo de comédia que já em suas origens medievais explorou exaustivamente o filão do enganador que é enganado, do esperto que é passado para trás por outro mais esperto, como se vê na conhecida *Farce de Maistre Pierre Pathelin*, em que o advogado chicaneiro engana um comerciante de tecidos e é enganado pelo pastor de ovelhas, seu cliente. O princípio dinâmico da farsa, afirma uma estudiosa, "reside o mais frequentemente na reviravolta do engano sobre o enganador, que se torna então o enganado".[17] Tal inversão — o "feitiço que se volta contra o feiticeiro" — é inevitavelmente cômica e sempre provoca o riso. Maricota, que se crê esperta, enganando a todos, fazendo cada um acreditar que é seu único namorado, acabará enredada na própria trama que criou para conseguir um marido, como veremos mais à frente.

Voltemos à primeira cena. Lembremos que o autor reforça o traço de caráter da personagem, que será alvo de sua crítica, a "mania" de namorar de Maricota, com a revelação de que ela guarda um pacote de cartas de seus pretendentes. Isso significa que sua estratégia de enganar a todos aparentemente vem dando certo, pelo menos até aquele momento em que conversa com a irmã. Para enfatizar a comicidade da situação criada pela namoradeira, duas cartas há pouco recebidas são lidas em cena. Ambas são cômicas e expõem ao ridículo quem as escreveu, nivelando assim destinador e destinatário. A primeira deve ser compreendida como uma paródia ao exagerado sentimentalismo romântico, ao estilo palavroso de certo romantismo piegas:

> Minha adorada e crepitante estrela! Os astros que brilham nas chamejantes esferas de teus sedutores olhos ofuscaram em tão subido ponto o meu discernimento, que me enlouqueceram. Sim, meu bem, um general quando vence uma batalha não é mais feliz do que eu sou! Se receberes os meus sinceros sofrimentos serei ditoso, e se não me corresponderes, serei infeliz, irei viver com as feras desumanas da Hircânia, do Japão e dos sertões de Minas — feras mais compassivas do que tu. Sim, meu bem, esta será a minha sorte, e lá morrerei… Adeus. Deste que jura ser teu, apesar da negra e fria morte.

O abuso dos adjetivos, as imagens gastas, o estilo arrebicado, tudo nos leva ao riso, até porque Maricota parece acreditar que essas palavras exprimem uma forte paixão, como comenta ao final da leitura, elogiando ainda o "estilo" do rapaz. Chiquinha, mais inteligente, percebe o ridículo do palavreado e ri da carta, que define com uma palavra certeira: "palanfrório".

O tipo cômico da namoradeira contumaz se acentua antes da leitura da segunda carta, enviada a ela por um adolescente, um seminarista estudante de latim. Beira o absurdo — e nisso está a comicidade — o argumento de Maricota, segundo o qual o rapazote poderá ir para São Paulo estudar, voltar formado e, já que "as primeiras paixões são eternas", casar-se com ela se ainda estiver solteira. As falas são ditas com convicção, não em tom de brincadeira, o que torna a personagem ainda mais engraçada, pois não se dá conta do ridículo da situação. Quanto à carta, a comicidade está no texto, mas igualmente no modo como Maricota deve lê-la, de acordo com as rubricas de Martins Pena. Vejamos:

"Vi teu mimoso semblante e fiquei enleado e cego, cego a ponto de não poder estudar a minha lição." (*Deixando de ler:*) Isto é de criança. (*Continua a ler.*) "Bem diz o poeta latino: *Mundus a Domino constitutus est.*" (*Lê estas palavras com dificuldade e diz:*) Isto eu não entendo; há de ser algum elogio... (*Continua a ler.*) "...*constitutus est.* Se Deus o criou, foi para fazer o paraíso dos amantes, que como eu têm a fortuna de gozar tanta beleza. A mocidade, meu bem, é um tesouro, porque *senectus est morbus.* Recebe, minha adorada, os meus protestos. Adeus, encanto. *Ego vocor — Tibúrcio José Maria.*"

A carta é risível por várias razões. Em primeiro lugar, porque é um adolescente que escreve, traindo sua pouca idade logo no início, e provocando nosso riso ao lançar mão de um *tópos* romântico — o amor que cega e rebaixá-lo ao ligá-lo a uma ação infantil: fazer a lição de casa. É o que dá namorar a todos, indistintamente. Em segundo lugar, a comicidade maior ou menor da cena depende da intérprete da personagem ou da nossa capacidade de imaginá-la. Embora Maricota leve a carta a sério, faz interrupções e comentários, tem dificuldades para ler os trechos em latim. A leitura gaguejante é fundamental para provocar o riso no espectador. Por fim, há aqui o que Bergson chama de "comicidade da *transposição*".[18] Na carta há a transposição de uma linguagem, digamos, profissional, para o plano do cotidiano. Escrever ou ler trechos de latim não é necessariamente engraçado entre seminaristas. Mas deslocado de seu contexto natural, aproveitado para fazer a corte a uma moça sem estudos, o uso do latim é um despropósito e torna-se risível, porque transposto de seu ambiente solene — o seminário, a igreja — para as relações mundanas. É possível que Martins Pena tenha aproveitado as próprias lições de latim que teve em sua juventude, citando de memória uma passagem que tanto está em Cícero, na obra *De Senectude*, como em *Phormio*, de Terêncio, que escreveu: *Senectus ipsa est morbus*, isto é, "a velhice em si é uma doença".[19]

Nesta altura, como espectadores, já sabemos que Martins Pena nos quer ao lado de Chiquinha — o diálogo entre ela e Maricota tem a função de nos apresentar as duas personagens com suas singularidades e lançar a base do enredo da comédia, deixando no ar uma questão que trai uma preocupação moral do autor: o que é melhor para uma moça: ser namoradeira, ou não? Esse é o sentido das últimas palavras trocadas pelas irmãs no final da cena. Chiquinha argumenta que a moça namoradeira fica logo conhecida e que não é possível enganar a todos os pretendentes o tempo todo. Pior: quem vai se arriscar a casar com uma moça que poderá continuar com a "mania" de solteira? Maricota não se dá por vencida — acredita que logo terá um marido — e entre ambas como que se arma uma aposta. Nenhum leitor ou espectador vai colocar suas fichas na namoradeira, claro, mas antes que prevaleça a posição de Chiquinha em relação ao namoro, várias cenas hilariantes e confusões alimentarão o enredo da comédia.

É preciso observar ainda que o diálogo entre as irmãs, além de preparar as cenas seguintes, é um precioso documento acerca do comportamento dos jovens em relação ao namoro. Se por um lado Maricota é risível em seu exagero caricatural, por outro diz coisas que podemos supor serem muito verdadeiras sobre o comportamento das mocinhas da época, revelando as estratégias que utilizavam para namorar. O aspecto documental da comédia, nesse momento do diálogo entre as irmãs, se sobrepõe à apresentação cômica da personagem. Maricota agora não fala apenas de si, quando menciona que as moças têm hora certa para chegar à janela e atormentam pais e mães para ir a festas e bailes. A "dissimulação" é a arma com que esgrimam de maneira a tornar imperceptível o namoro:

> Quantas conheço eu, que no meio de parentes e amigas, cercadas de olhos vigilantes, namoram tão sutilmente, que não se pressente! Para quem sabe namorar tudo é instrumento: uma criança que se tem ao colo e se beija, um papagaio com o qual se fala à janela, um mico que brinca sobre o ombro, um lenço que volteia na mão, uma flor que se desfolha — tudo, enfim!

São muitos "os ardis e sutilezas" das moças, diz Maricota, arrematando que há as "sinceras" e as "sonsas" — como ela e Chiquinha, respectivamente —, e que a verdade é que "todas namoram". A irmã até concorda, mas diferencia os métodos empregados, qualificando-os como prudentes e honestos ou tresloucados. Ainda estamos no terreno documental, porque a explicação para o comportamento das moças é dada por Chiquinha: ela e a irmã são moças pobres e não têm futuro fora do casamento. Já no início do diálogo essa condição social havia sido explicitada por Maricota, ao mencionar que ambas não tinham dote. Na sociedade escravocrata do Brasil dos anos 1840, as mulheres pobres e livres não tinham trabalho honrado que lhes dessem sustento. Se não se casassem, teriam que se contentar com uma vida como agregadas, dependendo do favor de familiares. Ou coisa pior. Daí a obsessão de Maricota em conseguir um marido, mas optando pelo método tresloucado que a torna uma personagem cômica.

Ao final da primeira cena, estão perfeitamente enlaçados o aspecto cômico e o documental, ao qual falta acrescentar um dado que não aparece como assunto no diálogo entre as irmãs, mas que é fundamental para o desenvolvimento do enredo. Lembremos que em várias comédias Martins Pena aproveita as festas populares, como a noite de S. João, ou quermesses, que dão colorido nacional às cenas, que são movimentadas com as confusões em que se metem as personagens. Aqui, a ação se passa no período da Páscoa e não podemos deixar de notar que a comédia se inicia com seis crianças, no fundo da sala, aprontando um Judas para a malhação no Sábado de Aleluia. As crianças ficam pouco tempo em cena, pois Chiquinha as manda para dentro de casa, antes de iniciar o diálogo com Maricota. Não sabemos ainda qual a função desse boneco de tamanho natural, vestido com casaca, colete, botas, chapéu e longos bigodes, mas logo seremos surpreendidos pelo uso que fará dele uma das personagens.

O aspecto documental da comédia dá o tom nas duas cenas curtas que se seguem. A rubrica indica com precisão o traje com que o pai das moças, José Pimenta, cabo de esquadra da Guarda Nacional, entra na sala. Em sua breve conversa com Maricota, que mais parece um pequeno monólogo dirigido ao espectador, ficamos sabendo que abandonou o trabalho honesto de sapateiro, pois o "jornal", isto é, a remuneração por um dia de trabalho, mal dava para o sustento da família. Agora, como cabo de esquadra, mostra-se satisfeito com as vantagens financeiras que obtém por meios desonestos. Por um lado, a cena documenta o baixo salário das profissões modestas;[20] por outro, faz a denúncia da corrupção na Guarda Nacional, que será mais à frente reforçada por uma de suas vítimas. Pimenta cobra dos moços para livrá-los das guardas e das rondas, dinheiro que é dividido com outros que fazem o mesmo. Vale lembrar que a Guarda Nacional, criada em 1831, no início do período regencial, era uma espécie de "milícia cidadã", organizada pelo critério da renda, ficando as altas patentes com as elites locais, favorecendo assim o mandonismo e o compadrio.

A partir da quarta cena, a comédia desenvolve o enredo anunciado na primeira. A namoradeira começa receber seus pretendentes e o primeiro deles é um jovem funcionário público chamado Faustino. A estilização cômica na construção dessa personagem é evidente. Faustino é exagerado nas palavras, nos gestos, no modo de ser, tudo para provocar o riso no espectador ou no leitor da comédia. Nem mesmo Maricota consegue deixar de rir diante desse Romeu de araque, que faz declarações de amor vazias de sentimento, ridículas nos termos e no tom declamatório empregado.

O diálogo com Maricota é relativamente longo, porque Martins Pena articula o olhar crítico em relação aos problemas de seu tempo com o aspecto cômico. A exaltação de Faustino, que o torna risível, é provocada não só pela paixão que diz sentir e expressa de maneira ridícula, mas também pela perseguição que sofre de um capitão da Guarda Nacional, seu rival, igualmente pretendente de Maricota.

Ao longo do diálogo, a comicidade se instaura em primeiro lugar no plano da expressão, quando Faustino entra em cena dizendo a Maricota que esperou seu pai sair para "poder ver-te, falar-te, amar-te, adorar-te, e...". O encadeamento dos verbos e pronomes, o ritmo da frase, o ímpeto declamatório se repetem logo à frente quando afirma que gostaria de ser "a mana" para ficar "na mesma sala, na mesma mesa, no mesmo...". Ou ainda quando reclama do capitão, que "persegue-me, acabrunha-me e assassina-me!".

Faustino é risível quando exprime sua paixão com a repetição dos verbos e pronomes ou do adjetivo "mesma/mesmo". Temos aqui uma espécie de "eloquência vazia", que é como Propp caracteriza a comicidade "em que a pobreza de conteúdo se esconde não na falta de palavras, mas em seu excesso, onde o pensamento afunda".[21] O sentimento de Faustino em relação a Maricota é uma mentira cômica que fica clara quando ele lhe diz: "Decididamente, meu amor, não posso viver sem ti... E sem o meu ordenado". São duas frases que só podem estar juntas numa comédia. Aqui, a segunda serve para introduzir no diálogo seu tema mais importante: a corrupção da Guarda Nacional, da qual Faustino é vítima. Embora sua queixa seja séria — o ordenado já não é suficiente para pagar as propinas e se livrar de montar guarda ou das "rondas, manejos, paradas" e há uma ordem de prisão contra ele —, mais uma vez a comicidade se instaura pela linguagem exaltada da personagem. É claro que a *performance* adequada de um ator é fundamental para a cena arrancar o riso do espectador. Faustino fica fora si, chega a gritar, contrariado com a perseguição do capitão, e busca equivalência para seus tormentos numa personagem dramática que fazia sucesso nos palcos da época, ninguém menos que Otelo. No auge da desesperança cômica, diz:

> Felizes dos turcos, dos chinas e dos negros da Guiné, porque não são guardas nacionais! Oh!
> *Porque lá nos desertos africanos*
> *Faustino não nasceu desconhecido!*

Em 1844, os espectadores sabiam muito bem que Martins Pena estava parodiando dois versos da tragédia *Otelo*, de François Ducis, traduzida por Gonçalves de Magalhães e encenada por João Caetano. No final do quarto ato dessa peça, que é uma adaptação infeliz de Skakespeare, Otelo acredita nas mentiras de Pezaro (Iago) e na infidelidade de Hedelmonda (Desdêmona), bradando então: "Por que nos seus desertos africanos/ Otelo não morreu desconhecido?".[22] É de se crer que a plateia devia rir muito, ainda mais se a paródia não se limitasse ao texto e atingisse também o estilo de interpretação de João Caetano. Afinal, o papel de Otelo foi um dos principais de sua carreira, construído para causar impressão forte no espectador, como ele mesmo explica em suas *Lições dramáticas*:

> Lembro-me ainda que quando me encarreguei do papel de Otelo, na tragédia o *Mouro de Veneza*, depois de ter dado a este personagem o caráter rude de um filho do deserto, habituado às tempestades e aos combates, entendi que este grande vulto trágico quando falasse devia trazer à ideia do espectador o rugido do leão africano, e que não devia falar no tom médio da minha voz; recorri por isso ao tom grave dela e conheci que a poderia sustentar em todo o meu papel.[23]

Joaquim Manuel de Macedo observou que a interpretação do ator impressionava "pela exageração dos impulsos apaixonados, pelos gritos ou rugidos selvagens e desentoados".[24]

Martins Pena parece querer que Faustino se pareça com um Otelo desvairado, mas obviamente em chave cômica. Na sequência da cena, suas falas são desencontradas e as ideias um tanto extravagantes, como casar com Maricota e levá-la para montar guarda. "Endoideceu", ela comenta. E quando ele se acalma um pouco, ela pergunta: "Acabou-se-lhe o furor?". Eis aí a pista — evidente na época em que a comédia foi escrita — para o ator interpretar o papel de Faustino parodiando o estilo de interpretação de João Caetano e para que compreendamos o espírito galhofeiro do autor. Na cena entre Otelo e Pezaro, o termo "furor" aparece no texto e nas rubricas. Ao ouvir que Hedelmonda é infiel, Otelo deve responder *"com furor levando a mão ao punhal"*; mais à frente, ao ver as provas falsas da infidelidade: *"No maior furor, mostrando o diadema e a carta"*; depois, *"suspendendo o furor repentinamente"*. No início do diálogo, Pezaro provoca Otelo, dizendo-lhe que "nem furor nem ódio sentes" e ouve como resposta: "O furor 'stá no fundo do meu peito".[25]

Exprimir o furor no palco exigia uma técnica, que João Caetano dizia dominar. Nas suas *Lições dramáticas*, ele ensina:

> ... é quando um personagem se acha transportado fora da natureza e acima da humanidade; tal é a expressão do furor: o ator em tais lances não deve observar medida alguma, nem guardar lugar algum sobre a cena; os movimentos do seu corpo devem mostrar uma força superior a todos os que o rodeiam, acendem-se-lhe os olhos para pintar as labaredas que lhe escaldam a alma: a voz necessita ser algumas vezes vigorosa e algumas outras sufocada, mas sempre sustentada por uma extrema força do peito; deverá mover-se continuamente, porém nunca estendendo os braços e balançando-se sobre os pés, por cuja forma se imitaria mais a loucura do que o furor.[26]

Podemos imaginar a dificuldade enfrentada pelos atores do século XIX para encontrar o meio adequado à expressão da cólera, da raiva e de qualquer sentimento forte que exija o furor em cena. O próprio João Caetano chama a atenção para o risco de sair da medida, pois "é muito fácil quando se procura pintar o furor cair no ridículo".

Martins Pena não precisou ler essas palavras para perceber o potencial cômico da interpretação das paixões violentas. Sua experiência como espectador e como autor de melodramas lhe ensinou a perceber que os sentimentos exasperados, quando mal interpretados, podem provocar o riso. Assim, tudo indica que a cólera de Faustino e suas imprecações contra o capitão Ambrósio e a Guarda Nacional devem ser expressas com *furor*, porém em chave cômica, isto é, saindo da medida pelo exagero da caricatura.

O que parece interessante observar, na sequência, é que ao armar o diálogo entre Faustino e Maricota, o autor os fez não apenas personagens, mas também atores que encenam um para o outro os seus falsos sentimentos amorosos. Eis a fala de Faustino que se segue às queixas contra a perseguição de que é vítima:

> Maricota, minha vida, ouve a confissão dos tormentos que por ti sofro. (*Declamando:*) Uma ideia esmagadora, ideia abortada do negro abismo, como o riso da desesperação, segue-me por toda a parte! Na rua, na cama, na repartição, nos bailes e mesmo no teatro não me deixa um só instante! Agarrada às minhas orelhas, como o náufrago à tábua de salvação, ouço-a sempre dizer: — Maricota não te ama! Sacudo a cabeça, arranco os cabelos (*faz o que diz*) e só consigo desarranjar os cabelos e amarrotar a gravata. (*isto dizendo, tira do bolso um pente, com o qual penteia-se enquanto fala.*) Isto é o tormento da minha vida, companheiro da minha morte! Cosido na mortalha, pregado no caixão, enterrado na catacumba, fechado na caixinha dos ossos no dia de finados ouvirei ainda essa voz, mas então será furibunda, pavorosa e cadavérica, repetir: — Maricota não te ama! (*Engrossa a voz para dizer estas palavras.*) E serei o defunto o mais desgraçado! Não te comovem estas pinturas? Não te arrepiam as carnes?

Faustino baseia sua "interpretação" no universo teatral que conhece: o do melodrama e dos dramalhões repletos de frases bombásticas, de vozes cadavéricas, de gestos desesperados. É com esses ingredientes que quer convencer Maricota de sua inverossímil paixão. No entanto, ao *"declamar"* sua declaração de amor, como indica a rubrica, suas palavras remetem mais uma vez à "eloquência vazia" de que fala Propp e, mais grave, vêm acompanhadas de uma mímica que instaura um desajuste cômico com o que é dito. As palavras empregadas por Faustino são terríveis, colhidas na retórica do dramalhão — "negro abismo", "riso da desesperação" —, mas desarmadas pela gestualidade, que as anula completamente. O desajuste expõe o risível da situação, pois o galã não tem "eloquência e poder", como era seu desejo, para "arrepiar as carnes" de Maricota. Mau ator, porque Martins Pena assim o quis, Faustino é instrumento da paródia que se instaura quando tenta falar como personagem de melodrama. O efeito é de ridicularização da retórica gasta do ultrarromantismo. Nem mesmo o gesto clássico do homem ajoelhado aos pés da amada — "Maricota, eis-me a seus pés" — falta à cena, para torná-la essencialmente cômica e mesmo satírica.

O riso que se quer do espectador pressupõe que ele conheça o que está sendo parodiado e satirizado. Vilma Arêas crê que a fala transcrita acima alude também a outra obra encenada por João Caetano, o *Hamlet*, de Ducis, na qual há uma cena inexistente em Shakespeare e que ficou famosa, com o protagonista abraçado à urna funerária que contém as cinzas do pai: "Em *Hamlet*, este abraça-se à urna e fala às cinzas do pai; aqui, o protagonista, morto, fechado na caixinha de ossos, ainda assim ouve a voz que vem do além, *do negro abismo*". A seu ver, "o deslocamento do lugar do protagonista reforça o processo parodístico".[27]

Voltando à má "interpretação" de Faustino, não nos esqueçamos de que ele pretende conquistar Maricota. Esta, especialista na arte do namoro, não se comove com as palavras do canastrão, claro, porque percebe que são clichês esvaziados de significado. São palavras aprendidas no teatro — que Faustino diz frequentar — e deslocadas de seu local de origem, para que se tornem potencialmente cômicas, por força do efeito paródico que adquirem. Como Maricota também frequenta o teatro, ela responde às investidas do galã no mesmo diapasão, ou seja, interpretando o papel da mocinha que dá provas de amor e recebe em troca a ingratidão do amado. A comicidade farsesca se instaura na cena, pois as rubricas esclarecem que Maricota *"finge que chora"* e que *"ri-se sem que ele veja"*. Ou seja, ela o engana, diverte-se com ele, e nos diverte com as falas que são levadas a sério por Faustino, mas que não exprimem sentimento algum, como estas duas, que não fariam feio num melodrama: "Fui bem desgraçada em dar meu coração a um ingrato!" e "Se eu pudesse arrancar do peito esta paixão...". Mais uma vez, o desajuste entre a gestualidade indicada nas rubricas e as palavras incumbe-se de garantir a comicidade da cena. Em suma, Faustino e Maricota agem e falam como se fossem personagens de um melodrama, que eles mesmos se encarregam de desconstruir, uma vez que o objetivo do autor é fazer rir o espectador. A paródia do ultrarromantismo teria continuidade — Faustino ainda saca um "Queres que morra a teus pés?" — se não fossem ambos interrompidos pelas palmas do capitão Ambrósio, que veio ver a namoradeira Maricota.

Numa cena rápida e movimentada, enquanto a mocinha corre para dentro, Faustino, sem lugar para se esconder, veste as roupas do Judas que os meninos haviam deixado na sala e fica imóvel, disfarçado. Quando o capitão entra, Martins Pena habilmente faz com que ele se assuste: "Quem é? (*Reconhecendo que é um judas*) Ora, ora, ora! E não me enganei com o judas, pensando que era um homem? Oh, oh, está um figurão! E o mais é que está tão bem-feito que parece vivo". Com essa fala, firma-se um pacto entre o espectador e a cena. Passamos a aceitar o disfarce de Faustino como verossímil, capaz de enganar — como de fato engana — as demais personagens da comédia que ainda vão entrar naquela sala. Mais ainda: a situação criada potencializa a comicidade das cenas junto ao espectador, porque apenas ele sabe que Faustino está ali o tempo todo, tornando-se desse modo seu cúmplice. Nesse processo que os teóricos do teatro chamam de "ironia dramática", o espectador "percebe elementos da intriga que ficam ocultos à personagem e impedem-na de agir com conhecimento de causa".[28] Isso se aplica, claro, às personagens capitão Ambrósio, Maricota, Chiquinha, Pimenta e Antônio Domingos, que entram na sala e, desconhecendo a presença de Faustino, se comprometem com suas falas. A comicidade cresce naturalmente, porque o espectador se coloca numa posição de superioridade em relação a essas personagens, por saber mais que elas. Em termos concretos, quando Maricota dá esperanças ao capitão Ambrósio e diz que Faustino é um toleirão, que ele era apenas um divertimento para ela, o efeito cômico seria menor se não soubéssemos que Faustino está ouvindo tudo. Muitas comédias utilizam o recurso da ironia dramática, conciliando-o com o disfarce, para aumento da comicidade. Lembro aqui uma das mais antigas, *Anfitrião*, de Plauto, na qual Júpiter e Mercúrio, disfarçados de Anfitrião e Sósia, enganam Alcmena e os verdadeiros Anfitrião e Sósia, provocando quiproquós hilários, porque o espectador sabe mais que as personagens ludibriadas.

Toda a sequência de *O Judas* se baseia na eficácia desse recurso cômico eminentemente farsesco, o disfarce, largamente utilizado para que personagens conheçam segredos de outras personagens ou escapem de situações difíceis e comprometedoras, ameaças de detenção etc.

Também o esconderijo se presta à mesma função, isto é, ocultas atrás de uma porta ou dentro de um armário, personagens descobrem segredos de outras e tiram vantagem disso. No caso de Faustino há uma inédita combinação, pois podemos dizer que ele se oculta no disfarce. As roupas do Judas são o esconderijo que fica à vista de todos e ninguém vê.

Observe-se ainda que ao se disfarçar Faustino revela rapidez de raciocínio e esperteza, característica fundamental das personagens farsescas, pois estas sempre enfrentam situações difíceis e têm obstáculos para serem vencidos. "O que me pilhar tem talento, porque mais tenho eu", ele afirma, ao se colocar no lugar do Judas.

Na sequência, a sexta cena depende inteiramente da convenção do aparte para fazer o espectador não se enganar sobre o significado das falas e rir da situação criada pelo comediógrafo. Maricota volta à sala onde está o capitão Ambrósio e, alvoroçada, procura por Faustino; não o vendo, pensa que saiu. Todo o diálogo entre ambos é recheado de mentiras da mocinha, explicitadas nos apartes, que são muitos. Por meio deles, ela reafirma seu caráter de namoradeira e revela a verdadeira natureza dos sentimentos que tem pelo capitão, o "tolo", o "pateta" — segundo suas palavras —, que engana com falsas promessas de amor e olhar cheio de "ternura". O aparte funciona como uma espécie de pensamento dito em voz alta, que só é ouvido pelo espectador e não pelas demais personagens que estão no palco. Trata-se de um recurso teatral largamente usado por Martins Pena, pois seu potencial cômico é evidente, como se vê pelo contraste entre o que Maricota diz ao capitão e o que pensa dele.

Outro aspecto importante nessa cena é o recrudescimento da comicidade por meio do espírito lúdico que toma conta da comédia. Faustino poderia ficar quieto o tempo todo, mas não faz isso. O jogo, a brincadeira, a farsa se impõem a partir do momento em que Maricota, forçada pelas circunstâncias, diz ao capitão que procura seu gato, que teria roubado uma carta na qual ele propõe a ela que fujam juntos. O espírito farsesco recrudesce com o gesto exagerado do capitão, que puxa a espada para procurar o gato. E mais: Faustino "mia", espantando Maricota, que em aparte esclarece que não havia um gato em casa. Note-se como é importante o recurso do aparte para a comicidade da situação criada pela mentira da mocinha. Tudo se soma para provocar o riso no espectador. Afinal, esse é o objetivo maior da farsa, como querem alguns de seus estudiosos.

Observei, há pouco, que quando Maricota passa a falar mal de Faustino, o efeito cômico é maior porque ele está em cena, disfarçado. De fato, rimos quando ela diz que o "toleirão" tem "olhos de enchova" e "pernas de arco de pipa", para assegurar ao capitão que, se dá atenção ao rapaz algumas vezes, "é para melhor ocultar o amor que sinto por outro". Ao ouvir essas últimas palavras, que sabemos falsas e que portanto são risíveis, o capitão exulta de felicidade e, no auge da sua declaração amorosa, com a espada na mão, brandindo-a, torna-se ridículo não apenas para o espectador, mas também para o pai de Maricota, que entra e dá gargalhadas ao ver o amigo se declarar à filha de maneira tão inusitada. O capitão tenta explicar que estava com a espada desembainhada por causa do gato da casa e acaba sabendo que Maricota lhe mentiu. Nessa altura, toda a comicidade da cena já havia sido explorada. Martins Pena reitera o aspecto documental da comédia na sequência, voltando ao tema da corrupção na Guarda Nacional, mas sem deixar de ligá-lo ao enredo. Desconfiado de que há "maroteira" na história do gato e de que "aqui anda o Faustino", o capitão dá ordens a Pimenta para que prenda o rival por um mês e que depois o coloque para fazer "rondas, manejos, paradas, diligências". No diálogo entre ambos ficamos sabendo que mais da metade da companhia do capitão "paga para a música", isto é, para não fazer o serviço.

O encadeamento das cenas, alternando — mas deixando integrados — o aspecto cômico e o documental é perfeito. Depois de um breve monólogo, no qual Faustino faz uma síntese do que já está sabendo e nos diverte com a inversão dos termos com os quais Maricota se referiu a ele — "Acha que eu tenho pernas de enchova morta, e olhos de arco de pipa" —, somos de novo brindados com a comicidade rasgada.

Chiquinha, que também ignora a presença de Faustino, abre seu coração e, costurando, monologa. Fala da falsidade da irmã e de seu amor pelo rapaz, com quem gostaria de se casar. Suas palavras são sérias, sua tristeza é sincera, bem como seus sentimentos. O contraponto cômico é feito por Faustino, que se aproxima, sem que ela perceba, e a surpreende jogando-se a seus pés e exclamando, como um herói de melodrama: "Anjo do céu!". A cena é engraçada porque ele ainda está disfarçado e o susto de Chiquinha é muito grande, como não poderia deixar de ser. Também nos diverte a rapidez com que Faustino se diz apaixonado por ela, bem como sua já conhecida retórica. É curioso, pois a utilizava na tentativa de conquistar Maricota e continua usando-a, para se declarar a Chiquinha: "Tuas palavras acenderam em meu peito uma paixão vulcânico-piramidal e delirante. Há um momento que nasceu, mas já está grande como o universo. Conquistaste-me! Terás o pago de tanto amor! Não duvides; amanhã virei pedir-te a teu pai".

Martins Pena mantém a estilização cômica na construção da personagem. O Faustino que se declara a Chiquinha é o mesmo que vimos na quarta cena, quando tentava conquistar Maricota. Ele continua acelerado, exagerado, caricato, apaixonado compulsivo. Assim, se declamava as declarações amorosas a Maricota, por que faria diferente com Chiquinha? Um Faustino sério e ponderado anularia toda a comicidade da cena. Por isso a rubrica deixa claro que ele deve declamar estas palavras: "Maricota trouxe o inferno para minha alma, se é que não levou minha alma para o inferno! O meu amor por ela foi-se, voou, extinguiu-se como um foguete de lágrimas!". A intenção de Martins Pena é clara: manter a coerência da personagem e mais uma vez alfinetar pela paródia os exageros românticos. Além disso, vale lembrar que as farsas não têm compromisso com a verossimilhança realista e permitem essas mudanças de sentimentos, como observa Maurice Charney:

> Na farsa tudo é possível e a plateia espera surpresas, transformações, rápidas mudanças de sentimentos (e figurinos), portas-armadilhas que se abrem subitamente, revelações em armários, esconderijos e descobertas incríveis, e um sentimento geral de selvageria e histeria construindo um formidável, acelerado clímax.[29]

O idílio entre Faustino e Chiquinha é interrompido com a chegada de Pimenta; mais tarde entra Antônio Domingos, um velho comerciante que importa de Portugal não apenas paios, mas também moeda falsa. Mais uma vez o aspecto documental vem ao primeiro plano da comédia. Martins Pena sabia que se tratava de um problema real, amplamente noticiado pelos jornais. No *Diário do Rio de Janeiro* de 8 de novembro de 1843, por exemplo, noticia-se a prisão de um falsário que havia chegado do Porto e escondido notas falsas numa pipa de vinho. No mesmo jornal, em 18 de janeiro de 1844, lê-se que foi preso, "pelo crime de introduzir na circulação moeda falsa, Antônio Vicente dos Santos Machado". Pode não ser coincidência o nome da personagem que comete esse crime na comédia, escrita nos meses subsequentes e concluída em abril, como certamente não é coincidência que a "nova remessa" de dinheiro falso em mãos de Antônio Domingos tenha vindo do Porto, "dentro de um barril de paios". O autor estava aludindo a fatos bastante conhecidos da população do Rio de Janeiro.

O diálogo entre Pimenta e Antônio Domingos também concilia o aspecto documental e o cômico. Pimenta está arrependido de se meter em negócio tão perigoso, que pode custar-lhe a liberdade e mesmo a vida. Teme em particular o chefe de polícia, afirma, pouco antes de alguém bater à porta. Sugestionado pela conversa, Domingos pergunta: "Será o Chefe de Polícia?". O desespero toma conta de Pimenta. Faustino, disfarçando a voz, provoca: "Da parte da polícia!".. Mais uma vez o aspecto lúdico da comédia vem à tona, numa cena que explora a comicidade dos gestos e movimentos das personagens, como indicam as rubricas: Pimenta, *caindo de joelhos* e exclamando "Misericórdia!", *treme convulsivamente*, enquanto Antônio corre e quer fugir, mas a casa não tem quintal. Martins Pena não se descuida da parte visual do espetáculo, indicando nas rubricas como os atores devem proceder para a cena tornar-se mais engraçada.

Domingos e Pimenta só se acalmam quando o segundo reconhece a voz do capitão, que entra e os vê tão nervosos que comenta, para deleite do espectador: "Tão calados!... Parece que estavam fazendo moeda falsa!". A frase se torna cômica, porque era em parte verdadeira: não faziam, mas passavam dinheiro falso. Domingos *estremece*, Pimenta *assusta-se*, e quando recriminam o capitão por ter dito, ao bater à porta, "da parte da polícia", e este esclarece que não havia dito nada, ficam ainda mais assustados. Pimenta, ao ouvir em seguida o barulho dos sinos e rojões da aleluia, exclama, comicamente, porque está morrendo de medo de ser preso: "Estamos descobertos!".

Nessa altura as três personagens que estão em cena têm segredos comprometedores que Faustino conhece. Ele poderia tirar o disfarce e desmascarar a todos. Mas antes que possa fazer isso, repicam os sinos da igreja, anunciando o sábado de aleluia e vários meninos entram em casa para pegar o Judas e malhá-lo. Faustino, que estava imóvel até então, vê-se obrigado a correr e se proteger, o que causa um grande susto em todos e muita confusão. Mais uma vez a rubrica é fundamental para compreendermos como Martins Pena escrevia suas comédias com o olho no resultado cênico, praticamente fazendo a *marcação* — tarefa que era do ensaiador — para conseguir maior efeito cômico. Aqui, obviamente, trata-se da comicidade farsesca: correria em cena, gritos, atropelamentos e pancadaria, tudo terminando da seguinte maneira:

> Os meninos e moleques, chorando, escondem-se debaixo da mesa e cadeiras; o capitão, na primeira volta que dá fugindo de Faustino, sobe para cima da cômoda; Antônio Domingos agarra-se a Pimenta, e rolam juntos pelo chão, quando Faustino sai; e Maricota cai desmaiada na cadeira onde cosia.

Não menos engraçadas são as falas das personagens, supersticiosas, vendo ali o próprio Satanás. Ou o que se ouve em cena, vindo dos bastidores, os gritos de "Leva, leva!", ou pior, "Morra!", sugerindo que Faustino passa por maus momentos, até que consegue voltar para dentro da casa, ainda perseguido pelos moleques, *armados de paus*, que entram com ele, que ainda não se desfez do disfarce, provocando assim mais algazarra, sustos, medo e confusão. Toda a sequência é calculada por Martins Pena, por meio de rubricas bem detalhadas, para que cada personagem tenha uma reação de temor diante do Judas e ocupe um determinado lugar no palco. O objetivo é explorar ao máximo a comicidade da situação criada por Faustino e provocar o riso na plateia.

Quando tudo se acalma, ainda com o disfarce de Judas, o protagonista coloca-se no centro do palco, senta-se numa cadeira, e exige de Pimenta que expulse os moleques da casa, ameaçando-o com o "da parte da polícia". Em seguida, tira o disfarce e passa a controlar a situação. Conhecedor das falcatruas de Pimenta, de Antônio, do capitão e de Maricota, faz uma série de exigências que terão que ser atendidas. Os três desonestos querem passar lições morais a Faustino, depois de serem desmascarados, e tornam-se risíveis. A certa altura, o deslocamento de uma frase séria para um contexto cômico — "Até quando abusará da nossa paciência?", pergunta o capitão —, acentua a comicidade da cena para o espectador/leitor que sabe que Martins Pena traduziu a famosa oração com que Cícero na Roma antiga se referia ao conspirador Catilina — *Quousque tandem abutere, Catilina, patientia nostra?*

Mas o que é verdadeiramente determinante para provocar o riso no desfecho da comédia é a inversão de posições entre as personagens. Antes, o protagonista era perseguido; agora, passa a dar as cartas do jogo. Como procedimento cômico, a inversão é largamente utilizada nas farsas. E bastaria lembrar aqui a *Farce du Cuvier* para nos certificarmos de sua eficácia. Nessa pecinha da segunda metade do século xv, o protagonista é um marido oprimido pela mulher e pela sogra, que o massacram com os afazeres domésticos. Elas o fazem escrever num papel uma lista de suas "obrigações" diárias, para que não as esqueça. Eis que a mulher cai na cuba em que era lavada a roupa e não consegue sair sozinha. Correndo o risco de morrer afogada, pede para o marido ajudá-la. Ele, espertamente, tira o papel do bolso e responde: "Isso não está na minha lista". Ela pede então que chame alguém. Ele retruca: "Isso não está na minha lista". A resposta se repete várias vezes, com forte efeito cômico, ao mesmo tempo em que ele vai lendo para ela tudo o que deve fazer ao longo do dia. E as novas tarefas não constam da lista. Ele só concorda em salvá-la quando obtém a promessa de que doravante será o chefe da casa. Tal desfecho tem eficácia cômica porque sua base é a inversão das posições.

O mesmo ocorre na comédia de Martins Pena. O que nos diverte na cena final é que Faustino dá o troco em quem o perseguia e em quem o enganou. O capitão se vê obrigado a dispensá-lo de todo o serviço da Guarda Nacional. Maricota será punida com o casamento com um velho e o espectador/leitor se lembrará da resposta que deu à irmã, na primeira cena da comédia, quando advertida de que as moças namoradeiras, uma vez conhecidas, não conseguem maridos. Ao final desse diálogo, diz Chiquinha: "Dá graças a Deus se por fim encontrares um velho para marido". E Maricota: "Um velho! Antes quero morrer, ser freira... Não me fales nisso, que me arrepiam os cabelos!". A moça que enganava a todos se vê agora desmascarada e forçada a aceitar o noivo que lhe impõe Faustino, e a ouvir uma lição moral: "É este o fim de todas as namoradeiras: ou casam com um gebas como este, ou morrem solteiras!". Claro que a lição moral não é apenas para Maricota. O protagonista quebra a quarta parede e dirige-se diretamente ao público, como indica a rubrica, para reafirmar o significado da cena: "Queira Deus que aproveite o exemplo!". Se o riso castiga os costumes, como quer certa tradição cômica, as mocinhas que assistiram à montagem de *O Judas*, em 1844, foram devidamente advertidas para as consequências de namorar muitos rapazes ao mesmo tempo.

Embora nada tivesse feito a Faustino, Antônio Domingos se vê obrigado ao casamento com a terrível Maricota, como um castigo por seu crime. Afinal, os falsários são presos, mas fogem da cadeia, denuncia o protagonista, numa fala que concilia o aspecto cômico e o documental. Por fim, também Pimenta não vê outra saída a não ser consentir que Faustino e Chiquinha se casem.

Parece bem evidente a moralidade do desfecho: a mocinha honesta é recompensada pela sua virtude e a namoradeira recebe punição exemplar. No entanto, se considerarmos as outras personagens, a moralidade torna-se relativa, uma vez que os crimes contra a sociedade não serão punidos na forma da lei. Faustino não vai denunciar os três desonestos, satisfeito que está com as vantagens pessoais que obteve. Tal desfecho é um acerto de Martins Pena, porque harmoniza certa preocupação moral, típica da comédia de costumes — na punição de Maricota —, com a diversão da comicidade desbragada da farsa.

A casa vazia

Mirella Márcia Longo

"Na invenção do texto enfrentam-se pulsões vitais profundas (que nomeamos com os termos aproximativos de desejo e medo, princípio do prazer e princípio de morte) e correntes culturais não menos ativas que orientam os valores ideológicos, os padrões de gosto e os modelos de desempenho formal."[1]

Extraída do ensaio "A interpretação da obra literária", a passagem acima transcrita destaca o duplo movimento que Alfredo Bosi busca preservar em suas leituras e em suas reflexões sobre a obra literária. Por um lado, é preciso dar conta do sujeito, cercar as modulações afetivas que se plasmam na forma, recompor, ainda que de modo impreciso, uma maneira singular de inserção na natureza e de entrar em contato com *o grande mar do ser* referido por Dante. Por outro lado, é imprescindível situar o processo da escrita na trama viva da história cultural. Orientadora de perspectivas e valores, essa trama interfere na composição da forma que se coloca diante do intérprete como um claro enigma a suscitar decifração.

O antigo aluno de Italo Bettarello jamais abandonou as lições de Croce, que mais tarde enriqueceu, ao assimilar perspectivas outras. Conscientes do poder inerente aos vetores da história, essas perspectivas limitavam a liberdade que o idealismo de Croce atribuía à intuição lírica, postulando ser a poesia um complexo de imagens animado pelo sentimento. Mais tarde, Bosi reconhece, em Bachelard, um método de leitura que, sendo capaz de conferir às imagens e ao sentimento destacados por Croce um dinamismo novo, é igualmente capaz de integrar esses dois elementos numa trama cultural.

O comentário que vem a seguir constitui uma tentativa de trilhar alguns dos caminhos propostos por Bosi, principalmente no que tange à contemplação do duplo movimento destacado na citação. A modesta homenagem ao mestre foi construída em torno de algumas referências que lhe são caras. Assim, Croce e Bachelard são evocados para auxiliar o comentário de um soneto escrito por Jorge de Lima, poeta brasileiro que Alfredo Bosi lê com encantamento e admiração.

A casa está em sombras imergida:
Na sala de visitas os retratos
pendem. Pendem as flores ressequidas.
A luz morreu. O ambiente é timorato.

Na alcova em que viveu a bem-querida
se esvaem gestos, há signos abstratos
errando na penumbra; há outras vidas
pressentidas no fúnebre aparato.

A aparência das coisas coagulou-se
em desesperado hiato. Não há passos,
nem mãos, nem seu olhar, seu olhar doce,

nem nada; nem o som de sua fala
nem a lembrança vaga de seus traços
nem Tua Voz, meu Deus, para acordá-la.

O 33º poema do *Livro de sonetos*[2] escrito pelo poeta alagoano Jorge de Lima inicia uma série que, se estendendo até o 49º soneto do conjunto, fica centrada no contato entre a voz que fala e a sua "bem-querida". Essa figura feminina complexa representa os poderes vitais contidos na natureza, na imaginação, nas fontes da criação. Em larga medida, a "bem-querida" é uma imagem da própria alma, concebida como núcleo pessoal de imortalidade e vaso comunicante com a transcendência. Coincidindo com o exercício de abismar-se em si mesmo, obter esse contato é, na óptica do eu lírico que fala em todo o livro, entrar na dimensão das coisas eternas.

Criticando a modernidade laica cuja cultura teria perdido ligação com forças atemporais e capazes de insuflar vida, o poeta apresenta-se, logo nos sonetos iniciais, como um ser contaminado por essa perda que, em sua perspectiva religiosa, mutila e degenera a história. Sentindo-se igualmente mutilada, posto que desligada de sua própria alma, a voz poética, particularmente nessa série de dezessete sonetos, move-se amorosamente para encontrá-la. Capaz de transformar o mundo subjetivo, o contato amoroso com a "bem-querida" efetivamente promove modulações no plano das imagens poéticas. Assim, os últimos sonetos do livro publicado em 1949 anunciam processos de renascimento da subjetividade lírica e indícios de renovação do mundo.

No 33º poema constante no *Livro de sonetos*, a "bem-querida" apresenta uma retração extrema. Para grifar essa ausência, o texto focaliza primordialmente o espaço. Em acordo com a célebre lição de Croce, é necessário discernir imediatamente dois elementos — *um complexo de imagens e o sentimento que o anima*. O complexo em questão apresenta o interior de uma casa cujos elementos sensíveis (e, além deles, outros que, de modo impalpável, configuram um ambiente) estão vinculados ao sofrimento trazido por uma privação. Ao longo dos catorze versos decassílabos, a subjetividade aparentemente também se retrai. Em decorrência, a atitude inicial é descritiva. O movimento lembra o de uma câmera cinematográfica. Incidindo sobre aspectos contaminados pela dor da perda, os focos gravitam em torno de uma referência nuclear, a antiga habitante da morada, "bem-querida" cuja forma desapareceu. Exibindo sempre matizes melancólicos, o tom elegíaco que vai tomando conta da voz poética transita por abatimento, desespero e lástima.

A primeira estrofe indica o domínio das sombras. Trata-se de uma casa sóbria, onde os retratos pendem e as flores ressecaram. Tudo indicia declínio de vitalidade e retração extrema da luz. Feita no quarto verso, uma menção explícita à morte — "a luz morreu" — potencializa o poder das sombras anunciado no início. Nessa primeira quadra, uma série de asserções deixa o ritmo entrecortado por pausas. Isolado, cada segmento traz consigo uma constatação. Postas em sequência, essas constatações produzem um acúmulo de sinais compatíveis com a expansão das sombras e da morte. No final da estrofe, o último desses segmentos — "O ambiente é timorato" — prepara a quadra seguinte, na qual "os retratos" e "as flores", componentes da descrição feita em perspectiva mais realista, cedem espaço a outros marcados por indefinição: são "gestos" que se esvaem, "signos abstratos errando", "outras vidas" que se deixam pressentir. A cena abre-se, portanto, a uma atmosfera mais onírica e fantástica. Parece que, ao conduzir o leitor, desde a sala de visitas até a alcova, a voz poética o faz adentrar mais completamente naquele mundo da noite que, segundo Antonio Candido, é feito de indefinição, mistério, treva e "liberação das potências recalcadas do inconsciente".[3]

Diferente da estrutura cadenciada por pausas, dominante na estrofe anterior, o ritmo da segunda quadra adquire uma fluidez que, garantida pelos *enjambements*, é facilmente associável à matéria rarefeita que aí encontra referência. O poema traz, portanto, consonância entre forma e imagem, som e sentido. À medida que a matéria se esvanece, o ritmo acelera-se e a dicção torna-se mais fluida. Finalmente, uma última indicação — "outras vidas pressentidas no fúnebre aparato" — porta o sentido principal da segunda estrofe. Existem, na alcova, componentes de um ritual fúnebre.

Conforme elucida o período inicial do primeiro terceto, o espaço da casa — particularmente a alcova — constitui zona intervalar, "desesperado hiato" situado entre a vida finda e outras vidas que, através do aparato ritualístico, tornam-se objetos de pressentimento. Povoada por forças apenas pressentidas, a alcova é também um espaço de inércia indicativa de que um fluxo está detido. Como um sangue que para de correr, a fluência do tempo foi sustada, e isso se torna evidente na aparência que as coisas assumem. A própria forma do soneto ajuda essa sensação de estagnação que evolui para emoldurar o inventário de ausências constante nos versos finais.

Através de cortes metonímicos, é anunciada, no último terceto, a falta daquilo que constituía a forma viva da "bem-querida". A luz que morreu tem, portanto, um corpo inerte e ausente: "Não há passos, nem mãos, nem seu olhar, seu olhar doce". A lacuna expande-se, no sentido de alcançar quem fala e vê-se obrigado a atestar a perda da imagem na memória: "nem a lembrança de seus traços". O inventário de ausências tem seu ponto culminante na ausência crucial da voz de Deus.

Contudo, nos dois últimos versos, a ideia da mulher ausente e sem vida dá lugar à ideia da mulher dormindo. A radicalidade da morte é então tensionada pela noção de sono. Numa apóstrofe, o poeta dirige-se a Deus, cuja voz também não se faz presente. Resta ao leitor concluir que, por interferência da voz divina, a mulher poderia superar sua condição atual, acordando e, assim, recuperar um estado anterior de vigília, favorável à lembrança de seus traços, à manifestação do seu olhar, das suas mãos e dos seus passos. A sequência do poema surge aqui invertida, para que melhor se evidencie a gradação que lhe é inerente. Ao observar a extrema retração da mulher, o poeta parte da sua manifestação mais plena de vitalidade — os passos — e dirige-se à mais rarefeita: os traços deixados na lembrança.

Em sua "chave de ouro", o soneto explicita um aspecto axial do sentimento que anima seus elementos formais. No lamento final, a voz poética concentra toda a angústia gerada pelo não atendimento de uma expectativa sediada em sua perspectiva religiosa. Se, por um lado, a presença de Deus, e mesmo a sua audição, ficam afirmadas na apóstrofe lírica, os versos finais anunciam, por outro lado, uma presença muda, sem manifestação. Afirma-se a possibilidade de uma ressurreição que não se dá, no instante que o poema consagra.[4] Feito de nascimento, vida, morte e ressurreição, o ciclo mítico é interrompido, permanecendo suspenso. À morte, ainda não se segue o esperado renascimento. Presente e não manifesto, Deus compartilha com a evocação da "bem-querida" o centro dessa cena feita de impasse e angustiada expectação, hiato em que a vida não chega a recompor o seu domínio, dentro de uma casa imersa em sombras.

Muitas direções podem ser tomadas, no desenho de uma hipótese destinada a nortear a leitura interpretativa desses versos que comentam a suspensão do ciclo mítico e a lastimam com melancolia e angústia. A primeira possibilidade é partir do papel crucial que a perda dos mundos tradicionais, com todos os seus ritos e crenças, desempenha na literatura brasileira do século xx e, muito particularmente, da importância que a memória e a recuperação dos cenários da infância têm na poesia escrita por Jorge de Lima. De fato, não parece improdutivo considerar que, num primeiro nível, o 33º poema contido no *Livro de sonetos* encena uma visita à casa instalada num passado marcado pela presença de rituais. Situando na memória todo poder de operar renascimentos, esse prisma interpretativo levaria a detectar, no poema, lamento pela insuficiência do recuo efetuado através da lembrança. Vista sob essa óptica, a constatação angustiada do terceto final constitui sinal de decepção causada pela insuficiência do afeto, em seu esforço para recompor aquilo que, no tempo, foi perdido. Em decorrência, esse caminho torna possível admitir que o recuo afetivo enfrenta, no poema, a interferência de uma consciência lúcida, responsável pela projeção de sombras, justamente no cenário onde o passado quer assomar.

A consideração do impulso regressivo permite ainda absorção de uma segunda possibilidade de leitura alimentada pelas teorias da psicanálise. Abarcando anseio de retorno a um conforto maternal, sem dúvida presente no poema, essa segunda via conduz à constatação de que a pulsão sequiosa de útero materno é invadida pelo temor da morte e pela ciência de que o estado de completo repouso torna-se impossível, no plano da existência.

Contudo, a despeito da riqueza que pode advir desses caminhos de leitura, a casa imersa em sombras vem sendo vista aqui como domínio da alma. Considera-se primordialmente que, tomando de empréstimo as formas egressas de um passado existencial, a imagem da casa transcende esse passado, para tornar-se representação da própria interioridade, vista pela voz poética como via de acesso ao sagrado. Uma comparação pode ser útil à defesa dessa última perspectiva de leitura.

No âmbito da literatura brasileira, a busca do mundo perdido encontrou força na escrita de Machado de Assis. Logo no início de *Dom Casmurro*, existem referências à casa do passado. Ali, o afeto, em demanda do cenário que o tempo devastou e destruiu, enfrenta, numa casa artificialmente reerguida, a visão de uma ausência axial: a ausência de si mesmo. No entanto, embora o limite da memória afetiva seja, no caso do protagonista de Machado, decisivo para a emersão do romance com o seu teor de fantasia, sua meta é, efetivamente, um recorte feito no tecido da existência. Bento esforça-se para alcançar um tempo existencial irrecuperável. Nesse sentido, seu horizonte difere substancialmente daquele que orienta a voz poética no soneto escrito por Jorge de Lima. Ainda que as duas vozes sejam marcadas pela melancolia, o poeta alagoano constrói a sua casa sobre alicerces que, transcendendo os limites de uma existência individual, também ultrapassam especificidades históricas. Ao imergir no mundo de indefinição que Candido associa à noite e às "trevas da alma", o eu lírico indica que se seguem, a essa imersão, o pressentimento de signos sugestivos de outra realidade e a expectativa de uma voz capaz de suplantar o poder da morte. Tal indicação torna impossível o estabelecimento de nítidas fronteiras entre o espaço da psique e a transcendência. O próprio poema constitui, portanto, um hiato, situado entre as formas concretas colhidas na existência e uma realidade imaterial que, no caso de Jorge de Lima, coincide com a imaginação e com a ideia da transcendência religiosa.

Sem negar a validade das duas possibilidades de leitura apontadas anteriormente, a perspectiva aqui adotada grifa, conforme foi antecipado, um terceiro caminho, no qual a casa surgida no 33º poema constante no *Livro de sonetos* é considerada em sua dimensão de imagem da intimidade, arquétipo da vida interior vista como privilegiada via de acesso ao sagrado.

Nesse penúltimo livro escrito por Jorge de Lima, as imagens que têm suporte no passado tendem a obter, de fato, um preenchimento de sentido,[5] de modo que passam a representar, além de si próprias, dimensões consagradas. Assim, a despeito do débito que essa casa tem com o tecido existencial, ela adquire um sentido bastante amplo, em acordo com a perspectiva religiosa que orienta o poeta. Trata-se de refúgio primordial e limiar da eternidade.

Em *A terra e os devaneios do repouso*, Bachelard apresenta aproximações e distinções entre duas imagens da intimidade. Sediada na lembrança, a primeira corresponde à "casa natal". A segunda constitui morada imaginária que, abrigando o infinito, compõe o arquétipo nomeado "a casa onírica". Enquanto, na primeira casa, habitamos tão somente pela lembrança, na segunda transcendemos essa lembrança e habitamos também pelo desejo. Segundo Bachelard, sonhamos, na "casa onírica", com tudo que "teria estabilizado para sempre nossos devaneios íntimos". Arquétipo ligado ao maior de todos os arquétipos — a mãe —, a "casa onírica" não se dissipa diante dele. Em sua amplitude simbólica, esse lugar de máximo reconhecimento — que, muitas vezes, de modo ambivalente, traz também um máximo estranhamento — exerce sedução própria às imagens da vida recolhida.[6] Embora considere vínculos indeléveis entre a "casa natal" e a "casa onírica", Bachelard observa que a segunda "corresponde a uma necessidade mais profunda. A casa da lembrança, a 'casa natal', é construída sobre a cripta da 'casa onírica'. Na cripta, encontra-se a raiz, o apego, a profundidade, o mergulho dos sonhos. Nós nos perdemos nela".[7]

Surgindo com toda a força que têm as imagens da intimidade, a "casa onírica" coincide, no poema de Jorge de Lima, com o abrigo da própria alma, um lugar de desejo então imerso em sombras. Qualificado como timorato, o ambiente é condizente com as expectativas que devemos ter em relação à imagem. Ainda segundo Bachelard, só em ambiente acanhado e estreito é possível viver como se vive em uma árvore oca, local maximamente propício ao devaneio. No entanto, ao contrário do que ocorre nas representações positivas evocadas pelo filósofo, o lugar de enraizamento aparece, no poema, em condições adversas; espécie de zona intervalar entre a existência marcada pelo declínio e formas de vida que se oferecem apenas ao pressentimento.

Os três últimos livros escritos por Jorge de Lima — *Anunciação e encontro de Mira-Celi*, *Livro de sonetos* e *Invenção de Orfeu* — dão máxima ênfase à sondagem do mundo interior. Ao falar sobre esse direcionamento que, permeando toda a escrita do autor, termina por adquirir maior nitidez em seus últimos livros, Alfredo Bosi observa que o empenho para alcançar "as fontes da memória e do inconsciente" atua como uma força que confere coesão aos variados caminhos estéticos escolhidos pelo poeta, ao longo da sua trajetória.[8] A importância que esse exercício introspectivo adquire nos últimos livros harmoniza-se com a ideia de que a casa representada no soneto constitui uma imagem do mundo interior, dando passagem para o sagrado. Na morada mais íntima, o poeta alagoano instala a sua "bem-querida" sem corpo presente, sem forma na lembrança e em estado de dormência. No centro do poema, como ocorre ademais em todo o *Livro de sonetos*, essa referência feminina constitui núcleo vital da intimidade, configurada, ela própria, com ressonâncias simbólicas muito amplas.

Tal como aparece no soneto, "a casa é um refúgio, um retiro, um centro". Segundo Bachelard, a posição axial confere, à imagem da "casa onírica", impressões cósmicas.[9] Assim, a morada onde o ciclo mítico suspende-se é, simultaneamente, um cosmo em momento de impasse, universo cujas fontes de vida estão retraídas, permanecendo em latência.

Apresentando variantes diversas da "casa onírica", Bachelard nos conduz à imagem da "casa iluminada, no meio do campo noturno". Ele nos lembra que, nessa imagem crucial no "conto da criança perdida",[10] pulsa a "consciência da noite dominada". Estando na fronteira entre dois territórios — um inabitável e outro acolhedor — a casa teria, ainda na perspectiva do filósofo, um caráter central. Podemos considerar o espaço que lhe é externo conforme uma dialética estabelecida entre intimidade e imensidão. De fato, a voz que fala no poema e olha para o interior, nele procura luz, constatando, contudo, que as sombras existentes em torno expandiram-se, de modo que até a morada mais íntima já se encontra contaminada pelas forças da escuridão vindas da dimensão imensa.

Mas os focos do poema têm movimento centrípeto. Partindo das sombras onde a própria casa está imersa, eles passam pela sala de visitas preenchida por matéria que, embora estigmatizada pelo declínio, é capaz de oferecer algum conforto aos sentidos. Logo em seguida esses focos prosseguem em direção à alcova, abrigo de elementos rarefeitos e apenas pressentidos. Conferindo eixo ao conjunto, o ponto de chegada coincide com a "bem-querida", cuja ausência encontra solidariedade na voz divina, igualmente ausente. Tudo converge para essa mulher sem forma e ainda capaz de manter-se como ponto central da casa e do mundo.

Senhora da morada íntima, a mulher ausente parece mesmo constituir uma imagem da alma,[11] transcendendo o indivíduo fincado no tempo e entrando em conexão com a eternidade. Considerando a perspectiva religiosa e sequiosa de Deus explícita nos dois versos finais, a "bem-querida" provavelmente também evoca, conforme atesta Bosi, uma noção cristã: Graça, presença de Deus na terra. Condensam-se, portanto, nessa figura única da amada, a alma; a poesia — força que dá vida à forma; e manifestação da divindade. Essa parece ser a condição que, em todo o *Livro de sonetos*, assume a imagem da mulher instalada no hiato entre ser e não ser.

Preenchida por um "fúnebre aparato", a casa descrita no soneto abriga um ritual, devendo ser vista como um templo. Ao distinguir duas modalidades de experiência, sagrada e profana, Mircea Eliade destaca, na base da perspectiva religiosa, um paradoxo contido em toda hierofania: sendo o que são, espaços e objetos ritualísticos constituem também manifestações do sagrado. Em acordo com esse princípio, novos valores agregam-se a acontecimentos concretos da existência. Sem prejuízo de seus significados próprios e imediatos, nascimento, casamento e morte proporcionam abertura, ou seja, comunicação com fontes sagradas das quais todo sentido emana. Justamente porque promovem contato com forças que ultrapassam o poder humano, abrindo espaço à expansão da desordem, tais momentos abririam os vasos comunicantes com o mistério dos deuses. Nessa perspectiva religiosa, os deuses, durante os hiatos desestabilizadores, reafirmam o espaço como um cosmo. Talvez por isso Bachelard refira-se à necessidade de "domar a noite". Representada pelas sombras e pela morte sem ressurreição, a noite indomável apresenta-se, em cada um desses momentos, com sua ameaça de desordem radical e absoluta. É então possível perceber, subjacente às práticas ritualísticas processadas nessas ocasiões, o desejo que o homem religioso tem de viver num cosmo, isto é, num universo dotado de sentido.

Eliade esclarece que, sendo porta de comunicação com o absurdo e, simultaneamente, via de acesso às fontes capazes de conferir sentido a tudo, o corpo morto torna-se, no ritual fúnebre, o centro do cosmo.[12] Mas esse centro e a imensidão que o envolve divergem em grau, não em essência. Com todos os elementos que a circundam, e com todas as coisas que ela abriga, a casa-templo forma com o centro, ativo e ausente, um só complexo, compondo um único ritual. Embora estejam mais afastadas do centro luminoso e adormecido, as sombras que envolvem a casa referida no soneto de Jorge de Lima também integram um espaço ordenado. Em decorrência, exterior sombrio e interioridade contaminada vivenciam um impasse, mas mantêm a condição de espaços ordenados e consagrados por um Deus, ainda que a voz desse Deus não chegue a manifestar-se.

Construído em torno da expectativa de uma ressurreição que não se dá em sua cena, o poema comenta a suspensão da vida e também se oferece como forma emblemática para o hiato em que as marcas da morte não impedem o pressentir de uma vida outra. O epicentro desta inércia expectante é a morada íntima, abrigo da adormecida. Centro do ritual fúnebre e, portanto, centro do cosmo, a "bem-querida" não chega a despertar.

Encenando um deslocamento realizado na casa vazia, o soneto escrito por Jorge de Lima entra em conexão com diversas peregrinações motivadas por ânsia de revelação. Ao comentar "Primero sueño", texto escrito por Sor Juana Inés de la Cruz, Octavio Paz estabelece um confronto entre o discurso da escritora mexicana e "Soledades", de Góngora. Os dois textos contemplam o motivo da "viagem da alma", embora marcantes diferenças existam entre eles. Paz observa que, enquanto Góngora descreve um mundo sensual, "cheio de cores, formas, indivíduos e objetos particulares", Juana Inés fala de uma experiência espiritual, descrevendo um cenário abstrato e desligado dos sentidos. Se, em Góngora, triunfa o elemento luminoso que, na perspectiva de Paz, coincide com a criação estética, a escritora mexicana tem sede de um conhecimento que, em "Primero sueño", não consegue obter. Na solidão da alma que, no texto de Juana Inés, surge confrontada ao infinito, Octavio Paz identifica uma específica melancolia: a melancolia por "nada ver".[13] Nesse núcleo, estaria contida a afinidade que Paz estabelece entre Juana Inés e a modernidade. No entanto, em acordo com a óptica do ensaísta, a escritora mexicana não se aproxima da perspectiva ilustrada, mantendo afinidade tão somente com a tópica que ele considera altamente expressiva de paradoxos existentes na poesia moderna: "a revelação da não revelação". Essa tópica teria encontrado no poema de Mallarmé — "Un coup de dés" — a sua elaboração mais requintada.

O soneto de Jorge de Lima não contém — como é próprio à tradição hermética que, segundo Paz, pulsa sob a forma cultista adotada por Juana Inés — uma viagem realizada pela alma liberta do peso material, enquanto o corpo dorme.[14] Mais próxima de Dante, que concebe o seu "espírito peregrino" movendo-se, por vários níveis, em busca da mulher amada, a cena do poeta brasileiro apresenta uma subjetividade angustiada e carente, deslocando-se em direção ao lugar mais recôndito da morada íntima, alcova onde a bem-querida preserva seu papel de centro organizador da imensidão cósmica, ainda que esteja adormecida.

A evocação a Juana Inés ajuda, todavia, a perceber que Jorge de Lima leva a tópica identificada por Octavio Paz como "revelação da não revelação" a um ponto de tensão extrema. Adotando sentido contrário ao da poesia moderna — vocacionada a situar o vazio no lugar da transcendência —,[15] o 33º poema constante em *Livro de sonetos* afirma a transcendência, ainda que, na sua cena, a revelação permaneça suspensa num hiato que a voz poética não consegue enfrentar sem desespero e sem lástima.

Assim como Santo Agostinho e Santa Teresa de Jesus usaram metáforas espaciais para representar as diversas instâncias percorridas em seus exercícios de introspecção, Jorge de Lima encontrou, na imagem da casa vazia, metáfora para a própria interioridade desfalcada de energia anímica, onde não soa a voz de Deus. Nesse sentido, o poema condensa, em sua unidade, uma crise que, representada em todo o livro, impulsiona a escrita como esforço para superação de letargia e busca de revitalização, a partir de um contato com fontes transcendentes.

Em 1945, Jorge de Lima fez a seguinte declaração: "Hoje, mais do que nunca, precisamos de poesia. Precisamos dela como se precisa de cantigas para ajudar um trabalho pesado, de verdadeiras cantigas de eito, deste eito imenso que é o mundo atual, convulsionado pela maior guerra de que se tem notícia".[16] A crise histórica constatada pelo poeta foi sem dúvida internalizada. José Fernando Carneiro registra que o conjunto de textos que compõem *Livro de sonetos* e mais 25 outros não publicados foram escritos "em estado hipnogógico, em espaço de dez dias apenas, levantando-se Jorge de Lima, às vezes de madrugada, e compondo, de uma vez, três, quatro, cinco sonetos". Carneiro ainda acrescenta: "Limitar-me-ei a referir que foram escritos em momentos de grande angústia, quando o seu autor começou a sonhar acordado, e a ver, diante de si, o galo da igreja do Rosário de Maceió, um galo de orientação dos ventos...".[17] É, portanto, possível admitir conexões entre a crise histórica referida pelo próprio poeta e a turbulência do mundo interior atestada por Carneiro em suas notas biográficas.

Nascido na pequena cidade de União dos Palmares, no interior de Alagoas, Jorge de Lima viveu até os sete anos de idade entre a casa-grande do engenho da família e o sobradinho da Praça da Matriz. Com dez anos, deslocou-se para Maceió. Depois, foi fazer o curso de medicina que, iniciado na Bahia, foi concluído no Rio de Janeiro. Nos anos 1940, o poeta habitava a capital federal. Presente nas trajetórias de muitos intelectuais da sua geração, o afastamento do contexto cultural da origem adquiriu especial importância em sua obra poética. Principalmente nos três últimos livros, o valor dado às próprias raízes confunde-se à exaltação de instâncias sagradas. Em consequência, o percurso existencial é visto como um longo processo de queda, permeado por diversas crises. Essas passagens pela morte suscitam incessante invocação de fontes que supostamente revitalizam. O *Livro de sonetos* encena um desses estágios críticos em que se tornam impositivos os revigoramentos da linguagem e da história, a partir da reinvenção de si mesmo. O percurso efetivado em direção à alcova sintetiza, de modo emblemático, uma dinâmica privilegiada no conjunto publicado em 1949. Particularmente, a passagem compreendida entre o 33º poema e o 49º expressa ânsia de revitalização, num mundo onde os retratos pendem e as flores ressecaram.

Convulsionado pelo segundo conflito mundial do século xx e pelas crises que vieram em seguida, o contexto histórico que abrigou a escrita do *Livro de sonetos*, fornecendo-lhe o *pathos* agônico e a natureza dissolvente de muitas imagens, representaria uma culminância da perda de vida que o poeta trata como declínio, desânimo e associa ao motivo bíblico da Queda. Depois de ter passado por um conflito que, alcançando dimensões globais, provocou um morticínio de proporções sem precedentes, o mundo entrou na chamada "guerra fria". Exposta nos planos da política, da economia, das ideologias, a cisão entre dois blocos de nações projetou-se sobre tudo, dividindo sociedades, lares, subjetividades; sempre a exigir posicionamento. No âmbito da política nacional, a ditadura de Getúlio Vargas chegou ao fim, mas as tensões prosseguiram. No plano da cultura, também havia divisão e revisão. Em 1942, Mário de Andrade fez um balanço rigoroso do modernismo, apontando, sobre a validade da contribuição deixada pelo movimento, algumas falhas cometidas em relação à história.

A casa vazia foi edificada em um tempo de partidos e de homens partidos. Dentro desse contexto sombrio, Jorge de Lima — médico, professor, político, pintor, tradutor, ensaísta, romancista e, sobretudo, poeta — absorveu a crise da história. Ao que tudo indica, na difícil travessia dos anos 1940, ele recorreu à estabilidade do soneto para controlar internamente a sensação de caos e de declínio. Contudo, ao expor os transes da sua intimidade imersa em sombras, o poeta alagoano evidenciou estar inteiramente consciente de que também expunha convulsões da história e intenso mal-estar coletivo.

Em torno de um soneto de Petrarca

Murilo Marcondes de Moura

Or che'l ciel e la terra e'l vento tace
et le fere e gli augelli il sonno affrena,
Notte il carro stellato in giro mena
et nel suo letto il mar senz'onda giace,

vegghio, penso, ardo, piango; e chi mi sface
sempre m'è inanzi per mia dolce pena:
guerra è 'l mio stato, d'ira et di duol piena,
et sol di lei pensando ò qualche pace.

Così sol d'una chiara fonte viva
move 'l dolce e l'amaro, ond'io mi pasco;
una man sola mi risana e punge;

e perché 'l mio martìr non giunga a riva,
mille volte il dí moro e mille nasco,
tanto da la salute mia son lunge.[1]

[Agora que o céu e a terra e o vento cala(m)-se
e os animais e os pássaros o sono refreia,
[A] Noite seu carro estrelado passeia
e no seu leito o mar sem onda jaz,

velo, penso, ardo, choro; e quem me consome
sempre me está defronte para minha doce pena:
guerra é o meu estado, de ira e de dor plena,
e só nela pensando tenho alguma paz.

Assim de uma única clara fonte viva
emana(m) o doce e o amargo em que me nutro;
uma única mão me cura e me fere;

e para que o meu martírio não chegue a termo,
mil vezes por dia morro e mil renasço,
tanto de minha salvação estou distante.]

O POEMA

A beleza do soneto se impõe de imediato. Pela musicalidade fluente e pela exposição cristalina do esquivo e intrincado drama íntimo. Fluxo espontâneo e expressão rigorosa, encanto e intelecto se reúnem aqui — ambos se enlaçam, e o eu se revela inteiro em sua condição de penúria e de consciência; de lamento e de discernimento, um acentuando o outro. Frágil e aplicado, esse sujeito parece imbuído da disposição estoica, aprendida por Francesco Petrarca (1304-74) em suas leituras continuadas de Sêneca, Cícero e Santo Agostinho, este último um antecessor no compromisso de incorporar elementos da cultura latina ao pensamento cristão. Estar exposto à dor, porque essa é a humana condição, sobretudo a do enamorado não correspondido ou às voltas com um amor impossível, mas ser capaz de se desdobrar para ponderar o próprio sofrimento, contrapondo a este uma espécie de isenção pungente. A compreensão não apazigua mas resfria, atenuando a chama que no entanto continua a consumir. O estado é de guerra, mas a sua expressão controlada. Como a condição aqui é a do poeta, o seu protótipo parece consistir na combinação complexa de sentimento e distância reflexiva.

Marcante é a figuração da noite no primeiro quarteto, com sua sugestão de silêncio e de imobilidade completos. Avaliem-se os verbos que encerram os versos um, dois e quatro: *"tace"*; *"affrena"*; *"giace"* — a indicarem extrema quietude; o verbo que encerra o terceiro verso — *"mena"* — é um achado na estrutura tensa do soneto, pois, sendo de movimento, ele se refere, porém, ao passeio daquilo que paralisa — o Carro da Noite (isto é, a constelação de Ursa Maior), que traz consigo a paragem de tudo: o céu, a terra, o vento, os animais e os pássaros, o mar.

Esse estado silente, diga-se de passagem, era muito caro ao poeta, um especialista na "vida solitária", o que o levou a fugir tantas vezes dos centros urbanos (em especial da Avignon papal, que identificava à Babilônia) em busca de refúgios, que ele encontrou especialmente em Vaucluse, até perto dos cinquenta anos, e em Arquà, nos momentos finais de sua existência. O gosto pelo isolamento adequava-se à sua incrível dedicação ao trabalho intelectual e artístico, do qual tantas vezes descansava pelo cultivo da terra e pescarias. Mas isso não o impediu, como se sabe, de sonhar ao longo de toda a vida com a restauração do antigo poder da *Urbs* romana (que o levou a apoiar por um tempo Cola di Rienzo, controvertida personagem política da época), nem de ser um viajante inveterado, um homem do mundo, convivendo com papas, reis e chefes políticos, intelectuais e escritores, em missões políticas, religiosas e culturais por toda a Europa da época, lembrando em parte o nosso padre Antônio Vieira, que três séculos depois também não iria separar a meditação austera e a construção contumaz da obra de uma atuação forte nas questões de seu tempo. O assunto evoca algo de que Petrarca seria ainda um predecessor para os tempos modernos: o vínculo difícil entre o artista ou o intelectual e o poder; já em sua época ele foi acusado de se instalar à sombra dos poderosos (sobretudo no período de sua longa estada em Milão, então dominada pelos Visconti). O poeta alegava que vivia "com eles, mas não sob seu domínio", e que soube manter sempre a "tranquilidade, o silêncio, a segurança e a liberdade".

Na abertura do segundo quarteto, às coisas e seres amansados pelo sono vem se contrapor com brusquidão a inquietude íntima do sujeito, não por acaso filtrada por quatro verbos dispostos em uma sequência emocional progressiva: *"veghio"*, *"penso"*, *"ardo"*, *"piango"*. Assim, uma transição tanto veloz quanto profunda — nada menos do que o radical deslocamento do cosmos para o eu — se impõe com a adição de apenas quatro palavras, metodicamente opostas aos quatro verbos que finalizam cada um dos versos do quarteto inicial. Essa sabedoria compositiva se observa ainda na simetria entre dois verbos de pensamento e dois de sentimento, mesclando de modo inextricável os dois campos, do intelecto e do afeto. Ainda na primeira estrofe, pense-se na utilização dos "e", cinco ao todo, construindo, passo a passo, uma grandeza cósmica. Essa partícula aditiva irá ocupar outras duas funções ao longo do poema: primeira, a de expor as contradições íntimas do sujeito: guerra è'l mio stato e sol di lei pensando ho qualche pace; d'ira e di duol piena; il dolce e l'amaro; mi risana e punge; mille volte moro e mille nasco; segunda, a de amparar o rolamento contínuo do soneto, ao abrir o último terceto: e perché...

A inspiração dos quartetos é virgiliana, extraída de uma passagem particularmente tocante da *Eneida*. Dido, a sagaz e respeitada (mas desafortunada) rainha de Cartago, onde foram acolhidos Enéas e outros sobreviventes de Troia destruída, enamora-se fundamente do herói, seja pelos encantos próprios deste, seja porque a adversidade os aproxima (ambos perderam os consortes e devem solitários cuidar dos difíceis destinos de seus povos), seja porque os deuses assim o desejam e dispõem. Em sua inútil resistência à paixão avassaladora, ela não pode contar nem mesmo com a irmã, má conselheira, que também a impele a ceder ao príncipe estrangeiro. Enéas ama Dido, mas é advertido pelos deuses de que deve simplesmente cumprir o seu fado e partir em demanda da Hespéria (Itália), onde deverá fundar uma cidade poderosa (Roma). Toda entregue a esse amor que gostaria de ter evitado, inclusive pela promessa de fidelidade ao marido morto, Dido, em quem amargura, ira e vergonha se confundem, decide suicidar-se. O desenlace é preparado por Virgílio ao longo de todo o livro IV com total maestria. Para recordar as palavras de um antigo professor de literatura italiana da Universidade de São Paulo, Italo Bettarello, que havia sido assistente de Giuseppe Ungaretti, e seria depois professor de Alfredo Bosi, trata-se da "bela e humana página de amor da literatura latina", que "só o gênio sutil e melancólico de Virgílio poderia criar".[2]

O leitor de Petrarca devia rememorar a referência trágica e assim avaliar melhor o pesar íntimo do eu, isto é, a abertura do soneto cria uma analogia entre a situação do sujeito lírico e o infortúnio de Dido, e essa analogia reverbera continuamente. Ambos têm consciência de que seria melhor evitar a paixão que os arrebata, mas são impotentes para fazê-lo. É claro, em Petrarca o trágico cede a uma certa acomodação da dor. Como afirmou Francesco De Sanctis em suas conferências (1858) sobre o poeta (nas quais o soneto aqui escolhido nunca é citado), Petrarca *"ondeggia"* sempre, e nesse estado de hesitação ou de oscilação, "a alegria não tem o impulso lírico de uma alma forte e plena; e a dor tem algo de idílico, não ascende nunca a uma trágica sublimidade".[3] Nesses retratos que propõe de Petrarca, De Sanctis procura sempre contrastá-lo com Dante (o que parece ser uma tópica da crítica italiana).

> Dante visa ao grandioso, Petrarca ao belo e ao gracioso; um olha o conjunto, o outro analisa; um tem um não sei quê de selvagem e rústico, que anuncia uma forma ainda não educada, o outro é sempre elegante, mesurado, gentil, e vai em direção ao refinamento e ao rebuscamento. Em Dante nota-se em meio à visão poética o tumulto e o fervor da vida, no outro há uma tendência a separar-se dela, ou, melhor dizendo, um desejo dessa vida, privado de força, o que o conduz pouco a pouco àquela tristeza filosófica, àquele estado solitário e contemplativo, o qual se manifesta só em povos que passaram por muitas provações e por muitas ilusões. Um na sua austeridade é muito jovem, de uma juventude ainda bárbara e indisciplinada; o outro, na sua elegância, parece velho e anuncia uma civilização mais refinada.[4]

Mas nessa comparação reside também o modo como o crítico distingue o valor particular de Petrarca, situando-o no âmbito de uma estética mais recolhida, em que se sobressai a perfeição formal, o uso preciso das palavras, em seu valor tanto semântico como musical.

Leia-se a passagem de Virgílio que inspirou o quarteto de Petrarca, na tradução literal de Italo Bettarello:

> Era noite, e na terra os corpos fatigados gozavam o plácido repouso; aquietaram-se as florestas e o mar tempestuoso quando os astros percorreram metade do seu curso, quando todo o campo silencia; os rebanhos e as aves multicores, e os animais que habitam os límpidos lagos e os que os campos bravios cobertos de sarças têm por moradia, na silenciosa noite adormecidos, aliviam os seus cuidados com os corações esquecidos das fadigas.
>
> Mas a Fenícia, infeliz, não repousava, nem jamais adormece ou recebe a noite nos olhos ou no coração; redobram os cuidados e o amor de novo ressurgindo, enfurece-a e ela se agita no grande ardor da ira.[5]

Ou, na tradução seiscentista, de João Franco Barreto, em oitavas camonianas:

Quando os astros do meio do caminho
Ao Ocidente passam, declinando,
O campo todo cala, e o passarinho
Entre as folhas dos ramos descansando,
Todo animal e peixe no seu ninho,
Quantos brenhas ou lagos habitando,
Na muda noite ao sono estão sujeitos,
Davam alívio a seus cansados peitos.

Porém não a infelice Dido,
Que descansar não pode um só momento,
Nem nos olhos ou peito combatido
Pode à noite dar grato acolhimento:
Os cuidados se dobram, e, acendido
De novo, amor lhe causa grã tormento.
Num mar se sente, de iras engolfada.
E assim diz entre si indeterminada:[6]

Embora inspirado em Virgílio, o pensamento era muito petrarquiano, e voltado para o futuro, como se lê em um trecho de uma de suas "cartas familiares" mais famosas, aquela que relata a escalada, real ou imaginária, ao lado do irmão Gherardo, do monte Ventoux, na Provença, que os estudiosos em geral interpretam como uma imagem do nascimento do sujeito moderno. No trecho em questão, extraído por Petrarca das *Confissões* de Santo Agostinho, também se observa uma retração abrupta da amplitude cósmica para a interioridade do eu: "Os homens não se cansam de admirar o cimo das montanhas, o amplo movimento das marés, o largo curso dos rios, o oceano que os cerca, o curso dos astros; mas se esquecem de examinar a si mesmos".[7]

Em seguida aos quatro verbos, e até o final, o soneto sublinha obsessivamente a presença (mental) daquela que *"sface"* (consome ou destrói) o poeta: Laura, identificada, de modo excelso, a uma "clara fonte viva", da qual emana, porém, o melhor e o pior. E este é o poema 164 de um total de 366[8] que compõem o livro *Rerum vulgarium fragmenta*, como o denominou Petrarca, ou *Canzo-*

niere, como tem sido comumente intitulado desde o século XVI, ou *Rime sparse*, por empréstimo do primeiro verso do soneto de abertura do livro (*"Voi ch'ascoltate in rime sparse il suono"*), ou ainda *Rime*, como quer uma outra tradição, na qual se inscrevem importantes estudiosos e poetas, como Leopardi. O poema acha-se assim incrustado em um conjunto maior que apresenta uma trama narrativa discreta mas firme, em que a personagem absoluta (ao lado do próprio eu, naturalmente) é a moça provençal avistada em Avignon no dia 6 de abril de 1327 e morta no dia 6 de abril de 1348, por ocasião da peste que então assolou a Europa. O mais importante é entrever nessas datas, talvez ficcionalizadas pelo poeta (há quem duvide mesmo da própria existência concreta de Laura...), a longa gestação desse que é um dos mais importantes livros de poesia do Ocidente e que, a rigor, chegou a termo apenas com a morte de Petrarca, que sobreviveu quase trinta anos à mulher amada. Uma autêntica "estrela da vida inteira", ou toda a *"vita d'un uomo"*,[9] reservadamente lapidada em língua vulgar pelo poeta entretanto laureado por sua obra latina e célebre já em seu tempo pela vastíssima correspondência também na língua de Cícero.

A organização da coletânea, segundo estudo sempre citado de Ernest Hatch Wilkins,[10] obedeceria a três critérios, embora nunca demasiado estritos: cronológico (mas é sabido que o poeta dispôs algumas peças essenciais em uma ordem diferente, procurando com esses deslocamentos reforçar um nexo mais estrutural; sem contar que Petrarca revia sem cessar os seus trabalhos e talvez os encarasse como relativamente contemporâneos); um critério de variação das formas, com o intuito provável de atenuar a repetição (alternando, entre os 317 sonetos, as 29 canções, as nove sextinas, as sete baladas e os quatro madrigais); um princípio também de diversificação dos assuntos, para evitar talvez a unilateralidade completa do tema amoroso.

O poema que nos ocupa representa a tendência largamente dominante, formal e temática: é um soneto de amor, e num momento da vivência amorosa (já distante do início e antes da *"morte di madonna Laura"*) no qual se observa a inclinação do poeta a acumular as antíteses, talvez já resignado a nada mais obter da amada, de modo que ao amor renunciado se sobrepõe uma espécie de prazer especulativo. Tratava-se talvez de se ocupar mais dos mecanismos do enamoramento do que da própria mulher. Mas a referência inicial a Dido desautoriza essa visão de uma paixão apenas atenuada, imprimindo-lhe intensidade.

O soneto escapa inteiramente daquela "maneira" que De Sanctis criticou com severidade em alguns poemas do *Cancioneiro* — a do "petrarquismo", com sua "retórica dos conceitos e das antíteses"; em tais poemas, Petrarca seria antes "o cadáver de Petrarca, o poeta que imita a si mesmo do mesmo modo como fizeram seus imitadores",[11] levando à fadiga do original muitas vezes nem sequer consultado.

> Os petrarquistas espoliaram, roubaram tudo o que é possível tirar de um poeta, conceitos, frases, palavras, sem poder roubar-lhe nem sua imaginação nem seu amor, e perpetuaram uma falsa imagem de Petrarca, que se tornou tradicional entre os estrangeiros. [...] Reconhecemos o defeito de Petrarca, mas enquanto para muitos estrangeiros esses defeitos são a essência da poesia de Petrarca, para nós são apenas a excrescência do seu engenho. [...] Ao lado desse Petrarca artificioso e convencional há o Petrarca amante e poeta.[12]

O soneto termina mal para o sujeito: seu martírio amoroso é dia a dia renovado e ele se mantém sempre distante de sua "salvação" (*salute*). Grosso modo, distinguem-se duas visões aqui; uma, positiva, a de que esse perdurar da dor amorosa pode ser fonte de poesia; outra, negativa, a de que essa paixão é uma espécie de vício, um *errore*.

Em relação à primeira, experimentar uma paixão impossível, sem conseguir livrar-se dela, pode ao menos encontrar um contraponto fecundo no elã artístico. Esse motivo está presente com clareza no cancioneiro, em especial na referência ao mito de Dafne, que comparece em alguns poemas do início do livro. A fonte maior é Ovídio, em um dos segmentos do livro I d'*As metamorfoses*: Apolo (Febo), cheio de soberba após matar a flechadas a serpente Píton, menospreza Eros (Cupido), que decide então mostrar quem pode mais. Com sua flecha dourada, atinge Apolo "até a medula"; e com a de chumbo, alveja Dafne. Apolo resulta tanto dominado pela afeição quanto Dafne pela aversão. A ele, só cabe perseguir; a ela, fugir. Justo no momento ansiado da posse, quando Apolo alcança afinal a ninfa, esta transforma-se em árvore, em um loureiro (em grego, *dafne*). Em desespero, Apolo afirma que se a ninfa não podia ser sua mulher, seria ao menos sua árvore, e desde então porta o louro nos cabelos, na cítara e no carcás. A perda vira assim sinal de distinção. Esse estranho deslocamento é também flagrante no caso de nosso poeta: em seu amor pela fugitiva *Laura*, ele não pode obter senão os *louros* da poesia. Daí, uma famosa passagem de Boccaccio em sua breve "biografia" do amigo mais velho. Petrarca soube "viver castamente", embora sempre "molestado pela libido", e não "contradiz isso o fato de que em numerosas de suas rimas vulgares, compostas com raríssima elegância, demonstre ter amado ardentemente uma certa Lauretta"; e interpreta: "creio que essa Lauretta deva ser entendida em sentido alegórico, como a coroa de louros que depois ele conseguiu".[13]

Mas há um outro modo de ver, mais problemático ou agônico, do ângulo de uma "filosofia moral", como o próprio Petrarca nomearia. É o caso de um de seus textos mais notáveis e discutidos, o *Secretum* (*Segredo*), construído a partir do diálogo imaginário entre "Francisco" e "Agostinho", onde o próprio sujeito explicita suas duas maiores fraquezas, demasiado humanas: o desejo de fama e o amor por Laura.

A respeito deste amor, assim aparece escrito no *Segredo*, sempre da "perspectiva" de Santo Agostinho:

"Pois a alma é atraída de um lado para o céu, de outro, repuxada pelo peso do corpo e pelas seduções terrestres. Deseja-se a um só tempo subir e ficar embaixo, e, empurrado em sentidos contrários, não se chega a nada."

Ou, ainda:

"Essa mulher que colocas no lugar mais alto é a causa de tua ruína. Ela distanciou tua alma do amor celeste."[14]

Dizia coisa semelhante, ainda que de modo mais enfático (mais dantesco?), um parente muito posterior mas íntimo de Petrarca, Charles Baudelaire, em quem o amor pelas mulheres era igualmente intenso e também acompanhado de uma culpabilidade que não escapou a uma paradoxal misoginia:

"Há em todos os homens a todo instante duas postulações simultâneas, uma para Deus, outra para Satã. A invocação a Deus, ou espiritualidade, é um desejo de ascender; aquela a Satã, ou animalidade, é uma alegria de descer. É a esta última que devem ser relacionados os amores pelas mulheres."[15]

Assim, retornando ao soneto, o último terceto não deixa de trazer uma espécie de síntese, amarga mas mitigada. A própria criação é coisa vaidosa, uma vez que tudo nessa vida é ilusório, como adverte o último verso do poema-prefácio ao livro: "*che quanto piace al mondo è breve sogno*" ("que tudo o que agrada ao mundo é breve sonho"); esse estado de desgosto, porém, jamais se traduz em abandono da arte: escrever pode ser um exercício vão, mas é atividade sistematicamente retomada, paralela à dor dessa paixão incurável.

A INTERPRETAÇÃO DE CLAUDIO MONTEVERDI

A leitura dramática de Claudio Monteverdi (1567-1643), o maior compositor de seu tempo, e profundamente entroncado na tradição humanista de que Petrarca fora um dos iniciadores, revela com nitidez a potência afetiva e estética desse soneto; nos termos de De Sanctis, o amor e a imaginação de que ele está impregnado.

Trata-se do madrigal "Hor ch'el ciel e la terra", que pertence ao oitavo livro de partituras do músico, de 1638, os chamados madrigais "guerreiros e amorosos". Seu primeiro livro de madrigais viera à luz em 1587, de modo que o artista havia cumprido mais de cinquenta anos de atividade e estava em sua maturidade completa. Há tempos trabalhava em Veneza, como mestre de capela na Basílica de São Marcos, posto sobremaneira honroso. Ali recebia visitas de compositores diversos, que iam homenageá-lo ou aconselhar-se com ele, como o alemão Heinrich Schütz, o que faz lembrar também o lugar intermediário de Monteverdi entre a música renascentista e a barroca.

Dizer que Monteverdi estava na maturidade pode nos fazer esquecer de que seu talento era superlativo, e que um de seus maiores acertos ocorrera muito antes, em 1607, com a ópera *Orfeo*, estreada em Mântua na corte de Vincenzo Gonzaga — uma das primeiras obras do gênero e já tão bela e perfeita. É certo que ela fora composta como emulação à ópera *Euridice*, de Jacobo Peri, estreada alguns anos antes em Florença, no âmbito da renovação musical então em curso, mas o mito de Orfeu, com as suas profundas alternâncias, se ajustava muito bem ao temperamento ao mesmo tempo emotivo e requintado de Monteverdi.

Recordemos algumas das passagens mais marcantes de sua ópera. A alegria contagiante de Orfeu no anúncio de suas bodas com Eurídice, após tanto desencontro e sofrimento: *"Vissi già mesto e dolente,/ hor gioisco, e quegli affanni/ che sofferti ho per tant'anni/ fan più caro il ben presente"* [Vivi já triste e magoado,/ agora me alegro, e aqueles afãs/ que experimentei por tantos anos/ tornam mais caro o bem presente]; em meio à festa, o anúncio pela "mensageira" da morte de Eurídice, "caso acerbo"; depois, Orfeu, devastado pela dor, cantando diante da mulher morta sua intenção de descer aos infernos para resgatá-la ou, caso venha a falhar em seu intento, de permanecer com ela no reino dos mortos: *"Se i versi alcuna cosa ponno/ n'andrò sicuro a' più profondi abissi/ e intenerito il cor del Re de l'ombre/ meco trarroti a riveder le stelle"* [Se os versos alguma coisa valem/ irei seguro aos mais profundos abismos/ e enternecido o coração do Rei das sombras/ irei trazer-te de volta para rever as estrelas], passagem que reúne num átimo o mais baixo e o mais alto, abismos e estrelas, e que é uma clara referência ao último verso do "Inferno" de Dante (*"E quindi uscimmo a riveder le stelle"*). Segue-se a entrada no inferno, depois de adormecer Caronte com seu canto irresistível — no momento em que pronuncia *"Orfeo son Io"* (Eu sou Orfeu), a música resplandece como nunca; ao ouvir Orfeu chamando Euridice *"per queste di morte ampie campagne"* [por estas amplas planícies da morte], Prosérpina se comove e roga ao marido Plutão que este permita a Orfeu levar de volta a esposa morta: *"Fa ch'Euridice torni/ a goder di quei giorni/ che trar solea vivend'in festa e in canto"* [Faça com que Eurídice retorne/ a gozar aqueles dias/ que ela costumava passar em festa e canto], numa passagem de apertar o coração dos mortais. Conquistada a improvável permissão, agora do alto de seu contentamento, mas também de sua soberba, o semideus Orfeu celebra sua *"cetra onnipotente"* [cítara onipotente], para em seguida perder para sempre a mulher amada, ao desobedecer a interdição de jamais se voltar para ela antes de ambos saírem do reino dos mortos. No mito, viria então o afundamento definitivo do herói na tristeza e o seu despedaçamento pelas bacantes (para Virgílio, uma das duas fontes mais imediatas do compositor e de seu finíssimo libretista, Alessandro Striggio o Jovem, Orfeu, antes de ser morto por se recusar a outras mulheres, "nada mais fez senão chorar por sete meses";[16] já Ovídio, a outra referência, talvez mais ligeiro, sustenta que Orfeu ficou prostrado "sete dias sem comer nada, vivendo apenas de sua angústia, das lágrimas e da dor"),[17] mas a versão de Monteverdi termina bem, ainda que em outro plano. Apolo desce e conduz o filho ao alto, onde ele pode *"goder immortal vita"* [gozar de uma vida imortal], uma vez que aqui embaixo nenhum prazer perdura: *"Saliam cantand'al cielo"* [Subamos cantando ao céu].

Ora, esses "estados de ânimo" muito heterogêneos, contraditórios mesmo, exigiam uma justeza na expressão dos afetos, uma linguagem musical empenhada em distinguir a singularidade de cada sentimento e de cada indivíduo, estranha de todo à polifonia medieval, até então vigente, que dizia respeito antes ao coletivo. A transição de uma estética para outra é um dos assuntos mais notáveis da história da música ocidental e nessa transição Monteverdi foi protagonista. A ópera foi antes um dos pontos de chegada dessa mudança — a forma musical em que tal transformação pode ser mais observada é justamente o madrigal.

Philippe Beaussant é um estudioso empenhado em compreender essa passagem da polifonia para a monodia, da amplitude da arquitetura polifônica para a brevidade do madrigal: "No curso do século XVI produziu-se uma mudança capital na concepção que se tinha da música e daquilo a que ela se propunha: trata-se da sujeição da linguagem musical ao detalhe da expressão poética. [...] E dessa valorização da palavra nasceu o madrigal".[18]

"A linha de conjunto é clara: sempre mais atenção às palavras e à emoção. O madrigal, durante um século, vai ser uma espécie de laboratório da música vocal, num experimentalismo incessante", no qual se busca "a aliança mais simples e mais direta possível entre a palavra e o som", de modo que "a história da música no século XVI é plena de obras-primas em miniatura, dois, três minutos de música, raramente mais".[19]

Em seu belo livro sobre *Orfeo*, Beaussant formula do seguinte modo a questão:

> Na Itália, no século XV e no início do XVI, duas músicas coexistem e se ignoram. Uma, muito cultivada, complexa, abstrata, polifônica, está essencialmente nas mãos de compositores de origem flamenga; outra, diretamente ligada à tradição popular, é uma arte bem latina, feita de canções, *canzone, canzonette, frottole, strambotti, barzelette* [...]. Ora, no fim do século XV, os humanistas, os letrados, os poetas, já que as palavras para eles tinham importância (enquanto a música polifônica dissolvia a poesia no luxuriante entrecruzamento de suas linhas sonoras), vão começar a se interessar por essas árias simples nas quais se compreende aquilo que se diz. [...] É o madrigal que vai nascer.[20]

Teóricos e historiadores da música reiteram essa ideia, como Enrico Fubini:

> A linguagem verbal torna-se o modelo ao qual a linguagem musical deve adaptar-se e submeter-se. [...] O problema que se tornava sempre mais urgente, sob o prisma prático e teórico, da relação entre música e palavra, entre linguagem verbal e linguagem musical, entre linguagem dos sentimentos e linguagem dos sons, derivava da crise do mundo polifônico; a remissão humanística à Grécia antiga representava uma implícita mas clara polêmica contra o contraponto e as suas complicações abstrusas e irracionais. [...] Na segunda metade do século XVI são numerosos os teóricos e músicos que invocam um retorno à simplicidade dos antigos, como antídoto à degeneração dos modernos. [...] A monodia acompanhada não era ou-

tra coisa na mente dos músicos e teóricos daquele tempo do que a retomada da genuína tradição da música grega que se considerava ter sido feita para uma só voz ou para vozes em uníssono.

A simplicidade e a clareza da nova harmonia tonal encontram sua razão de ser na exigência em determinar de modo *eficaz* a relação entre música e palavra, relação que a própria estrutura da música polifônica havia comprometido gravemente. A finalidade da nova música, *mover os afetos*, exigia um mecanismo de atuação lúcido, simples e racional, e os teóricos da monodia acompanhada sabiam muito bem disso. [...] A monodia seria mais *verdadeira* do que a polifonia não apenas porque os gregos a tinham adotado, mas sobretudo porque é mais natural, mais própria à natureza do homem. [...] A expressão dos afetos, frase recorrente nos tratados do tempo, era vista como alternativa à prática polifônica onde as palavras vinham sufocadas e submersas no mar dos sons e de harmonias diversas e contrastantes.[21]

Essa simplificação da escrita musical, essa naturalização do canto, efetuada por Monteverdi e outros compositores dele conterrâneos, não deixa de ser um exemplo forte daquela afirmação de Alfredo Bosi segundo a qual "o conhecer pelos sentidos é uma das vertentes centrais da estética italiana".[22]

Nessa mesma linha, não é nada casual que uma concepção de música que valorizava tanto a palavra tenha surgido na Itália, onde a língua literária já se encontrava tão cultivada, após longa decantação por gerações de poetas e escritores. Assim, a obra de Claudio Monteverdi, um dos maiores músicos da história do Ocidente, representa também uma celebração da poesia e da língua italiana em uma de suas passagens mais gloriosas.

Como procede Monteverdi no madrigal composto a partir do soneto de Petrarca? Cabe sublinhar de saída o prestígio dessa composição entre os estudiosos do músico. Para o maestro Rinaldo Alessandrini, "este madrigal é um dos mais tocantes de toda a produção monteverdiana"; Philippe Beaussant o considera "uma das peças mais inspiradas de todo o repertório madrigalesco"; para Roger Tellart, trata-se da "obra-prima mais madrigalizante de todo o livro VIII"; Denis Stevens exalta a "esplêndida musicalização" do poema de Petrarca; no Brasil, Ibaney Chasin dedica a esse madrigal um longo capítulo de seu estudo sobre o compositor.[23]

Os elogios se justificam. A quietude noturna dos seres e da natureza no primeiro quarteto é o primeiro desafio. "Como se faz em música para traduzir o silêncio?" Como diz Beaussant, não se trata da "ausência de música", mas de música suficiente apenas para fazer ouvir a ausência. As seis vozes, os dois violinos e o baixo contínuo utilizados aqui pelo compositor atuam em uníssono na zona mais grave sem nenhum sobressalto, imprimindo uma certa solenidade à abertura que não deixa de evocar o cantochão.

A reviravolta do segundo quarteto se funda, contrariamente, na fragmentação das vozes e no uso expressivo dos violinos. As palavras *"veglio"*, *"penso"*, *"ardo"* são articuladas por todos num crescendo, que é quebrado pelo *"piango"*, entoado num primeiro instante apenas por uma das sopranos, momento de recolhimento da dor individual. Aquela que é a causa do martírio — *"chi mi sface"* — é apontada reiteradas vezes: "sempre *m'è innanzi*". Tudo prepara o desabafo do sujeito: *"Guerra è'l mio stato"*, que é a passagem mais inquieta de todo o madrigal e que vem concretizar uma das propostas mais caras ao próprio Monteverdi nesse seu oitavo livro, aquilo que ele considerava então a sua contribuição maior — a criação do *stile concitato*, "o estilo agitado", conforme ele deixou escrito em sua advertência ao leitor:

> As paixões ou as emoções de nossa alma são três, a saber, a ira, a moderação e a humildade ou súplica, como bem afirmam os melhores filósofos e também a natureza mesma de nossa voz que pode ser alta, baixa e mediana, e também como a arte da música o observa claramente nos três termos agitado (*concitato*), suave (*molle*) e temperado (*temperato*); não tendo encontrado exemplo do gênero agitado em nenhuma das composições de compositores passados, mas sim do suave e temperado; gênero [aquele] porém descrito por Platão no livro III da *República* nesses termos: "Tome a harmonia que imite melhor as vozes e os acentos de um guerreiro que marcha corajosamente para o combate", e sabendo que os contrários são os que movem grandemente nosso ânimo, e que a boa música deve mover os afetos, [...] por isso me apliquei não sem muito estudo e fadiga a encontrar esse estilo musical [...].[24]

Como diz Alessandrini, o *concitato* se obtém aqui pela "articulação violenta e quase selvagem da palavra guerra", repetida inúmeras vezes. Monteverdi incluiu esse madrigal entre os "guerreiros", provavelmente por essa passagem específica, mas fica evidente que a maior virtude da peça está em articular as diferentes "emoções de nossa alma", abrangidas pelo conflito amoroso exposto no soneto de Petrarca.

A segunda parte do madrigal cuida dos tercetos e tem seu início pela voz isolada de um dos tenores, acompanhada delicadamente pelos violinos: *"Così sol d'una chiara fonte viva"*, em que os adjetivos luminosos se destacam na bela e cristalina melodia, que vai no entanto ceder o passo ao turvo e ao irresoluto, pois desse lugar inicialmente apenas suave e doce brota também o amargo; o verso final do primeiro terceto reúne de novo todas as vozes a confirmar, com melancólica resignação, o impasse do sujeito entregue a um conflito insuperável.

Na parte relativa ao último terceto, alguns comentaristas veem o maior achado do madrigal. "No final, o último milagre que vai ultrapassar todos os outros", diz Beaussant; e Alessandrini, responsável por uma das mais belas gravações da peça:[25] "O madrigal se encerra com uma invenção genial". O músico se concentra sobre a palavra *"[son] lunge"*, que encerra tão significativamente o soneto para sublinhar a distância do sujeito de sua "salvação". Para nos restringirmos à descrição de Beaussant: "O tenor, só, acompanhado somente pelos violinos sobe de um golpe no extremo agudo de sua voz e nota após nota desce até o mais profundo daquilo que ele não aguenta mais cantar, de tão grave"; "depois, as seis vozes vão abrir uma espécie de leque polifônico. Os sopranos começam em seu extremo grave e os baixos em seu extremo agudo. Os sopranos vão subir até seu ápice vocal e os baixos descer até sua extrema profundidade". No primeiro caso, com a intervenção do tenor solo, tem-se a sugestão de uma distância horizontal; no segundo, ao opor as tessituras agudas e graves dos sopranos e baixos, a de uma distância vertical. Nos dois casos, trata-se de criar uma equivalência entre "o desmembramento do espaço sonoro e o desacordo do espaço íntimo do sujeito".[26]

A grande controvérsia suscitada pela obra de Monteverdi (assim como a de seus pares) foi a de promover "a negação da autonomia da música ao subordiná-la ao significado e à lógica da linguagem verbal".[27] É nesse âmbito que se situa a famosa polêmica com Giovanni Maria Artusi — este defendia o que era então uma "batalha perdida": "a autonomia da música, a dignidade da música instrumental pura, sem sustentação da expressão verbal, como linguagem autossuficiente".[28]

Contrariamente, a proposta de Monteverdi, na esteira daquela longa transformação, era a de que a música devia ser serva da poesia (*musica ancilla poesiae*), pronta a sublinhar o valor expressivo da palavra e de suas irradiações semânticas. Mas, no caso específico desse madrigal, se ele traz uma interpretação assim poderosa do soneto de Petrarca, só pode fazê-lo no âmbito que lhe é próprio, isto é, com os recursos específicos da linguagem musical. Como brinca Philippe Beaussant, a música aqui pode ser serva da poesia, mas é *serva padrona*. Na verdade, o consórcio íntimo com a palavra foi então um modo de a música se desenvolver por caminhos novos e que logo se revelariam muito fecundos e próprios.

Como exemplo desse alargamento do campo especificamente musical em composições baseadas em textos poéticos, cabe citar nesse mesmo *Oitavo livro* aquela que talvez seja a obra mais audaciosa do músico, na qual desenvolve com mais radicalidade o seu *stilo concitato* — o *Combattimento di Tancredi e Clorinda*, baseado em passagem famosa da *Jerusalém liberada,* de Torquato Tasso, o poeta preferido de Monteverdi.

A LEITURA DE GIUSEPPE UNGARETTI

"O poeta, em seus *Cori di Didone* [*Coros de Dido*], parte da musicalidade dos madrigais Tasso-Monteverdi, isto é, parte do ponto supremo atingido pelo canto na tradição italiana."[29] Assim escreveu Leone Piccioni em texto de apresentação do livro *Terra promessa* [*Terra prometida*], de Giuseppe Ungaretti, editado em 1950. Giuseppe De Robertis, em resenha do mesmo livro, retoma a ideia mas insiste no papel preponderante de Monteverdi, que teria "escandido a palavra de Tasso muitos graus acima".[30] O próprio Ungaretti, ainda que relativizando o fato, por ser "meramente biográfico", confirma em carta a De Robertis: "É verdade que ter ouvido alguns discos dos madrigais tassianos musicados por Monteverdi plantou nos meus ouvidos o primeiro motivo dos 'Coros'. [...] O despertar da inspiração, daquela vez, se deu comigo através de Monteverdi e de Tasso".[31] Em outro contexto, Piccioni reafirma o projeto musical do livro: "a *Terra prometida* foi inicialmente concebida por Ungaretti como um melodrama, com personagens, coros e música. Devia desenvolver-se segundo um certo desenho narrativo e completar-se de modo a poder ser representada".[32]

O livro, em sua versão final, ainda que fragmentária, mantém esse vínculo profundo com a música, que pode ser entrevisto em alguns de seus subtítulos: "Canzone *descrive lo stato d'animo del poeta*", "Cori *descritivi di stati d'animo di Didone*", "Recitativo *di Palinuro*"; nos dois primeiros, ainda, algo que permite evocar um traço poderoso da estética de Monteverdi: a intensificação do caráter emotivo ao vincular a poesia à "descrição" de "estados de ânimo".

O reconhecimento talvez maior dessa abertura para a música, potencialmente presente nos poemas de *Terra prometida*, ocorreu em 1958 quando Luigi Nono (1924-1990), um dos compositores italianos mais experimentais de então, musicou cinco dos dezenove "Coros descritivos de estados de ânimo de Dido", empregando 32 vozes e seis percussionistas. Segundo o próprio compositor, a peça se articula a partir da decomposição sistemática das palavras, de sua "fissão fônica", "empenhada em separar e verticalizar não apenas sílabas mas vogais e consoantes isoladas".³³

O fato de um compositor de vanguarda escolher poemas daquela fase de Ungaretti tem a sua importância, pois *Terra promessa* é um livro que mantém diálogo estreito com uma das obras mais canônicas do Ocidente, a *Eneida*, de Virgílio; sem contar que durante o longo processo de escrita do livro, Ungaretti realizara também a maior parte de suas traduções de grandes clássicos europeus, como Shakespeare, Racine e Góngora. Assim, o poeta, ancorado na tradição mais robusta, mantinha-se aberto à inovação e continuava a ser uma referência para os novos artistas. Não por acaso, Alfredo Bosi, em estudo justamente sobre Ungaretti, faz a seguinte ponderação: "A linguagem artística vive da tensão dialética entre o inventário das formas herdadas e a invenção de novas formas. *Inventário* e *invenção* têm a mesma raiz, que denota o ato de *encontrar*"; no caso, Bosi ressalta, é claro, a capacidade de Ungaretti de criar seus "ritmos pessoais" e de elaborar "em termos de técnica a sua própria experiência".³⁴

O diálogo com a *Eneida* se dá, sobretudo, a partir das personagens Dido e Palinuro, duas vítimas no interior de uma narrativa movida, no entanto, por uma determinação positiva: o encontro de uma terra harmoniosa. Nesse sentido, o poeta não deixava de dar continuidade à inclinação trágica de sua poesia, iniciada durante a Primeira Guerra Mundial nas trincheiras do Carso, na vizinhança cotidiana da morte. Ungaretti relatou como a realização de *Terra prometida* foi continuamente interrompida pela "tragédia no mundo [a Segunda Guerra Mundial] e por uma minha tragédia que me havia golpeado nos meus afetos íntimos [a morte do filho]", pois "a busca da pura poesia devia naturalmente ceder lugar às angústias e aos tormentos daqueles anos",³⁵ que marcariam, diga-se de passagem, o livro *Il dolore*, de 1947. Mas é difícil imaginar que aquele projeto tenha ficado imune a tantas perdas. O terceiro dos "coros" (um dos escolhidos por Luigi Nono), escrito, como os demais, da perspectiva da mulher abandonada, dá a medida de como a catástrofe circundante envolveu também o livro de 1950:

Ora il vento s'è fatto silenzioso
E silenzioso il mare;
Tutto tace; ma grido
Il grido, sola, del mio cuore,
Grido d'amore, grido di vergogna
Del mio cuore che brucia
Da quando ti mirai e m'hai guardata
E più non sono che un oggetto debole.

Grido e brucia il mio cuore senza pace
Da quando più non sono
Se no cosa in rovina, abbandonata.[36]

[Agora o vento fez-se silencioso
E silencioso o mar;
Tudo se cala; mas eu grito
O grito, sozinha, do meu coração,
Grito de amor, grito de vergonha
Do meu coração que queima
Desde que te mirei e me olhaste
E mais não sou senão um objeto débil.

Grito e queima meu coração sem paz
Desde que não sou
Senão coisa em ruína, abandonada.]

A revisitação poética da famosa passagem da *Eneida*, já transcrita neste ensaio, revela o forte interesse de Ungaretti pela figura de Dido. A sua projeção na interioridade da mulher apaixonada e abandonada tem paralelo com o mergulho outrora realizado no "porto sepulto", de onde o poeta depois retornava com o seu canto. Mas se o "porto sepulto", título e símbolo poderoso de seu primeiro livro, pode ser lido sem dificuldade como um equivalente do segredo irredutível da poesia, a significação de Dido é mais esquiva ou difusa, embora sempre indicativa de "ruínas": os "últimos lampejos de juventude de uma pessoa ou mesmo de uma civilização"; "o delirar de uma paixão que se vê morrer e se tornar repugnante, desoladora, deserta".[37]

Uma interpretação fecunda, para o nosso caso, é a de Mario Petrucciani. Ele observa que a fala de Dido nos "Coros" ocorre após a partida de Enéas; é uma fala, portanto, que se produz na *ausência* da pessoa amada, a qual só pode existir a partir de então pela *memória*. Nesse sentido, continua o crítico, "a gênese da memória não é separável da consciência de uma perda".[38] É sobre a condição solitária e de abandono da personagem que o poeta se debruça, e nesse aprofundamento se destaca o motivo da memória.

Já é tempo de retornar, então, a Francesco Petrarca — para Ungaretti, o poeta por excelência da memória, isto é, "o poeta do esquecimento" (*"Il poeta dell'oblio"*), como ele intitulou o seu melhor e mais completo texto sobre o autor do *Cancioneiro*. Uma frase impregnada de platonismo mas sobretudo de alta poesia contém uma explicação do título: "Também o esquecimento faz parte da memória, é a nossa experiência obscurecida em nós, é a nossa interna noite".[39] O texto, editado em Roma em 1943, havia sido esboçado anteriormente em anotações já muito desenvolvidas, utilizadas por Ungaretti em suas aulas na Universidade de São Paulo, entre 1937 e 1942.[40] Nessas aulas, o soneto "Quand'io son tutto vòlto in quella parte" [Quando estou de todo voltado para aquela parte] era talvez o mais referido pelo poeta-professor para ensinar a poética de Petrarca, em razão sobretudo de seu terceiro verso: *"E m'è rimasa nel pensier la luce"* [E permaneceu em meu pensar a luz], que, na expressão sempre apaixonada de Ungaretti, é "um dos mais belos de Petrarca e da poesia humana". (Em outra passagem de mesmo teor, ele irá exaltar Laura como a "inspiradora da mais íntima poesia jorrada do coração humano".)

Para Ungaretti, o verso indica que o sujeito só pode almejar a *recordação* da amada:

> [Laura] é uma mulher que dirá não, que dirá sempre não, e para o amor de Petrarca só poderá ser objeto de memória, luz permanecida no pensamento; mas não será um ideal, será uma realidade, uma amarga realidade. Não luz fora de nós, luz sublime e inatingível pelas nossas forças, mas luz que em nós permaneceu.

Essa insistência de Ungaretti na imanência da visão de Petrarca é fundamental, e essa seria a sua "novidade": "Com Petrarca, para sair dos limites temporais, o homem não dispõe mais de uma relação com o divino. O conceito de aperfeiçoamento moral cede lugar ao conceito de memória"; "O homem não se considera mais, com Petrarca, em exílio do céu, mas em exílio do passado", que para ele podia ser "Roma, Laura ou o latim áureo"; "Eis o que Petrarca nos fará sentir: que temos consciência das coisas quando elas já não são mais".

Inúmeras frases afins poderiam ser extraídas daquelas anotações de aula: "Um homem só pode ter consciência de si pelo fato de que seus atos tornam-se memória"; "Petrarca concebe a humanidade como memória e tudo como memória"; "As nossas ações — todas — não podem se tornar objeto da nossa experiência se não se transformam antes em passado. [...] Toda a experiência humana, todo o saber do homem é passado. A humanidade quer dizer conhecimento do passado. O Amor de Laura quer dizer amor do passado: memória".

"A meditação sobre a poesia petrarquiana é um momento fundamental na configuração do tema da memória em torno do qual se recolhe toda a experiência poética de Ungaretti; sentimento do tempo como núcleo gerador de todas as fases de sua poesia." Essa colocação de Paola Montefoschi,[41] ao lado das citações acima transcritas de Ungaretti, permite observar como este se via a si mesmo através de Petrarca, o quanto ele aproximou de si o longínquo poeta, fazendo dele um interlocutor vivo em pleno século XX (um dos poucos que o acompanhou nessa admiração foi Paul Celan).

O soneto "Or che'l ciel e la terra e'l vento tace" é um dos grandes espelhos de Ungaretti em sua antologia pessoal de Petrarca, aquele diante do qual a sua visão do outro se mostra profunda porque também bastante pessoal e poética. E é justamente com os comentários a esse soneto que o poeta inicia o ensaio "O poeta do esquecimento".

Após retomar a famosa passagem virgiliana (*"Nox erat"*, "Era noite"), Ungaretti assinala imagens análogas em Dante e Tasso até se deter na abertura do soneto de Petrarca. A leitura da primeira quadra, e da "ampla calma" que ela respira, é estilisticamente meticulosa, subdividindo-a em duas partes, que o poeta assim sintetiza: "o céu estrelado sobre o espelho do mar". (Seria demais ver nessa análise ungarettiana a mesma sensibilidade que fundamenta o célebre poema "Mattina", inicialmente intitulado "Cielo e mare"?)

Ao invés de opor simplesmente a quadra inicial à seguinte, Ungaretti prefere reuni-las numa ideia mais íntima de solidão, que será, como já sabemos, fundamental para a sua concepção de memória. Isto é, aquela calma estrelada, com seu profundo silêncio e sua infinita distância (*"infinita lontananza"*), constitui antes uma espécie de cenário onde se destaca ainda mais o sujeito em seu isolamento.

O sempre estar defronte daquela que o consome (*"chi mi sface/ sempre m'è innanzi"*) é associado então àquele confronto cósmico entre céu e mar, e aqui o poeta já prepara a sua interpretação, ampliando por sua vez o alcance do soneto, ao sugerir que a situação nele presente é exemplar da posição do sujeito em todo o cancioneiro: "Nesse ponto, o tema poético principal de Petrarca delineou-se, a saber, que o centro do universo é a memória humana, que o universo se atormenta apenas no homem, na noite do ser humano, que algumas luzes da memória tornam bela".

As leituras que Claudio Monteverdi e Giuseppe Ungaretti fizeram do soneto de Petrarca têm isso de admirável: dão a ver a grandeza e a beleza próprias do grande escritor humanista, ao mesmo tempo que revelam a têmpera de cada um deles — músico e poeta singularíssimos. É difícil encontrar exemplo melhor de uma manifestação assim forte e vívida de tradição, que a Itália sempre soube tão bem cultivar.

Emily Dickinson, entre o símbolo e a alegoria

Viviana Bosi

> I died for Beauty — but was scarce
> Adjusted in the Tomb
> When One who died for Truth, was lain
> In an adjoining Room —
>
> He questioned softly "Why I failed"?
> "For Beauty", I replied —
> "And I — for Truth — Themself are One —
> We Brethren, are", He Said —
>
> And so, as Kinsmen, met at Night —
> We talked between the Rooms —
> Until the Moss had reached our lips —
> And covered up — our names.
>
> (c. 1862) J449, F448[1]

Morri pela Beleza, mas na tumba
Mal me tinha acomodado
Quando outro, que morreu pela Verdade,
Puseram na tumba ao lado.

Baixinho perguntou por que eu morrera.
Repliquei, "Pela Beleza" —
"E eu, pela Verdade" — ambas a mesma —
E nós, irmãos com certeza.

Como parentes que pernoitam juntos,
De um quarto a outro conversamos —
Até que o musgo alcançou nossos lábios
E encobriu os nossos nomes.

(Tradução de Aíla de Oliveira Gomes, 1984)[2]

UM TELEGRAMA DO ALÉM

A frase de abertura impressiona o leitor por conta da declaração peremptória. Parece descrever a própria natureza do poeta: voz que emana do defunto autor convertida em mensagem-testamento para o leitor. A maioria dos verbos enfatiza o passado da ação, reportando-se a uma situação há muito encerrada. Mas, apesar da seca concisão destes versos, há uma diferença na velocidade entre o passado bem delimitado das duas primeiras estrofes e o prolongamento da cena na terceira estrofe, como se a conversa entre os dois amigos perdurasse por certo tempo, ajustada ao crescimento discreto do musgo. De tom levemente macabro, remete ao desvanecimento da pessoa do poeta, cujo nome efêmero será aos poucos esquecido, assim como sua voz real amortecida por um tapete macio.

Nestas três estrofes, impactantes em sua tersa austeridade, a conversa solene entre o sujeito lírico e seu interlocutor — quase um alter ego espelhado — se encerra de modo oposto ao que a representação das duas grandes figuras do pensamento parecia prometer. Em lugar da perenidade, que viria alçá-las ao estatuto de conceitos abstratos, ambas as vozes são encarnadas em pessoas, que estabelecem afinidades, habitando um tempo restrito e um espaço delimitado, sujeitas à degradação comum da espécie humana. Os seus lábios e nomes, cobertos pelo suave musgo e afinal esquecidos, foram um dia individuais.

Se as paredes tumulares, erigidas pelos homens, permitem a transmissão da conversa incorpórea dos idealismos do espírito, os lábios, por contraste, vão desaparecer em consonância com a vegetação que os recobre. Ambos se irmanam na sutileza vagarosa, em oposição à solidez de muros e valores supostamente eternos. As vozes de carne, frágeis, perecem, enquanto o tempo acaba por derrotar a pedra e os nomes nela inscritos.

Assim, a aspiração que os guiou em vida, transcendente em seu alcance sublime, não os livrou do destino de todos os viventes. Ao contrário do que acreditava Platão no *Fedro*, no qual o amante da Beleza se orienta rumo à ascensão suprema, atingindo por fim o reino sempiterno das ideias, onde, através da contemplação da Beleza, defronta-se com a Verdade e, em consequência, supera, agora sábio, a roda das reencarnações, aqui a ironia desfere no leitor a revelação de sua ruptura com um universo radicado em sentido ilusoriamente metafísico.

A pergunta que o sujeito que morreu pela Beleza faz ao que morreu pela Verdade (e vice-versa), *"Why I failed"*, permite outra dobra na interpretação: os dois companheiros buscaram conquistar um alto ideal, através da doação da própria vida, mas este se mostrou, aparentemente, inatingível. Ambos falharam ao tentar realizá-lo, morrendo em combate. Sua diferença anterior demonstrou ser artificial e até pueril tão logo se irmanaram nos túmulos gêmeos. (Vale lembrar, porém, que a Verdade toma as maiores iniciativas de definição. Contudo, a voz que enuncia o poema, em primeira pessoa, é a do amante da Beleza. Ocorre, a partir do diálogo, um aprendizado mútuo, em que descobrem o quanto se assemelham.)

Depreendemos dos termos *kinsmen* e *brethren* a sugestão tanto do parentesco (do mesmo clã), quanto da amizade permeada pelo diálogo filosófico do mundo grego, ou mesmo da fraternidade dos que comungam uma missão — ainda que em campos considerados distintos. Haveria uma sugestão de martírio e heroísmo nesses vocábulos, que remete a enfrentamentos guerreiros ou religiosos.

Essa experiência de conversar de um quarto a outro, escutando sem ver, parece ter sido uma prática constante na vida da reclusa Emily. É difícil, por fim, saber se o que morreu pela Beleza seria *He* ou *She*, quando Dickinson afirmava que, nos poemas, quem falava não era a pessoa dela e sim uma outra voz, propriamente lírica.[3]

Cria-se um curto-circuito lógico entre *He* e *I* na segunda estrofe, por causa das aspas que confundem o discurso direto com o indireto (preferido pelos tradutores), como se ambos fossem um o espelho do outro. Para o leitor, a impressão de ambiguidade sobre quem pergunta e quem responde causa sempre alguma hesitação. Nesta linha, Daghlian nota a liberdade da forma pronominal *Themself* — palavra que deveria estar declinada no plural — mas que a poeta decidiu deixar no singular, possivelmente para enfatizar "as ideias de um e dois ao mesmo tempo". Além disso, assinala o crítico, o verbo está no presente atemporal, sugerindo a perenidade de Beleza e Verdade.[4]

Costuma haver uma inclinação para o tom dramático na poesia de Emily Dickinson, pois ocorrem sequências em forma de diálogo nas quais, a uma súbita reversão, sucede um inesperado desenlace, comentam White[5] e Daghlian, que analisa, em diferentes poemas, o "contraste marcante entre a expectativa e a realização".[6]

A discrepância entre a complexidade do pensamento de Dickinson e a regularidade bastante tradicional da forma tem sido objeto de controvérsia desde as primeiras publicações póstumas de seus versos. Esta extraordinária obra poética é, em sua maior parte, vazada no molde da métrica do hinário da igreja que ela frequentava, como é também o caso do nosso poema, cujos quartetos se compõem de versos que se alternam entre oito e seis sílabas (tetrâmetro e trímetro iâmbicos). Configuração que coincide com o ritmo comum à balada popular de língua inglesa, conforme a examinou Paulo Henriques Britto.[7] Quanto à tessitura sonora, algumas rimas imperfeitas e diversas aliterações e assonâncias reforçam o eco regular do compasso binário. No entanto, apesar de o metro se manter constante do começo ao fim, temos a impressão que o ritmo se alonga na última estrofe, o que se reflete igualmente na alteração de tom, passando do enfático para o distendido. Dois modos de temporalidade: o primeiro ocorre de forma pontual; e o segundo, contínuo: associa-se ao ritmo lento e sucessivo, figurado pelo silencioso desenvolvimento da vida vegetal. O musgo poderia ser uma metáfora do tempo: pouco visível e aparentemente sem força, no entanto a tudo derrota afinal.

Outra particularidade da escrita poética de Emily Dickinson é, sem dúvida, o uso idiossincrático do travessão, à maneira de síncope brusca, de modo a magnificar palavras e frases, que assim são destacadas como aforismos de extrema compressão. O travessão promove certo suspense, ao interromper a fluidez dos versos, acirrando as disjunções sintáticas e os saltos do pensamento, procedimentos centrais a seu estilo (como constatou Miller).[8] Uma hipótese plausível para essa utilização tão singular do travessão é a popularização do telégrafo e do código Morse durante a Guerra de Secessão (1861-5). O telegrama, inventado nos Estados Unidos nos anos 1930, tornou-se o meio mais disseminado de transmitir às famílias o comunicado da morte de um soldado no front. Assim, quando se recebia tal correspondência, já se antecipava uma notícia terrível.[9] Neste poema, o travessão tende a acompanhar o final das frases, com duas notáveis exceções: no terceiro verso da segunda estrofe (*"And I — for Truth — Themself are One —"*), como forma de ênfase; no último verso (*"And covered up — our names"*), a destacar o momento em que as palavras, toda a linguagem, silenciarão, uma vez que aos lábios recobertos pelo musgo segue-se o ocultar dos nomes.

O poema refere-se de forma muitíssimo concisa às reflexões levadas a cabo desde o século XVIII, especialmente por alemães e ingleses, sobre a definição de arte como esfera relativamente autônoma. A clivagem entre ética e estética (Verdade e Beleza), fonte de reflexões constantes por toda a modernidade, é abruptamente colocada em suspeição, quando se introduz a fragilidade humana nas intangíveis construções da filosofia. No mesmo passo, poesia e pensamento são ironizados em sua condição de monumentos a serem venerados para a eternidade, sem que um garanta primazia sobre o outro.

Dentre as possíveis influências, citamos este trecho de uma carta de Emily dirigida ao seu primeiro editor e crítico, Thomas W. Higginson, enviada no ano em que escreveu nosso poema: *"You inquire my books. For poets, I have Keats and Mr. and Mrs. Browning"*.[10]

Apesar do tom deliberadamente modesto em relação a suas leituras, ao menos a meditação que encerra a "Ode on a Grecian Urn" passa a ser menção obrigatória: *"'Beauty is truth, truth beauty', — that is all/ Ye know on earth, and all ye need to know"*. Keats escreveu esta sua famosa ode em 1819, tendo falecido pouco tempo após, em 1821. É bem provável que Dickinson, que o lia com enorme admiração, haja composto o poema logo depois, aludindo nestes versos, quem sabe, a um potencial diálogo poético... Inicialmente, poderíamos até julgá-los semelhantes em sua conclusão, pois, assim como Keats, para quem a urna grega, portadora funérea da arte, é "fria pastoral", uma vez que a dança e o amor nela pintados se imobilizaram perpétuos e imutáveis, igualmente em nosso poema Verdade e Beleza se avizinham. Contudo, a assertividade final da Ode parece contradita no tom menos positivo de Dickinson. Certa fratura entre arte e vida paira mas não aflora nos versos do jovem romântico, para quem o tempo lento da noiva silenciosa afirma a superioridade da forma artística, sempre viçosa e feliz, acima de fadigas e ressecamentos. Evocamos ainda o poema irmão, "Ode to a Nightingale", composto na mesma época, no qual o sujeito lírico tão ardentemente anseia por voar, nas asas da poesia, para o país ensolarado e verdejante onde canta imperecível o rouxinol, em contraste com a sombria, posto que sedutora, paisagem da morte. Palavras como *soft* e *mossy* comparecem nesta ode, para remeter ao anúncio tristonho e insidioso. Diversamente da outra, aqui é a natureza a figurada como eterna.[11]

Também faz parte do conhecimento comum, na crítica norte-americana, mencionar a outra fonte de inspiração de Dickinson: a romântica Elizabeth B. Browning, versejadora prolífica, que em seu longo "A Vision of Poets" (1844), imaginou um céu onde os maiores poetas se reuniriam na eternidade: *"these were poets true/ Who died for Beauty, as martyrs do/ For Truth — the ends being scarcely two"*.[12]

Por fim, dentre suas leituras preferidas, *A imitação de Cristo* (Tomás de Kempis, século xv) prega a intrepidez dos que ofertam a própria vida, pagando com a entrega total sua dedicação aos mais elevados desafios. A disciplina dos exercícios espirituais diários; o desprezo ao sucesso mundano, trocado pelo refúgio no próprio coração; a honestidade mais exigente e acurada — formas de heroísmo que Dickinson estimava, impressas neste breve poema. Insubmissa em relação à congregação calvinista dominante em sua pequena cidade, transformou a doutrina herdada em uma religião própria, decidindo aventurar-se por um caminho de questionamento corajoso, tal como ela reconhecia em Jesus, o "Tender Pioneer", segundo seu imaginário.[13]

Mas o poema de Dickinson erige-se sobre a dúvida. Termina, aparentemente, por relativizar a noção de sacrifício em prol da arte ou de alguma verdade superior, menosprezando talvez, por serem inatingíveis, esses ideais, quando comparados à realidade passageira do destino humano. Seria uma afirmação sarcástica de niilismo? Ou um melancólico *memento mori*, no qual predomina o reconhecimento da inutilidade, tanto de lutar por convicções afinal abstratas, quanto de considerá-las, no limite, falsamente irredutíveis entre si?

Todavia, surpreendemo-nos com o fato de que os dois sujeitos que contendiam por Verdade e Beleza haverem continuado a conversar após a morte, aproximando-se por meio do fracasso, e reconhecendo-se, afinal, como semelhantes. Só então, lentamente desvanecem.

Conforme depreende Judith Farr, *"Her great preoccupation is not love, not death, but the question of eternal life, of consciousness beyond the grave. So a large number of her poems devote themselves to the moment of translation from earth to a variously imagined 'heaven'"*.[14]

Sem dúvida, a pergunta sobre a imortalidade da alma assombra vários dos seus poemas e cartas, assim como o tema da renúncia heroica que precede o encontro principal após a morte (*"The Test of Love — is Death"*). Como se esses dois pesos se equilibrassem e se confrontassem em uma balança de extremos.

Os críticos hesitam ao tentar decidir quais eram as reais crenças de Dickinson, pois ela mantém uma ambivalência permanente ao longo de seus poemas. O sublime caminha ao lado da ironia, e o divino convive com o cotidiano. Ela compartilhava com os poetas metafísicos ingleses, uma de suas paixões literárias, a rara capacidade para a observação do detalhe sensível do mundo fenomênico à sua volta, tanto quanto uma imaginação desenvolvida para os voos do espírito. Foram os *New Critics*, leitores de Eliot, que melhor discerniram em seus poemas a complementaridade antagônica entre a capacidade para a elevação abstrata e a atenção ao mundo natural, tal como se reconhece em Donne e Herbert, por exemplo.[15]

ENTRE O SÍMBOLO E A ALEGORIA

Se, tradicionalmente, a alegoria personifica concepções ou valores com intuito moralizante, suscitando por isso, desde o romantismo, o repúdio de tantos teóricos reticentes quanto à instrumentalização didática da arte, reconhecemos neste poema epigramático de Emily Dickinson justamente a semelhança com narrativas fabulares curtas que conduzem a conclusões emblemáticas. No entanto, o desenlace da cena descreve a desintegração vagarosa dos representantes de duas expressões impalpáveis, alegorias centrais, identificadas em letra maiúscula. Expostas Verdade e Beleza como equivalentes, ambos os sujeitos que por elas porfiaram são subjugados pela lei implacável da mortalidade, e acabam reduzidos ao fado da imanência e da singularidade. As suas convicções mostraram-se inócuas para redimi-los.

Sintetizando as reflexões de Coleridge, bastante influentes no século XIX norte-americano, Paul de Mann distingue a alegoria como "forma imaterial que representa um completo fantasma esvaziado de forma e substância",[16] contrastando-a ao símbolo, o qual englobaria as figuras de linguagem com mais "substancialidade orgânica", as quais evidenciariam a "prioridade conferida ao momento inicial de percepção sensorial";[17] no nosso caso, as sinédoques do lábio e do musgo, os quais traduziriam a abertura da parte para o todo. Além do mais, essas imagens revelariam um nível mais profundo de possibilidade interpretativa, balançando entre natureza e sentido espiritual, pois o poeta romântico intuiria a afinidade das correspondências analógicas entre o universo e a mente subjetiva. Recordemos, porém, que neste poema de Dickinson a natureza vence o duelo com o sujeito, que não se ombreia à sua imortalidade indiferente. Apenas pelo poema, em parte, ele a "derrota", embora se pergunte *why I failed?*". Contradição e impasse entre idealismo radical e mundo fenomênico, visível também em Wordsworth e Coleridge, ambos tanto espiritualistas quanto naturalistas, segundo nos informa igualmente o estudo de De Mann. Ou, talvez, o paradoxo habite o coração mesmo da definição romântica de símbolo, ao aproximar o mundo externo do interno, sugerindo uma disposição anímica que descubra eco metafórico na paisagem, convertida em *inscape* pelo poeta. O ambiente gótico, sombrio, que imaginamos ao ler os versos de Dickinson corresponderia, como símbolo complexo, a um indício de reflexão sobre temas fundamentais da lírica, em diálogo sobre si mesma desde os gregos, exprimindo suas dúvidas subterrâneas de forma contundente.

Posto que distantes entre si, tanto o barroco quanto o romantismo coparticipam da esfera do questionamento das mitologias fundadoras, ao mesmo tempo que a elas aspiram. Quando Benjamin se debruça sobre a alegoria barroca, observa que o olhar saturnino não reprime inteiramente o anseio pela duração, ao retirar a vida do objeto salvando-o como fragmento para a eternidade. Mas, "A falsa aparência de totalidade se desfaz"... quando a história petrifica seu rosto em ruínas, conclui o pensador,[18] ao reconhecer na alegoria um caráter discursivo, pouco plástico. Nisto tudo, ainda que apenas no nível aparente da sequência narrativa, o poema de Dickinson se adequaria perfeitamente à noção de pequena fábula que estampa um *exemplum* melancólico para a nossa meditação.

Fosse essa a única camada interpretativa, e quedaríamos no universo estático da alegoria, tal como os quadros barrocos que figuram a ampulheta e a caveira. Mas a resistência do espírito romântico ressoa, pulsante. A escolha do próprio destino, trágica embora, característica das grandes almas, é um dos principais atributos da literatura simbólica, pensava Lukács: mesmo na derrota, provam sua capacidade de luta, recusando-se a se submeter passivamente às decisões dos deuses.[19]

Ao lado do reconhecimento da supremacia de Verdade e Beleza, um motivo subordinado, a ecoar em outros poemas de Dickinson, consiste em revelar um tal orgulho do sujeito que a elas se devota, que ele prefere retrair-se, ou até anular-se, a buscar o sucesso, considerado uma realização inferior, como lembramos ao aludir aos conhecidos versos em que a poeta renega a fama e o público: *"Publication is the auction of the soul"* [...] *"I'm Nobody! Who are you?/ Are you — Nobody — Too?/ Then there's a pair of us!"* [...] *"Success is counted sweetest/ By those who never succeed"* [...] E, por fim: *"We lose — because we win —"*.

Seguindo o espírito de mais de um *tombeau* de Mallarmé, também aqui se assiste à transfiguração do sujeito empírico em sujeito poético, que perdura depois de extinguidos todos os seus rastros, tendo se sacrificado por beleza irmã da verdade. O poema encena o seu próprio movimento, como um corpo celeste que emite raios após haver se apagado (*"l'astre mûri de lendemains"*), brilhando enquanto afirma o aniquilamento de sua matéria mortal, ou mesmo por causa desta ausência — o livro, o lance de dados, o espírito que se vê face a face quando desaparecida toda a mediação (nome, pedra, corpo). De forma que a voz, cujo nome foi extinto, vem ao nosso encontro através do poema, cintilando através do tempo, feito estrela-testemunho.

A natureza do lírico, como transfiguração do fluido temporal em densidade sonora e imagética, é arquitetura melódica que novamente traz à presença, rediviva, quem convocou a asa ritmada. Restará, sugere Dickinson, passadas as bandeiras programáticas, o sopro do poema. Entre o abstrato dos conceitos ideais e a concretude da matéria — ambos passageiros a despeito de parecerem sólidos — abre-se o intervalo dessa persistente carnadura, musgo que a tudo recobre, discretamente tangível. Os personagens ressuscitam depois de abandonarem seu anseio por alcançarem abstrações apenas perduráveis através de alegorias. Somente ao se humanizarem poderiam de fato habitar, simbolicamente, o destino finito de todas as criaturas. Ambos perecem mas o poema permanece, após o desvanecimento do autor, reencenando, como a fênix, a oferenda de si mesmo.

Emily compara o resultado de seu trabalho ao extrato destilado das rosas: o *attar*, essência preciosa. Perfume — rastro imponderável da presença. A condensação dos seus versos ajusta-se a esse depurado grau de concentração, em que morrer pela beleza é o modo alquímico de transmutar-se em poesia.

A ponte que imaginamos palmilhar, entre nosso estudo do diminuto poema de Emily Dickinson e o clássico estudo de Alfredo Bosi[20] sobre "A máquina do mundo", de Carlos Drummond de Andrade (*Claro enigma*, 1951), nada promete quanto a uma aproximação entre dois poetas tão díspares, no tempo e no contexto cultural. Embora a nossa inspiração inicial tenha partido do tema geral proposto por aquele ensaio, também não é nossa pretensão abalançar-se a contribuir com qualquer nova interpretação para uma obra acuradamente discutida por leitores reconhecidos pela excelência. O que tencionamos, tão somente, é ressaltar em ambos os poemas a exposição do oscilar entre símbolo e alegoria.

O crítico começa por refletir sobre o aspecto narrativo, sequencial, do imponente poema, suspendendo a imediatez de uma antecipada interpretação metafísica:

> Essa abordagem, porém, correria o risco de colher um tanto precocemente as essências a-históricas latentes no discurso poético (o Ser, o Tempo), sem pôr em relevo os modos peculiares de formar, que a mensagem foi encontrando para dizer, passo a passo, o seu sentido.[21]

Rejeita, a princípio, a transcendência esvaziada de caracterizações excessivamente amplas, em consonância com o sentimento de mundo do desenganado caminhante.

A seguir, Bosi acentua a disposição do poema para imagens de lentidão e negrume: "O ambiente ressoa na alma e a ensombra. Ressoa: vivem ambos o mesmo tempo lento. E o ocaso é comum a ambos".[22]

Outro aspecto apontado, agora mais próximo da nossa questão comum, consiste na verificação de uma "designação genérica" com a qual deparamos na descrição da máquina do mundo. Constata o crítico que "Não há nesse discurso 'muita exigência para o detalhe', precisamente o que observou Benjamin ao descrever os modos estilísticos da alegoria".[23] Citado no texto, o filósofo nos alerta para este traço: "A personalização alegórica dissimulou sempre o fato de que a sua missão não era personalizar algo próprio da coisa, mas, ao contrário, dar às coisas uma forma mais imponente, armando-a como pessoa".[24] Embora nunca seja demais frisar a imensa distância entre os dois poemas, pode-se observar que ambos os nossos sujeitos líricos empenharam-se em penetrar no coração do mundo: enquanto uma combateu pela Beleza, irmã da Verdade, outro procurou arduamente, tendo gasto pupilas e mente, compreender o significado último do universo. Mas o poeta mineiro já havia desistido de abarcar a "total explicação da vida", na inspeção em "pesquisa ardente" na qual se consumira. Porém, enquanto as duas vozes no poema da norte-americana confessam haver falhado em sua empreitada pela qual haviam dado a vida, o itabirano desdenha a aparição, que a ele se ofertava gratuita, independent até dos seus esforços anteriores, experimentando completa descrença. A primeira exprimia-se com idealismo, tingido embora de autoironia, e o segundo recusa e segue em trevas.

O organicismo coleridgeano, que almejava reunir a expressão subjetiva à totalidade, mostra-se na prática inexequível, concluía obliquamente Dickinson. Mas, se o indivíduo romântico sofre de descontinuidade em relação à universalidade, deseja-a mesmo assim, e aflige-se por não poder contemplar a plenitude da revelação, cerceado pela consciência da finitude. Um século após, noções agnósticas de natureza e de história transportam em seu bojo a consciência da ruptura em relação a um todo perdido — sociedade, natureza, divindade.

Os dois poemas parecem compartilhar um tipo de revelação ao contrário, por assim dizer. Isto é, ambos os sujeitos líricos experimentam, em certo momento, a desilusão relativamente à sua demanda. Enquanto o poeta mineiro renuncia à revelação da grande máquina que ele antes tanto buscara, a visionária de Amherst reconhece a impossibilidade de alcançar Verdade e Beleza, conformando-se a uma breve e relativa pós-vida. Em Drummond, ressentimo-nos da brusquidão do contraste entre a visão de algo tão relevante e a insistência no rebaixamento dos olhos ao chão prosaico. Se há reversão irônica nas expectativas, poder-se-ia supor, como seu efeito, uma desmistificação quanto aos anseios pela iluminação máxima, em "desengano viril". Pois tanto o interrogar-se pela razão da própria falha em ascender às supremas Verdade e Beleza, reconhecendo o parentesco de ambas, quanto o repúdio quando face a face com a explicação total do universo, poderiam ser considerados como confinamento a limites propriamente humanos. Os infelizes personagens do poema de Dickinson tentaram em vão alcançar seus ideais, mas fracassaram. Já em Drummond, verifica-se um questionamento das totalizações alegorizantes: "Quando prevalece o regime alegórico, a Natureza e a História compõem antes um *theatrum mundi* do que uma totalização que envolva o sujeito em carne e osso e o afete na sua particularidade biográfica", pondera Bosi.[25]

Segundo Lukács, em seu modelar estudo sobre alegoria e símbolo,[26] aquela tende à desantropomorfização, porque a particularidade corresponde a um conceito de conteúdo abstrato, sem relação com o mundo fenomênico. Mas estes dois personagens de Dickinson, cujos nomes desconhecemos, e que conversam mesmo após a morte, identificam, um no outro, sua família. Antes, haviam se entregado ao desejo de abraçar a transcendência fora de si. Agora, irmanados, reconhecendo suas fraquezas, despojam-se de suas pretensões.

É como se esses sujeitos estivessem inflados, sob o império de ambições transcendentais. Todavia, uma vez confinados e ajustados ao próprio tamanho, tivessem adquirido corporeidade concreta e dimensões mais moderadas em relação às suas demandas por absoluto.

De modo elíptico, Dickinson parece insinuar certa vacuidade nessa busca por alegorias intangíveis em contraste com a persistência da vida de cada homem, "bicho da terra tão pequeno", em sua inevitável jornada rumo à treva estrita.

Muito do que se atribui ao espírito da alegoria se encontra presente no sucinto poema de Dickinson, que se assemelha a um epitáfio. Se não há mais volta para a bela reunião clássica entre aparência e essência, ou entre imanência e transcendência, se a fratura é inegável, se a Natureza é indiferente, o que resta ao coração senão "sentir a angústia do aniquilamento" e "aprender a morrer"?

Todavia, como também havia especulado Benjamin, o romantismo tinha afinidades com os dois mundos: símbolo e alegoria. Embora na teoria valorizasse um em detrimento do outro, conferia a ambos importância equivalente na realização poética. O caso mais patente desta contradição entre discurso e prática constatamos no *Fausto* do próprio Goethe.

Enquanto na alegoria a vida é retirada do objeto que, morto, é salvo para a eternidade, mas desprovido de alma,[27] o símbolo brota como a giesta ao pé do vulcão. Pois contra toda a lei da gravidade, o temperamento nobre e solidário dedicou o tempo de vida que lhe havia sido concedido às aspirações mais elevadas. Sua breve eternidade ecoa na "totalidade momentânea" da resistência, quando a ideia se torna "sensível, corporificada": "A dimensão de estar-com-os-outros não lhe permite nem a covardia nem o 'louco orgulho em face das estrelas'; antes, dá-lhe a sabedoria de estender as mãos".[28]

Apesar de habitar um cômodo estreito e noturno, tendo abdicado da expectativa de escalar até o domínio de "verdades altas mais que todos/ monumentos erguidos à verdade" (Drummond), as vozes emitidas por esses sujeitos, precários embora, não se eximiram de investigar com todos os seus sentidos e pensamentos a máquina do mundo que se lhes escapava.

Ao "perder o chão repentino sob os pés", "quando a face atinge o solo", a generosidade do poeta consiste em converter seu sopro efêmero em palavra essencial, prestando "especialmente a nós uma homenagem póstuma" (entende a poeta portuguesa Luiza Neto Jorge em "O poema ensina a cair").

E se falharam ao tentar alcançá-las, oferecem o diálogo entre os embaixadores de Verdade e Beleza — finito — ou infinito enquanto dure a história humana, pois o poema persiste, toda vez que de novo enunciamos estes versos sobranceiros.

Notas

INTRODUÇÃO A *FOGO MORTO* [pp. 49-54]

1. Este artigo foi publicado originalmente em *Fogo morto*, de José Lins do Rego. 6. ed. Rio de Janeiro: José Olympio, 1965.
2. Lembrando o caráter memorialista do romance, José Aderaldo Castelo insiste, porém, na superioridade artística da obra em relação às anteriores: "É a maior realização de José Lins do Rego, pelo menos dentro do ciclo da cana-de-açúcar. Mostra, sobretudo, o que, do ponto de vista literário, poderiam ter sido os romances do ciclo, se o romancista, ao invés de se dar de corpo e alma a um trabalho dominado pela impulsividade e pela espontaneidade, seguindo o veio rico da memória até esgotá-lo, tivesse empreendido um trabalho preliminar de escolha, seleção e síntese", in *José Lins do Rego: Modernismo e Regionalismo*. São Paulo: Edart, 1961, p. 133.
3. Mário de Andrade, "Riacho Doce" e "Repetição e Música", in *O empalhador de passarinho*. 2. ed. São Paulo: Martins, 1955, pp. 137-48.

CAMÕES E JORGE DE LIMA [pp. 55-64]

1. Este artigo foi publicado originalmente em *Revista Camoniana*, Centro de Estudos Portugueses da Universidade de São Paulo, 2. série, v. 1, 1978, pp. 149-57.

O CONTO BRASILEIRO CONTEMPORÂNEO [pp. 67-8]

1. São Paulo: Cultrix, 1975. Texto para a 16. ed. (Cultrix, 2015).

O SER E O TEMPO DA POESIA [p. 69]

    1. São Paulo: Cultrix, 1977. Texto para a 6. ed. (São Paulo: Companhia das Letras, 2000).

CÉU, INFERNO: ENSAIOS DE CRÍTICA LITERÁRIA E IDEOLÓGICA [pp. 70-1]

    1. São Paulo: Ática, 1988. Texto recolhido como "Apresentação" para a 2. ed. (São Paulo: Ed. 34; Duas Cidades, 2003).

DIALÉTICA DA COLONIZAÇÃO [pp. 72-3]

    1. São Paulo: Companhia das Letras, 1992.

LITERATURA E RESISTÊNCIA [pp. 74-5]

    1. São Paulo: Companhia das Letras, 2002.

BRÁS CUBAS EM TRÊS VERSÕES: ESTUDOS MACHADIANOS [pp. 76-7]

    1. São Paulo: Companhia das Letras, 2006.

IDEOLOGIA E CONTRAIDEOLOGIA: TEMAS E VARIAÇÕES [pp. 78-9]

    1. São Paulo: Companhia das Letras, 2010.

ENTRE A LITERATURA E A HISTÓRIA [pp. 80-1]

    1. São Paulo: Ed. 34, 2013.

TRÊS LEITURAS: MACHADO, DRUMMOND E CARPEAUX [pp. 82-3]

    1. São Paulo: Ed. 34, 2017.

OS CAMINHOS DA LEITURA: NOTAS PARA SAUDAR OS OITENTA ANOS DE UM CRÍTICO ILUSTRE [pp. 89-94]

    1. Devo esta referência a José Mário Pereira.

1. Alfredo Bosi (Org.), *Essencial Padre Antônio Vieira*. São Paulo: Penguin Classics Companhia das Letras, 2011.

2. "O código Vieira: Alfredo Bosi e 'A chave dos profetas'". *Folha de S.Paulo*, Ilustríssima, 9 out. 2011. Disponível em: <www1.folha.uol.com.br/fsp/ilustrissima/il0910201104.htm>. Acesso em: 10 abr. 2017.

3. Alfredo Bosi, *História concisa da literatura brasileira*. 3. ed. São Paulo: Cultrix, 1990, pp. 48-52.

4. Na entrevista mencionada, Paulo Werneck afirma, com base nas respostas do entrevistado: "Desde os anos 1950, no curso clássico, como então se chamava o ensino médio voltado para humanidades, o professor emérito da USP se vê às voltas com o padre Vieira, autor que seria central em sua produção crítica".

5. Alfredo Bosi, *Dialética da colonização*. São Paulo: Companhia das Letras, 1992, pp. 119-48. O capítulo "Vieira ou a cruz da desigualdade" foi publicado pela primeira vez como ensaio na revista *Novos Estudos Cebrap*, em 1989, e depois recolhido em Ana Pizarro (Org.), *América Latina: Palavra, literatura e cultura*, em 1993. As traduções mencionadas da obra são as seguintes: *La Culture brésilienne: Une dialectique de la colonization*, Paris: L'Harmattan, 2000; *Dialéctica de la colonización*, Salamanca: Ediciones Universitarias, 2003; *Colony, Cult and Culture*, Dartmouth: University of Massachusetts, 2008.

6. Ibid., p. 119.

7. Ibid.

8. Alfredo Bosi, *Literatura e resistência*. São Paulo: Companhia das Letras, 2002, pp. 54-86. O capítulo "Vieira e o reino deste mundo" foi publicado originalmente como prefácio a padre Antônio Vieira, *De profecia e Inquisição*. Brasília: Edições do Senado Federal, 1998.

9. Ibid., p. 54. Com outras palavras, a mesma declaração será feita no ensaio seguinte dedicado a Vieira: "O manuscrito de ambas as *Representações* guarda-se no Arquivo Nacional, a Torre do Tombo em Lisboa, e não foi sem emoção que pude compulsá-lo há vinte e tantos anos". Alfredo Bosi, "Antônio Vieira, profeta e missionário: Um estudo sobre a pseudomorfose e a contradição", in João Adolfo Hansen, Adma Muhana e Hélder Garmes (Orgs.), *Estudos sobre Vieira*. São Paulo: Ateliê, 2011, pp. 298-9. O ensaio foi publicado originalmente na revista *Estudos Avançados*, São Paulo, n. 64 (set./dez. 2008) e n. 65 (jan./abr. 2009).

10. Alfredo Bosi, *Literatura e resistência*, op. cit., p. 54.

11. Id., "Antônio Vieira, profeta e missionário: Um estudo sobre a pseudomorfose e a contradição", in *Estudos sobre Vieira*, op. cit., pp. 293-342.

12. Ibid., p. 306.

13. Alfredo Bosi (Org.), *Essencial Padre Antônio Vieira*, op. cit., pp. 9-127.

14. No capítulo "Lendo o *Segundo Fausto*, de Goethe" do livro *Ideologia e contraideologia: Temas e variações*, de 2010, Alfredo Bosi também trata de Antônio Vieira, em algumas das mais de vinte páginas ocupadas pelo texto de muito maior alcance. Como, a despeito de sua importância no desenvolvimento desse ensaio, as reflexões sobre o jesuíta não parecem muito diferentes daquelas feitas nos textos integralmente dedicados à sua obra, optei por não abordá-lo aqui.

15. Alfredo Bosi, *Dialética da colonização*, op. cit., p. 119.

16. Id., *História concisa da literatura brasileira*, op. cit., p. 49.

17. Ibid., p. 50.

18. Alfredo Bosi, *Dialética da colonização*, op. cit., p. 120.
19. Ibid., p. 122.
20. Alfredo Bosi, *História concisa da literatura brasileira*, op. cit., p. 49. O sermão foi incluído pelo organizador no volume *Essencial Padre Antônio Vieira*, op. cit., pp. 246-75.
21. Id., *Dialética da colonização*, op. cit., p. 123.
22. Igualmente incluído em *Essencial Padre Antônio Vieira*, op. cit., pp. 369-97.
23. Alfredo Bosi, *Dialética da colonização*, op. cit., p. 124. [Grifo do autor.]
24. Ibid., p. 125.
25. Muitos desses recursos foram estudados por Antonio J. Saraiva, em *O discurso engenhoso*, obra citada por Alfredo Bosi em nota aposta a uma passagem desse mesmo capítulo de *Dialética da colonização*, op. cit., p. 132.
26. Ibid., p. 125.
27. Ibid., p. 126.
28. Incluído em *Essencial Padre Antônio Vieira*, op. cit., pp. 398-428. "Pregado na Capela Real, a 11 de dezembro de 1650", de acordo com o primeiro volume da "Parenética" na recentemente publicada *Obra completa Padre Antônio Vieira*, em trinta volumes, empreendimento extraordinário e dos mais louváveis em que se envolveram diversas instituições portuguesas e brasileiras. São Paulo: Edições Loyola, 2014, p. 246.
29. Alfredo Bosi, *Dialética da colonização*, op. cit., p. 127.
30. Também incluído em *Essencial Padre Antônio Vieira*, op. cit., pp. 305-31.
31. Alfredo Bosi, *Dialética da colonização*, op. cit., p. 128.
32. A expressão "hipocrisia protestante" teria sido empregada por Engels em contraposição à "franqueza católica". Ibid., p.128.
33. Ibid.
34. Alfredo Bosi, *Dialética da colonização*, op. cit., p. 129.
35. Id., *Literatura e resistência*, op. cit., p. 86.
36. Id. (Org.), *Essencial Padre Antônio Vieira*, op. cit., p. 118.
37. Id., *Literatura e resistência*, op. cit., p. 56.
38. Ibid., p. 58.
39. Ibid., p. 63.
40. Ibid., p. 71.
41. Ibid., pp. 76-8.
42. Ibid., p. 60.
43. *Estudos sobre Vieira*, op. cit., p. 295.
44. Ibid., p. 296.
45. Alfredo Bosi, *Literatura e resistência*, op. cit., p. 61.
46. Ibid., pp. 82-3.
47. Ibid., p. 83. [Grifo do autor.]
48. *Estudos sobre Vieira*, op. cit., pp. 294-5.
49. Ibid., p. 299.
50. Ibid., p. 293.
51. Em "Por um historicismo renovado: Reflexo e reflexão em história literária", Alfredo Bosi já havia tratado do emprego desse conceito por Carpeaux "para caracterizar as obras daqueles escritores que, sob a aparência de uma estilização barroca, resistiram ideologicamente às forças do-

minantes do seu tempo: Quevedo, Gracián, Campanella, Vieira". *Literatura e resistência*, op. cit., p. 38. O ensaio foi originalmente publicado em *Teresa — Revista de Literatura Brasileira*. São Paulo: FFLCH-USP/ Ed. 34, n. 1, 2000.

52. *Estudos sobre Vieira*, op. cit., p. 307.

53. *Estudos sobre Vieira*, op. cit., p. 310.

54. O sermão foi incluído pelo organizador no volume *Essencial Padre Antônio Vieira*, op. cit., pp. 466-87.

55. Alfredo Bosi, *Dialética da colonização*, op. cit., p. 134.

56. Antes que se acuse o crítico de ingenuidade ou de proposital omissão, leia-se o mencionado capítulo "Antonil ou as lágrimas da mercadoria" da *Dialética da colonização*, onde são feitas afirmações como esta: "Antonil fala a partir do mesmo sistema colonial, *onde os jesuítas também possuíam engenhos...*". Alfredo Bosi, *Dialética da colonização*, op. cit., p. 163. [Grifo do autor.]

57. Foi o sermão escolhido por Vieira para a abertura de sua obra parenética, e é também o primeiro sermão transcrito por Alfredo Bosi no volume *Essencial Padre Antônio Vieira*, op. cit., pp. 133-69.

58. Apud Alfredo Bosi, "Antônio Vieira, profeta e missionário", op. cit., p. 328.

59. Alfredo Bosi, *Dialética da colonização*, op. cit., p. 142.

60. Id., "Antônio Vieira, profeta e missionário", op. cit., p. 329. [Grifo do autor.]

61. Ibid.

62. Ibid., pp. 310-1.

63. Ibid., p. 322.

64. Ibid., pp. 322-3.

65. Ibid., p. 324.

66. Expressão empregada por Alfredo Bosi em "Antonil ou as lágrimas da mercadoria", capítulo 5 da *Dialética da colonização*, op. cit., p. 162.

67. Alfredo Bosi, *História concisa da literatura brasileira*, op. cit., p. 51.

68. Alfredo Bosi, *Dialética da colonização*, op. cit., p. 143.

69. À exceção do número XVI, esses sermões foram incluídos pelo organizador no volume *Essencial Padre Antônio Vieira*, op. cit.

70. Alfredo Bosi, *Dialética da colonização*, op. cit., p. 143.

71. Ibid., p. 144.

72. Ibid., p. 145.

73. Ibid., p. 146.

74. Ibid., p. 147.

75. Ibid., p. 148.

76. Fernand Braudel, *Escritos sobre a história*. 3. ed. São Paulo: Perspectiva, 2013, p. 53.

77. Alfredo Bosi, "Antônio Vieira, profeta e missionário", op. cit., p. 341.

78. Ibid.

79. Alfredo Bosi, "Antônio Vieira: Vida e obra", in *Essencial Padre Antônio Vieira*, op. cit., p. 78. [Grifo do autor.]

80. Id., "Vieira ou a cruz da desigualdade", in *Dialética da colonização*, op. cit., p. 148.

81. Id., *Essencial Padre Antônio Vieira*, op. cit., pp. 10-2.

82. Ibid., p. 46.

83. Ibid.

84. Ibid.
85. Ibid., p. 115.
86. Ibid., p. 114.
87. Ibid., pp. 115-6.
88. Ibid., p. 116.
89. Ibid., p. 117.
90. Ibid., p. 118.

UM FINO LEGADO À CULTURA: CRÍTICA LITERÁRIA E PSICANÁLISE [pp. 130-41]

1. Alfredo Bosi, "Psicanálise e crítica literária: Proximidade e distância", in Cleusa R. P. Passos e Yudith Rosenbaum (Orgs.), *Interpretações: Crítica literária e psicanálise*. Cotia, SP: Ateliê, 2014, p. 21.
2. Alfredo Bosi, *O ser e o tempo da poesia*. São Paulo: Cultrix; Edusp, 1977, p. 18.
3. Jacques Lacan, *Nomes-do-Pai*. Rio de Janeiro: Zahar, 2005, p. 12.
4. Alfredo Bosi, *O ser e o tempo da poesia*, op. cit., p. 20.
5. Ibid., p. 15.
6. Jacques Lacan, *Escritos* [1966]. Trad. de Vera Ribeiro. Rio de Janeiro: Zahar, 1998, pp. 96-103.
7. Sigmund Freud, "O mal-estar na civilização" [1930], in *O mal-estar na civilização, Novas conferências introdutórias à psicanálise e outros textos (1930-1936)*. Trad. de Paulo César de Souza. São Paulo: Companhia das Letras, 2010, p. 16.
8. Id., "Psicologia das massas" [1923], in *Psicologia das massas e análise do eu e outros textos (1930-1936)*. Trad. de Paulo César de Souza. São Paulo: Companhia das Letras, 2011, p. 32.
9. Alfredo Bosi, *O ser e o tempo da poesia*, op. cit., p. 19.
10. Ibid., p. 20.
11. Ibid., p. 21.
12. Ibid.
13. Ibid., p. 18.
14. Ibid., p. 19.
15. Luiz Alfredo Garcia-Roza, *Acaso e repetição em psicanálise: Uma introdução à teoria das pulsões*. Rio de Janeiro: Zahar, 1986, p. 13.
16. Jean Laplanche e Jean-Bertrand Pontalis, *Vocabulaire de la Psychanalyse*. Paris: Presses Universitaires de France, 1976, p. 238; Luiz Alfredo Garcia-Roza, *Acaso e repetição em psicanálise: Uma introdução à teoria das pulsões*, op. cit., p. 14.
17. Luiz Alfredo Garcia-Roza, *Acaso e repetição em psicanálise: Uma introdução à teoria das pulsões*, op. cit., p. 14.
18. Alfredo Bosi, *O ser e o tempo da poesia*, op. cit., p. 19.
19. Id., *Literatura e resistência*. São Paulo: Companhia das Letras, 2002, p. 119.
20. Id., *O ser e o tempo da poesia*, op. cit., p. 19.
21. Id., *Céu, inferno* [1988]. São Paulo: Ed. 34, 2003.
22. Ibid., p. 461.
23. Ibid., pp. 51-86.
24. Ibid., p. 64.
25. Ibid.

26. Ibid., pp. 69-70.
27. Ibid., p. 78.
28. Ibid., p. 469.
29. Ibid., p. 468.
30. Ibid., p. 467.
31. Id., *O ser e o tempo da poesia*, op. cit., p. 21.
32. Ibid., p. 32.
33. Sigmund Freud, *Os chistes e sua relação com o inconsciente (1905)*. Rio de Janeiro: Imago, 2011, p. 82. Obras Psicológicas Completas, v. VIII.
34. Ibid. A associação entre o "sossego do retorno" de Bosi e o prazer do encontro com o familiar de Freud se articula, aqui, especificamente em função da finalidade de o prazer evitar o desprazer, a tensão desagradável, no conjunto da atividade psíquica. Cf. Sigmund Freud, "Além do princípio do prazer", in *História de uma neurose infantil ("O homem dos lobos")*, *Além do princípio do prazer e outros textos (1917-1920)*. Trad. de Paulo César de Souza. São Paulo: Companhia das Letras, 2010, pp. 161-239.
35. Alfredo Bosi, *O ser e o tempo da poesia*, op. cit., p. 32.
36. Id., "Psicanálise e crítica literária: proximidade e distância", op. cit., p. 19.
37. Ibid., pp. 24-5.
38. Ibid., p. 25.
39. Segundo Freud, a psicologia individual "[...] raramente, apenas em condições excepcionais, pode abstrair das relações deste ser particular com os outros indivíduos. Na vida psíquica do ser individual, o Outro é via de regra considerado enquanto modelo, objeto, auxiliador e adversário, e, portanto, a psicologia individual é também, desde o início, psicologia social, num sentido ampliado mas inteiramente justificável". Sigmund Freud, *Psicologia das massas e análise do eu e outros textos*, op. cit., p. 14.
40. O termo é citado por Freud sem uma conceituação formal, mas o psicanalista já o elabora de modo particular, questionando o cogito cartesiano, atento a sua primeira tópica. Na esteira desse pensamento, Lacan recobra a noção, transformando o sujeito do consciente em sujeito do inconsciente. Sobre a questão, ver seus seminários: livros 2 e 17.
41. Renato Mezan, "Identidade e cultura", in *A vingança da esfinge: Ensaios de psicanálise*. São Paulo: Brasiliense, 1988, p. 254.
42. Ibid., pp. 254-5.
43. Ibid., p. 285.
44. Alfredo Bosi, "O duplo espelho em um conto de Machado de Assis". *Estudos Avançados*, São Paulo, v. 28, n. 80, jan./abr. 2014. Disponível em: <http://dx.doi.org/10.1590/S0103-40142014000100020>. Acesso em: 10 ago. 2016.
45. Id., "Psicanálise e crítica literária: proximidade e distância", op. cit., p. 26.
46. Id., "A máscara e a fenda", in A. Bosi, J. C. Garbuglio, M. Curvelo e V. Facioli (Orgs.), *Machado de Assis*. São Paulo: Ática, 1982, pp. 437-57.
47. Alfredo Bosi, "O duplo espelho em um conto de Machado de Assis", op. cit., p. 239.
48. Segundo Bosi, a questão é igualmente relevante para a ficção e o drama de Pirandello. Cf. "O duplo espelho em um conto de Machado de Assis", op. cit., p. 242.
49. Ibid.
50. Alfredo Bosi, "Psicanálise e crítica literária: Proximidade e distância", op. cit., p. 28.

O CAPÍTULO 19 DE *SÃO BERNARDO*: FUSÃO, TRANSFUSÃO, CONFUSÃO [pp. 142-51]

1. Lúcia Miguel Pereira, "São Bernardo e o mundo seco de Graciliano Ramos", in *A leitora e seus personagens*. Rio de Janeiro: Graphia, 1992.
2. Antonio Candido, *Ficção e confissão*. São Paulo: Ed. 34, 1999.
3. João Luiz Lafetá, "O mundo à revelia", in *A dimensão da noite*. São Paulo: Ed. 34, 2004.
4. Graciliano Ramos, *S. Bernardo*. Rio de Janeiro: José Olympio, 1953.
5. Id., "Paulo Honório", in *10 romancistas falam de seus personagens*. Rio de Janeiro: Edições Condé, 1947.
6. Id., *Memórias do cárcere*. Rio de Janeiro: José Olympio, 1953.
7. Graciliano Ramos, "Paulo", in *Insônia*. Rio de Janeiro: José Olympio, 1955.
8. Em outro testemunho acerca de suas invenções, Graciliano se refere a Paulo Honório: "É possível que esse sujeito reflita alguma tendência que no autor existisse para matar alguém, ato que na realidade não poderia praticar um cidadão criado na ordem, acostumado a ver o pai, homem sisudo e meio-termo, pagar o imposto regularmente". E considera, no fim, o reflexo oblíquo do seu caráter sobre as personagens: "Todos os meus tipos foram constituídos por observações apanhadas aqui e ali, durante muitos anos. É o que penso, mas talvez me engane. É possível que eles não sejam senão pedaços de mim mesmo e que o vagabundo, o coronel assassino, o funcionário e a cadela não existam". ("Alguns tipos sem importância", in *Linhas tortas*. São Paulo: Martins, 1970.)
9. Graciliano Ramos, *Memórias do cárcere*. Rio de Janeiro: José Olympio, 1953.
10. Carpeaux, Otto Maria, *Tendências contemporâneas da literatura*. Rio de Janeiro: Tecnoprint, s.d.
11. Id., "Visão de Graciliano Ramos", in *Ensaios reunidos*. Rio de Janeiro: Topbooks, 1999.
12. Em ensaio posterior, Carpeaux deduz o sentido ideológico radicado na expressão do "lírico estranho": "É esse poder de estilização literária que se encontra com a vontade política de 'estilizar a sociedade', eliminando dela as contradições intrínsecas. Desse modo, o 'libelo contra a humanidade' transforma-se em sequência de acordes, cujo último é o mais intenso dos acordes musicais, o silêncio". ("Graciliano e seu intérprete", in *Teresa — Revista de Literatura Brasileira*, São Paulo: USP/ Ed. 34, n. 2, 2002. Texto originalmente publicado em *O Jornal*, Rio de Janeiro, 23 fev. 1947.)
13. Alfredo Bosi, *História concisa da literatura brasileira*. São Paulo: Cultrix, 1994.
14. Em debate sobre a posição de Graciliano no quadro da cultura nacional, Bosi opina: "Agora, essa visão, tão crítica, não é nem dos modernistas, nem dos regionalistas. Então, eu acho que fica na nossa cabeça o problema: como se formou? Talvez ainda tenhamos, um dia, de fazer a biografia espiritual de Graciliano. Como se formou nele uma crítica tão radical, tanto ao projeto burguês, como ao que nós chamaríamos hoje de populismo, folclorismo, assim por diante... A rejeição dele é total. Talvez essa *escuridão* da obra dele venha de que realmente os projetos em curso não o atraíam". ("Mesa-redonda", in Alfredo Bosi et al., *Graciliano Ramos — Coleção Escritores Brasileiros*. São Paulo: Ática, 1987.)
15. Alfredo Bosi, "A escrita do testemunho em *Memórias do cárcere*", in *Literatura e resistência*. São Paulo: Companhia das Letras, 2008.
16. Id., "Passagens de *Infância* de Graciliano Ramos", in *Entre a literatura e a história*. São Paulo: Ed. 34, 2013.
17. Fiódor Dostoiévski, *Diário de um escritor*. Rio de Janeiro: Tecnoprint, s.d.

18. Aristóteles, "Arte poética", in Aristóteles, Horácio, Longino, *A poética clássica*. São Paulo: Cultrix, 1981.
19. Graciliano Ramos, *São Bernardo*. Rio de Janeiro: José Olympio, 1953.

PREFÁCIO A *DIALÉTICA DA COLONIZAÇÃO* [pp. 152-9]

1. Publicado originalmente em Alfredo Bosi, *Dialética da colonização*. Lisboa: Glaciar; Rio de Janeiro: Academia Brasileira de Letras, 2014.
2. Alfredo Bosi, *Dialética da colonização*, op. cit., p. 406.
3. Ibid., p. 394.
4. Ibid., p. 24.
5. Ibid.
6. Ibid., p. 46.
7. Ibid., p. 74.
8. Ibid., p. 77.
9. Ibid., p. 50.

UMA GENEALOGIA DOS ESCRITOS DE ALFREDO BOSI SOBRE A OBRA DE MACHADO DE ASSIS [pp. 160-71]

1. Alfredo Bosi, "Prólogo", in Machado de Assis, *Cuentos*. Caracas: Biblioteca Ayacucho, 1978, p. XXXIII; recolhido em "A máscara e a fenda", in Alfredo Bosi et al., *Machado de Assis*. São Paulo: Ática, 1982, pp. 437-57; *Encontros com a Civilização Brasileira*, Rio de Janeiro, n. 17, nov. 1979, pp. 117-49; *Machado de Assis: O enigma do olhar*. 4. ed. São Paulo: WMF/Martins Fontes, 2007, pp. 73-125. O trecho foi publicado em português, na edição de 1982, da seguinte forma: "Continuo achando que não importa muito para nós, hoje, saber se os fatores condicionantes eram explicados pelo narrador em termos de um estado natural do homem. Na verdade, se hoje optamos pela outra ponta do processo, vendo na competição social o móvel das assimetrias, talvez possamos um dia compor ambas as interpretações lembrando que Marx quis dedicar a Darwin *O capital*; foi Darwin que não aceitou. Machado de Assis parece ter unido na mesma imagem e no mesmo ser natureza e sociedade".
2. Id., "Raymundo Faoro leitor de Machado de Assis". *Estudos Avançados*, v. 18, n. 51, ago. 2004, pp. 355-76. Recolhido em *Brás Cubas em três versões: Estudos machadianos*. São Paulo: Companhia das Letras, 2006, pp. 104-30.
3. Id., "Brás Cubas em três versões". *Teresa — Revista de Literatura Brasileira*, São Paulo: FFLCH--USP/ Ed. 34/ Imprensa Oficial, n. 6/7, 2006, pp. 279-317.
4. Id., "Machado de Assis", in *História concisa da literatura brasileira*. São Paulo: Cultrix, 1970, pp. 193-203, 271-3. Recolhido em *"Misa de gallo" y otros cuentos*. Bogotá: Norma, 1990, pp. 15-31.
5. Id., "Uma figura machadiana", in *Esboço de figura: Homenagem a Antonio Candido*. São Paulo: Duas Cidades, 1979, pp. 157-68. Recolhido em Alfredo Bosi, *Céu, inferno: Ensaios de crítica literária e ideológica*. São Paulo: Ática, 1988, pp. 58-71; *Machado de Assis: O enigma do olhar*. São Paulo: Ática, 1999, pp. 127-48.

6. Id., "Apresentação", in Machado de Assis, *Memorial de Aires*. São Paulo: Ática, 1973, p. 5.
7. Id., "O enigma do olhar", in *Machado de Assis: O enigma do olhar*. São Paulo: Ática, 1999, p. 40.
8. Id., *Machado de Assis*. São Paulo: Publifolha, 2002, p. 67.
9. Ibid., p. 40.
10. Id., "A máscara e a fenda", in Alfredo Bosi et al., *Machado de Assis*, op. cit., p. 457.
11. Alfredo Bosi, "O enigma do olhar", in *Machado de Assis: O enigma do olhar*, op. cit., p. 26.
12. Ibid., pp. 58-9.
13. Cf. Alfredo Bosi, "Um nó ideológico: sobre o enlace de perspectivas em Machado de Assis", in *Ideologia e contraideologia: Temas e variações*. São Paulo: Companhia das Letras, 2010, pp. 398-421.
14. Id., "O enigma do olhar", in *Machado de Assis: O enigma do olhar*, op. cit., pp. 11-22.
15. Id., *Brás Cubas em três versões: Estudos machadianos*. São Paulo: Companhia das Letras, 2006.
16. Id., "Machado de Assis na encruzilhada dos caminhos da crítica". *Machado de Assis em Linha*, ano 2, n. 4, dez. 2009. Disponível em: <http://machadodeassis.fflch.usp.br/sites/machadodeassis.fflch.usp.br/files/u73/num04artigo02.pdf>. Acesso em: 12 abr. 2017.

O ITINERÁRIO DE DUAS TESES E A COMPREENSÃO DA OBRA DE ALFREDO BOSI
[pp. 172-200]

1. "Céus, infernos", entrevista a Augusto Massi. *Novos Estudos Cebrap*, n. 21, jul. 1988, p. 106.
2. Entrevista cedida ao autor.
3. Ibid.
4. Ibid.
5. Sobre este momento importante de sua formação, Bosi diria outra vez mais, na entrevista a nós cedida: "A gênese do ensaio, como já observei, é existencial, pois se tratava de exprimir uma perplexidade pessoal em torno do problema da persona, dilacerada entre a fluidez vital dos sentimentos e paixões e a fôrma rígida imposta pelas instituições sociais. Essa divisão, que eu próprio experimentava em minha vida interior, está admiravelmente expressa na construção das personagens pirandellianas. O conflito 'vita vs. Forma' é estrutural nas suas novelas e ganhará tons dramáticos em suas novelas e peças".
6. Alfredo Bosi, *Itinerario della narrativa pirandelliana*. Tese (Doutorado): USP, FFLCH, 1964. Doravante, INP: 1. "[Pirandello] gostava de pensar que, então, seu teatro se afiguraria como um parêntese em sua extensa obra de narrador." Sigo a tradução dos amigos Letizia Zini e Massimiliano Lombardo. A tese, hoje depositada na biblioteca da FFLCH, está dividida em cinco capítulos e tem 156 páginas. Ainda não foi digitalizada, como a maioria dos documentos desta universidade produzidos antes da década de 1990. Foi escrita em italiano, por uma exigência da época.
7. INP: 2. "Parece que chegou a hora de uma análise mais detalhada de Luigi Pirandello narrador, como narrador anterior, contemporâneo e posterior ao dramaturgo."
8. Ibid. "A história de uma obra literária é também a história de uma alma e das relações com o desenvolvimento cultural em que deve ser inserida."
9. INP: 2-3. "a) Os contos e os romances juvenis, com evidentes traços do *Verismo*, embora alicerçados nos motivos da solidão e da evasão, tipicamente pessoais; b) a maturidade expressiva que reflete o humorismo patético do qual, desde então, Pirandello foi o intérprete consciente; c) a radicalização dos motivos psicológicos e gnoseológicos estilizados discursivamente, que marca a

produção imediatamente posterior; d) as saídas em direção aos mitos da natureza e da vida inconsciente (o sonho e o mistério), estilizados segundo modos aproximadamente surrealistas."

10. INP: 3. "Nenhuma confusão entre 'fundamentos' e 'causas', como poderia concluir uma perspectiva positivista."

11. Ibid. "As linhas de pensamento e as correntes de sentimento."

12. Ibid. "*Histórico*, porque se respeitam a ordem cronológica e os encontros com as correntes culturais contemporâneas ao nosso autor, e *estético*, porque se estabelecem as relações necessárias entre as características pessoais que definem a humanidade de Pirandello e sua expressão literária." Retomando o tema tempos depois, Bosi diria: "datas são pontas de icebergs". Alfredo Bosi, "O tempo e os tempos", in Adauto Novaes (Org.), *Tempo e história*. São Paulo: Companhia das Letras, 1992, p. 19.

13. INP: 4.

14. INP: 5. "Simboliza três gerações espirituais e se conclui em proximidade da mais trágica de todas — aquela que assistiu à Segunda Guerra Mundial."

15. Ibid. "Foi um dos poucos intelectuais italianos que, numa época de tendências retoricamente nacionalistas (e, portanto, provincianas), conseguiu dar fôlego europeu à literatura italiana e, consequentemente, uma vez alcançada a universalidade, transpor os estreitos limites do público nacional, como prova seu sucesso imediato no mundo inteiro."

16. INP: 9. "O abismo econômico, social e espiritual entre a nova estrutura do Reino da Itália, que se autodefine liberal e democrático, e o arcaico, semifeudal mundo sobrevivente da civilização siciliana, ainda *borbônica* e latifundiária no campo, ociosa e barrocamente aristocrática nas cidades."

17. Ibid. "Portanto, aquele que melhor do que os outros correspondia ao impulso vital, ao ritmo progressista da história, o que guardava a parte mais positiva e fecunda da herança romântica para transmiti-la às gerações futuras."

18. Sapegna apud Bosi, ibid. "Uma estrutura política essencialmente burocrática e policial, incapaz de produzir uma verdadeira solidariedade entre as diferentes forças sociais, de resolver o conflito entre o norte e o sul da península, de introduzir na vida do Estado, como elemento ativo e participante, as populações meridionais massacradas pela miséria, ignorância e pelo costume arraigado de relações feudais."

19. INP: 15. "E, sem ultrapassar os limites do pensamento italiano, eis que se revelam ao nosso espírito como sendo unilaterais não somente a visão economicista dos materialistas históricos, de Labriola a Gramsci, mas também o idealismo historicista de Benedetto Croce."

20. Ibid. "A obra brota da trama histórica concreta em que estão amplamente incluídas as necessidades econômicas."

21. INP: 15-16. "Quando se trata de analisar o fruto de uma personalidade artística, cada uma das teorias escolhe a priori o momento que mais diz respeito à sua visão de mundo particular: o materialismo histórico opta pelo momento do conteúdo bruto, anterior e exterior à escolha do artista, dogmatizando, em seguida, que não houve, de fato, uma escolha verdadeira, sendo impossível para o artista subtrair-se às forças sociais que o formaram antes e durante a criação literária; o idealista, ao contrário, insiste no momento criador, insubstituível, gerado por uma imaginação individual, por um conjunto de estados de espírito e por uma estrutura moral específica, aspectos, enfim, que isolam e enfatizam os fatores pessoais, pondo entre parênteses as pressões socioeconômicas. Por outro lado, uma posição meramente eclética não teria condição de resolver o nó da questão, a não ser que se escamoteiem os princípios fundamentais das teorias conflitantes. O ma-

terialismo, mesmo que dialético, é sempre materialismo nas suas categorias organizadoras das atividades espirituais; e o idealismo, mesmo que se declare, na perspectiva crociana, absolutamente historicista, prescinde das relações históricas concretas quando se trata de caracterizar a essência de uma obra de arte e, no momento seguinte, de avaliá-la como arte. *'Tertius non datur?'* Convém reformular a questão. Do que se trata? De explicar *atos* humanos, atos pessoais, que nascem em determinadas circunstâncias culturais (categoria da socialidade), mas que se diferenciam de outros atos igualmente culturais em virtude de uma direção específica da imaginação e do sentimento, ao mesmo tempo contemplador e criador (categoria da esteticidade). A negação peremptória e polêmica de qualquer um desses momentos ignora, na nossa opinião, o método dialético hegeliano do qual se originam ambas as posições e postula princípios geradores absolutos (matéria ou espírito), que são precisamente, as características da metafísica racionalista, que estes descendentes de Hegel pretendem superar. O único ponto de referência real e vivo que deve ser levado em consideração no estudo de uma obra de arte não é, nem pode ser, uma categoria considerada abstratamente (matéria ou espírito; socialidade ou esteticidade), mas a personalidade do autor: o homem como, ao mesmo tempo, agente da forma artística e paciente de uma estrutura social dada. As relações entre o conjunto sociocultural e a obra literária são estabelecidas pela personalidade do autor, a qual não deve ser considerada, idealisticamente, como um aglomerado informe de dados sociais, pura passividade de espelho, mas como *possibilidade de mediação, de atividade, de formação."* [Grifos meus.]

22. Luiz Carlos Bresser-Pereira, *As revoluções utópicas na década de 60*. São Paulo: Ed. 34, 2006, p. 107.

23. Francisco C. Rolim, "Comunidades Eclesiais de Base e camadas populares". *Encontros com a Civilização Brasileira*, Rio de Janeiro, n. 22, 1980, p. 93.

24. Bosi tece considerações importantes e mais pormenorizadas acerca de Lebret em *Ideologia e contraideologia*. Remeto o leitor mais interessado à sua consulta, especialmente pp. 257-76. Cf. também "Da esquerda cristã à Teologia da Libertação", ms., inédito, cedido gentilmente por Bosi, escrito em homenagem a Michel Löwy, posteriormente publicado em *As utopias de Michael Löwy*. São Paulo: Boitempo, 2007.

25. Esse momento histórico da vida de Alfredo Bosi lê-se na entrevista com o autor intitulada "Alfredo Bosi entre a fé e a razão". Entrevista a Hélio Rocha de Miranda e Paulo César Carneiro Lopes. Revista *Cultura Vozes*, Petrópolis, v. 95, n. 1, jan./fev. 2001, pp. 87-97. Chamo a atenção do futuro estudioso de nosso autor para esta entrevista, esclarecedora da integração entre os conceitos bosianos de engajamento religioso e literário. Nela fica claro, dentre outras coisas, o começo de uma nova abertura do catolicismo para as ideias de esquerda e para outras frentes, como o marxismo e o hegelianismo, doutrinas que nunca foram filosofias oficiais na Igreja. São mudanças que pessoas como Alceu Amoroso Lima e Jacques Maritain, bem como o padre Lebret — "o mais importante para a Ação Católica" — levariam à frente. Cf. os artigos da revista *Novos Estudos Cebrap* (v. 1, n. 2, abr. 1982, pp. 48-58). De Faustino Teixeira, "Faces do catolicismo brasileiro contemporâneo" (*Revista Usp*, n. 67, nov./dez. 2005, pp. 14-23). De Michael Löwy, "Origens sócio-religiosas do movimento dos trabalhadores sem-terra (MST) do Brasil" (Revista *Cultura Vozes*, v. 94, n. 3, maio/jun. 2000, pp. 12-20); Marcelo de Carvalho Azevedo, *Comunidades eclesiais de base e inculturação da fé*. São Paulo: Loyola, 1986.

26. Erich Auerbach apud Waizbort: "Podemos dizer de toda obra de arte que ela é determinada essencialmente por três fatores: pela época de sua origem, pelo local e pela peculiaridade de seu

criador [...] seu pressuposto é um círculo de seres humanos circunscrito diante de um exterior, que obteve uma determinada posição na vida terrena e tem interesse em conhecê-la e considerá-la criticamente. Assim, a novela está sempre em meio ao tempo e em meio ao lugar; ela é um pedaço de história". Leopoldo Waizbort, "Erich Auerbach sociólogo". *Tempo Social*, São Paulo, USP, v. 16, n. 1, jun. 2004, p. 61. É possível que os pontos de contato professos possam ser encontrados em Vico, em vista de ambos, Bosi e Auerbach, esposarem um tipo de historicismo muito afim às considerações do filósofo italiano. Note que, em 1924, Auerbach traduziu e prefaciou para o alemão a *Ciência nova*.

27. INP: 33. "Cujo estado de espírito habitual oscila entre o assombro ante a incompreensibilidade da vida e o afastamento progressivo de todo vínculo social, em direção a uma fuga incoercível."

28. INP: 37. "Cuja mimese fiel ofereceria a visão do homem como ele é, um anti-herói representado, segundo Pinzone, por uma inconsistente não arte."

29. INP: 38. "*Tipo, persona*, no antigo sentido teatral de *máscara*: aquele que tem uma estrutura moral qualquer, aquele que *desempenha um determinado papel*, papel que o define, o caracteriza, que faz dele alguém." [Grifos do autor.]

30. Michel Zéraffa, *Pessoa e personagem*. Trad. de João Luiz Gaia e J. Ginsburg. São Paulo: Perspectiva, 2010, p. 13. [Grifo do autor.]

31. INP: 39. "*Destino* e *fatalidade* que se repetem na boca da mãe do contador Griffi." "A vida é e não pode não ser o que é."

32. INP: 41. "Aquele drama da incomunicabilidade sem saída."

33. Michel Zéraffa, *Pessoa e personagem*, op. cit., p. 101. [Grifo do autor.]

34. Ibid. "São os pressupostos da passagem do positivismo às diversas formas de irracionalismo e de indeterminismo que agitaram a cultura europeia entre o final do século XIX e o começo do século XX."

35. INP: 57. "Desses anos em diante, parece exígua a produção narrativa de Pirandello, totalmente comprometido a se expressar numa outra forma artística, mais apropriada para radicalizar a temática que vinha sendo amadurecida nas novelas e nos romances e que, inclusive, era mais propícia para criar uma comunicação imediata com o público."

36. INP: 58. "O amargo sentimento de exílio em uma obra de amplo fôlego narrativo."

37. Ibid. "Tendo desabafado, então, o mais urgente sentimento, ele teve a paciência de construir, analiticamente, um longo conto, dentro do qual o leitor pudesse acompanhar as vivências de uma vida e entender, guiado pela perspectiva do próprio personagem, o motivo do seu desenfreado desejo de evasão."

38. INP: 63. "Laboriosamente criado pelo narrador que deixou amadurecer (embora com 'um tanto de feridas') o novo homem no coração do velho."

39. INP: 64. "O mito da liberdade natural (entreolhado na novela *Fuoco alla paglia*) revela-se, agora, na breve vida de Adriano Meis, não na desejada forma de uma evasão, mas como pura *impossibilidade*." [Grifo do autor.]

40. Michel Zéraffa, *Pessoa e personagem*, op. cit., pp. 101 e 106. [Grifo do autor.]

41. INP: 65. "No começo, a 'serena e inefável embriaguez'; por fim, o 'fantoche triste e detestável': eis a parábola de uma fuga, da almejada reconstrução do 'eu', violentamente desarraigado das suas condições originais."

42. INP: 67-8. "O homem não apenas *vive*, mas *vê a si mesmo vivendo*, o que gera o desdobramento da personalidade no âmbito da espontaneidade vital e da reflexão (gerada por exigências sociais),

tragicamente opostas, pois o segundo plano ameaça, e, muitas vezes, até consegue eliminar o primeiro." [Grifos do autor.]

43. INP: 68. "O centro da biografia sentimental de Pirandello."

44. INP: 73-4. "As características estruturais mencionadas acima podem ser analisadas por si mesmas, mas somente se as reconduzimos apropriadamente à *unidade intencional* e *afetiva* que *subordina todas a si mesma*, determinando sua necessidade e (nos momentos menos bem-sucedidos) apontando sua superficialidade e impertinência." [Grifos meus.]

45. Alfredo Bosi, "Narrativa e resistência", in *Literatura e resistência*. São Paulo: Companhia das Letras, 2002, p. 119. [Grifo do autor.]

46. Dada a importância dessa discussão no âmbito do que dizemos, consulte-se "Narrativa e resistência", in *Literatura e resistência*, op. cit., pp. 119 ss; "A interpretação da obra literária", in *Céu, inferno*. São Paulo: Ed. 34, 2003, pp. 466 ss.; "Figuras do narrador machadiano", in Antonio F. de Franceschi (Org.), *Cadernos de Literatura Brasileira*. Rio de Janeiro: Instituto Moreira Sales, n. 23-4, jul. 2008, pp. 130 ss.; "Um nó ideológico: sobre o enlace de perspectivas em Machado de Assis", in *Ideologia e contraideologia*. São Paulo: Companhia das Letras, 2010, pp. 406 ss.

47. Número que nem de longe é pequeno, dado o tempo a que se refere nossa fala.

48. Entrevista ao autor.

49. Luiz Costa Lima, "Estruturalismo e crítica literária", in Luiz Costa Lima (Org.), *Teoria da literatura em suas fontes*. Rio de Janeiro: Civilização Brasileira, 1983, v. 2, pp. 785-6.

50. Ibid., p. 787. [Grifos meus.]

51. Ibid., p. 788. [Grifos do autor.]

52. Antonio Candido, "A passagem do dois ao três", in Vinícius Dantas (Org.), *Textos de intervenção*. São Paulo: Duas Cidades; Ed. 34, 2002, p. 62.

53. A resposta definitiva a esse estado de coisas será a entrada definitiva como historiador da literatura com o livro *História concisa da literatura brasileira*, de 1970, e a teorização bastante consequente no plano literário, de que é fruto a reunião de artigos que compõem *O ser e o tempo da poesia*, publicado sete anos depois.

54. William K. Wimsatt e Cleanth Brooks, *Crítica literária: Breve história*. Trad. de Ivete Centeno e Armando Morais. 2. ed. Lisboa: Fundação Calouste Gulbenkian, 1980, p. 830.

55. Alfredo Bosi, *Mito e poesia em Giacomo Leopardi*. Tese (Livre-Docência), USP, FFLCH, 1970. Doravante, MP: 3. Esta tese, como a anterior, segue não digitalizada. Foi defendida em português, contém um capítulo de método, seguido de outros quatro de análise, perfazendo 161 páginas datilografadas. Cito-a sem atualizar o texto.

56. Na p. 4, Bosi dirá: "*Ideologia e estrutura* são, hoje, os polos de reflexão nas ciências humanas". [Grifos do autor.]

57. MP: 5, nota. Não atualizei os termos, mantenho-os tal como Bosi os escreveu em 1970.

58. MP: 5. [Grifos meus.]

59. Aspecto rememorado em "Caminhos entre a literatura e a história": em vez de analisar a obra de Leopardi como combinação de mitemas básicos (o que seria seguir o modelo estruturalista, que é sintático), preferi reconhecer nos temas fundamentais do poeta a reinterpretação lírica de alguns mitos da nossa cultura judaico-cristã ou greco-romana, como mito da natureza edênica, o mito do paraíso perdido ou da queda e o mito prometeico da resistência do homem à força dos deuses, isto é, à força do destino; o que resultou em dar à análise um modelo semântico.

60. Ibid., p. 7. [Grifo meu.]

61. Ibid. Não custa lembrar que já o *New Criticism* vinha também repensando as questões autorais, de que dá exemplo, o influentíssimo artigo de William Wimsatt, "The Intentional Fallacy", in *The Verbal Icon: Studies in the Meaning of Poetry*. EUA: Kentucky Press, 1954, pp. 3-20. Menciono isso sem contar as manifestações intelectuais vindas do Formalismo Russo. Em todos esses movimentos, a tônica era entender como a *maquinaria textual* funciona.

62. MP: 8. [Grifos meus.]
63. MP: 10. [Grifos meus.]
64. MP: 9-10.
65. MP: 15, nota.
66. MP: 16.
67. MP: 19-20. [Grifos do autor.]
68. MP: 20.
69. MP: 21.
70. Dirá Bosi: "Nessa perspectiva, o Hamlet pode transpor o mito de Édipo, mas de modo algum se exaure nessa assunção. É mito, mas não é só mito, *porque é mito na história*". Ibid., p. 23. [Grifos do autor.]
71. Sobre este ponto, cf. *Le Dieu caché. Étude sur la vision tragique dans la "Pensées" de Pascal et dans le théâtre de Racine*. Paris: Gallimard, 1959.
72. Ibid.
73. MP: 34-5. [Grifos meus.]
74. MP: 35.
75. MP: 37.
76. Alfredo Bosi, "Uma leitura de Vico", in *O ser e o tempo da poesia*. São Paulo: Companhia das Letras, 2000, p. 239. [Grifos meus.]
77. MP: 77. [Grifos meus.]
78. MP: 79. [Grifos meus.]
79. Perspectiva que seria desdobrada na palestra com que inicia o Simpósio "Tempo e História", em uma segunda-feira, 13 de abril de 1992, denominada "O tempo e os tempos", recolhida em Adauto Novaes (Org.), *Tempo e história*, op. cit.
80. William K. Wimsatt e Cleanth Brooks, *Crítica literária: Breve história*, op. cit., p. 840.
81. MP: 116. [Grifos meus.]
82. Ibid.
83. MP: 117. [Grifos meus.]
84. MP: 121-2.
85. MP: 125.
86. MP: 136. [Grifos do autor.]
87. As citações estão nas pp. 137 a 139.
88. Entrevista ao autor.
89. MP: 142. [Grifos do autor.]
90. MP: 143.
91. MP: 143-4. [Grifos meus.]
92. Otto Maria Carpeaux, "Poesia e ideologia", in *Ensaios reunidos*. Rio de Janeiro: Topbooks, 1999, v. 1, p. 276.

ÁGUA DE BEBER [pp. 201-6]

1. Este texto é uma versão, adaptada para este livro, do "Discurso de saudação" proferido por ocasião da outorga do título de professor emérito, pela Faculdade de Filosofia, Letras e Ciências Humanas da USP, a Alfredo Bosi, em 12 de março de 2009.

O PRÉ-MODERNISMO COMO CONCEITO DE HISTÓRIA LITERÁRIA [pp. 207-17]

1. Tristão de Ataíde, "Vozes de perto". *O Jornal*, Rio de Janeiro, 18 jan. 1931, p. 4.
2. Alceu Amoroso Lima, *Primeiros estudos: Contribuição para a história do modernismo literário*. Rio de Janeiro: Agir, 1948, p. 11.
3. Tristão de Ataíde, "Síntese". *Lanterna Verde*, Rio de Janeiro, nov. 1936 (4), p. 93.
4. Ibid., p. 90.
5. José Paulo Paes, *As quatro vidas de Augusto dos Anjos*. São Paulo: Pégaso, 1958, p. 20.
6. Afrânio Coutinho, "Simbolismo, impressionismo, modernismo", in *A literatura no Brasil*. Rio de Janeiro: Livraria São Jose, 1959, v. 3, t. 1, p. 63.
7. Fernando Góes (Org.), *Panorama da poesia brasileira — Volume V: O pré-modernismo*. Rio de Janeiro: Civilização Brasileira, 1960, p. xxiv.
8. Ibid., pp. xxiv-xxv.
9. Alfredo Bosi, *O pré-modernismo*. São Paulo: Cultrix, 1966, p. 11.
10. Lúcia Miguel Pereira, *Prosa de ficção (De 1870 a 1920)*. 2. ed. Rio de Janeiro: José Olympio, 1957, p. 13.
11. Alfredo Bosi, *O pré-modernismo*, op. cit., p. 77.
12. Ibid., p. 12.
13. Ibid., p. 20.
14. Ibid., p. 38.
15. Ibid., p. 55.
16. Alfredo Bosi, *História concisa da literatura brasileira*. 3. ed. São Paulo: Cultrix, 1989, p. 345. Grifo do autor.
17. Alfredo Bosi, *O pré-modernismo*, op. cit., p. 95.
18. Ibid., p. 77.
19. Alfredo Bosi, *História concisa da literatura* brasileira, op. cit., p. 219.
20. Ibid., p. 375.
21. Alfredo Bosi, "Moderno e modernista na literatura brasileira", in *Céu, inferno: Ensaios de crítica literária e ideológica*. 2. ed. São Paulo: Ed. 34, 2003, p. 209. A publicação original é de 1988.
22. Ver José Paulo Paes, "O art nouveau na literatura brasileira" e "Augusto dos Anjos e o art nouveau", ambos reunidos em: *Gregos & baianos*. São Paulo: Brasiliense, 1985.
23. Em um livro didático de 1979, os autores arrolados são cinco, já que Graça Aranha está excluído. Ver A. Medina Rodrigues et al., *Antologia da literatura brasileira: Textos comentados*. São Paulo: Marco, 1979, v. 1, pp. 237-77.
24. Luís Augusto Fischer, "Pré-modernismo é a mãe", in *Para fazer a diferença*. Porto Alegre: Artes e Ofícios, 1998, p. 175.

25. Apud Fábio Lucas, "A angústia da dependência". *Folha de S.Paulo*, Caderno Mais!, 29 dez. 1996, pp. 5-3.

26. Vera Lins, *Novos pierrôs, velhos saltimbancos*. Curitiba: Secretaria de Estado da Cultura, 1998.

27. Ver Antonio Arnoni Prado e Francisco Foot Hardman, *Contos anarquistas*. São Paulo: Brasiliense, 1987.

28. Ver Flora Süssekind, *Cinematógrafo de letras*. São Paulo: Companhia das Letras, 1987.

29. Ver José Murilo de Carvalho et al., *Sobre o pré-modernismo*. Rio de Janeiro: Fundação Casa de Rui Barbosa, 1988.

MACHADO DE ASSIS EM PERSPECTIVA COMPARADA [pp. 218-30]

1. Este texto retoma e amplia o artigo "Os múltiplos perfis da obra machadiana", publicado na revista *Estudos Avançados*, São Paulo, v. 21, n. 59, 2007, pp. 371-9.

2. Austin Warren e René Wellek, *Teoria da literatura*. Trad. de José Palla e Carmo. Lisboa: Publicações Europa-América, 1971, p. 173. [No original: "*The natural and sensible starting point for work in literary scholarship is the interpretation and analysis of the works of literature themselves*". *Theory of Literature*. Nova York: Harcourt, Brace and Company, 1949, p. 139.]

Ao mesmo tempo que surgia, nos Estados Unidos, essa *Theory of Literature*, Wolfgang Kayser publicava em Portugal e na Alemanha um manual (*Análise e interpretação da obra literária*; *Das sprachliche Kunstwerk*) que revela muitas semelhanças com a perspectiva e o objetivo didático de Wellek e Warren. Vale assinalar que aos conceitos de abordagem "extrínseca" e "intrínseca" no manual americano corresponde em Kayser — aliás, o primeiro tradutor para o alemão das *Memórias póstumas de Brás Cubas* — a divisão geral em conceitos fundamentais da "análise" e da "síntese".

3. Alfredo Bosi, "A interpretação da obra literária", in *Céu, inferno: Ensaios de crítica literária e ideológica*. São Paulo: Duas Cidades; Ed. 34, 2003, p. 461. A primeira edição, publicada pela editora Ática, é de 1977. Com observação semelhante, Wolfgang Iser abre a sua grande obra de maturidade *O fictício e o imaginário*, que busca estabelecer os fundamentos para uma nova antropologia literária: "Literatura necessita de interpretação pois aquilo que ela verbaliza não existe independentemente dela ou não seria acessível senão por ela". *Das Fiktive und das Imaginäre: Perspektiven literarischer Anthropologie*. Frankfurt: Suhrkamp, 1993. [Ed. bras.: *O fictício e o imaginário: Perspectivas de uma antropologia literária*. Trad. de Johannes Kretschmer. Rio de Janeiro: EDUERJ, 1996.]

4. Em artigo publicado em *O Estado de S. Paulo* em 24 de janeiro de 1959 ("Machado e Bandeira"), Carpeaux caracterizava a "conversão" do narrador italiano Giovanni Verga, entre os vários exemplos de *twice-born* arrolados, como a "analogia mais surpreendente com o caso de Machado de Assis". Artigo recolhido em *Ensaios reunidos 1946-1971*. Rio de Janeiro: Topbooks, 2005, pp. 456-9.

Quanto ao conceito de "literatura mundial", dizia o velho poeta a Johann Peter Eckermann no dia 31 de janeiro de 1827 (numa notável lição de comparativismo *avant la lettre*): "Mas a verdade é que se nós, alemães, não olharmos para além do estreito círculo de nossas relações, cairemos facilmente em pedante presunção. Por isso gosto de ver o que se passa nas nações estrangeiras e aconselho a cada um a fazer o mesmo. Literatura nacional não quer dizer muita coisa nos dias de hoje; chegou a época da literatura mundial e cada um deve atuar agora no sentido de acelerar essa época".

5. A estruturação do ensaio em "três versões" deve-se certamente à influência do pensamento estético de Luigi Pareyson (1918-91), cuja *Teoria della formatività* (Milão, 1954) é comentada por Alfredo Bosi no pequeno volume *Reflexões sobre a arte* (São Paulo: Ática, 1985). Para Pareyson, que em 1971 publica *Verità e interpretazione* (obra considerada na hermenêutica o *pendant* italiano de *Verdade e método*, de Hans-Georg Gadamer), "fazer", "conhecer" e "exprimir" constituem as três vias do trabalho artístico. Em três capítulos das *Reflexões*, o crítico brasileiro comenta esses momentos em termos de "construção", "conhecimento" (que engloba o conceito de mímesis) e "expressão".

6. Em português, o ensaio foi publicado na *Teresa — Revista de Literatura Brasileira*. São Paulo: USP/ Ed. 34/ Imprensa Oficial, n. 6/7, 2006, pp. 318-38.

7. Alfredo Bosi, "Um nó ideológico: sobre o enlace de perspectivas em Machado de Assis", in *Ideologia e contraideologia*. São Paulo: Companhia das Letras, 2010, pp. 398-421.

Também Antonio Candido, em seu "Esquema de Machado de Assis" (in *Vários escritos*. São Paulo: Duas Cidades, 1995, pp. 17-39), ressalta que a leitura de Dostoiévski e Pirandello possibilitou a Meyer ultrapassar a "visão humorística e filosofante" que se tinha de Machado, e mostrar "que na sua obra havia muito do 'homem subterrâneo' do primeiro, e do ser múltiplo, impalpável, do segundo".

Vale assinalar que tanto Alfredo Bosi quanto Antonio Candido fecham seus textos com a afirmação da primazia da obra machadiana sobre os esforços teóricos dos críticos. Enquanto Candido conclui seu "Esquema de Machado de Assis" aconselhando "a cada um que esqueça o que eu disse, compendiando os críticos, e abra diretamente os livros de Machado de Assis", Bosi pondera ao final de sua abordagem dos fios ideológicos urdidos na fatura das *Memórias póstumas* que "o melhor talvez seria atá-los de novo e deixar que formem o nó como fez com eles Machado de Assis".

8. Alfredo Bosi, "Um nó ideológico: Sobre o enlace de perspectivas em Machado de Assis", in *Ideologia e contraideologia*, op. cit., p. 400. O autor procura alicerçar essa hipótese recorrendo também a momentos anteriores à era napoleônica, por exemplo, ao reconstituir a teoria política de John Locke e apontar, já nesse manancial do liberalismo inglês, a "conjugação de retórica universalizante e interesses particulares", uma vez que Locke, que fora acionista da Royal African Company, também teria legitimado a escravidão enquanto "um ato de força tornado legal (*a lawful conqueror*) e [a] reconhecido como pacto imemorial". Sobre John Locke ver em especial os segmentos "Propriedade e trabalho: do estado de natureza à invenção do dinheiro", no capítulo "As ideias liberais e sua difusão da Europa ao Brasil", pp. 276-302, e também "De Locke a Rousseau: o direito e o avesso do liberalismo", no capítulo "Rousseau: do homem natural ao pacto social", pp. 23-37.

9. Tem-se aqui, mais uma vez, uma reflexão que será retomada, em chave de análise ideológica, no ensaio que fecha o volume *Ideologia e contraideologia* à luz do episódio em torno da "linda Marcela": "quem fala do rapazelho estroina de 1822 e o julga imoral é o defunto-autor que saiu da vida em 1869, ou, se ainda não suprimimos o autor, é Machado de Assis, que escreve em 1880. *Essa distância temporal considerável tem consequências na malha ideológica do livro*". Alfredo Bosi, segmento "As joias de Marcela amarradas por três fios ideológicos", no capítulo "Um nó ideológico: sobre o enlace de perspectivas em Machado de Assis", in *Ideologia e contraideologia*, op. cit., p. 403.

10. Alfredo Bosi, "O duplo espelho em um conto de Machado de Assis", in *Três leituras: Machado, Drummond, Carpeaux*. São Paulo: Ed. 34, 2017, pp. 7-33. [Ensaio publicado originalmente na revista *Estudos Avançados*, São Paulo, v. 28, n. 80, 2014, pp. 237-46.]

11. Referidos a Machado, os termos "moralismo" e "moralista" (derivados do plural latim *mores*, costumes) devem ser entendidos sempre no contexto específico de escritores e filósofos que,

evitando lições de ética ou platitudes moralizantes, empenharam-se em desvendar e analisar as contradições ditadas pelas paixões humanas. A importância que Alfredo Bosi atribui aos moralistas na formação do ponto de vista do cronista e ficcionista Machado de Assis transparece na ampla compilação apresentada no capítulo "Materiais para uma genealogia do olhar machadiano", em *O enigma do olhar*. A compilação é introduzida por uma observação do comparativista Augusto Meyer que situa o escritor carioca na mesma "raça" dos moralistas: "Lá está ele, entocaiado no pretexto de sua ficção, fazendo mira, dormindo na pontaria. Atingir, além da máscara superficial, gestos e palavras, a essência turva do homem, o seu centro oculto — não pode haver, para o 'grande lascivo', volúpia mais ardente".

12. Faoro toma essas imagens do livro de Meyer H. Abrams sobre o romantismo inglês e alemão: *The Mirror and the Lamp* (1953); citado na edição em espanhol de 1972, *El espejo e la lampara* (Buenos Aires: Editorial Nova).

13. Pensamentos de Leopardi e aforismos de Schopenhauer constituem as duas últimas seções do mencionado capítulo "Materiais para uma genealogia do olhar machadiano" (*O enigma do olhar*). Disseminada por toda a obra de Machado, a filosofia schopenhauriana (trata-se aqui do capítulo 44 de *O mundo como vontade e representação*) oferece o substrato para uma de suas crônicas mais terríveis, "O autor de si mesmo", de 16 de junho de 1895: o caso, que terá se passado em Porto Alegre, do pequenino Abílio, trancafiado pelos pais numa estrebaria e agonizando longamente sob bicadas de galinhas. Machado faz a criança travar, em seus últimos instantes, uma discussão com Schopenhauer, que responsabiliza tão somente a "ânsia" da criança em "vir a este mundo", tendo promovido assim o encontro dos futuros progenitores.

Em perspectiva menos macabra (e sem menção ao filósofo de Danzig), esse pensamento parece retornar no capítulo VI de *Esaú e Jacó*: "A conclusão é que, por uma ou por outra porta, amor ou vaidade, o que o embrião quer é entrar na vida. César ou João Fernandes, tudo é viver, assegurar a dinastia e sair do mundo o mais tarde que puder".

14. Trata-se da sentença 737 na numeração estabelecida por Max Hecker em 1907. Goethe inseriu essa mesma sentença no "Diário de Otília", a etérea e desventurada personagem do romance *As afinidades eletivas* (5º capítulo da 2ª parte).

ALFREDO BOSI E A CRÍTICA FORA DO BRASIL [pp. 231-40]

1. Michel de Montaigne, "Des Cannibales", in *Oeuvres complètes*. Org. de Robert Barral. Paris: Éditions du Seuil, 1967, pp. 98-103.

2. Diante da postura entre violenta e condescendente de Próspero, Caliban exclama: *"You taught me language; and my profit on't/ Is, I know how to curse. The red plague rid you/ For learning me your language!"*. William Shakespeare, *The Complete Works of William Shakespeare*. MIT. Disponível em: <http://shakespeare.mit.edu/tempest>. Acesso em: 14 abr. 2017.

3. As referências aqui evocadas marcam profundamente os estudos latino-americanos na academia de língua inglesa, seja pela presença ainda central das teses de Ángel Rama na discussão do papel do intelectual na região, seja na força dos *subaltern studies* na imaginação do espaço periférico (do) latino-americano. Referência clássica dos *subaltern studies* é: Gayatri Chakravorty Spivak, "Can the Subaltern Speak?", in *The Post-Colonial Studies Reader*. Org. de Bill Ashcroft, Gareth Williams, Helen Tiffin. Nova York: Routledge, 2007, pp. 28-37.

4. Pedro Meira Monteiro, "Literature and Difference: A Conversation with Alfredo Bosi". *ellipsis* 4, 2006, pp. 151-163.

5. Alfredo Bosi, *Colony, Cult and Culture*. Org. de Pedro Meira Monteiro. Trad. de Robert Patrick Newcomb. Dartmouth: University of Massachusetts Dartmouth, 2008. Disponível em: <http://www.laabst.net/laabst1>. Acesso em: 14 abr. 2017.

6. Id., *Brazil and the Dialectic of Colonization*. Trad. de Robert P. Newcomb. Champaign: University of Illinois Press, 2015. Ainda de Robert P. Newcomb, sobre Bosi, cf. "Under the Sign of an Evil Power: Jacob Burckhardt and Alfredo Bosi". *ellipsis* 7, 2009, pp. 139-57. [Recolhido neste volume: "Sob o signo de um poder maligno", p. 239.]

7. Para um panorama do debate pós-colonial no âmbito dos estudos latino-americanos (num quadro do qual, sintomaticamente, quase se excluem os estudos brasileiros), consulte-se Moraña, Mabel, Enrique Dusse & Carlos A. Jáuregui (Orgs.), *Coloniality at Large: Latin America and the Postcolonial Debate*. Durham: Duke University Press, 2008. Se o tema da "colonialidade do poder" é ainda central para tal discussão, é curioso que ele tenha reaparecido, recentemente, nas denúncias de Mark Driscoll sobre o que teria sido um "roubo" da teoria latino-americana (em especial de autores como Aníbal Quijano, Walter Mignolo e Eduardo Viveiros de Castro) por Michael Hardt e Antonio Negri. Cf. Mark Driscoll, "Looting the Theory Commons: Hardt and Negri's 'Commonwealth'". *Postmodern Culture*, v. 21, n. 1, set. 2010. A discussão sobre o caráter colonial de todo poder ressurge, em suma, a partir da acusação de apropriação indébita, pela teoria produzida a partir do centro, daquilo que se produz nas periferias — ainda que as "periferias" em questão estejam situadas no centro simbólico que é o eixo das grandes universidades norte-americanas, onde a língua inglesa é tão comumente vazada pelo espanhol.

8. A "diferença" em questão, quando retrabalhada a partir da ferida narcísica aberta na cidade letrada, encontra a *différance* derridaica que tanto rende no plano dos estudos pós-coloniais. A bibliografia a respeito é extensíssima, mas basta aqui a lembrança do texto já clássico de Homi Bhabha: "DissemiNation: time, narrative and the margins of the modern nation", in *Nation and Narration*. Nova York: Routledge, 1990, pp. 291-322.

9. Alfredo Bosi, *Ideologia e contraideologia*. São Paulo: Companhia das Letras, 2010, pp. 175-6.

10. Id., "Poesia resistência", in *O ser e o tempo da poesia*. São Paulo: Cultrix, 1993, p. 150.

11. Id., "Brás Cubas em três versões", in *Brás Cubas em três versões: Estudos machadianos*. São Paulo: Companhia das Letras, 2006, pp. 7-52. Para uma versão diversa, consulte-se o artigo publicado na *Luso-Brazilian Review*, no número especial dedicado a Machado de Assis que organizei, por ocasião do centenário de morte do escritor. Cf. Id., "Rumo ao concreto: Brás Cubas em três versões". *Luso-Brazilian Review*, v. 46, n. 1, 2009, pp. 7-15.

12. Cf. Alfredo Bosi, "Por um historicismo renovado: reflexo e reflexão em história literária", in *Literatura e resistência*. São Paulo: Companhia das Letras, 2002, pp. 7-53.

13. Aqui e doravante valho-me de uma longa entrevista com Bosi, gravada em quatro etapas, entre agosto e setembro de 2005, em São Paulo — material que servirá ainda para uma reflexão mais ampla sobre sua trajetória e sua obra.

14. Alfredo Bosi, *Dialética da colonização*. São Paulo: Companhia das Letras, 1992.

15. "Pode parecer esquisito que eu me azafame por todo canto a dar conselhos em particular e não me abalance a subir diante da multidão para dar conselhos públicos à cidade. A razão disso em muitos lugares e ocasiões ouvistes em minhas conversas: uma inspiração que me vem de um deus ou de um gênio, da qual Meleto fez caçoada na denúncia. Isso começou na minha infância; é uma

voz que se produz e, quando se produz, sempre me desvia do que vou fazer, nunca me incita. Ela é que me barra a atividade política. E barra-me, penso, com toda razão; ficai certos, atenienses: se há muito eu me tivesse votado à política, há muito estaria morto e não teria sido nada útil a vós nem a mim mesmo. Por favor, não vos doam as verdades que digo; ninguém se pode salvar quando se opõe bravamente a vós ou a outra multidão qualquer para evitar que aconteçam na cidade tantas injustiças e ilegalidades; quem se bate deveras pela justiça deve necessariamente, para estar a salvo embora por pouco tempo, atuar em particular e não em público." Platão, "Defesa de Sócrates", in *Os pensadores: Sócrates*. Trad. de Jaime Bruna. São Paulo: Abril Cultural, 1972, pp. 9-33.

16. Sobre a utilização do termo *"strategic essentialism"* em Spivak, cf. Catarina Kinnvall, "Gayatri Chakravorty Spivak", in *Critical Theorists and International Relations*. Org. de Jenny Edkins e Nick Vaughan-Williams. Nova York: Routledge, 2009, pp. 317-29.

17. Creio que aqui se desenha uma hipótese epistemológica interessante: o desenraizamento dos textos de Alfredo Bosi, acercando-os, como procuro fazer, de um núcleo desconstrucionista que orienta a teoria "latino-americanista" na academia anglófona talvez permita perceber que, ao retornar ao Brasil depois de sua viagem por outras plagas, o pensamento bosiano pode correr em paralelo a um par nacional raramente concebido junto dele. Refiro-me às reflexões de Silviano Santiago sobre o "entre-lugar" latino-americano, amplamente apoiadas, de resto, no debate pós-estruturalista francês. Para completar o círculo de leituras "desnacionalizadas" da teoria produzida por intelectuais brasileiros, seria interessante pensar, em paralelo à recente publicação de Bosi em inglês, na edição de uma antologia de textos de Silviano Santiago, datada do início da década passada nos Estados Unidos, quando os estudos pós-coloniais e os *subaltern studies* gozavam ainda de enorme prestígio. Cf. Silviano Santiago, *The Space In-Between*. Org. de Ana Lúcia Gazzola. Trad. de Tom Burns, Ana Lúcia Gazzola e Gareth Williams. Durham: Duke University Press, 2001.

18. Alfredo Bosi, *Ideologia e contraideologia*, op. cit., p. 11.

SOB O SIGNO DE UM PODER MALIGNO: JACOB BURCKHARDT E ALFREDO BOSI
[pp. 241-56]

1. Este artigo foi publicado originalmente em *Ellipsis*, publicação da American Portuguese Studies Association, v. 7, 2009, pp. 139-57, com o título "Under the Sign of an Evil Power: Jacob Burckhardt and Alfredo Bosi".

2. Jacob Burckhardt, *Judgements on History and Historians*. Londres; Nova York: Routledge Classics, 2007, p. 1.

3. Alfredo Bosi, *Dialética da colonização*. 2. ed. São Paulo: Companhia das Letras, 2002, p. 17. [Grifo e elipse do autor.]

4. Sobre a influência de Carpeaux, ver "Carpeaux e a dignidade das Letras", in Alfredo Bosi, *Céu, inferno*. São Paulo: Ática, 1988, pp. 167-9.

5. A saber, "Jacob Burckhardt: profeta da nossa época" e "Jacob Burckhardt e o futuro da inteligência".

6. "Entrevista com Alfredo Bosi" por Breno Longhi, 4 jun. 2008 [Inédita].

7. Otto Maria Carpeaux, "Jacob Burckhardt e o futuro da inteligência", in Olavo de Carvalho (Org.), *Ensaios reunidos: 1942-1978*. Rio de Janeiro: UniverCidade/Topbooks, 1999, v. 1, pp. 82-3. [Grifo do autor.]

8. Ver, por exemplo, *Die deutsche Katastrophe* [*A catástrofe alemã*], 1946, de Meinecke.
9. Alfredo Bosi, *Céu, inferno*, op. cit., p. 46.
10. Alfredo Bosi, *Dialética da colonização*, op. cit., p. 63.
11. Ibid., p. 130.
12. Friedrich Nietzsche, *Selected Letters of Friedrich Nietzsche*. Trad. e org. de Christopher Middleton. Chicago; Londres: The University of Chicago Press, 1969, p. 255 [grifo do autor]; Id., *Briefwechsel: Kritische Gesamtausgabe*. Nietzsche. Org. de Giorgio Colli e Mazzino Montinari. Berlim; Nova York: De Gruyter, 1982, p. 254. v. 3: Briefe von Friedrich Nietzsche: jan. 1885/dez. 1886.
13. Alfredo Bosi, *Céu, inferno*, op. cit., p. 56.
14. Ibid., p. 246.
15. Alfredo Bosi, "O Ateneu, opacidade e destruição", in *Céu, inferno*, op. cit., p. 47.
16. Sobre a ambivalência de Burckhardt acerca do poder, ver Richard F. Sigurdson, "Jacob Burckhardt: The Cultural Historian as Political Thinker". *The Review of Politics*, v. 52, n. 3, 1990, pp. 424-5.
17. Jacob Burckhardt, *Force and Freedom: Reflections on History*. Nova York: Pantheon Books, 1948, p. 140. [Ed. bras.: *Reflexões sobre a história*. Trad. de Leo Gilson Ribeiro. Rio de Janeiro: Zahar, 1961].
18. Id., *Weltgeschichtliche Betrachtungen*. Bern: Hallwag, 1947, p. 382.
19. Jacob Burckhardt, *Force and Freedom: Reflections on History*, op. cit., pp. 362-3. "A moral, como fator de civilização, porém, não está mais difundida atualmente nem predomina mais do que nas chamadas épocas bárbaras e primitivas." Ibid., p. 149. Um dos principais alvos de Burckhardt era o que identificou como a "grande vontade otimista" da filosofia iluminista e a fé do idealismo numa essencial "bondade da natureza humana", que para ele era na verdade "uma mistura de bem e mal". Jacob Burckhardt, *Judgements on History and Historians*, op. cit., p. 252. [Grifo do autor.]
20. Alfredo Bosi, *Céu, inferno*, op. cit., p. 107.
21. Jacob Burckhardt, *Judgements on History and Historians*, op. cit., p. 31.
22. Jacob Burckhardt, *Weltgeschichtliche Betrachtungen*, op. cit., p. 224. Sobre o *Machtstaat*, que Burckhardt frequentemente identifica com o império alemão dominado pela Prússia, ver Meinecke, "Ranke and Burckhardt", in Hans Kohn (Org.), *German History: Some New German Views*. Londres: George Allen & Unwin Ltd., 1954, pp. 149-50.
23. Sobre ideologia em Bosi: "A partir do século XIX, [...] o estilo capitalista e burguês de viver, pensar e dizer se expande ao ponto de dominar a Terra inteira. O Imperialismo tem construído uma série de esquemas ideológicos de que as correntes nacionalistas ou cosmopolitas, humanistas ou tecnocráticas, são momentos diversos, mas quase sempre integráveis na lógica do sistema". Alfredo Bosi, *O ser e o tempo da poesia*. 6. ed. São Paulo: Companhia das Letras, 2000, p. 164.
24. Alfredo Bosi, *Dialética da colonização*, op. cit., pp. 19, 23.
25. Ibid., p. 20.
26. Jacob Burckhardt, *Judgements on History and Historians*, op. cit., p. 107.
27. Jacob Burckhardt, *Weltgeschichtliche Betrachtungen*, op. cit., p. 166.
28. Ibid., p. 384.
29. Ibid., p. 85.
30. Jacob Burckhardt, *Judgements on History and Historians*, op. cit., p. 85. [Grifo do autor.]
31. Id., *Force and Freedom: Reflections on History*, op. cit., p. 149.
32. Alfredo Bosi, *Dialética da colonização*, op. cit., p. 20. [Grifo do autor.]

33. Ibid., p. 21.
34. Jacob Burckhardt, *Weltgeschichtliche Betrachtungen*, op. cit., p. 382; Jacob Burckhardt, *Judgements on History and Historians*, op. cit., p. 175; Alfredo Bosi, *Céu, inferno*, op. cit., p. 203.
35. Jacob Burckhardt, *Weltgeschichtliche Betrachtungen*, op. cit., p. 124.
36. Ibid., p. 146.
37. Alfredo Bosi, *O ser e o tempo da poesia*, op. cit., p. 164.
38. Jacob Burckhardt, *Force and Freedom: Reflections on History*, op. cit., p. 113.
39. Ibid., p. 117.
40. Ibid., p. 173.
41. Ver "Prólogo a Burckhardt", de Alfonso Reyes, escrito como introdução à tradução em espanhol das *Reflexões*. México: Fondo de Cultura Económica, 1943.
42. Alfredo Bosi, *Dialética da colonização*, op. cit., pp. 12-3, 18.
43. Sobre colonialismo como processo totalizante em Bosi, ver o seguinte: "Não há condição colonial sem um enlace de trabalhos, de cultos, de ideologias e de culturas" (*Dialética da colonização*, op. cit., p. 377). E sobre a conexão entre colonização na América Latina e o desenvolvimento do capitalismo europeu: "Se o aumento na circulação de mercadorias se traduz em progresso, não resta dúvida de que a colonização do Novo Mundo atuou como um agente modernizador da rede comercial europeia durante os séculos XVI, XVII e XVIII. Nesse contexto, a economia colonial foi efeito e estímulo dos mercados metropolitanos na longa fase que media entre a agonia do feudalismo e o surto da Revolução Industrial" (*Dialética da colonização*, op. cit., p. 20). [Grifo do autor.]
44. Alfredo Bosi, *Céu, inferno*, op. cit., p. 10.
45. Id., *Literatura e resistência*. São Paulo: Companhia das Letras, 2002, p. 120; *Dialética da colonização*, op. cit., p. 46.
46. Id., *Céu, inferno*, op. cit., p. 169.
47. Id., *Literatura e resistência*, op. cit., p. 130.
48. Id., *Céu, inferno*, op. cit., p. 241.
49. Id., *Literatura e resistência*, op. cit., p. 134. [Grifo meu.]
50. Jacob Burckhardt, *Force and Freedom: Reflections on History*, op. cit., p. 87.
51. Ibid., p. 178. [Grifo meu.]
52. Ibid., p. 182.
53. Alfredo Bosi, *O ser e o tempo da poesia*, op. cit., p. 167.
54. Luís de Camões, *Lírica*. Belo Horizonte: Itatiaia, 1999, p. 279.
55. Jacob Burckhardt, *Judgements on History and Historians*, op. cit., pp. 147-8.
56. Ibid., pp. 6, 148.

HISTÓRIA CONCISA DA LITERATURA BRASILEIRA: RESISTÊNCIA E PERMANÊNCIA
[pp. 257-64]

1. Alfredo Bosi, *História concisa da literatura brasileira*. São Paulo: Cultrix, 1970.
2. Franklin de Oliveira, "História e significação". *Correio da Manhã*, Rio de Janeiro, 3 jun. 1971. Balaio, p. 7.
3. Wilson Martins, "O livro impossível". *O Estado de S.Paulo*, São Paulo, 20 jun. 1971. Suplemento Literário, p. 4.

4. Paulo Rónai, "Literatura: um tema levado a sério". *Jornal do Brasil*, Rio de Janeiro, 26 jun. 1971. Caderno B.

5. Gustave Lanson, "Avant-propos", in *Histoire de la littérature française* [1894]. 4. ed. Paris: Hachette, 1896, p. v.

6. Alfredo Bosi, "A história da literatura brasileira de Veríssimo", *O Imparcial*, São Paulo, Colégio Macedo Soares, abr. 1958. Aliás, não nos parece descabido supor que aquele "concisa" do título de sua futura *História* reflita adesão ao critério de seletividade adotado pelo crítico paraense na concepção do seu cânone, em contraste com a opção de Sílvio Romero por um corpus mais dilatado de obras. Relembre-se o conhecido trecho em que Veríssimo se pronuncia pela *concisão*, contra a *profusão* romeriana: "Literatura é arte literária. Somente o escrito com o propósito ou com a intuição dessa arte, isto é, com os artifícios de invenção e de composição que a constituem é [...] literatura. Assim pensando, [...] sistematicamente excluo da história da literatura brasileira quanto a esta luz se não deva considerar literatura. [...] Nem se me dá da pseudonovidade germânica que no vocábulo literatura compreende tudo o que se escreve num país, poesia lírica e economia política, romance e direito público, teatro e artigos de jornal e até o que não se escreve, discursos parlamentares, cantigas e histórias populares, enfim autores e obras de todo o gênero". José Veríssimo, "Introdução", in *História da literatura brasileira: De Bento Teixeira (1601) a Machado de Assis (1908)* [1916]. 5. ed. Prefácio de Alceu Amoroso Lima. Rio de Janeiro: José Olympio, 1969, p. 10.

7. Alfredo Bosi, *O pré-modernismo* [1966]. 3. ed. São Paulo: Cultrix, 1969. Roteiro das grandes literaturas: A literatura brasileira. v. 5.

8. Id., "*Literatura e sociedade*, de Antonio Candido", *O Estado de S. Paulo*, São Paulo, 19 mar. 1966. Suplemento Literário.

9. José Paulo Paes e Massaud Moisés (Orgs.), *Pequeno dicionário de literatura brasileira*. São Paulo: Cultrix, 1967.

10. Alfredo Bosi, "Caminhos entre a literatura e a história". *Estudos Avançados*, São Paulo, v. 19, n. 55, set./dez. 2005, p. 324.

11. Aliás, diz uma das duas dedicatórias do livro: "Para Otto Maria Carpeaux, mestre de cultura e de vida".

12. Cf.: Alfredo Bosi, *Literatura e resistência*. São Paulo: Companhia das Letras, 2002.

13. Alfredo Bosi, *História concisa da literatura brasileira*, op. cit., p. 492.

14. Ibid., p. 373.

15. Ibid., p. 402.

16. Antoine Compagnon fala no "momento de glória" da disciplina (1999, p. 11), referindo-se à sua situação na França durante as décadas de 1960 e 1970. Antoine Compagnon, *O demônio da teoria: Literatura e senso comum*. Trad. de Cleonice Paes Barreto Brandão. Belo Horizonte: UFMG, 1999.

17. Alfredo Bosi, *História concisa da literatura brasileira*, op. cit., pp. 134-5.

18. Ibid., p. 390.

19. Cf.: "[...] em consonância com todo o pensamento de hoje, que é um pensar a natureza e as funções da linguagem, começou-se a ver que a grande novidade do romance vinha de uma alteração profunda no modo de enfrentar a palavra". Ibid., p. 482.

20. Cf.: "Os analistas à caça de estruturas não deixarão tão cedo em paz os textos complexos e abstratos de Clarice Lispector, que parecem às vezes escritos adrede para provocar esse gênero de deleitação crítica". Ibid., p. 476.

21. Ibid., p. 539.

22. Alfredo Bosi, "Caminhos entre a literatura e a história". *Estudos Avançados*, op. cit., p. 322.

23. René Wellek e Austin Warren, *Teoria da literatura*. Trad. de José Palla e Carmo. Lisboa: Europa-América, 1962.

24. Alfredo Bosi, *História concisa da literatura brasileira*, op. cit., p. 196.

25. Para se ter ideia dos embargos então impostos pelo estruturalismo aos estudos diacrônicos em geral, veja-se o seguinte pronunciamento de um dos autores referenciais daquela corrente à época: "[...] a história, em lugar de ser uma abertura, como não se cansou de repetir, é, ao contrário, um fechamento; ela fecha a porta a novas significações contidas, como virtualidades, na estrutura de que ela emerge: longe de ser um motor, ela seria antes um freio". A. J. Greimas, "Estrutura e história", in Jean Pouillon et al., *Problemas do estruturalismo*. Trad. de Moacir Palmeira et al. Rio de Janeiro: Zahar, 1968, p. 61.

26. Cf., por exemplo: "Mas as contribuições de conteúdo que a psicologia faz à leitura do romance [referência a *O Ateneu*] não devem induzir à tentação de transformá-lo em mero exemplário de recalques e neuroses. Raul Pompeia era artista, e artista cônscio do seu ofício de plasmador de signos". Alfredo Bosi, *História concisa da literatura brasileira*, op. cit., p. 204. "[...] os conteúdos sociais e psicológicos só entram a fazer parte da obra quando veiculados por um código de arte que lhes potencia a carga musical e semântica." Ibid., p. 482.

27. O procedimento — lembremos — não é usual nas histórias literárias, que tradicionalmente passam ao largo dos autores vivos e em atividade, alegando que só o "crivo do tempo" promove a seleção dos escritores dignos de nota, garantindo ainda que se prestem a análises e juízos objetivos. A *História concisa*, no entanto, é pródiga em acolher autores seus contemporâneos, e não apenas registrando-lhes os nomes, mas dedicando-lhes seções que, tendo em vista as restrições de espaço próprias às obras do gênero, podem ser consideradas extensas. Assim, lá estão, entre outros, Cassiano Ricardo, Menotti Del Picchia, Raul Bopp, Plínio Salgado, José Américo de Almeida, Rachel de Queiroz, Jorge Amado, Erico Verissimo, Marques Rebelo, José Geraldo Vieira, Cyro dos Anjos, Otávio de Faria, Carlos Drummond de Andrade, Murilo Mendes, Vinicius de Moraes, João Cabral de Melo Neto, Ferreira Gullar. Todos vivos em 1970, e alguns então ainda com suas obras em pleno desenvolvimento.

28. Ver, por exemplo, o subcapítulo "As trilhas do romance: uma hipótese de trabalho", in Alfredo Bosi, *História concisa da literatura brasileira*, op. cit.

NOTAS SOBRE ALFREDO BOSI E A PSICANÁLISE [pp. 271-9]

1. Já me desculpo por (tentar) entrar assim na "intimidade" do texto a ser comentado. E certamente o homenageado poderá refutar em bloco essa ousadia. Só me resta, como respaldo, a frase do crítico Jean Bellemin Nöel, em seu livro *Psicanálise e literatura*: "O poema sabe mais do que o poeta" (São Paulo: Cultrix, 1983, p. 13). Se isso for verdade e valer também para o ensaísmo, nem sempre o autor tem pleno domínio de tudo o que sua usina criadora agencia na escritura do texto. Arrisco dizer que o professor Bosi tem no instrumental psicanalítico um valioso aliado e o mobiliza com frequência, muitas vezes de forma explícita, outras nem tanto. Se não for verdade, pelo menos a proposta vale como exercício reflexivo. Espero que estas notas sejam assim recebidas.

2. Alfredo Bosi, *Céu, inferno*. São Paulo: Ática, 1988, p. 22.

3. Id., *História concisa da literatura brasileira*. São Paulo: Cultrix, 1986, p. 489. Leia-se, ainda, na mesma página: "Em 'O recado do morro' (*Corpo de baile*), a voz que vem da terra como forma de presságio não será o próprio Inconsciente (matéria ou espírito) que antecipa ao sertanejo o seu destino?".

4. Id., *Céu, inferno*, op. cit., pp. 22-3.

5. Ibid., p. 30. [Grifo do autor.]

6. Ibid., pp. 24-5.

7. Ibid., p. 25.

8. Ibid., p. 15.

9. Id., "Psicanálise e crítica literária: proximidade e distância", in Cleusa Rios P. Passos e Yudith Rosenbaum (Orgs.), *Interpretações: Crítica literária e psicanálise*. Cotia, SP: Ateliê, 2014, p. 22. Coleção Estudos Literários.

10. Id., p. 21.

11. "A interpretação da obra literária" é o último ensaio do livro *Céu, inferno*, op. cit., pp. 274-86.

12. Alfredo Bosi, *Céu, inferno*, op. cit., p. 274. [Grifo do autor.]

13. Id., "Psicanálise e crítica literária: proximidade e distância", op. cit., p. 20.

14. Id., *Céu, inferno*, op. cit., p. 20.

15. Sigmund Freud, "O mal-estar na civilização", in *Obras psicológicas completas*. Rio de Janeiro: Imago, 1969, p. 118.

16. Alfredo Bosi, *Céu, inferno*, op. cit., p. 19.

17. Ibid.

18. Ibid., p. 26.

19. Id., "Psicanálise e crítica literária: proximidade e distância", op. cit., p. 19.

20. Id., *Céu, inferno*, op. cit., p. 13.

21. Ibid.

22. "A sintaxe, as figuras, as técnicas de estilo, os procedimentos de construção e de elocução; em suma, a 'estrutura dos significantes': eis o campo onde se move o labor analítico." Ibid., p. 280.

23. Id., *O enigma do olhar*. São Paulo: Ática, 1999.

24. Id., "Psicanálise e crítica literária: proximidade e distância", op. cit., p. 27.

25. Conforme depoimento em ibid., p. 25.

26. Id., *Entre a literatura e a história*. São Paulo: Ed. 34, 2013.

PRIMEIRAS LUZES DE UM APRENDIZ [pp. 283-90]

1. Ferreira Gullar, *Poema sujo*. Rio de Janeiro: Civilização Brasileira, 1976.

2. Alfredo Bosi, *O ser e o tempo da poesia*. São Paulo: Cultrix; Edusp, 1977.

3. Antes de comporem o livro, os ensaios haviam sido publicados na revista *Discurso*, dedicada à filosofia.

4. Ezra Pound, *A arte da poesia: Ensaios escolhidos*. Trad. de Heloysa de Lima Dantas e José Paulo Paes. São Paulo: Cultrix; Edusp, 1976; T.S. Eliot, *A essência da poesia: Estudos e ensaios*. Trad. de Maria Luiza Nogueira. Rio de Janeiro: Artenova, 1972; Octavio Paz, *El arco y la lira*. Cidade do México: Fondo de Cultura Económica, 1972.

5. Alfredo Bosi, *História concisa da literatura brasileira*. São Paulo: Cultrix, 1970.
6. Id., *O ser e o tempo da poesia*, op. cit., p. 13.
7. Por conta da camada subjetiva que subjaz à escrita bosiana nesses textos, note-se o trecho em que o crítico pontua os "Os trabalhos da mão", dedicado a Ecléa Bosi. Cf. Alfredo Bosi, *O ser e o tempo da poesia*, op. cit., pp. 53-7.
8. Ibid., p. 146.
9. Alfredo Bosi, "Céus, infernos: entrevista de Alfredo Bosi a Augusto Massi". *Novos Estudos Cebrap*, São Paulo, n. 21, jul. 1988, pp. 100-15. Cf. p. 108.
10. Ibid., p. 103.
11. Alfredo Bosi, "A estética de Benedetto Croce: um pensamento de distinções e mediações", in Benedetto Croce, *Breviário de estética — Aesthetica in nuce*. Trad. de Rodolfo Ilari Jr. São Paulo: Ática, 1997, pp. 9-23.
12. Id., *Reflexões sobre a arte*. São Paulo: Ática, 1985.
13. Id. (Org.), *Leitura de poesia*. São Paulo: Ática, 1996. O processo editorial desse livro foi coordenado pelo editor citado no início deste depoimento. Teve também a oportunidade de supervisionar, na mesma editora, a edição de dois outros livros de Alfredo Bosi: *Céu, inferno: Ensaios de crítica literária e ideológica* (São Paulo: Ática, 1988) e *Machado de Assis: O enigma do olhar* (São Paulo: Ática, 1999).
14. Alfredo Bosi (Org.), *Leitura de poesia*, op. cit., pp. 39-40.
15. Gaston Bachelard, *A psicanálise do fogo*. Trad. de Paulo Neves. São Paulo: Martins Fontes, 1994.
16. Alfredo Bosi, *Leitura de poesia*, op. cit., p. 43.

O PROTAGONISMO DE ALFREDO BOSI NA USP [pp. 296-301]

1. Norberto Bobbio, *O tempo da memória*. São Paulo: Campus, 1997.
2. Alfredo Bosi, "O ponto cego do ensino público". *Folha de S.Paulo*, Opinião, 9 mar. 1997.
3. Howard A. Ozmon, *Filosofia da educação: Um diálogo*. Rio de Janeiro: Zahar, 1975.
4. Resolução GR-4871. *Código de Ética da Universidade de São Paulo*. Reitoria da USP, 22 de outubro de 2001. Disponível em: <http://www.leginf.usp.br/?resolucao=resolucao-no-4871-de-22-de-outubro-de-2001>. Acesso em: 17 abr. 2017.
5. Edgar Morin, *A cabeça bem-feita: Repensar a reforma, reformar o pensamento*. Trad. de Eloá Jacobina. 8. ed. Rio de Janeiro: Bertrand Brasil, 2003.
6. Alfredo Bosi (Org.) et al., *A presença da universidade pública*. São Paulo: IEA-USP, 2000.

O TESTEMUNHO DE VELHOS MILITANTES: SINGELA HOMENAGEM A ALFREDO BOSI [pp. 305-10]

1. Este artigo foi publicado originalmente em *Kairós*, revista on-line da Faculdade de Ciências Humanas e Saúde da PUC-SP, São Paulo, v. 14, n. 2, jan. 2012, pp. 111-8.
2. Alfredo Bosi, *Literatura e resistência*. São Paulo: Companhia das Letras, 2002, p. 263.

3. Richard Hoggart, *As utilizações da cultura*. Trad. de Maria do Carmo Cary. Lisboa: Presença, 1973. 2 v.

4. Alfredo Bosi, "Caminhos entre a literatura e a história". *Estudos Avançados*, São Paulo, v. 19, n. 55, dez. 2005, pp. 315-34. Disponível em: <http://www.revistas.usp.br/eav/article/view/10113>. Acesso em: 19 abr. 2017.

ALFREDO BOSI: MEU DEPOIMENTO [pp. 311-4]

1. Alfredo Bosi, *Machado de Assis: O enigma do olhar*. São Paulo: Ática, 1999, p. 142.
2. Id., "Nota prévia", in *Céu, inferno*. São Paulo: Ática, 1988.
3. Id., *Dialética da colonização*. São Paulo: Companhia das Letras, 1992, p. 5.
4. Id., *Entre a literatura e a história*. São Paulo: Ed. 34, p. 336.
5. Id., *Literatura e resistência*. São Paulo: Companhia das Letras, 2002, pp. 262-3.
6. Ibid., p. 262.
7. Alfredo Bosi, "Discurso de professor emérito", in *Entre a literatura e a história*, op. cit., p. 464.

DESCAMINHOS DA UNIVERSIDADE PÚBLICA? UM DEPOIMENTO SOBRE A FFLCH/USP [pp. 315-22]

1. Minha primeira opção para participar desta homenagem a um colega e amigo querido seria um trabalho acadêmico que tinha prometido para a revista dirigida por Alfredo Bosi, *Estudos Avançados*. Todavia, ocorreu-me que o vínculo mais profundo que eu poderia firmar com o homenageado, na oportunidade, não precisaria ser de caráter acadêmico, mas ético. Com efeito, entre as múltiplas facetas que tornaram meritório seu extraordinário percurso de vida, dentro e fora da Academia, acredito que se devesse celebrar *também* sua exemplar postura ética, em todos os domínios. Não por acaso, foi ele coordenador do Código de Ética da Universidade de São Paulo. Assim, decidi transformar em texto (com adaptações que não desfizeram o tom oral) questões de ética universitária que apresentei na mesa-redonda "Espelhos da memória", num ciclo de reflexões intitulado "Dilemas atuais do debate no espaço público", que Fraya Frehse e Adrian Lavalle organizaram na Faculdade de Filosofia, Letras e Ciências Humanas da USP em 11 de novembro de 2014, para trazer luz e lenimento logo após uma greve universitária que havia deixado muitas marcas incômodas e dolorosas.

"ULISSES" DE CHICO BUARQUE: UMA REAPROPRIAÇÃO DO MITO [pp. 325-44]

1. Alfredo Bosi, "Situação e formas do conto brasileiro contemporâneo", in Alfredo Bosi (Org.), *O conto brasileiro contemporâneo*. São Paulo: Cultrix; Edusp, 1975, p. 7. Todo o instrumental teórico para minha abordagem do conto de Chico Buarque foi buscado nesse texto do autor homenageado.
2. Francisco Buarque de Holanda, "Ulisses", *O Estado de S. Paulo*, Suplemento Literário, 30 jul. 1966, p. 35.
3. Idem, *A banda, manuscritos de Chico Buarque de Holanda*. Rio de Janeiro: Francisco Alves, 1966.

4. Alfredo Bosi, "Situação e formas do conto brasileiro contemporâneo", op. cit., p. 9.

5. Ibid., p. 8.

6. Além das referências já fornecidas, o texto também está disponível na internet: <www.chicobuarque.com.br/livros/conto_ulisses.htm>. Acesso em 6 mar. 2017.

É importante observar que o autor — injustamente, a meu ver — nunca deu importância a essa sua juvenil incursão no mundo do conto.

7. O termo é de Bourdieu.

8. Edward Said, *Humanismo e crítica democrática* [2004]. Trad. de Rosaura Eichenberg. São Paulo: Companhia das Letras, 2007, p. 45.

9. Alfredo Bosi, "Situação e formas do conto brasileiro contemporâneo", op. cit., p. 9

10. Cf. Adélia Bezerra de Meneses, *As portas do sonho*. São Paulo: Ateliê, 2002.

11. Homero, *Odisseia* (Canto XIX). Trad. de Jaime Bruna. São Paulo: Cultrix, 1993, p. 225.

12. Sigmund Freud, "A feminilidade" [1933], in *Obra completa*, v. XXII. Rio de Janeiro: Imago, 1972, p. 162.

13. Cf. Pierre Grimal, *Dictionnaire de la Mythologie Grecque et romaine*. Paris: PUF, 1951.

14. Dalton Trevisan, "Penélope", in *Novelas nada exemplares*. Rio de Janeiro: Civilização Brasileira, 1965.

15. Pierre Bourdieu, *A economia das trocas simbólicas*. Introdução, organização e seleção de Sergio Miceli. São Paulo: Perspectiva, 2007.

16. Alfredo Bosi, "Situação e formas do conto brasileiro contemporâneo", op. cit., p. 17.

17. "Mesmo porque estou falando grego/ com sua imaginação", diz a canção "Choro bandido", de 1985.

18. Cf. Adélia Bezerra de Meneses, *Figuras do feminino*. 2. ed. São Paulo: Ateliê, 2001.

19. José Paulo Paes, "Ítaca", in *Poesia completa*. São Paulo: Companhia das Letras, 2008, p. 166.

20. Alfredo Bosi, "Situação e formas do conto brasileiro contemporâneo", op. cit., p. 7.

21. José Paulo Paes, "As dimensões do fantástico", in *Gregos e baianos*. São Paulo: Brasiliense, 1985, pp. 184 ss.

22. Ibid., p. 185.

23. Irène Bessière, *Le Récit fantastique: La poétique de l'incertain*. Paris: Larousse, 1974, p. 197.

24. José Paulo Paes, "As dimensões do fantástico", op. cit., p. 190.

25. Alfredo Bosi, "Situação e formas do conto brasileiro contemporâneo", op. cit., p. 14.

26. Cf. Denys Page, *Folktales in Homer's Odyssey*. Cambridge: Harvard University Press, 1973.

27. Mikhail Bakhtin, *Cultura popular na Idade Média: O contexto de François Rabelais*. 3. ed. Trad. de Yara Frateschi Vieira. São Paulo: Hucitec; Brasília: UnB, 1996.

28. Homero, *Odisseia* (Canto XXIII), op. cit., p. 273.

29. Ibid., p. 275.

CIRCUITO NADA REDONDO [pp. 357-76]

1. Este artigo foi publicado originalmente em *História cultural da cidade*, org. de Jacques Leenhardt, Daniela Marzola Fialho, Nádia Maria Weber Santos, Charles Monteiro e Antonio Dimas. Porto Alegre: Marcavisual/Propur, 2015, pp. 174-97.

2. Gilberto Freyre, *Tempo de aprendiz*. São Paulo: Ibrasa-INL, 1979, 2 v. (Em 2016, a editora Global, de São Paulo, publicou nova edição dessas crônicas, em um volume apenas.)

3. Ibid., p. 90.

4. Disponível em: <www.tshaonline.org/handbook/online/articles/hdw01>. Acesso em: 14 abr. 2017.

5. Ibid.

6. Correspondência de J. A. Armstrong. Carta para Gilberto Freyre, 11 maio 1922. Acervo da The Armstrong Browning Library da Baylor University.

7. Depoimento de Gilberto Freyre para o Institute for Oral History da Baylor University, 1967. *Oral Memoirs of Gilberto de Mello Freyre*, 16 maio 1985, p. 19.

8. Depoimento de Gilberto Freyre, *Oral Memoirs of Gilberto de Mello Freyre*, 16 maio 1985, op. cit, p. 12.

9. Gilberto Freyre, *Tempo morto e outros tempos*. Rio de Janeiro: José Olympio, 1975, p. 32.

10. Ibid., p. 44.

11. Gilberto Freyre, *Tempo de aprendiz*, op. cit., v. 1, p. 90.

12. Ibid., p. 92.

13. Disponível em: <www.woolworthsmuseum.co.uk>. Acesso em: 14 abr. 2017.

14. Gilberto Freyre, *Tempo de aprendiz*, op. cit., v. 1, pp. 158-9.

15. Ibid., p. 92.

16. Gilberto Freyre, *Tempo morto e outros tempos*, op. cit., p. 54.

17. Antonio Dimas (Org.), *Bilac, o jornalista*. São Paulo: Edusp; Fapesp; Imprensa Oficial, 2006, v. 1, p. 631.

18. Gilberto Freyre, *Tempo de aprendiz*, op. cit., v. 1, p. 155.

19. Ibid., p. 255.

20. Ibid., p. 68.

21. Ibid., p. 300.

22. Gilberte Freyre, *Tempo de aprendiz*, op. cit., v. 2, p. 109.

23. Ibid., p. 143.

24. Ibid., p. 330.

25. Gilberte Freyre, *Tempo de aprendiz*, op. cit., v. 1, p. 97.

26. Ibid., p. 98.

27. Disponível em: <www.questia.com/PM.qst?a=o&d=3844981>. Acesso em: 14 abr. 2017.

28. Francis Butler Simkins, *The Everlasting South*. Baton Rouge: Louisiana State University Press, 1963, p. 35.

29. Ibid., p. xiii.

30. *Francis Butler Simkins 1897-1966: Historian of the South*. Columbia, S.C.: The State Printing Co., n.d., p. 32.

31. Disponível em: <www.questia.com/PM.qst?a=o&d=3844981>, p. vii. Acesso em: 14 abr. 2017.

32. Gilberto Freyre, *Tempo de aprendiz*, op. cit., v. 2, p. 313.

33. Ibid., p. 313.

34. Ibid.

35. Gilberto Freyre, *Tempo de aprendiz*, op. cit., v. 1, p. 175.

36. Ibid., p. 176.

37. Ibid.

38. Ibid., p. 175.
39. Gilberto Freyre, *Casa-grande & senzala*. Rio de Janeiro: José Olympio, 1980, p. lxxv.
40. Id., *De menino a homem*. São Paulo: Global, 2010, p. 51.

A ESCADA DE GONÇALVES DE MAGALHÃES: "ENSAIO SOBRE A HISTÓRIA DA LITERATURA DO BRASIL" [pp. 377-95]

1. Benedito Nunes, "Historiografia literária do Brasil", in *Crivo de papel*. São Paulo: Ática, 1998, p. 217.
2. Ibid.
3. Em 1865, Magalhães revisa o "Ensaio sobre a história da literatura do Brasil", renomeando-o de "Discurso sobre a história da literatura do Brasil", in *Obras Opúsculos históricos e literários*. Rio de Janeiro: B. L. Garnier, 1865, tomo VIII, pp. 241-71. A edição citada neste artigo é a de 1836 (*Nitheroy — Revista Brasiliense*. Tomo Primeiro. São Paulo: Academia Brasileira de Letras, 1979, v.9, edição fac-similada). Ela será cotejada com a de 1865, com as diferenças consideradas significativas anotadas em rodapés.
4. Johann Gottfried von Herder, *Também uma filosofia da história para a formação da humanidade*. Trad. de José M. Justo. Lisboa: Antígona, 1995, p. 65.
5. Cf. Max Rouché, "Introduction", in J. G. Herder, *Une autre philosophie de l'histoire*. Dijon: Aubier, Editons Montaigne, s/d, pp. 7-111.
6. Gonçalves de Magalhães, "Ensaio sobre a história da literatura do Brasil", in *Nitheroy — Revista Brasiliense*, op. cit., p. 134.
7. Ibid., pp. 132 e 142.
8. Ibid.
9. No "Discurso sobre a história da literatura do Brasil" consta "ideia principal".
10. Gonçalves de Magalhães, "Ensaio sobre a história da literatura do Brasil", in *Nitheroy — Revista Brasiliense*, op. cit., p. 134.
11. Ibid., p. 145.
12. Ibid.
13. Ibid., p. 135.
14. Num testemunho a posteriori sobre a composição de "Ensaio sobre a história da literatura do Brasil", na Advertência de *Opúsculos históricos e literários* (1865), em que reproduz aquele artigo, Magalhães destaca que, ao redigir, em 1836, a primeira versão desse texto, objetivou estimular que a mocidade estudasse documentos esquecidos sobre a glória literária no Brasil e redigisse trabalhos que revelassem a nacionalidade: "[…] trabalho que empreendemos no entusiasmo da juventude com o fim de chamar a atenção da mocidade brasileira para o estudo dos documentos esquecidos da nossa limitada glória literária, o excitá-la ao mesmo tempo a engrandecê-la e relevá-la com novos escritos originais, que mais exprimissem nossos sentimentos, religião, crenças e costumes, e melhor revelassem a nossa nacionalidade". Id., *Obras Opúsculos históricos e literários*, op. cit., p. 240.
15. Id., "Ensaio sobre a história da literatura do Brasil", in *Nitheroy — Revista Brasiliense*, op. cit., p. 136.
16. Em 1865, Magalhães acrescenta: "como se deve marchar para um futuro mais brilhante".

17. Id., "Ensaio sobre a história da literatura do Brasil", in *Nitheroy — Revista Brasiliense*, op. cit., p. 145.

18. Cf. João Alexandre Barbosa, "Um tópico brasileiro: o indianismo", in: *Opus 60. Estudos de crítica*. São Paulo: Livraria Duas Cidades, 1980, p. 79.

19. Gonçalves de Magalhães, "Ensaio sobre a história da literatura do Brasil", in *Nitheroy — Revista Brasiliense*, op. cit., p. 150.

20. Ibid., p. 149.

21. Ibid., p. 146.

22. Alfredo Bosi, "Por um historicismo renovado. Reflexo e reflexão em história literária", in *Literatura e resistência*. São Paulo: Companhia das Letras, 2002, p. 12.

23. Por "romantismo oficial" Alfredo Bosi nomeia o grupo de escritores que se afirmou "graças ao interesse de d. Pedro II de consolidar a cultura nacional de que ele se deseja mecenas". Gravitando em torno do Instituto Histórico e Brasileiro, fazem parte desse grupo, além de Magalhães, Porto Alegre, Francisco Adolfo de Varnhagen, Joaquim Norberto, Gonçalves Dias, José de Alencar e outros. Em sua obra, tendem a adotar "traços passadistas a ponto de o nosso primeiro historiador de vulto exaltar ao mesmo tempo o índio e o luso, de o nosso primeiro grande poeta cantar a beleza do nativo no mais castiço vernáculo, enfim, de o nosso primeiro romancista de pulso — que tinha fama de antiportuguês —, inclinar-se reverente à sobranceria do colonizador". *História concisa da literatura brasileira*. São Paulo: Cultrix, 2006, pp. 104-6.

24. Id., "Por um historicismo renovado. Reflexo e reflexão em história literária", in *Literatura e resistência*, op. cit., pp. 14-5.

25. Gonçalves de Magalhães, "Ensaio sobre a história da literatura do Brasil", in *Nitheroy — Revista Brasiliense*, op. cit., p. 151.

26. Ibid., p. 139.

27. Ibid.

28. Ibid., p. 147.

29. Ibid., p. 148.

30. Na edição de 1865, Magalhães suprimiu a frase acima por mim grifada.

31. Gonçalves de Magalhães, "Ensaio sobre a história da literatura do Brasil", in *Nitheroy — Revista Brasiliense*, op. cit., p. 147.

32. Ibid., p. 151.

33. Id., "Oitava carta", in *Cartas a Monte Alverne*. Apres. de Roberto Lopes. São Paulo: Conselho Estadual de Cultura, 1964, pp. 45-6.

34. Id., "Ensaio sobre a história da literatura do Brasil", in *Nitheroy — Revista Brasiliense*, op. cit., p. 145.

35. Roque Spencer Maciel de Barros, *A significação educativa do romantismo brasileiro: Gonçalves de Magalhães*. São Paulo: Edusp; Editorial Grijalbo, 1973, p. 31.

36. João Cruz Costa, *Contribuição à história das ideias no Brasil*. Rio de Janeiro: Civilização Brasileira, 1967, p. 74.

37. Ibid., p. 81.

38. Alfredo Bosi, "Por um historicismo renovado. Reflexo e reflexão em história literária", in *Literatura e resistência*, op. cit., p. 13.

39. Roque Spencer Maciel de Barros, *A significação educativa do romantismo brasileiro: Gonçalves de Magalhães*, op. cit., p. 49.

40. Ibid., p. 50.
41. Gonçalves de Magalhães, "Ensaio sobre a história da literatura do Brasil", in *Nitheroy — Revista Brasiliense*, op. cit., p. 132.
42. Reinhart Koselleck, "Historia magistral vitae", in *Futuro passado. Contribuição à semântica dos tempos históricos*. Trad. de Wilma Patrícia Maas e Carlos Almeida Pereira. Rio de Janeiro: PUC, 2006, p. 43.
43. Ibid., p. 47.
44. Ibid., p. 52.
45. Gonçalves de Magalhães, "Ensaio sobre a história da literatura do Brasil", in *Nitheroy — Revista Brasiliense*, op. cit., p. 159.
46. Ibid., p. 139.
47. Ibid., p. 145.
48. Ibid., p. 143.
49. Ibid., pp. 138-9.
50. Ibid., pp. 142-3.
51. Ibid.
52. Na revisão posterior, Magalhães anota: "vaidade fora insuportável".
53. Gonçalves de Magalhães, "Ensaio sobre a história da literatura do Brasil", in *Nitheroy — Revista Brasiliense*, op. cit., p. 144.
54. Cf. Octavio Paz, *Os filhos do barro: Do romantismo à vanguarda*. Rio de Janeiro: Nova Fronteira, 1984.
55. Ferdinand Denis, *Resumo da história da literatura brasileira*. Introd. de Guilhermino Cesar. Porto Alegre: Livraria Lima, 1968, p. 34.
56. Gonçalves de Magalhães, "Ensaio sobre a história da literatura do Brasil", in *Nitheroy — Revista Brasiliense*, op. cit., p. 141.
57. João César Rocha, "História", in *Introdução ao Romantismo*. Org. de José Luís Jobim. Rio de Janeiro: Eduerj, 1999, p. 40.
58. Sobre a substituição do historicismo humanista pela história nacionalista, cf. Norbert Elias, *Os alemães. A luta pelo poder e a evolução dos habitus nos séculos XIX e XX*. Rio de Janeiro: Zahar, 1997, pp. 121 ss.
59. Gonçalves de Magalhães, "Ensaio sobre a história da literatura do Brasil", in *Nitheroy — Revista Brasiliense*, op. cit., p. 159.

AS FIGURAS DO TEMPO, AS FIGURAS NO TEMPO: REPRESENTAÇÃO HISTÓRICA E IMAGINAÇÃO LITERÁRIA NA CULTURA BRASILEIRA [pp. 396-404]

1. *Entretempos: Mapeando a história da cultura brasileira*. São Paulo: Unesp, 2013.
2. A referência obrigatória é, aqui, sobretudo ao famoso estudo de Hayden White, *Metahistory: The Historical Imagination in Nineteenth-Century Europe*. Baltimore: Johns Hopkins University Press, 1973.
3. Veja-se, sobretudo, o seu estudo *Les Mots de l'histoire. Essai de poétique du savoir*. Paris: Seuil, 1993.

4. A série de três volumes que compõem *Temps et récit* foi originariamente publicada pela Editora Seuil, respectivamente nos anos de 1983, 1984 e 1985.

5. Paul Ricœur, *La Mémoire, l'histoire, l'oubli*. Paris: Seuil, 2000.

6. Sílvio Romero — João Ribeiro, *Compêndio de história da literatura brasileira* (edição comemorativa). Org. de Luiz Antonio Barreto. Rio de Janeiro: Imago, 2001, p. 25.

7. Cf. *Entretempos: Mapeando a história da cultura brasileira*, op. cit., pp. 91-116.

8. Aliás, essa tentativa de estabelecer a identidade e a homogeneidade da história cultural do Brasil, a partir da reafirmação do caráter "insular" do território, a vamos encontrar também em obras posteriores. O caso que poderia ainda ser mencionado é a *Pequena história da literatura brasileira* de Ronald de Carvalho, publicada pela primeira vez em 1919 e várias vezes reeditada. O livro, não por acaso, se abre com a alusão ao mito de Atlântida e às infinitas ilhas fantásticas presentes no imaginário medieval (em particular, à *Ilha Braçir* ou *Brazil* da tradição celta), para chegar à constatação de que "somente no séc. xvi [...] voltou à baila, e dessa vez de um modo definitivo, a existência de uma terra *brasileira*. Já não se estava no terreno das conjeturas [...] era a mais deliciosa das realidades que sorria aos olhos deslumbrados dos velhos navegadores europeus" (eu consultei a 11. ed. Rio de Janeiro: F. Briguet & Cia., 1958, p. 18).

9. Sidney Chalhoub. *Machado de Assis: Historiador*. São Paulo: Companhia das Letras, 2003.

10. Georges Didi-Huberman, *Devant le temps*. Paris: Minuit, 2000, p. 112. [Trad. minha.]

11. Cf. Michel Foucault, "Nietzsche, la généalogie, l'histoire", in *Hommage à Jean Hyppolite*. Paris: P.U.F., 1971, p. 168. [Trad. minha.]

12. Michel de Certeau, *Histoire et psychanalyse. Entre science et fiction*. 2. ed. Paris: Gallimard, 2002, pp. 208-18.

13. Ernst Bloch, "Erbschaft dieser Zeit", in *Werkausgabe*, t. 4. Frankfurt: Suhrkamp, 1962, p. 104 [trad. it.: Milão: Il Saggiatore, 1992, p. 82].

14. Reinhart Koselleck, *Vergangene Zukunft. Zur Semantik geschichtlicher Zeiten*. Frankfurt/Main: Suhurkamp, 1979 [ed. bras.: *Futuro passado: Contribuição à semântica dos tempos históricos*. Rio de Janeiro: Contraponto; puc-Rio, 2006; trad. it.: *Futuro passato. Per una semantica dei tempi storici*. Bologna: Clueb, 2007, pp. 112-32].

15. Retomo, aqui, a proposta fundamental sobre a peculiaridade do "tempo brasileiro" lançada por Alfredo Bosi, "Por um historicismo renovado: reflexo e reflexão na história literária". *Teresa — Revista de Literatura Brasileira*, São Paulo: fflch-usp/ Ed. 34, n. 1, 2000, p.11.

16. Walter Benjamin, "Tesi di filosofia della storia", in *Angelus Novus. Saggi e frammenti*. Turim: Einaudi, 1962, p. 84. [Trad. minha.]

17. Sobre o uso e o significado do termo "dispositivo" na obra de Foucault, vejam-se os dois ensaios do mesmo título de Gilles Deleuze ("Qu'est-ce qu'un dispositif?", in aa.vv. *Michel Foucault philosophe*. Paris: Seuil, 1989) e de Giorgio Agamben (*Che cos'è un dispositivo?* Roma: Nottetempo, 2006).

18. "Concatenação de sutis anacronismos: fibras de tempo entremeadas, campo arqueológico a ser decifrado". Georges Didi-Huberman, *Devant le temps*, op. cit., p. 36. [Trad. minha.]

os rios que vão dar no mar: a *invenção de orfeu* e o épico moderno
[pp. 405-12]

1. João Gaspar Simões, "Prefácio", in Jorge de Lima, *Invenção de Orfeu*. Rio de Janeiro: Livros de Portugal, 1952, pp. i-xx.

2. Hélio Alves, "A memória épica portuguesa de Jorge de Lima: Novos elementos no centenário do poeta". *Vértice*, Lisboa, n. 57, nov./dez. 1993, pp. 119-24.

3. Cf. Luiz Busatto, *Montagem em Invenção de Orfeu*. Rio de Janeiro: Âmbito, 1978; Gilberto Mendonça Teles, *Camões e a poesia brasileira*. Rio de Janeiro: Livros Técnicos e Científicos, 1979; Vilma Arêas, "As mil-e-duas noites". *Remate de Males*, Campinas, n. 7, 1987, pp. 85-94; Alfredo Bosi, "Camões e Jorge de Lima". *Revista Camoniana*, Centro de Estudos Portugueses da Universidade de São Paulo, 2. série, v. 1., 1978, pp. 149-57; recolhido neste volume, p. 53.

4. Hélio Alves, op. cit., p. 121.

5. Ibid., p. 122.

6. Daniel Glaydson, *Carnifágia malvorosa: As violações na súmula poética de Jorge de Lima*. São Paulo: FFLCH-USP, 2015. Tese (Doutorado em Teoria Literária e Literatura Comparada).

7. Maria Graciema Andrade, *A invenção do ritmo em Jorge de Lima*. Rio de Janeiro: PUC, 2014. Tese (Doutorado em Literatura); Suene Honorato de Jesus, *As duas faces de Orfeu na Invenção de Jorge de Lima*. Campinas: Unicamp, 2013. Tese (Doutorado em Teoria e História Literária).

8. Vagner Camilo, "Jorge de Lima no contexto da poesia negra americana", in Jorge de Lima, *Poemas negros*. São Paulo: Cosac Naify, 2014, pp. 125-88.

9. Em seu preciso balanço recente do poeta, culminância de uma convivência longa e amorosa com a obra — "Jorge de Lima: poeta em movimento (Do 'menino impossível' ao *Livro de sonetos*)", *Estudos Avançados*, São Paulo, v. 30, n. 86, 2016, pp. 183-207 —, Alfredo Bosi ressalta o aspecto inclusivo deste percurso, aberto às contradições e às tensões brasileiras, que sugiro, aqui, pode ser lido segundo a virada epistemológica proposta pela antropologia de Eduardo Viveiros de Castro, cujas linhas gerais se deixam conhecer em *Metafísicas canibais* (São Paulo: Cosac Naify, 2015).

10. Retomo abaixo, *ipsis litteris*, ou quase, argumentos já formulados no posfácio a minha coletânea do poeta, *Jorge de Lima: Antologia poética*. São Paulo: Cosac Naify, 2014.

BRASIL: A DIALÉTICA DA DISSIMULAÇÃO [pp. 413-31]

1. Alfredo Bosi, *Dialética da colonização*. São Paulo: Companhia das Letras, 1992.

2. Incluído em *Papéis avulsos*.

3. Sérgio Buarque de Holanda, *Raízes do Brasil*. Edição comemorativa de setenta anos. São Paulo: Companhia das Letras, 2006, p. 19.

4. Cf. Tristão de Athayde, "Política e letras", in Vicente Licínio Cardoso, *À margem da história da República*. Brasília: Universidade de Brasília, 1981, t. II, p. 48.

5. Fernand Braudel, *La Dynamique du capitalisme*. Paris: Flammarion, 2008, p. 68.

6. Dr. Agostinho Marques Perdigão Malheiro, *A escravidão no Brasil: Ensaio histórico-jurídico-social*. Rio de Janeiro: Typographia Nacional, 1866, t. II, pp. 61 e 114.

7. Citado por Celia Maria Marinho de Azevedo, *Abolicionismo: Estados Unidos e Brasil, uma história comparada (século XIX)*. São Paulo: Annablume, 2003, p. 63.

8. Incluído em *Relíquias de casa velha*.

9. Citado por Sud Menucci, *O precursor do abolicionismo no Brasil (Luiz Gama)*. São Paulo: Companhia Editora Nacional, 1938. Coleção Brasiliana, v. 119, p. 171.

10. Capítulo 123.

11. Veja-se a esse respeito o excelente verbete *capoeira*, no *Dicionário da escravidão negra no Brasil*, de Clóvis Moura. São Paulo: Edusp, 2004.

12. "Fazer nas ruas e praças públicas exercícios de agilidade e destreza corporal, conhecidos pela denominação de capoeiragem. O autuado será punido com dois a seis meses de prisão. É considerada circunstância agravante pertencer o capoeira a alguma banda ou malta. Aos chefes e cabeças se imporá a pena em dobro. No caso de reincidência será aplicada ao capoeira no grau máximo a pena do artigo 400 (recolhimento do infrator, por um a três anos, a colônias penais que se fundarem em ilhas marítimas, ou nas fronteiras do território nacional, podendo para esse fim ser (sic) aproveitados os presídios militares). Se for estrangeiro, será deportado depois de cumprir a pena. Se nesses exercícios da capoeiragem perpetrar homicídio, praticar alguma lesão corporal, ultrajar o poder público e particular, perturbar a ordem, a tranquilidade e a segurança pública ou for encontrado com armas, incorrerá cumulativamente nas penas cominadas para tais crimes."

13. Cf. Raymundo Faoro, *Os donos do poder: Formação do patronato político brasileiro*. 3. ed. revista. São Paulo: Globo, 2001.

14. Incluído em *Outros contos*.

15. Inserto em *Relíquias de casa velha*.

16. Sérgio Buarque de Holanda, *Raízes do Brasil*. 5. ed. Rio de Janeiro: José Olympio, 1969, p. 119.

17. José Maria dos Santos, *A política geral do Brasil*. São Paulo: J. Magalhães, 1930, p. 6.

18. Raymundo Faoro, "Existe um pensamento político brasileiro?", in *A República inacabada*. São Paulo: Globo, 2007, pp. 25 e ss.

19. Sérgio Buarque de Holanda, *Raízes do Brasil*. 5. ed., op. cit., p. 142.

20. *Fallas do Throno, desde o anno de 1823 até o anno de 1889*. Rio de Janeiro: Imprensa Nacional, 1889, p. 3.

21. Cf. Sérgio Buarque de Holanda (Org.), *História geral da civilização brasileira*, t. II: *O Brasil monárquico*, v. 1: *O processo de emancipação*. São Paulo: Difusão Europeia do Livro, 1965, p. 186.

22. Joaquim Nabuco, *O abolicionismo*. São Paulo: Progresso Editorial, 1949, p. 158.

23. Joaquim Nabuco, *Discursos Parlamentares*. Rio de Janeiro: Imprensa Nacional, 1950, p. 356.

24. Apud Sérgio Buarque de Holanda (Org.), *História geral da civilização brasileira*, t. II: *O Brasil monárquico*, v. 5: *Do Império à República*. São Paulo: Difusão Europeia do Livro, 1972, p. 347.

25. Frei Vicente do Salvador, *História do Brasil 1500-1627*. 5. ed. comemorativa do quarto centenário do autor. São Paulo: Melhoramentos, 1965, p. 59.

26. Cf. José Murilo de Carvalho, *Os bestializados: O Rio de Janeiro e a República que não foi*. 3. ed. São Paulo: Companhia das Letras, 1999, pp. 29-31.

27. Graciliano Ramos, *Linhas tortas*. 4. ed. São Paulo: Martins, 1971, p. 15.

28. Alberto Torres, *A organização nacional*. 3. ed. São Paulo: Companhia Editora Nacional, 1978, pp. 214 ss. A primeira edição é de 1914.

29. Cf. Robert Conrad, *Os últimos anos da escravatura no Brasil*. 2. ed. Rio de Janeiro: Civilização Brasileira, 1978, p. 267.

30. Em *Os donos do poder*, op. cit., capítulo 1º, Raymundo Faoro acentua a tradição centralizadora, na pessoa do rei, da vida política portuguesa. Sérgio Buarque de Holanda, em *Visão do paraíso* (2. ed. São Paulo: Companhia Editora Nacional; Edusp, 1969, pp. 314 ss.), contrasta a centralização política do processo colonizador no Brasil, com o relativo individualismo da colonização espanhola na América.

31. Aristóteles, *Política*, 1295 b, 35 e s.

32. In Paulo Bonavides e Roberto Amaral, *Textos políticos da História do Brasil*, v. 2. Brasília: Senado Federal, 1996, pp. 204-5.

33. In *Galeria dos presidentes de São Paulo: Período Republicano 1889-1920*, org. de Eugenio Egas. São Paulo: Publicação Official do Estado de São Paulo, 1927, p. 424.

34. Capítulo v.

35. *Carmen ad Rodbertum*, manuscrito não autógrafo, comportando vários retoques, registrado sob n. 14192 na Biblioteca Nacional da França.

36. Cf., sobre esse episódio, Jules Michelet, *Histoire de la Révolution Française*. Paris: Gallimard (Bibliothèque de la Pléiade), 1952, v. I, pp. 101 ss. [Ed. bras.: *História da Revolução Francesa: Da queda da Bastilha à festa da federação*. Trad. de Maria Lucia Machado. São Paulo: Companhia das Letras, 1989.]

MARTINS PENA E A COMÉDIA FARSESCA DE COSTUMES: *O JUDAS EM SÁBADO DE ALELUIA* [pp. 432-55]

1. Os outros melodramas são: *Fernando ou o cinto acusador*, *D. João de Lira ou o repto*, *D. Leonor Teles*, *Itaminda ou o guerreiro de Tupã*. A pesquisadora Bruna Rondinelli descobriu que as poucas páginas restantes de um manuscrito incluído por Darcy Damasceno no volume *Dramas* (Rio de Janeiro: MEC/INL, 1956), como "drama sem título", não são de uma peça de Martins Pena. Trata-se de uma adaptação de *Une femme laide*, comédia-vaudeville de Jules de Prémaray (Cf. "De *Une femme laide* a *Uma mulher feia*: trajetória de uma adaptação no palco do Teatro São Pedro de Alcântara". *Pitágoras 500: Revista de Estudos Teatrais*, Campinas, Instituto de Artes da Unicamp, n. 5, 2013, pp. 77-88).

2. José de Alencar, "A comédia brasileira", in João Roberto Faria, *Ideias teatrais: O século XIX no Brasil*. São Paulo: Perspectiva/Fapesp, 2001, p. 470.

3. Ibid.

4. Machado de Assis, *Do teatro: Textos críticos e escritos diversos*. Org., introdução e notas de João Roberto Faria. São Paulo: Perspectiva, 2008, pp. 412 e 532.

5. Sílvio Romero, *Martins Pena: Ensaio crítico*. Porto: Chardron, 1901.

6. Cf. Bruna Silva Rondinelli, "Notícia dos dramas *Vitiza ou o Nero de Espanha* e *A mulher feia*, de Martins Pena". *Opiniães*, São Paulo, FFLCH/USP, v. 1, n. 2, 2011, p. 48.

7. Luiz Francisco da Veiga, "Luís Carlos Martins Pena: O criador da comédia nacional". *Dionysos*. Rio de Janeiro, SNT/MEC, v. 1, 1949, p. 58.

8. Antônio Soares Amora, "Martins Pena ante as fontes de seu teatro". *Dionysos*, Rio de Janeiro, SNT/MEC, v. 13, 1966, p. 23.

9. Os entremezes eram também publicados, como se observa nos jornais da época. Nos dias 28 de junho e 8 de outubro de 1839, por exemplo, o *Diário do Rio de Janeiro* anunciava, respectivamente, a venda do "novo e jocoso entremez *O amante valentão ou o rústico logrado*" e "*Lição aos pais ou o casamento frustrado*".

10. Vilma Sant'Anna Arêas, *Na Tapera de Santa Cruz: Uma leitura de Martins Pena*. São Paulo: Martins Fontes, 1987, pp. 120-5.

11. Sílvio Romero, *Martins Pena: Ensaio crítico*, op. cit., pp. 86-7.

12. Barbara Heliodora, "A evolução de Martins Pena". *Dionysos*, Rio de Janeiro, SNT/MEC, v. 13, 1966, p. 37.

13. Ibid., p. 36.

14. Edição utilizada neste estudo: Martins Pena, *Comédias*. Edição crítica preparada por Darcy Damasceno, com a colaboração de Maria Filgueiras. Rio de Janeiro: MEC/INL, 1956.

15. Cf. Henri Bergson, *O riso*. Trad. de Nathanael C. Caixeiro. Rio de Janeiro: Zahar, 1980.

16. Concetta d'Angeli e Guido Paduano, "A representação da mania", in *O cômico*. Trad. de Caetano Waldrigues Galindo. Curitiba: Ed. UFPR, 2007, pp. 39-77.

17. Bernadette Rey-Flaud, *La Farce ou la Machine à Rire. Théorie d'un Genre Dramatique 1450-1550*. Genebra: Droz, 1984, p. 218.

18. Henri Bergson, *O riso*, op. cit., p. 65.

19. Cf. Renzo Tosi, *Dicionário de sentenças latinas e gregas*. Trad. de Ivone Castilho Benedetti. São Paulo: Martins Fontes, 2000, p. 308.

20. Numa variante desta fala, que consta do manuscrito consultado por Darcy Damasceno, Martins Pena vai mais longe no registro dos costumes de seu tempo e critica não só o baixo salário das profissões modestas, mas também a transformação urbana provocada pela invasão de produtos estrangeiros, as "lojas de calçado feito", de modo que, nas palavras de Pimenta, "os sapateiros do país, ou deixam o ofício, como eu, ou morrem de fome". A fala, mais longa do que a que ficou na peça, alude também à presença no Rio de Janeiro dos alfaiates, cabeleireiros e retratistas franceses, dos negociantes ingleses, dos dentistas americanos, dos "velhacos franceses, dos bêbados ingleses", num tom de irritação que revela o ânimo nacionalista do jovem comediógrafo. Cf. Martins Pena, *Comédias*, op. cit., p. 154.

21. Wladímir Propp, *Comicidade e riso*. Trad. de Aurora Fornoni Bernardini e Homero Freitas de Andrade. São Paulo: Ática, 1992, p. 127.

22. Gonçalves de Magalhães, *Tragédias*. Rio de Janeiro: Garnier, 1865, p. 333.

23. João Caetano dos Santos, *Lições dramáticas*. Rio de Janeiro: SNT/MEC, 1962, p. 26.

24. Joaquim Manuel de Macedo, *Ano biográfico brasileiro*. Rio de Janeiro: Tipografia e Litografia do Imperial Instituto Artístico, 1876, v. I, p. 513.

25. Gonçalves de Magalhães, *Tragédias*, op. cit., pp. 329-32.

26. João Caetano dos Santos, *Lições dramáticas*, op. cit., p. 44.

27. Vilma Sant'Anna Arêas, *Na Tapera de Santa Cruz: Uma leitura de Martins Pena*, op. cit., p. 242.

28. Patrice Pavis, *Dicionário de teatro*. Trad. de J. Guinsburg e Maria Lúcia Pereira. São Paulo: Perspectiva, 1999, p. 215.

29. Maurice Charney, *Comedy High and Low: An Introduction to the Experience of Comedy*. Nova York: Oxford University Press, 1978, p. 97.

A CASA VAZIA [pp. 456-68]

1. Alfredo Bosi, "A interpretação da obra literária", in *Céu, inferno: Ensaios de crítica literária e ideológica*. São Paulo: Ática, 1988, p. 274.

2. Jorge de Lima, *Livro de sonetos*, in Obra completa, v. 1. Rio de Janeiro: J. Aguillar, 1958, pp. 565-605.

3. Cf. Antonio Candido, "A educação pela noite", in *A educação pela noite, e outros ensaios*. São Paulo: Ática, 1987, p. 18.

4. Evoco o pensamento de Octavio Paz, que define o tempo da lírica como instante consagrado. Cf. Octavio Paz, "A consagração do instante", in *O arco e a lira*. Rio de Janeiro: Nova Fronteira, 1982, pp. 225-40.

5. A noção de preenchimento surge aqui com o significado dado por Auerbach, ao falar do método de interpretação figural: "a interpretação figural estabelece uma conexão entre dois acontecimentos ou duas pessoas, em que o primeiro significa não apenas a si mesmo, mas também ao segundo, enquanto o segundo abrange e/ou preenche o primeiro". Cf. Erich Auerbach, *Figura*. São Paulo: Ática, 1997, p. 46.

6. Gaston Bachelard, "A casa natal e a casa onírica", in *A terra e os devaneios do repouso: Ensaios sobre as imagens da intimidade*. São Paulo: Martins Fontes, 1990, p. 94.

7. Ibid., p. 77.

8. Cf. Alfredo Bosi, "Jorge de Lima", in *História concisa da literatura brasileira*. São Paulo: Cultrix, 1979, pp. 502-8.

9. Gaston Bachelard, "A casa natal e a casa onírica", in *A terra e os devaneios do repouso: Ensaios sobre as imagens da intimidade*, op. cit., p. 80.

10. Ibid., p. 88.

11. Ou da anima que, conforme Jung, dá acesso à realidade arquetípica. Considerando que, para Jorge de Lima, essa realidade coincide com a transcendência religiosa, preferi usar o termo que o poeta utiliza no 39º poema constante no *Livro de sonetos*: "Eis nesse mundo a jovem parricida...// ó alma humana, alma dura que ainda existes/ nessa luta de morte...".

12. Mircea Eliade, *O sagrado e o profano: A essência das religiões*. São Paulo: Martins Fontes, 1999, p. 20. Cf. principalmente o capítulo I: "O espaço sagrado e a sacralização do mundo".

13. Octavio Paz, *Sor Juana Inés de la Cruz o las trampas de la fe*. México: Fondo de Cultura Económica, 1983, p. 470.

14. O sono terá, todavia, crucial importância na série de poemas em questão, aparecendo como tema, desde o 44º até o 47º.

15. Sobre o esvaziamento da transcendência na poesia moderna, cf. Hugo Friedrich, "A idealidade vazia", in *Estrutura da lírica moderna: Da metade do século XIX a meados do século XX*. São Paulo: Duas Cidades, 1978, pp. 47-49.

16. Jorge de Lima, "Autorretrato intelectual", in *Livro de sonetos*, op. cit., p. 71.

17. José Fernando Carneiro, *Apresentação de Jorge de Lima*. Rio de Janeiro: Agir, 1958, p. 48.

EM TORNO DE UM SONETO DE PETRARCA [pp. 469-89]

1. Cf. Francesco Petrarca, *Canzoniere*. Turim: Einaudi, 2010, p. 220. Estabelecimento de texto de Gianfranco Contini. A tradução é a mais linear possível.

2. Cf. Italo Bettarello, *Poesia e poética de Virgílio*, FFLCH, Boletim/48 — Língua e Literatura Italiana, São Paulo, n. 2, 1955.

3. Cf. Francesco De Sanctis, *Saggio sul Petrarca*. Turim: Einaudi, 1964, p. 100.

4. Ibid., p. 116.

5. Cf. Italo Bettarello, *Poesia e poética de Virgílio*, op. cit., pp. 43-4.

6. Cf. João Franco Barreto, *Eneida portuguesa*. Lisboa: Casa da Moeda, 1981, p. 195.

7. Francesco Petrarca, *L'Ascension du mont Ventoux*. Clamecy: Imprimerie Laballery, 2009, p. 19. A respeito, há um estudo do petrarquiano brasileiro, Luís André Nepomuceno, "Princípios da contemporaneidade: A carta Fam. IV, 1", in *Petrarca e o humanismo*. Bauru: Edusc, 2008, pp. 103-15.

8. Como sugere Carlo Ossola, o livro se inscreve no "ciclo profano dos dias do ano", com seus 365 poemas antecedidos por um poema-prefácio. Cf. "Présence de Pétrarque", in Carlo Ossola (Org.), *Pétrarque et l'Europe*. Grenoble: Éditions Jérôme Million, 2006, p. 138.

9. A propósito, cabe mencionar o importante estudo de Marco Santagata, que já guarda no título essa dimensão autobiográfica do livro: *I frammenti dell'anima. Storia e racconto nel Canzoniere di Petrarca* (Bologna: Mulino, 2004).

10. Cf. Ernest Hatch Wilkins, *Vita del Petrarca e La formazione del "Canzoniere"*. Milão: Feltrinelli, 1980, pp. 335-84.

11. Cf. Francesco De Sanctis, *Saggio sul Petrarca*, op. cit., p. 191.

12. Ibid., pp. 62-3.

13. Cf. Giovanni Boccaccio, *Vita di Petrarca*. Roma: Salerno Editrice, 2004, p. 87. A tradução do latim para o italiano é de Gianni Villani, também curador da edição.

14. Cf. Francesco Petrarca, *Mon secret*. Dijon-Quentigny: Rivages Poche, 2005, pp. 51 e 135.

15. Trata-se de fragmento de *Mon cœur mis à nu*. Cf. Charles Baudelaire, *Œuvres complètes*. Paris: Seuil, 1982, p. 632.

16. Cf. Virgílio, *Geórgicas* IV, vv. 453-527.

17. Cf. Ovídio, *As metamorfoses*, Livro X, vv.1-85.

18. Cf. Philippe Beaussant, *Passages. De la Renaissance au Baroque*. Paris: Fayard, 2011, pp. 45 e 47.

19. Ibid., pp. 51-4.

20. Cf. Id., *Le Chant d'Orphée selon Monteverdi*. Paris: Fayard, 2005, pp. 23-4.

21. Cf. Enrico Fubini, *L'estetica musicale dall'antichità al settecento*. Turim: Einaudi, 1976, pp. 123-31. [Grifos do autor.]

22. Cf. Alfredo Bosi, "Lembrança de Italo Bettarello", *Revista do IEA*, v. 8, n. 22, 1994, p. 255.

23. Respectivamente, Rinaldo Alessandrini, *Monteverdi*. Arles: Actes Sud/Classica, 2004, p. 141; Philippe Beaussant, *Claudio Monteverdi*. Paris: Fayard, 2010, p. 93; Roger Tellart, *Monteverdi*. Paris: Fayard, 1997, p. 435; Denis Stevens, "Madrigali guerrieri, et amorosi", in Denis Arnold e Nigel Fortune, *The Monteverdi Companion*. Nova York: Norton Library, p. 246; Ibaney Chasin, *Música serva d'alma. Claudio Monteverdi. Ad voce umanissima*. São Paulo: Perspectiva, 2009, pp. 197-309.

24. Eis o texto no original: *"Avendo io considerato le nostre passioni od affetioni del animo essere tre le principali, cioè ira, temperanza et umiltà o supplicatione, come bene gli migliori filosofi affermano, anzi la natura stessa de la voce nostra in ritrovarsi alta bassa e mezzana, et come l'arte musica lo notifica chiaramente in questi tre termini di concitato, molle et temperato, né avendo in tutte le compositioni de passati compositori potuto ritrovare esempio del concitato genere, ma ben sí del molle et temperato; genere però descrito da Platone nel terzo De rethorica [sic] com queste parole: 'Suscipe harmoniam illam quae ut decet imitatur euntis in proelium, voce, atque accentus', et sapendo che gli contrarii sono quelli che movono grandemente l'animo nostro, fine del movere che deve aver la bona musica, [...] perciò mi posi com non poco mio studio e fatica per ritrovarlo [...]".* Apud Paolo Fabbri, *Monteverdi*. Turim: EDT, 2012, pp. 300-1.

25. Cf. *Ottavo Libro dei Madrigali*, vol. I, com Rinaldo Alessandrini regendo o "Concerto italiano", CD 30-187, pela gravadora "Opus 111".

26. Cf. Philippe Beaussant, *Passages*, op. cit., pp. 62-3.

27. Cf. Enrico Fubini, *L'estetica musicale dall'antichità al settecento*, op. cit., p. 131.

28. Ibid., p. 139.

29. Cf. Giuseppe Ungaretti, "Le origini della Terra Promessa", in *Tutte le poesie*. Milão: Mondadori, 1977, p. 449.

30. Apud Luca Scarlini, "Ungaretti: Música para Poemas, Poemas para Música", in Ungaretti, *Daquela estrela à outra*. São Paulo: Ateliê, 2003, pp. 225-6. O importante volume é organizado pela estudiosa de Ungaretti e professora de literatura italiana da USP, Lucia Wataghin.

31. Ibid., p. 226.

32. Cf. Leone Piccioni, *Vita di Ungaretti*. Milão: Rizzoli, 1979, p. 219.

33. Apud Carlo Ossola, "Ungaretti-Nono. Versi per Coro", *Avvenire*, 23 jul. 2016. Trata-se de uma resenha do livro que reúne a correspondência entre o poeta e o músico: *Per un sospeso fuoco. Lettere (1950-1969)*. Milão: Il Saggiatore, 2016.

34. Cf. Alfredo Bosi, "A lição de Ungaretti", in *Céu, inferno*. São Paulo: Duas Cidades; Ed. 34, 2003, pp. 346-7. [Grifos do autor.]

35. Cf. Giuseppe Ungaretti, *Tutte le poesie*, op. cit., p. 549.

36. Ibid., p. 245. A tradução que se segue também se pretende a mais linear possível.

37. Ibid., p. 566. São palavras do próprio Ungaretti.

38. Cf. Mario Petrucciani, *Il condizionale di Didone. Studi su Ungaretti*. Nápoles: Edizioni Scientifiche Italiane, 1985, pp. 18-9.

39. Cf. Giuseppe Ungaretti, "Il poeta dell'oblio", in *Saggi e interventi*. Milão: Mondadori, 1982, pp. 398-422. A frase citada situa-se à página 408.

40. "Idea, tempo e valore della memoria in Petrarca"; "Sui sonetti del Petrarca: Quand'io son tutto vòlto in quella parte/ Or ch'el ciel e la terra e'l vento tace/ Tutta la mia fiorita e verde etade"; "Sul sonetto del Petrarca: Quand'io son tutto vòlto in quella parte", todos os três de 1937. Um outro, do início dos anos 1940, foi a conferência "Prima invenzione della poesia moderna. Sul *Canzoniere* di F. Petrarca". Todos esses textos estão reunidos no volume *Viaggi e lezioni*. Milão: Mondadori, 2000. Os títulos dos três primeiros são de Paola Montefoschi, curadora da publicação. Há uma edição brasileira, organizada sempre por Paola Montefoschi, com traduções de Antônio Lázaro de Almeida Prado: Giuseppe Ungaretti, *Invenção da poesia moderna. Lições de literatura no Brasil 1937-1942*. São Paulo: Ática, 1996.

41. Cf. Giuseppe Ungaretti, "Introdução", in *Invenção da poesia moderna. Lições de literatura no Brasil 1937-1942*, op. cit., p. 27.

EMILY DICKINSON, ENTRE O SÍMBOLO E A ALEGORIA [pp. 490-502]

1. A identificação numérica dos poemas de Emily Dickinson corresponde às duas edições mais fidedignas de sua obra: J representa Thomas H. Johnson (Org.), *The Poems of Emily Dickinson*. Cambridge: Harvard University Press, 1955; e F representa Ralph W. Franklin (Org.), *The Poems of Emily Dickinson*. Cambridge: Harvard University Press, 1998. A primeira tradução em português, feita por Manuel Bandeira, foi publicada em 1928 na revista *Para Todos* e republicada em 1943 e 1948 ao lado de outros quatro poemas da autora. Segue-se a de Cecília Meireles (1954), publicada em uma coletânea de poesia universal organizada por Sergio Milliet. Depois, editaram-se cerca de uma vintena de outras. Dentre as mais recentes encontra-se a de Augusto de Campos (2008). Escolhi a

de Aíla de Oliveira Gomes porque é aquela com a qual mantive maior contato, como leitora. Para conhecer todas as versões, consulte-se o excelente site dedicado à poeta, organizado por Carlos Daghlian, do Ibilce (Unesp de São José do Rio Preto), de onde foram retiradas estas informações: <http://www.ibilce.unesp.br/#!/departamentos/letras-modernas/emily-dickinson/>. Acesso em: 5 abr. 2017.

2. Emily Dickinson, *Uma centena de poemas*. Trad., introd. e notas de Aíla de Oliveira Gomes. São Paulo: T. A. Queiroz; Edusp, 1984.

3. *"When I state myself, as the representative of the verse, it does not mean me, but a supposed person."* Carta a Higginson em *Selected Poems & Letters of Emily Dickinson*. R. N. Linscott (Org.). Garden City, NY: Doubleday Anchor, 1959, p. 10.

4. Carlos Daghlian, *Emily Dickinson. A visão irônica do mundo*. São José do Rio Preto: Vitrine Literária, 2015, p. 174.

5. Fred D. White, *"Emily Dickinson's Existential Dramas"*. *The Cambridge Companion to Emily Dickinson*, Wendy Martin (Org.). Cambridge: Cambridge University Press, 2002, p. 93.

6. Carlos Daghlian, "A autoironia na poesia de Emily Dickinson". *Fragmentos — Revista de Língua e Literatura Estrangeiras*, Florianópolis, v. 34, dez. 2008, p. 44.

7. Paulo Henriques Britto, "A tradução para o português do metro de balada inglês". *Fragmentos — Revista de Língua e Literatura Estrangeiras*, Florianópolis, v. 34, dez. 2008, pp. 25-33.

8. Cristanne Miller, *Emily Dickinson. A Poet's Grammar*. Cambridge: Harvard University Press, 1987.

9. A relação entre telégrafo e travessão na sua poesia foi aventada por Justin Tackett em sua comunicação "Resisting 'Suddenness': Industrial Temporality in the Poetry of Emily Dickinson" no congresso da American Comparative Literature Association, na Universidade de Toronto, 4-7 abr. 2013.

10. Emily Dickinson apud Mary A. Jordan, "Emily Dickinson's Letters" [1894], in Caesar R. Blake e Carlton F. Wells (Orgs.), *The Recognition of Emily Dickinson: Selected Criticism since 1890*. Ann Arbor: The University of Michigan Press, 1964, p. 59.

11. Igualmente relevante é destacar o epitáfio inscrito no túmulo de Keats, a seu pedido: *"Here lies One Whose Name was writ in Water"*, e os famosos versos iniciais de seu *Endymion* (1818): *"A thing of beauty is a joy for ever:/ Its loveliness increases; it will never/ Pass into nothingness"*. Tanto Keats quanto Dickinson contrastam a morte do sujeito, incluindo o apagamento do seu nome, com a permanência de Verdade e Beleza, encarnada no poema.

12. Deparei-me com a referência a este poema em mais de um local. Recomendo o site de Susan Kornfeld, The Prowling Bee: <http://bloggingdickinson.blogspot.com.br>. Acesso em: 5 abr. 2017.

13. Sobre as controvérsias a respeito de sua peculiar religiosidade, recomenda-se a leitura dos vários estudos críticos coligidos em Judith Farr (Org. e Introd.), *Emily Dickinson: A Collection of Critical Essays*. New Jersey: Prentice Hall, 1996, assim como o belo ensaio de Louise Bogan, "A mystical poet", in *Emily Dickinson: A Collection of Critical Essays*. Richard B. Sewall (Org.). New Jersey: Prentice Hall, 1963.

14. Judith Farr (Org. e Introd.), *Emily Dickinson: A Collection of Critical Essays*, op. cit., p. 13.

15. A esse respeito, confiram-se os ensaios selecionados por Blake e Wells, especialmente os de Allen Tate e George W. Whicher. Caesar R. Blake e Carlton F. Wells (Orgs.), *The Recognition of Emily Dickinson: Selected Criticism since 1890*, op. cit.

16. Paul de Mann, "The rhetoric of temporality", in *Blindness & Insight. Essays in the Rhetoric of Contemporary Criticism*. Londres: Routledge, 1996, p. 192.

17. Ibid., p. 193.

18. Walter Benjamin, "Alegoria e drama barroco", in *Documentos de cultura, documentos de barbárie (Escritos escolhidos)*. Seleção e apresentação de Willi Bolle. São Paulo: Cultrix; Edusp, 1986, p. 30.

19. Georg Lukács, "Alegoria y símbolo", in *Estética*. Trad. para o espanhol de Manuel Sacristán. Barcelona: Grijalbo, 1967,. v. IV. Apesar da conhecida contenda de Lukács em relação ao estudo de Benjamin sobre a alegoria barroca, foi preciso lançar mão dos dois teóricos, selecionando, de seus escritos, aquilo que pudesse auxiliar no desenvolvimento da análise, sem que se fizesse necessária a explicitação de divergências, descabida para a economia do argumento.

20. Alfredo Bosi, "'A máquina do mundo' entre o símbolo e a alegoria", in *Céu, inferno: Ensaios de crítica literária e ideológica*. São Paulo: Ática, 1988.

21. Ibid., p. 81.

22. Ibid., p. 86.

23. Ibid., p. 90.

24. Walter Benjamin *apud* Alfredo Bosi, ibid., p. 91.

25. Ibid., p. 119.

26. Georg Lukács, "Alegoria y símbolo", in *Estética*, op. cit.

27. Walter Benjamin, "Alegoria e drama barroco", in *Documentos de cultura, documentos de barbárie (Escritos escolhidos)*, op. cit., pp. 38-9.

28. Alfredo Bosi, *O ser e o tempo da poesia*. São Paulo: Companhia das Letras, 2000, p. 226.

Bibliografia de Alfredo Bosi

João Carlos Felix de Lima

TESES

Itinerario della narrativa pirandelliana. São Paulo: Universidade de São Paulo, 1964. Tese (Doutorado em Literatura Italiana). Orientador: Italo Bettarello.
Mito e poesia em Giacomo Leopardi. São Paulo: Universidade de São Paulo, 1970. Tese (Livre-Docência em Literatura Italiana).

LIVROS

O pré-modernismo. São Paulo: Cultrix, 1966. (A Literatura Brasileira, v. 5).
História concisa da literatura brasileira [1970]. 50. ed. São Paulo: Cultrix, 2015.
O ser e o tempo da poesia [São Paulo: Cultrix, 1977]. 8. ed. São Paulo: Companhia das Letras, 2010.
Reflexões sobre a arte [1985]. 7. ed. São Paulo: Ática, 2002. (Série Fundamentos).
Céu, inferno: Ensaios de crítica literária e ideológica [3. ed. São Paulo: Ática, 1988]. São Paulo: Ed. 34; Duas Cidades, 2010.
Dialética da colonização [1992]. 4. ed. São Paulo: Companhia das Letras, 1996.
Machado de Assis: O enigma do olhar [São Paulo: Ática, 1999]. 4. ed. São Paulo: Martins Fontes, 2007.
Literatura e resistência. São Paulo: Companhia das Letras, 2002.
Machado de Assis. São Paulo: Publifolha, 2002.
Brás Cubas em três dimensões. São Paulo: Companhia das Letras, 2006.
Ideologia e contraideologia: Temas e variações. São Paulo: Companhia das Letras, 2010.
Machado de Assis. Rio de Janeiro: Academia Brasileira de Letras, 2011. (Os Essenciais).

Entre a literatura e a história. São Paulo: Ed. 34, 2013.
Três leituras: Machado, Drummond, Carpeaux. São Paulo: Ed. 34, 2017.
Os trabalhos da mão. Il. de Nelson Cruz. Curitiba: Positivo, 2017.
Arte e conhecimento em Leonardo da Vinci. São Paulo: Edusp, 2017.

ORGANIZAÇÃO/ COORDENAÇÃO OU EM COLABORAÇÃO

Poesias de José Bonifácio, o Moço. Org., apres., em colaboração com Nilo Scalzo. São Paulo: Conselho Estadual de Cultura, 1962.
Os sertões, de Euclides da Cunha. Edição didática preparada por Alfredo Bosi. Estabelecimento do texto por Hersílio Ângelo. São Paulo: Cultrix; Brasília: Instituto Nacional do Livro, 1973.
O conto brasileiro contemporâneo. Sel., intr. e notas bibliográficas [1975]. 16. ed. São Paulo: Cultrix, 2015.
A palavra e a vida: Expressão e comunicação para a 5ª série do Primeiro Ciclo. Em colaboração com Rodolfo Ilari. São Paulo: Loyola, 1976.
Araripe Júnior: Teoria, crítica e história literária. Sel. e apres. Rio de Janeiro: LTC; São Paulo: Edusp, 1978.
Cuentos de Machado de Assis. Sel. e prólogo de Alfredo Bosi. Trad. de Santiago Kovadloff. Caracas: Biblioteca Ayacucho, 1978.
Machado de Assis. Org. em colaboração com José Carlos Garbuglio, Mario Curvello e Valentim Facioli. São Paulo: Ática, 1982. (Escritores Brasileiros: Antologia & Estudos).
Os melhores poemas de Ferreira Gullar [1983]. 7. ed. Sel. e intr. São Paulo: Global, 2004.
Graciliano Ramos. Org. em colaboração com José Carlos Garbuglio e Valentim Facioli. São Paulo: Ática, 1987. (Escritores Brasileiros: Antologia & Estudos).
Cultura brasileira: Temas e situações. Org. e intr. São Paulo: Ática, 1987.
Sobre letras e artes, de Otto Maria Carpeaux. Org., sel. e pref. São Paulo: Nova Alexandria, 1992.
Leitura de poesia. Org. e apres. São Paulo: Ática, 1996.
Letras de Minas e outros ensaios, de Hélio Lopes. Org. e apres. São Paulo: Edusp, 1997.
Brazil: Dilemmas and Challenges. São Paulo: Edusp, 2001.
Essencial Padre Antônio Vieira. Org. e intr. São Paulo: Penguin Classics Companhia das Letras, 2011.

ARTIGOS, PREFÁCIOS, INTRODUÇÕES, RESENHAS E ENSAIOS EM LIVROS, JORNAIS E REVISTAS

"A história da literatura brasileira de Veríssimo" in: *O imparcial.* São Paulo: Colégio Macedo Soares, abr. 1958.
"Crítica e poesia" in: *Il Progresso Italo-Brasiliano,* n. 6. São Paulo, 31 jul. 1959.
"Lendo *Clarissa* de Erico Verissimo" in: *A cidade de São Carlos,* 5 set. 1959.
"O barroco e o sentimento do infinito" in: *A cidade de São Carlos,* 3 out. 1959.
"O pensamento de Vico" in: *Enciclopédia Ambiente,* n. 1, maio 1960.
"O romance da providência" [*Os noivos,* de Manzoni] in: *O Estado de S. Paulo,* 19 ago. 1961. Letras Italianas, Suplemento Literário, p. 19.

"O círculo mágico" [Cecília Meireles] in: *O Estado de S. Paulo*, 9 set. 1961. Letras Italianas, Suplemento Literário, p. 1.

"Resenha" a VAL, Waldir Ribeiro do. *Vida e obra de Raimundo Correa* in: *O Estado de S. Paulo*, 15 jul. 1961.

"Motivo e tema" in: *O Estado de S. Paulo*, 21 jul. 1962, Letras Italianas, Suplemento Literário, p. 1.

"Jorge de Lima: a estrada e o rio" in: *O Estado de S. Paulo*, p. 42, 11 ago. 1962.

"Resenha" a GRASSI, Ernesto. *Arte e mito* in: *O Estado de S. Paulo*, 8 dez. 1962, Suplemento Literário, p. 2.

"Um conceito de humorismo" in: *O Estado de S. Paulo*, 9 fev. 1963. Letras Italianas, Suplemento Literário, p.1.

"Os herdeiros de Croce" in: *O Estado de S. Paulo*, 28 set. 1963. Letras Italianas, Suplemento Literário, p. 1.

"O nosso tempo e a esperança" in: *O Estado de S. Paulo*, 14 dez. 1963. Letras Italianas, Suplemento Literário, p. 1.

"Um teólogo leitor de Dante" in: *O Estado de S. Paulo*, 14 jan. 1964.

"Um comentário perfeito a *Mater et magister*" in: *Brasil Urgente*, n. 50, 28 fev. 1964.

"De um prefácio a Quasimodo" in: *O Estado de S. Paulo*, 21 mar. 1964, Letras Italianas, Suplemento Literário, p. 1.

"Lebret e o seu *Manifesto por uma civilização solidária*" in: *Brasil Urgente*, n. 54, 27 mar. 1964.

"O outro Pirandello" in: *O Estado de S. Paulo*, 9 maio 1964. Letras Italianas, Suplemento Literário, p. 1.

"Um Kafka italiano?" in: *O Estado de S. Paulo*, 11 jul. 1964. Letras Italianas, Suplemento Literário, p. 1.

"Nem viver nem morrer" in: *O Estado de S. Paulo*, 12 set. 1964. Letras Italianas, Suplemento Literário, p. 1.

"Michelangelo poeta" in: *O Estado de S. Paulo*, 28 nov. 1964. Letras Italianas, Suplemento Literário, p. 1.

"Cecília Meireles: a música ausente" in: *O Estado de S. Paulo*, 20 fev. 1965. Letras Italianas, Suplemento Literário, p. 4.

"Poesia popular italiana" in: *O Estado de S. Paulo*, 8 maio 1965. Letras Italianas, Suplemento Literário, p. 1.

"Ética e poesia no 'Inferno' de Dante" in: *O Estado de S. Paulo*, 22 maio 1965. Letras Italianas, Suplemento Literário, p. 5.

"Problemas da vanguarda" in: *O Estado de S. Paulo*, 28 ago. 1965. Letras Italianas, Suplemento Literário, p. 1.

"Um novíssimo lê Dante" in: *O Estado de S. Paulo*, 23 out. 1965. Letras Italianas, Suplemento Literário, p. 1.

"Sobre Teilhard de Chardin" in: *O Estado de S. Paulo*, 6 nov. 1965. Letras Italianas, Suplemento Literário, p. 3.

"Verga vivo" in: *O Estado de S. Paulo*, 8 de jan. 1966. Letras Italianas, Suplemento Literário, p. 1.

"Introdução" in: REGO, José Lins do. *Fogo morto*. Rio de Janeiro: José Olímpio, 1965, pp. 4-8.

"Literatura e sociedade" in: *O Estado de S. Paulo*, 19 mar. 1966. Letras Italianas, Suplemento Literário, p. 6.

"Bandeira, romântico e moderno" in: *O Estado de S. Paulo*, 16 abr. 1966. Letras Italianas, Suplemento Literário, p. 5.

"Quer pasticciaccio brutto" in: *O Estado de S. Paulo*, 30 abr. 1966. Letras Italianas, Suplemento Literário, p. 1.

"Croce e os mitos modernos" in: *O Estado de S. Paulo* 4 jun. 1966. Letras Italianas, Suplemento Literário, p. 1.

"A lição de Ungaretti" in: *O Estado de S. Paulo*, 20 ago. 1966. Letras Italianas, Suplemento Literário, p. 1.

"As razões de Moravia" in: *O Estado de S. Paulo*, 27 ago. 1966. Letras Italianas, Suplemento Literário, p. 1.

"Quasimodo revisitado" in: *O Estado de S. Paulo*, 24 ago. 1966. Letras Italianas, Suplemento Literário, p. 1.

"Do conformismo ao descontentamento" in: *Notícias literárias*. São Paulo: Pensamento-Cultrix, n. 21, ago. 1966.

"O mundo ofendido de Vittorini" in: *O Estado de S. Paulo*, 11 mar 1967. Letras Italianas, Suplemento Literário, p. 1.

"Resenha" a LEFEBVRE, Henri. *Langage et societé* in: *O Estado de S. Paulo*, p. 2, 1 abr. 1967.

"Uma cultura doente? Italo Svevo" in: *O Estado de S. Paulo*, 6 maio 1967. Letras Italianas, Suplemento Literário, p. 6.

"Há cem anos nascia Pirandello" in: *O Estado de S. Paulo*, 1 jul. 1967. Letras Italianas, Suplemento Literário, p. 1.

"Paixão e ideologia (Pasolini)" in: *O Estado de S. Paulo*, 16 set. 1967. Letras Italianas, Suplemento Literário, p. 1.

"Travessia: leitura de *L'anguilla*" de Eugenio Montale in: *O Estado de S. Paulo*, 5 maio 1968. Letras Italianas, Suplemento Literário, p. 1.

"A estrutura e o nada: Umberto Eco e *La struttura assente*" in: *O Estado de S. Paulo*, 5 out. 1968. Letras Italianas, Suplemento Literário, p. 1.

Verbetes in: MOISÉS, Massaud; PAES, José Paulo (Orgs.). *Pequeno Dicionário de Literatura Brasileira*. São Paulo: Cultrix, 1969 (3. ed., 1987). Rodrigues de Abreu; João Alphonsus; Narcisa Amália de Campos; Cyro dos Anjos; Graça Aranha; Araripe Júnior; Murilo Araújo; *O Ateneu*; Tobias Barreto; Farias Brito; Sousa Caldas; *Canaã*; Lúcio Cardoso; Euclides da Cunha; Otávio de Faria; Jackson de Figueiredo; Joaquim José da França Jr.; Agripino Grieco; Eduardo Guimaraens; Oliveira Lima; Monteiro Lobato; Bernardino da Costa Lopes; Alcides Maia; Filipe Daudt D'Oliveira; Artur Orlando da Silva; Cornélio Penna; Menotti Del Picchia; Raul Pompeia; Eduardo Prado; Pré-Modernismo; João Ribeiro; Plínio Salgado; *Os sertões*; Teixeira e Sousa; Auta de Souza; Alberto Torres; Antonio dos Santos Torres; Oliveira Viana; Alceu Wamosy.

"Acaso, necessidade" in: *Revista Discurso*, ano 1, n. 2, pp. 153-9, 1971.

"Nota sobre a imagem em Castro Alves" in: *O Estado de S. Paulo*, p. 5, 5 jun. 1971.

"O ser e o tempo da poesia: Uma leitura de Vico" in: *Revista Discurso*, ano 3, n. 3, pp. 155-73, 1972.

"Prefácio" in: GARBUGLIO, José Carlos. *O mundo movente de Guimarães Rosa*. São Paulo: Ática, 1972.

"Formação cultural brasileira" in: VVAA. *Brasil: processo e integração*. São Paulo: Loyola, 1972.

"O movimento modernista de Mário de Andrade" in: *Colóquio/Letras*. Lisboa: 1973. pp. 25-33.

"Apresentação" in: MACHADO DE ASSIS. *Memorial de Aires*. São Paulo: Ática, 1973 (caderno separado).

"A pós-graduação em Literatura" in: *Alfa*, 18/19, Departamento de Letras da FFLC de Marília, 1973.

"A esperança, entendida como a chama que inflama o mundo" in: *Folha de S.Paulo*, p. 18, 7 jul. 1974.
"Prefácio" in: BARBOSA, João Alexandre. *A tradição do impasse*. São Paulo: Ática, 1974, pp. 11-5.
"Silêncio, fala e texto" in: VILLAÇA, Alcides. *O tempo e outros remorsos*. São Paulo: Ática, 1974.
"Entre a retórica e a poesia" in: BRANDÃO, Roberto de Oliveira. *A tradição sempre nova*. São Paulo: Ática, 1975.
"O trabalho dos intelectuais segundo Gramsci" in: *Debate e Crítica*, n. 6, 1975.
"A redação da volta" in: *Movimento*, 29 set. 1975.
"Homenagem a Erico Verissimo" in: *Movimento*, 8 dez. 1975.
"Frase: música e silêncio" in: *Revista de Letras*, v. 18, pp. 23-63, 1976.
"Gramsci na prática" in: *Movimento*, 22 set. 1976.
"Literatura brasileira: modernismo" in: *Enciclopédia Mirador Internacional*, v. 4, Rio de Janeiro: 1976, pp. 1698-703 [em col. com Otto M. Carpeaux].
"Literatura italiana: das origens à Renascença" in: *Enciclopédia Mirador Internacional*, v. 12, Rio de Janeiro: 1976, pp. 6348-58.
"Prefácio 1" in: OLIVAL, Moema de Castro e Silva. *O processo sintagmático na obra literária*. Goiânia: Oriente, 1976, pp. 21-6.
"O crítico entre a teoria e a prática" in: SANTOS, Wendel. *Crítica sistemática*. Goiânia: EDUFG, 1977, pp. 5-12.
"As letras na Primeira República", in: *O Brasil Republicano*, série 3, v. 2. "Sociedades e Instituições", sob direção de Boris Fausto, da *História geral da civilização brasileira*. São Paulo: Difel, 1977.
"Paulo Emílio Salles Gomes, Cataguases e *Cinearte* na formação de Humberto Mauro" in: *Discurso*, ano 8, n. 8, pp. 46-52, 1978.
"Resenha" a *Antologia retirante* de Pedro Casaldáliga, in: *Encontros com a Civilização Brasileira*, n. 25, Rio de Janeiro, nov. 1978, pp. 257-9.
"Introdução", in: _____ (Org.). *Araripe Júnior: Teoria, crítica e história literária*. Rio de Janeiro: LTC; São Paulo: Edusp, 1978, pp. 9-10.
"Psicologia e estilo: o leitor de Raul Pompeia e dos prosadores do seu tempo", in: _____ (Org.). *Araripe Júnior: Teoria, crítica e história literária*. Rio de Janeiro: LTC; São Paulo: Edusp, 1978, pp. 112-7.
"O leitor de Gregório de Matos" in: _____ (Org.). *Araripe Júnior: Teoria, crítica e história literária*. Rio de Janeiro: LTC; São Paulo: Edusp, 1978, pp. 275-8.
"O crítico de um crítico: 'Sílvio Romero polemista'" in: _____ (Org.). *Araripe Júnior: Teoria, crítica e história literária*. Rio de Janeiro: LTC; São Paulo: Edusp, 1978, pp. 313-8.
"O leitor sem fronteiras" in: _____ (Org.). *Araripe Júnior: Teoria, crítica e história literária*. Rio de Janeiro: LTC; São Paulo: Edusp, 1978, pp. 383-6.
"Apresentação" in: DAL FARRA, Maria Lúcia. *O narrador ensimesmado*. São Paulo: Ática, 1978.
"Imagens do Romantismo no Brasil" in: GUINSBURG, J. (Org.). *O Romantismo*. São Paulo: Perspectiva, 1978, pp. 239-56.
"Prefácio" a CARONE, Modesto. *A poética do silêncio*. São Paulo: Perspectiva, 1978, pp. 9-11.
"Resenha" a CARPEAUX, Otto Maria. *Reflexo e realidade* in: *Leia Livros*. Rio de Janeiro: Fontana, 15 set. 1978.
"Camões e Jorge de Lima" in: *Revista Camoniana*, Instituto de Estudos Portugueses, Universidade de São Paulo, 1979.

"A máscara e a fenda (sobre alguns contos de Machado de Assis)" in: *Encontros com a Civilização Brasileira*, n. 17, 1979, pp. 117-49.

"Vico: vida e obra" in: *Os Pensadores: Vico*. 2. ed. São Paulo: Abril Cultural, 1979, pp. 6-24.

"Prefácio" in: LEITE, Dante Moreira. *O amor romântico e outros temas*. São Paulo: Cia Ed. Nacional; Edusp, 1979.

"Uma figura machadiana" in: VVAA. *Esboço de figura*. São Paulo: Duas Cidades, 1979.

"Moderno e modernista no Brasil" in: *Temas*, n. 6, 1979.

"A questão da cultura brasileira" in: *Conjuntura Nacional*. Petrópolis: Vozes, 1979.

"O nacional, artigo indefinido". *Folha de S.Paulo*, 10 maio de 1981. Folhetim, p. 5.

"Apresentação" in: XAVIER, José Jairo. *Enquanto vivemos*. Rio de Janeiro: Achiamé, 1981.

"Retrato sem retoques" in: SPERBER, Suzi Frankl et al. *Língua e literatura: O professor pede a palavra*. São Paulo: Cortez; APLL-SBPC, 1981.

"Literatura e revolução" in: *Travessia*, n. 2, Florianópolis, 1981.

"O fio vermelho" in: *Folha de S.Paulo*, 17 maio 1981. Folhetim, p. 4.

"A intimidade revelada (Cartas de Gramsci)" in: *Folha de S.Paulo*, 28 jun. 1981. Folhetim, pp. 10-1.

"Marilena: o logos apaixonado" in: *Folha de S.Paulo*, 27 set. 1981. Folhetim, p. 10.

"Uma crônica das origens" in: CARDOSO, Irene R. *A universidade da comunhão paulista*. São Paulo: Cortez, 1982, pp. 11-6.

"Sobre *Vidas secas*" in: *Novos Estudos Cebrap*. São Paulo, v. 1-2, 1982, pp. 42-3.

"A máscara e a fenda" in: BOSI et al. *Machado de Assis*. São Paulo: Ática, 1982, pp. 437-57.

"Memória e memorial" in: *Folha de S.Paulo*, 17 set. 1982.

"Dez argumentos para o ensino público" in: *Folha de S.Paulo*, p. 3, 31 ago. 1982.

"Homenagem a Sérgio Buarque de Holanda" in: *Novos Estudos*, n. 3, 1983, pp. 49-53.

"Em memória de Wendel Santos" in: SANTOS, Wendel. *Crítica: Uma ciência da literatura*. Goiânia: EDUFG, 1983.

"Educação brasileira" in: SAVIANI, Dermeval et al. *Filosofia da educação brasileira*. Rio de Janeiro: Civilização Brasileira, 1983, pp. 135-76.

"Prefácio" in: BARBÉ, Domingos. *Teologia da pastoral operária. Experiência de Osasco*. Petrópolis: Vozes, 1983.

"Alceu aqui e agora" in: *Leia Livros*, out. 1983.

"Jejum contra a fome" in: *Folha de S.Paulo*, 18 dez. 1983.

"Lobato e a criação literária" in: *Boletim Bibliográfico da Biblioteca Municipal Mário de Andrade*, v. 43, n. ½. São Paulo: Prefeitura de São Paulo, 1983.

"O mundo mineiro de Orlando Bastos" in: BASTOS, Orlando. *Contos*. São Paulo: Ática, 1984.

"Descentralização" in: *Folha de S.Paulo*, 4 mar. 1984.

"Um exemplo de participação" in: *Folha de S.Paulo*, 22 mar. 1984.

"O *Auto do frade*: as vozes e a geometria" in: *Folha de S.Paulo*, 8 abr. 1984. Folhetim, pp. 10-1.

"Sobre a não violência" in: *Folha de S.Paulo*, 19 maio 1984.

"Movimento de Educação de Base já tem a sua história". Resenha a WANDERLEY, Luiz Eduardo. *Educar para transformar* in: *Folha de S.Paulo*, p. 60, 15 jun. 1984.

"Democracia *versus* poluição" in: *Folha de S.Paulo*, 19 ago. 1984.

"Getúlio, Tancredo e a carta" in: *Folha de S.Paulo*, 24 ago. 1984.

"Teologias, sinais dos tempos" in: *Folha de S.Paulo*, 10 out. 1984.

"O nacional e suas faces" in: Eurípides Simões de Paula in: *Memoriam*, USP, 1984.
"Os trabalhos de Martha" in: STEINBERG, Martha. *Mil e um provérbios em contraste*. São Paulo: Ática, 1985.
"Estados Unidos, Nicarágua e Brasil" in: *Folha de S.Paulo*, 10 maio 1985.
"O livro do alquimista" in: PAES, José Paulo. *Um por todos*. São Paulo: Brasiliense, 1986, pp. 13-24.
"A educação e a cultura nas Constituições brasileiras" in: *Novos Estudos*, n. 14, fev. 1986, pp. 62-7.
"Um boêmio entre duas cidades" in: ANTÔNIO, João. *Abraçado a meu rancor*. São Paulo: Guanabara, 1986.
"Céu, inferno" in: _____ et al. *Graciliano Ramos*. São Paulo: Ática, 1987, pp. 386-98.
"Cultura como tradição" in: NOVAES, Adauto (Org.). *Tradição e contradição*. Rio de Janeiro: JZE; Funarte, 1987, pp. 31-58.
"Prefácio" in: LEITE, Dante Moreira. *Psicologia e literatura*. São Paulo: Hucitec, 1987.
"Prefácio" in: ANTELO, Raul. *Na ilha de Marapatá*. São Paulo: Hucitec, 1987.
"Educação e constituinte" in: *Folha de S.Paulo*, 6 fev. 1987.
"Entre a ecologia e a economia" in: *Folha de S.Paulo*, 26 ago. 1987.
"Tradução, uma nova produção" in: *Estudos Avançados*, n. 1, v. 2, jan./mar. 1988, p. 78.
"A escravidão entre dois liberalismos" in: *Estudos Avançados*, n. 3, v. 2, set./dez. 1988, pp. 4-39.
"Fenomenologia do olhar" in: NOVAES, Adauto (Org.). *O olhar*. São Paulo: Companhia das Letras, 1988, pp. 65-87.
"O exílio na pele". *Folha de S.Paulo*, 13 maio 1988. Folhetim, p. B-10.
"Educar para os direitos humanos" in: *Folha de S.Paulo*, 4 fev. 1988.
"Vieira ou a cruz da desigualdade" in: *Novos Estudos*, n. 25, out. 1989, pp. 28-49.
"Prefácio", in: ROCCO, Maria Theresa Fraga. *Linguagem autoritária*. São Paulo: Brasiliense, 1989.
"Pluralismo nella cultura brasiliana", in: *Letterature d'America*, v. 6, n. 28, Roma, 1989.
"Apresentação de Leopoldo Zea", in: *Nossa América*. São Paulo: Memorial da América Latina, n. 2, 1989.
"A vanguarda enraizada, o marxismo vivo de Mariátegui", in: *Estudos Avançados*, v. 4, n. 8, jan./abr. 1990, pp. 50-61.
"Rerum novarum", in: *Folha de S.Paulo*, 11 maio 1991. Letras, pp. 1-2.
"Antonil ou as lágrimas da mercadoria", in: *Novos Estudos*, n. 33, jul. 1992, pp. 43-63.
"O tempo e os tempos" in: NOVAES, Adauto (Org.). *Tempo e história*. São Paulo: Companhia das Letras, 1992, pp. 19-32.
"Aventuras e desventuras de uma ideologia" in: LEITE, Dante Moreira. *O caráter nacional brasileiro*. 5. ed. São Paulo: Ática, 1992. pp. 8-14.
"Prefácio" a GADOTTI, Moacir. *Escola vivida, escola projetada*. São Paulo: Papirus, 1992.
"Vieira ou a cruz da desigualdade" in: PIZARRO, Ana (Org.). *América Latina: Palavra, literatura e cultura*. São Paulo: Memorial; Campinas: Unicamp, 1993, pp. 209-35.
"Os meandros do manuscrito" in: WILLEMART, Philippe. *Universo da criação literária*. São Paulo: 1993, pp. 9-14.
"Prefácio" in: XIDIEH, Osvaldo Elias. *Narrativas populares*. São Paulo; Belo Horizonte: Edusp; Itatiaia, 1993.
"Jacques Chonchol: o Chile ontem e hoje" in: *Estudos Avançados*, v. 8, n. 21, 1994. Entrevista, pp. 247-57.

"Lembrança de Italo Bettarello", in: *Estudos Avançados*, v. 8, n. 22, set./dez. 1994, pp. 255-8.

"Editorial", in: *Estudos Avançados*, v. 8, n. 22, 1994, pp. 1-5.

"Resenha" a SCHWARTZ, Jorge. *Vanguardas latino-americanas: Polêmicas, manifestos e textos críticos* in: *O Estado de S. Paulo*, 13 maio 1995, p. Q2.

"A parábola das vanguardas latino-americanas" in: SCHWARTZ, Jorge (Org.). *Vanguardas latino-americanas: Polêmicas, manifestos e textos críticos*. São Paulo: Edusp; Iluminuras, 1995, pp. 19-28.

"A escrita do testemunho em *Memórias do cárcere*" in: *Estudos Avançados*, v. 9, n. 23, 1995, pp. 309-22.

"Formações ideológicas na cultura brasileira" in: *Estudos Avançados*, v. 9, n. 25, 1995, pp. 275-93.

"Prefácio" in: GONÇALVES, Magaly et al. *Antologia de antologias da poesia brasileira*. São Paulo: Musa, 1995.

"Sobre alguns modos de ler poesia: memórias e reflexões" in: _____. (Org.). *Leitura de poesia*. São Paulo: Ática, 1996, pp. 7-49.

"A intuição da passagem em um soneto de Raimundo Correa" in: _____. (Org.). *Leitura de poesia*. São Paulo: Ática, 1996, pp. 222-38.

"Homenageando Florestan Fernandes" in: *Estudos Avançados*, v. 10, n. 26, jan./abr. 1996, pp. 7-9.

"A natureza, os antigos: Leopardi tradutor" in: LUCCHESI, Marco (Org., notas). *Giacomo Leopardi: Poesia e prosa*. Rio de Janeiro: 1996, pp. 158-73.

"Situação de Macunaíma" in: ANDRADE, Mário. *Macunaíma* (edição crítica coordenada por Telê Porto Ancona Lopez). 2. ed. Madri; Paris; México; Buenos Aires; São Paulo; Rio de Janeiro; Lima: ALLCA XX, 1996, pp. 171-81.

"Um grande folhetim tumultuosamente filosófico" in: CARDOSO, Lúcio. *Crônica da casa assassinada* (ed. crítica por Mário Carelli). 1991. 2. ed. Madri; Paris; México; Buenos Aires; São Paulo; Rio de Janeiro; Lima: ALLCA XX, 1996, pp. 21-3.

"História de um encontro" in: *Cecília Meireles, Cecília e Mário*. Rio de Janeiro: Nova Fronteira, 1996.

"Quando tempo não é dinheiro" in: *Jornal do Brasil*, 13 jan. 1996, p. 7.

"Educação: as pessoas e as coisas" in: *Jornal do Brasil*, 10 fev. 1996, p. 7.

"Alain ameno e grave" in: *Jornal do Brasil*, 9 mar. 1996, p. 7.

"Vieira e o reino deste mundo" in: *Jornal do Brasil*, 4 mar. 1996.

"A arte e o bicho da seda" in: *Jornal do Brasil*, 6 abr. 1996, p. 7.

"Cartas cartesianas" in: *Jornal do Brasil*, 1 jun. 1996, p. 7.

"Intimidade e assimetria" in: *Jornal do Brasil*, 21 jun. 1996, p. 7.

"Leopardi" in: *Jornal do Brasil*, 27 jun. 1996, p. 7.

"*A Estética* de Benedetto Croce: um pensamento de distinções e mediações", in: CROCE, Benedetto. *Breviário de estética*. Trad. Rodolfo Ilari. São Paulo: Ática, 1997.

"Apresentação: Hélio Lopes, crítico e historiador" in: BOSI, Alfredo (Sel., org.). *Letras de Minas e outros ensaios*. São Paulo: Edusp, 1997, pp. 11-4.

"O ponto cego do ensino público" in: *Folha de S.Paulo*, 9 mar. 1997.

"Um estudante chamado Alexandre" in: *Jornal da USP*, 24 ago. 1997.

"Fantasia e planejamento" in: *Folha de S.Paulo*, 1997. Caderno de Resenhas, n. 32.

"As fronteiras da literatura" in: AGUIAR, Flávio (Org.). *Gêneros de fronteira*. São Paulo: Xamã, 1997.

"Uma disciplina do olhar", resenha a *Introdução ao método de Leonardo da Vinci* in: *Folha de S.Paulo*, 12 dez. 1998. Jornal de Resenhas, p. 10.

"Camus na festa de Bom Jesus", in: *Tempo Social*. São Paulo: USP, pp. 49-63, 1998.

"Vieira e o reino deste mundo", in: *De profecia e Inquisição*. Brasília: Senado Federal, 1998, pp. 11-43.
"Prefácio" in: MARCOVITCH, Jacques. *A Universidade possível*. São Paulo: Futura, 1998.
"Uma grande falta de educação", in: *Praga*, n. 6, São Paulo: Hucitec, 1998.
"Prefácio" in: WILLEMART, Philippe. *Bastidores da criação literária*. São Paulo: Iluminuras, 1999, pp. 9-12.
"O cânon poético nas antologias brasileiras", in: *Critica del testo*. Roma: Università La Sapienza, Dipartimento di Studi Romanza, 1999.
"Os estudos literários na Era dos Extremos", in: AGUIAR, Flávio (Org.). *Antonio Candido: Pensamento e militância*. São Paulo: Fundação Perseu Abramo, 1999, pp. 108-15.
"For a Renewed Historicism: Reflex and Reflection in Literary History", in: *Ciência e Cultura*, v. 51, n. 5/6, dez. 1999.
Intervenção registrada na Ata do 6º Encontro Internacional de Leitores do Manuscrito (6: 1999; São Paulo). *Fronteiras da criação* (Org. Philippe Willemart). São Paulo: Annablume: Fapesp, 2000, pp. 97-100.
"Por um historicismo renovado: reflexo e reflexão em História Literária" in: *Teresa — Revista de Literatura Brasileira*, São Paulo, FFLCH-USP, n. 1, 2000.
"Educação e sociedade no Brasil contemporâneo", in: *Ciência Hoje*. São Paulo, 2000.
"Os apontamentos de Gramsci", in: *Folha de S.Paulo*, 8 abr. 2000.
"A universidade pública brasileira: perfil e acesso", in: Konrad-Adenauer Stiftung, 2000.
"Cultura e inculturação", in: VVAA. *História, etnias, culturas. 500 anos construindo o Brasil*. Subsídio apresentado à 38ª Assembleia Geral da CNBB — 2000. São Paulo: Loyola, 2000, pp. 11-24.
"Como o *Grande Sertão* enveredou pela TV" in: *O Estado de S. Paulo*, 10 dez. 2002, p. D-6.
"O humanismo de Jacques Maritain" in: POZZOLI, Lafayette; SOUZA, Carlos A. Mota de (Orgs.). *Ensaios em homenagem a Franco Montoro: Humanista e político*. São Paulo: Loyola, 2001, pp. 217-21.
BOSI, Alfredo et al. *Educação hoje: Questões em debate* in: *Estudos Avançados*, Dossiê Educação, v. 15, n. 42, 2001, pp. 9-101.
"Apresentação" in: PIRANDELLO, Luigi. *Um, nenhum, cem mil*. São Paulo: Cosac Naify, 2001, pp. 7-14.
"Os estudos literários na era dos extremos" in: *Rodapé: Revista de Literatura Brasileira Contemporânea*. São Paulo: Nankin, 2001, pp. 170-8.
"Considerações sobre tempo e informação" in: *Redemoinhos*. São Paulo, n. 4, 30 jul. 2001.
"Poesia *versus* racismo" in: *Estudos Avançados*, v. 16, n. 44, 2002, pp. 235-53.
"Em torno da poesia de Cecília Meireles" in: *Metamorfoses*, n. 3, Cátedra Jorge de Sena para Estudos Literários Luso-Afro-Brasileiros. Rio de Janeiro: UFRJ, 2002.
"Paulo Evaristo. Leitor de São Jerônimo" in: *Idade Mídia*, Fiam, n. 2, nov. 2002.
"Valorizar o professor do ciclo básico". *Folha de S.Paulo*, 27 jul. 2003. Caderno Sinopse, p. 14.
Discurso de posse da Cadeira nº 12 da Academia Brasileira de Letras. Rio de Janeiro, ABL, set. 2003.
"O movimento modernista de Mário de Andrade" in: *Literatura e Sociedade*. São Paulo, n. 7, 2004, pp. 296-301.
BOSI, Alfredo; BORELLI, Dario Luis; MUNANGA, Kabengele. *A difícil tarefa de definir quem é negro no Brasil* in *Estudos Avançados*, v. 18, n. 50, 2004, pp. 51-6.
"Carta-oração ao fr. Giorgio Callegari" in: *Revés do Avesso*, ano 13, São Paulo: Centro Ecumênico de Publicações e Estudos Frei Tito de Alencar Lima, jan. 2004.
"*Fora sem dentro*. Em torno de um poema de João Cabral de Melo Neto" in: *Estudos Avançados*, v. 18, n. 50, 2004, pp. 195-207.

"Raymundo Faoro leitor de Machado de Assis" in: *Estudos Avançados*, v. 18, n. 51, 2004, pp. 355-76.

"O realismo na obra de Machado de Assis" in: JUNQUEIRA, Ivan (Org.). *Escolas literárias no Brasil*. Rio de Janeiro: Academia Brasileira de Letras, t. I, 2004, pp. 375-401.

"Reflexões sobre o Modernismo" in: JUNQUEIRA, Ivan (Org.). *Escolas literárias no Brasil*. Op. cit., t. II, pp. 671-86.

BOSI, Alfredo; COELHO, Marco Antônio. *Octavio Ianni: O preconceito racial no Brasil. (Entrevista com Octavio Ianni)* in: *Estudos Avançados*, v. 18, n. 50, 2004, pp. 6-20.

"O teatro político nas crônicas de Machado de Assis" in: *Estudos Avançados*, São Paulo, 2004, pp. 1-34. Coleção Documentos. Série Literatura I.

"Prefacio a la edición española" in: _____. *Cultura brasileña: Una dialéctica de la colonización*. Salamanca: Ediciones Salamanca, 2005, p. 13-5.

"Notas sobre o Simbolismo brasileiro em conexão com o Simbolismo Ocidental" in: CAVALIERE, Arlete et al. *Tipologia do Simbolismo nas culturas russa e ocidental*. São Paulo: Humanitas, 2005, pp. 155-61.

"O Positivismo no Brasil: Uma ideologia de longa duração" in: *Revista Brasileira*, fase 7, abr./jun., ano 11, 2005. pp. 157-81.

"Caminhos entre a literatura e a história" in: *Estudos Avançados*, v. 19, n. 55, 2005, pp. 315-34.

"Da esquerda cristã à teologia da libertação", manuscrito inédito lido no seminário sobre a obra de Michael Löwy, 28 set. 2005, 21 pp.

"Apresentação" in: COLERIDGE, Samuel Taylor. *A balada do velho marinheiro*, seguido de *Kubla Khan*. São Paulo: Ateliê, 2005, pp. 9-11.

"Brás Cubas em três versões" in: *Teresa — Revista de Literatura Brasileira*. São Paulo: FFLCH-USP, n. 8, mar. 2006, pp. 279-317.

"Situação e formas do conto brasileiro contemporâneo" in: _____. (Org.) *O conto brasileiro contemporâneo*. São Paulo: Cultrix, 2006, pp. 7-22.

"Plural, mas não caótico" in: _____. (Org.). *Cultura brasileira: Temas e situações*. 4. ed. São Paulo: Ática, 2006, pp. 7-15.

"A educação e a cultura nas Constituições brasileiras" in: _____. (Org.). *Cultura brasileira: Temas e situações*. 4. ed. São Paulo: Ática, 2006, pp. 208-18.

"Liberalismo *versus* Democracia" in: *Estudos Avançados*, v. 21, n. 59, 2007, pp. 359-63.

"Paulo Evaristo, leitor de São Jerônimo" in: ARNS, D. Paulo Evaristo. *A técnica do livro segundo São Jerônimo*. São Paulo: Cosac Naify, 2007, pp. 7-9.

"Um testemunho do presente" in: MOTA, Carlos Guilherme. *Ideologia da cultura brasileira (1933-1974): Pontos de partida para uma revisão histórica*. 3. ed. São Paulo: Ed. 34, 2008, pp. 35-50.

"*Meditatio mortis*: A poesia de Juan Reventós" in: *Estudos Avançados*, v. 22, n. 63, 2008, pp. 334-6.

"O lugar da retórica na obra de Vico" in: VICO, Giambattista. *Ciência Nova*. Trad. Vilma de Katinszky. São Paulo: Hucitec, 2008, pp. 14-35.

"Celso Furtado rumo a uma visão holística" in: FURTADO, Celso. *Criatividade e dependência na civilização industrial*. São Paulo: Companhia das Letras: 2008, pp. 9-31.

"*Cemitério dos vivos*: testemunho e ficção" in: *Literatura e Sociedade*, n. 10. São Paulo: USP, Departamento de Teoria Literária, 2007-8, pp. 18-33.

"Simone Weil: l'intelligence libératrice et ses formes", in: *Cahiers Simone Weil*, v. 31, n. 3, Paris, set. 2008, pp. 273-300.

"Figuras do narrador machadiano" in: *Cadernos de literatura brasileira: Machado de Assis*. São Paulo: Instituto Moreira Salles, 2008, pp. 126-62.

"Um nó ideológico... Notas sobre o enlace de perspectivas em Machado de Assis" in: *Escritos*. Revista do Centro de Pesquisa da Casa de Rui Barbosa. Rio de Janeiro: 2008.

"Antonio Vieira, profeta e missionário. Um estudo sobre pseudomorfose e a contradição" (parte 1) in: *Estudos Avançados*, v. 22, n. 64, 2008, pp. 241-54.

"Antonio Vieira, profeta e missionário. Um estudo sobre pseudomorfose e a contradição" (Parte 2) in: *Estudos Avançados*, v. 23, n. 65, 2009, pp. 247-70.

"Antonio Candido: mestre da mediação" (entrevista) in: *Literatura e Sociedade*, n. 11. São Paulo: USP, Departamento de Teoria Literária, 2009, pp. 30-41.

Discurso proferido quando da entrega do título de professor emérito. São Paulo: USP, Serviço de Comunicação Social, FFLCH, ago. 2009, pp. 19-35.

"Prefácio" in: PIÑON, Nélida. *Voices of the Desert: A Novel*. Nova York: Alfred Knopf, 2009.

"Prefácio" in: NEJAR, Carlos. *Poesia reunida*. São Paulo: Novo Século, 2009.

"Os livros que eu li", manuscrito inédito, 30 ago. 2010, 6 pp.

"Joaquim Nabuco memorialista" in: *Estudos Avançados*, v. 24, n. 69, 2010, pp. 87-104.

"Prefácio" in: TELLES, Lygia Fagundes. *A estrutura da bolha de sabão*. São Paulo: Companhia das Letras, 2010.

"Prefácio" in: BARRETO, Lima. *Cemitério dos vivos*. São Paulo: Cosac Naify, 2010.

"O crítico Astrojildo Pereira", in: OLIVEIRA, José Ribeiro Guedes de. *Astrojildo Pereira. In Memoriam.* Brasília: Fundação Astrojildo Pereira, 2010.

"Quando fala o poeta: Saint John Perse leitor de Dante" in: PERSE, Saint-John. Prefácio a *Para Dante*. Trad. Bruno Palma. São Paulo: Ateliê, 2010.

"A poesia é ainda necessária?" in: BROWN, Terence; BOSI, Alfredo. *Yeats and Dance – A poesia é ainda necessária?* Orgs. MUTRAN, H. Munira; IZARRA, Laura P. Z. São Paulo: Humanitas (Cátedra Estudos Irlandeses); USP, 2010, pp. 65-83 (Trad., pp. 85-104).

"A revista *Estudos Avançados*" in: *Estudos Avançados*, v. 25, n. 73, 2011, pp. 155-8.

"Nabuco memorialista" in: *Cult*, São Paulo, n. 161, 2011, pp. 27-8.

"Professor, filósofo e crítico literário Benedito Nunes" in: *Teresa — Revista de Literatura Brasileira*. São Paulo: Ed. 34, número duplo 10/11, pp. 352-5.

"Antonio Vieira: vida e obra, um esboço" in: _____. (Org.). *Essencial Padre Antônio Vieira*, op. cit., pp. 9-127.

"Os dois Machados" in: *Folha de S.Paulo*, 4 mar. 2012. Ilustríssima, p. 3.

"Joaquim Nabuco memorialista" in: NABUCO, Joaquim. *Minha formação*. São Paulo: Ed. 34, 2012, pp. 9-33.

"Cultura" in: *História do Brasil nação: A construção nacional, 1830-88* (Dir. Lilia Moritz Schwarcz, coord. José Murilo de Carvalho). São Paulo: Objetiva, 2012, pp. 225-79.

"Apresentação: Contemplação de Narciso" in: LAVELLE, Louis. *O erro de Narciso*. São Paulo: É Realizações, 2012, pp. 11-6.

"O crucifixo nos tribunais" in: *Carta Capital*, 8 abr. 2012, p. 8.

"Economia e Humanismo" in: *Estudos Avançados*, v. 26, n. 75, 2012, pp. 249-66.

"Prefácio" a VILELA, Ivan. *Cantando a própria história*. São Paulo: Edusp, 2013.

"Prefácio" a CARTA, Mino. *O Brasil*. Rio de Janeiro: Record, 2013.

"Prefácio" a PROENÇA FILHO, Domício. *O risco do jogo*. São Paulo: Prumo, 2013.
"Menos kits, melhores professores" in: *Carta Capital*, 6 jan. 2014.
"A grande encruzilhada" in: *Carta Capital*, 5 mar. 2015.
"A História o absolverá?" in: *Carta Capital*, 8 abr. 2015.
"Orelha" de PAIXÃO, Fernando. *Porcelana invisível*. São Paulo: Cosac Naify, 2015.
"Prefácio" a MAYA, Alcides. *Machado de Assis, algumas notas sobre o humour*. Rio de Janeiro: ABL, 2015.
"Mergulho nas trevas" in: *Carta Capital*, 23 abr. 2016
"A difícil terceira via" in: *Carta Capital*, 24 dez. 2016.
"Jorge de Lima poeta em movimento (Do 'menino impossível' ao 'Livro de sonetos')" in: *Estudos Avançados*, v. 30, n. 86, 2016, pp. 183-207.
"José Paulo Paes: leitor sem fronteiras" in: *Revista da Academia Brasileira de Letras*, Rio de Janeiro, 2016.
"Literatura italiana, na universidade e a partir da universidade" in: *Revista da Academia Brasileira de Letras*, n. 85. Rio de Janeiro, out./nov. 2016.
"Posfácio" a ALENCAR, José de. *Iracema*. São Paulo: Penguin Classics Companhia das Letras, 2016.

ENTREVISTAS

"Pelo pensamento selvagem". Entrevista a João Marcos Coelho in: *Veja*, pp. 3-6, 19 nov. 1975.
"Literatura e revolução — Entrevista com Alfredo Bosi". Entrevista a Pedro Port in: *Travessia*, EdUFSC, pp. 127-36, 1979.
"Céus, infernos". Entrevista a Augusto Massi in: *Novos Estudos*, n. 21, jul. 1988, pp. 100-15.
"Emoção estética da crítica literária". Entrevista a Fábio Lucas in: *O Estado de S. Paulo*, p. 5, 8 out. 1988.
"Debate sobre a Universidade". Entrevista ao Caderno 2 in: *O Estado de S. Paulo*, p. 4, 17 dez. 1992.
"Literatura e ensino de literatura". Entrevista a Maria Thereza Fraga Rocco in: *Literatura/ensino: Uma problemática*. São Paulo: Ática, 1992, pp. 97-116.
"Colonização, culto e cultura". Entrevista a Augusto Massi in: *Folha de S.Paulo*, 18 out. 1992.
"A poesia tem de resistir às pressões", entrevista a Haroldo Ceravolo Sereza in: *O Estado de S. Paulo*, pp. D-1 e D-9, 16 set. 2000.
"Decifração do tempo". Entrevista a Augusto Massi, José Miguel Wisnik, Alcides Villaça e Gilberto Pinheiro Passos in: *Folha de S.Paulo*, 28 mar. 1999. Caderno Mais!, pp. 5-6. Republicada em SCHWARTZ, Adriano (Org.). *Memórias do presente: 100 entrevistas do Mais! (1992-2002)*. São Paulo: Publifolha, pp. 298-308, 2003.
"Enquete" in: *Rodapé: Revista de Literatura Brasileira Contemporânea*. São Paulo: Nankin, 2001, pp. 13-4.
"Alfredo Bosi: entre a fé e a razão". Entrevista a Hélio Rocha de Miranda e Paulo César Carneiro Lopes in: *Revista Cultura Vozes*, n. 1, pp. 87-97, jan./fev. 2001.
"Poesia como resposta à opressão". Entrevista a Mariluce Moura in: *Prazer em conhecer: As entrevistas de pesquisa Fapesp*. São Paulo: Fapesp; Instituto Uniemp, ed. 82, dez. 2002, pp. 79-90.
"Bosi resistente". Entrevista a Sylvia Colombo in: *Folha de S.Paulo*, 7 set. 2002. Ilustrada, pp. E1, E6 e E7.
"Desafio machadiano". Entrevista à *Folha de S.Paulo*, p. E7, 25 jan. 2003.

"Bosi quer ponte entre as duas academias". Entrevista à *Folha de S.Paulo*, p. E-5, 22 mar. 2003.

"Entrevista a Lígia Chiappini e Ulrich Flieschman" in: *Iberoamericana*, n. 10, Berlim, 2003.

"Literature and Difference: A Conversation with Alfredo Bosi". Entrevista a Pedro Meira Monteiro in: *Ellipsis: Journal of the American Portuguese Association*, v. 4, New Brunswick, NJ: Rutgers University, pp. 151-63, 2006.

"Entrevista" a *Informe*, n. 64. Faculdade de Filosofia, Letras e Ciências Humanas, dez. 2009.

"Entrevista a Marco Lucchesi" in: *Poesia Sempre*, ano 16, n. 32. Rio de Janeiro: Fundação Biblioteca Nacional, 2009.

"Um programa para toda a vida: uma entrevista com Alfredo Bosi", cedida a Robert Patrick Newcomb in: *Luso-Brazilian Review*, v. 46, n. 2. pp. 171-8, 2009.

"Alfredo Bosi: É preciso mais imaginação". Entrevista à *Revista de História da Biblioteca Nacional*, ano 6, n. 62, pp. 46-51, nov. 2010.

"Entrevista" à *Revista E*. São Paulo: Sesc, n. 7, ano 16, pp. 10-4, jan. 2010.

"Alfredo Bosi, um mestre entre a crítica e a utopia". Entrevista a Antonio Gonçalves Filho in: *Folha de S.Paulo*, 15 maio 2010. Caderno 2, pp. 3-4.

"Preces da resistência". Entrevista a Rosane Pavam in: *Carta Capital*, pp. 62-6, 2 jun. 2010.

"Entrevista inédita". Cedida ao Instituto de Estudos Avançados da USP, São Paulo, 9 nov. 2010.

"O crítico e a literatura". Entrevista a Antonio Carlos Secchin, Eucanaã Ferraz e Angela Garcia, s.d., 16 pp. [Datiloscrito cedido gentilmente pelo autor.]

"O código Vieira. Alfredo Bosi e 'a chave dos profetas'". Entrevista a Paulo Werneck in: *Folha de S.Paulo*, 9 out. 2011. Ilustríssima, p. 3.

"Entrevista" sobre o lançamento de *Essencial Padre Antônio Vieira* in: Revista *Cult*, ano 14, n. 164, pp. 34-9, dez. 2011.

"Inteligência militante". Entrevista a Diego Viana disponível em: <http://www.valor.com.br/cultura/2539754/inteligencia-militante>. Acesso em: 30 set. 2012.

"Dos males, os maiores". Entrevista cedida a Juliana Sayuri in: *O Estado de S. Paulo*, p. J5, 9 dez. 2012.

OBRAS TRADUZIDAS

BOSI, Alfredo. *Historia concisa de la literatura brasileña* [1983]. 2. ed. Trad. Marcos Lara. México: Fondo de Cultura Económica, 2002.

_____. "Situation und Form in der zeitgenössischen brasilianischen Kurzgeschichte" in: STRAUSFELD, Mechtild (Org.). *Brasilianische Literatur*. Frankfurt: Suhrkamp, 1984. Tradução de "Situação e formas do conto brasileiro contemporâneo".

_____. *La culture brésilienne: Une dialectique de la colonization*. Trad. Jean Briant. Paris: L'Harmattan, 2000.

_____. *La cultura brasileña: Una dialéctica de la colonización*. Trad. Eduardo Rinesi e Jung Ha Kang. Salamanca: Universidad de Salamanca, 2005.

_____. *Colony, Cult and Culture*. Trad. Robert P. Newcomb. Dartmouth: University of Massachusetts, 2008.

_____. *Dialética da colonização*. Pref. Graça Capinha. Lisboa: Glaciar, 2014.

_____. *Brazil and the Dialectic of Colonization*. Trad. Robert Newcomb. Champaign, IL: University of Illinois, 2015.

TRADUÇÕES

ABBAGNANO, Nicola. *Dicionário de filosofia*. 5. ed. São Paulo: Martins Fontes: 2007 (Coord. e revisão da 1. ed, São Paulo: Mestre Jou, 1970).
"A água", de Álvaro Corrado in: *Il Progresso Italo-Brasiliano*, n. 6, mar. 1959.
"Conversação na Sicília" (caps. 25-6), de Elio Vittorini, in: *Il Progresso Italo-Brasiliano*, n. 7, abr. 1959.
"Imitação da alegria", de Salvatore Quasimodo, in: *O Estado de S. Paulo*, 20 jul. 1963.
"Alguém está rindo", de Luigi Pirandello, in: *O Estado de S. Paulo*, 1 jul. 1967.
WAHL, François. *Estruturalismo e filosofia*. São Paulo: Cultrix, 1970. Com Adélia B. de Menezes.
A Bíblia de Jerusalém. Coord. frei Gilberto da Silva Gorgulho. São Paulo: Paulinas, 1981. Revisão literária de Evangelho segundo São João e Atos dos Apóstolos.
"A Ilíada ou poema da força", de Simone Weil, in: BOSI, Ecléa (Org.). *Simone Weil: A condição operária e outros estudos sobre a opressão*. 2 ed. Rio de Janeiro: Paz e Terra, 1996.

PROGRAMAS TELEVISIVOS E VÍDEOS PÚBLICOS

Programa *Roda Viva*, 23 set. 2002. Transcrição do programa disponível em <www.tvcultura.com.br/rodaviva>.
Entrevista ao Programa *Trajetória*, 11 nov. 2003.
"Machado de Assis: um mestre na periferia do capitalismo", s/d. Ministério da Educação — TV Escola (Coleção Mestres da Literatura).
Palestra sobre poesia e transcendência no Colóquio Arte e Transcendência na Escola Dominicana em São Paulo. Disponível em: <http://www.youtube.com/watch?v=v1zQt-wMc0M>.
Palestra sobre a poesia de Dante e a tradução de *A Divina Comédia* na Livraria Cultura. Disponível em: <http://www.youtube.com/watch?v=KuywcNIy0MU>.
Palestra sobre a obra de Louis Lavelle. Espaço É Realizações, em São Paulo. Disponível em: <http://www.erealizacoes.com.br/espaco/janelaVideo.php?video=Lanc_LouisLavelle&posicao=2>.
Exposição em apoio ao MST. Disponível em: <http://www.youtube.com/watch?v=m7KSphctRfU>.
Mesa-redonda sobre o lançamento do livro *História do Brasil nação: 1808-2010*. Disponível em: <http://www.youtube.com/watch?v=UH2OInKC2Jw>.
Palestra "A crítica literária e a crise do objeto". Disponível em: <http://www.youtube.com/watch?v=GNnvhHm55-M>.
Entrevista sobre Otto Maria Carpeaux. Disponível em: <https://www.youtube.com/watch?v=gmFCyTFAIwU>.
Palestra "Alfredo Bosi: Cultura ou culturas brasileiras?". Disponível em: <https://www.youtube.com/watch?v=2FprGNQaQ90>.
Palestra "A máscara, a fenda e o duplo espelho". Disponível em: <https://www.youtube.com/watch?v=kPtqVIAjXxA>.
Palestra "1º ciclo: Caminhos da crítica, leitura de *Infância*, de Graciliano Ramos". Disponível em: <https://www.youtube.com/watch?v=aRD-IzfhdJ8>.
Palestra "Em torno de um poema de *A rosa do povo*, Simpósio: 70 anos de *A rosa do povo*". Disponível em: <https://www.youtube.com/watch?v=3PEi35QODhk>.

ALBIERI, Sara. "Dialética da história intelectual" in: *Revista IEB*, n. 52, set./mar. 2011, pp. 145-7.

ALENCASTRO, Luiz Felipe de. "Resenha a *Dialética da colonização*" in: *O Estado de S. Paulo*, p. 3, 26 dez. 1992.

AMÂNCIO, Moacir. "Autor analisa questões fundamentais", resenha a *O ser e o tempo da poesia* in: *O Estado de S. Paulo*, p. D-4, 16 set. 2000.

ANDRADE, Fábio de Souza. "Três vistas machadianas". Resenha a *Brás Cubas em três dimensões* in: *Folha de S.Paulo*, 2 set. 2006. Ilustrada, p. E2.

CAMPOS, Haroldo de. "Original e revolucionário", resenha a *Dialética da colonização* de Alfredo Bosi e *A sátira e o engenho*, de João Adolfo Hansen, in: *Folha de S.Paulo*, 20 out. 1996. Caderno Mais!, p. 5. Republicada em *O sequestro do barroco na "Formação da literatura brasileira": O caso Gregório de Matos*. São Paulo: Iluminuras, 2011, pp. 109-27.

CANCELLI, Elizabeth. "Um pensamento militante" in: *Revista IEB*, n. 52, pp. 143-4, set./mar. 2011.

COELHO, Marcelo. "As hesitações da crítica". Resenha a *Leitura de poesia* in: *Folha de S.Paulo*, p. 5, 15 dez. 1996.

DOSSIÊ e debate sobre a Universidade em torno das considerações de *Dialética da colonização*. Presenças de Alfredo Bosi, Roberto Schwarz e Luiz Felipe de Alencastro in: *O Estado de S. Paulo*, 26 dez. 1992. Caderno Cultura, pp. 1-4.

DUARTE, Rodrigo. Resenha a *Ideologia e contraideologia* in: *Revista Cult*, ano 13, n. 149, pp. 42-3.

ECHEVERRÍA, Lídia Neghme. Resenha a *O conto brasileiro contemporâneo* in: *Colóquio/Letras*. Recensões críticas, n. 35, jan. 1977, p. 98.

FACIOLI, Valentim. "Vinte anos de uma tensão crítica", resenha a *Céu, inferno* in: *O Estado de S. Paulo*, p. 4, 15 maio 1988.

FILHO, Antônio Gonçalves. "Machado de Assis virado do avesso por especialistas". Resenha a BOSI, Alfredo et al. *Machado de Assis* in: *Folha de S.Paulo*, p. 31, 19 jun. 1982.

_____. "Brás Cubas visto por um mestre", resenha a *Brás Cuba em três dimensões* in: *O Estado de S. Paulo*, p. D-4, 3 set. 2006.

FREITAS, Eduardo da Silva de. *A forma da história: O cânone da historiografia literária brasileira*. Rio de Janeiro: UERJ, 2008. Dissertação de mestrado inédita.

GARBUGLIO, José Carlos. "Resenha bibliográfica a *O pré-modernismo*" in: *O Estado de S. Paulo*, p. 2, 30 jul. 1966.

_____. Resenha a *O pré-modernismo* in: *Revista IEB*, n. 2, 1967, pp. 111-4.

GINZBURG, Jaime. Resenha a *Literatura e resistência* in: *Diálogos Latino-Americanos*, n. 7, pp. 140-2.

_____. Resenha a *Literatura e resistência* in: *Chasqui*, v. 32, n. 1, maio 2003, pp. 122-5.

GLEDSON, John. "Obra escolhe um Machado". Resenha a *Machado de Assis* [2002] in: *Folha de S.Paulo*, p. E7, 25 jan. 2003.

GOUVEIA, Saulo. "Theory and Practice of Literary Historiography in Brazil, 1950's: A Look into the Corporate Logic of a Modernist Institution" in: *Ellipsis*, v. 17, 2009, pp. 7-33.

GUERRA, Abílio. "A discussão na teoria literária: Antonio Candido e Alfredo Bosi" in: _____. *O primitivismo em Mário de Andrade, Oswald de Andrade e Raul Bopp*. São Paulo: Romano Guerra, 2010, pp. 211-25.

HEINEBERG, Ilana. Resenha a *Brás Cubas em três dimensões* in: PENJON, Jacqueline (Org.). *Voies du paysage*. Paris: Sorbonne; Fundação Calouste Gulbenkian, pp. 226-7.

LAFETÁ, João Luiz. "Graciliano Ramos", resenha a BOSI, Alfredo et al. *Graciliano Ramos* in: *A dimensão da noite*. São Paulo: Ed. 34; Duas Cidades, 2004, pp. 518-22.

LEAL, César. "*Dialética da colonização*" in: *Dimensões temporais na poesia e outros ensaios*. Rio de Janeiro: Imago; Brasília; Infraero, 2005, pp. 533-9.

LEITE, Paulo Moreira. "Na contracorrente". Resenha a *Dialética da colonização* in: *Veja*, pp. 102-6, 11 nov. 1992.

LEOPOLDO E SILVA, Franklin. "Hegemonia e emancipação" in: *Revista IEB*, n. 52, pp. 148-9, set./mar. 2011.

LIMA, João Carlos Felix de. "Brasil-Colônia: a 'literatura' e alguns de seus intérpretes" in: ARAÚJO, Márcia Maria de Melo; FONSECA, Pedro Carlos Louzada (Orgs.). *A cronística do Brasil Colonial*. Goiânia: Kelps, 2017, pp. 75-100.

_____. "A memória em Alfredo Bosi, ou, o istmo basilar do historicismo dilatado" in: GOMES, André Luís (Ed.). *Revista Cerrados*. Brasília, ano 21, n. 34, pp. 79-105, 2012.

LIMA, Rachel Esteves. *A crítica literária na universidade brasileira*. Belo Horizonte: UFMG, 1997, pp. 243 ss.

LUCAS, Fábio. "*Céu, inferno*, emoção estética da crítica literária" in: *O Estado de S. Paulo*, p. 5, 8 out. 1988.

_____. Resenha a *Céu, inferno* in: *Colóquio/Letras*. Recensões críticas, n. 109, maio 1989, pp. 140-2.

MARTINHO, Fernando J. B. Resenha a *O ser e o tempo da poesia* in: *World Literature Today*, v. 53, n. 2, primavera de 1979, p. 279.

MARTINS, Wilson. *A crítica literária no Brasil*. Rio de Janeiro: Francisco Alves, 1983. v. 2, pp. 755 ss.

_____. "História plana". Resenha a *O pré-modernismo* in: *Pontos de Vista*. São Paulo: T. A. Queiroz, 1991, pp. 214-9.

_____. "O livro desnecessário". Resenha a BOSI et al. *Machado de Assis* in: *Pontos de Vista*. São Paulo: T. A. Queiroz, 1995, pp. 129-32.

_____. "O livro impossível". Resenha a *História concisa da literatura* in: *O Estado de S. Paulo*, n. 725. Suplemento Literário, 20 jun. 1971. Republicado in: *Pontos de Vista*. São Paulo: T. A. Queiroz, 1995, pp. 65-9.

_____. "Pré, pós, neo". Resenha a *O pré-modernismo* in: *Pontos de Vista*. São Paulo: T. A. Queiroz, 1996, pp. 365-7.

_____. "Dialética de intelectual". Resenha a *Dialética da colonização* in: *Pontos de Vista*. São Paulo: T. A. Queiroz, 1997. pp. 172-4.

MASSI, Augusto. "Colonização, culto, cultura". Resenha a *Dialética da colonização* in: *Folha de S.Paulo*, 18 out. 1992. Livros, p. 1.

MAZZARI, Marcos Vinícius. "As múltiplas faces da obra machadiana". Resenha a *Brás Cubas em três dimensões* in: *Estudos Avançados*, v. 21, n. 59, 2007, pp. 371-9.

_____. "Ideologia: uma breve história do conceito". Resenha a *Ideologia e contraideologia* in: *Estudos Avançados*, v. 26, n. 75, 2012, pp. 359-62.

MELO, Alfredo César. Resenha a *Colony, Cult and Culture* in: *Luso-Brazilian Review*, v. 46, n. 2, 2009, pp. 179-82.

MENDONÇA, Assis. "Viagem à vida e à obra de Machado de Assis", resenha a BOSI et al. *Machado de Assis* in: *O Estado de S. Paulo*, 22 jun. 1982, p. 17.

MOURA, Flávio Rosa de. *Diálogo crítico: Disputas no campo literário brasileiro (1984-2004)*. São Paulo: FFLCH, 2004, pp. 43-53. Dissertação de mestrado inédita.

MOURA, Flávio Rosa de. "Um crítico no redemoinho" in: *Tempo Social — Revista de Sociologia da USP*, v. 23, n. 2, pp. 71-99.

MOUTINHO, Nogueira. "Uma história de nossas letras". Resenha a *História concisa da literatura* in: *Folha de S.Paulo*, 6 fev. 1971. Ilustrada, p. 3.

_____. "Uma visão renovada da poesia". Resenha a *O ser e o tempo da poesia* in: *Folha de S.Paulo*, 25 fev. 1978. Livros, p. 29.

NEWCOMB, Robert Patrick. "Under the Sign of an Evil Power: Jacob Burckhardt and Alfredo Bosi" in: *Ellipsis*, v. 7, 2009, pp. 139-57.

NUNES, Benedito. "O trabalho da interpretação e a figura do intérprete na literatura". Comentário a "A interpretação da obra literária", incluído em *Céu, inferno* in: *A clave do poético*. São Paulo: Companhia das Letras, 2009, pp. 121-30.

_____. "A invenção machadiana". Resenha de *O enigma do olhar* in: *A clave do poético*. São Paulo: Companhia das Letras, 2009, pp. 275-80.

OLIVEIRA, Franklin de. "História & significação". Resenha de *História concisa da literatura brasileira* in: *Correio da Manhã*. Rio de Janeiro, 3 jul. 1971.

OLIVIERI, Antônio Carlos. "Lições para o leitor crítico de Alfredo Bosi". Resenha a *Céu, inferno* in: *Folha de S.Paulo*, p. D-4, 5 maio 1988.

ORLOV, Martha Lívia Volpe. "Estudos de crítica literária". Resenha a *Araripe Júnior: Teoria, crítica e história literária* in: *O Estado de S. Paulo*, 6 maio 1979, p. 224.

PAIXÃO, Fernando. "Apresentação" in: *Revista IEB*, n. 52 pp. 140-2, set./mar. 2011.

PARKER, John. Resenha a BOSI et al. *Machado de Assis*. São Paulo: Ática, 1987 in: *Colóquio/Letras*, n. 74, p. 100, jul. 1983.

PASTA Jr., José Antônio. "Orelha" in: *Céu, inferno*, op. cit.

PÉCORA, Alcir. "Vieira, o índio e o corpo místico" in: NOVAES, Adauto (Org.). *Tempo e história*. São Paulo: Companhia da Letras, 1992, pp. 423-61.

PERES, José Manuel Santos. "Presentación" in: *Cultura brasileña: Una dialéctica de la colonización*. Salamanca: Universidad de Salamanca, 2005, pp. 9-10.

PERRONE-MOISÉS, Leyla. "Leituras de poesia". Resenha a *Leituras de poesia* in: *Inútil poesia*. São Paulo: Companhia das Letras, 2000, pp. 309-15.

PINTO, Manuel da Costa. "Decifrações da esfinge", resenha a *O enigma do olhar* in: *Cult*, pp. 56-9, jul. 1999.

_____. "Ideias no lugar: sobre crítica, ideologias e arrivismo". Resenha a *Ideologia e contraideologia* in: *Folha de S.Paulo*, 30 maio 2010. Ilustríssima, p. 6.

PIRES, Francisco Quinteiro. "O crítico *versus* o enigma" in: *O Estado de S. Paulo*, 26 set. 2008.

PIZA, Daniel. "Os jogos de cena de Machado de Assis", resenha a BOSI, *Machado de Assis* [2002] in: *O Estado de S. Paulo*, p. D-6, 15 jun. 2002.

PORTELLA, Eduardo. "Discurso de recepção ao acadêmico Alfredo Bosi" disponível em: <www.academia.org>. Acesso em: 30 jan. 2012.

RAMASSOTE, Rodrigo Martins. *A formação dos desconfiados: Antonio Candido e a crítica literária acadêmica (1961-1978)*. São Paulo: FFLCH; USP, 2006, pp. 98-110. Dissertação de mestrado inédita.

RÉGIS, Sônia. "Machado de Assis: antologia e estudos" in: *O Estado de S. Paulo*, 10 jul. 1983, p. 14.

REIS, Zenir Campos. "Poesia: a crítica da crítica". Resenha a *O ser e o tempo da poesia* in: *Remate de Males*. São Paulo: Duas Cidades; Campinas: Unicamp, 1979, pp. 139-146.

RISÉRIO, Antonio. "Brasil, singularidade feita de muitas singularidades" in: *O Estado de S. Paulo*, p. D14, 2 fev. 2000.

ROCHE, Jean. "Notes de lecture: *História concisa da literatura brasileira*" in: *Cahiers du monde hispanique et luso-brésilienne*, n. 16, 1971, pp. 255-6.

RÓNAI, Paulo. "Literatura, um tema levado a sério". Resenha de *História concisa da literatura brasileira* in: *Jornal do Brasil*, Rio de Janeiro, 26 jun. 1971.

ROUANET, Sérgio Paulo. "Elogio do incesto" in: *O mal-estar na modernidade*. São Paulo: Companhia das Letras, 1993, pp. 346-65.

_____. "As ideias viajantes" in: *A razão nômade*. Rio de Janeiro: EDUFRJ, 1993b, pp. 149-53.

SANSEVERINO, Antônio Marcos Vieira. "'O espelho': metafísica da escravidão moderna" in: *Literatura e Sociedade*, n. 13, São Paulo, 2010, pp. 104-31.

SCHWARTZ, Adriano. Resenha a *Brás Cubas em três dimensões* in: *Folha de S.Paulo*, 25 jun. 2006. Caderno Mais!, p. E7.

SCHWARZ, Roberto. "Bosi e um discreto escândalo" in: *O Estado de S. Paulo*, p. 1, 10 jul. 1993. Réplica publicada no mesmo jornal sob título: "Não me coloco na perspectiva modernista", p. 3.

_____. "Discutindo com Alfredo Bosi" in: *Sequências brasileiras: Ensaios*. São Paulo: Companhia das Letras, 1999, pp. 61-86.

_____. "Por que 'ideias fora de lugar?'" in: *Martinha versus Lucrécia. Ensaios e entrevistas*. São Paulo: Companhia das Letras, 2012, pp. 165-72.

SEREZA, Haroldo Ceravolo. "A poesia tem de resistir às pressões", resenha a *O ser e o tempo da poesia* in: *O Estado de S. Paulo*, p. D-9, 16 set. 2000.

_____. "A arte de resistir, segundo Alfredo Bosi", resenha a *Literatura e resistência* in: *O Estado de S. Paulo*, 29 set. 2002, p. D-6.

SILVA, Domingos Carvalho da. "Da juriti à epopeia", resenha a BOSI, Alfredo. (Org.) *Poesias de José Bonifácio, o Moço*, in: *O Estado de S. Paulo*, 15 maio 1965. Suplemento Literário, p. 4.

SILVA, Juremir Machado da. *Anjos da perdição*. Porto Alegre: Sulina, 1996, pp. 214 ss.

SILVA ROIZ, Diogo da. Resenha a *Ideologia e contraideologia* in: *Revista Brasileira de Educação*, v. 15, n. 44, pp. 400-4, maio/ago. 2010.

SOUZA, Roberto Acízelo de. "A historiografia literária no século XX" in: *Introdução à historiografia da literatura brasileira*. Rio de Janeiro: Eduerj, 2007, pp. 132 ss.

TELES, Gilberto Mendonça. "A crítica histórica. Alfredo Bosi" in: *A crítica e o romance de 30 do Nordeste*. Rio de Janeiro: Atheneu Cultura, 1990, pp. 98-104.

VINCENT, Jon S. Resenha a *O conto brasileiro contemporâneo* in: *Hispania*, v. 61, n. 1, mar. 1978, p. 181.

WEBER, João Hernesto. "Os anos 70 e a dialética da dependência" in: *A nação e o paraíso: A construção da nacionalidade na historiografia brasileira*. Florianópolis: EdUFSC, 1997, pp. 129-67.

_____. "'Tradição literária e tradição crítica" in: *Tradição literária e tradição crítica*. Porto Alegre: Movimento, 2009, pp. 34-61.

_____. "Algum 'desconforto' crítico" in: *Tradição literária e tradição crítica*. Op. cit., pp. 69-94.

WISNIK, José Miguel. "Discurso de saudação" in: *Outorga do título de professor emérito a Alfredo Bosi*. São Paulo: FFLCH, 2009, pp. 11-9.

Sobre os autores e organizadores

ADELIA BEZERRA DE MENESES foi professora de Teoria Literária e Literatura Comparada na USP e na Unicamp. Atualmente é pesquisadora do CNPq, professora colaboradora voluntária na Unicamp e orientadora em pós-graduação na USP. Publicou, entre outros livros, *Desenho mágico: Poesia e política em Chico Buarque* (prêmio Jabuti, 1982; 2. ed. São Paulo: Ateliê, 2000), *Do poder da palavra: Ensaios de literatura e psicanálise* (São Paulo: Duas Cidades, 1995) e *Cores de Rosa: Ensaios sobre Guimarães Rosa* (São Paulo: Ateliê, 2010).

ALBERTO MARTINS é escritor, artista plástico e editor. Como poeta, publicou *Poemas* (São Paulo: Duas Cidades, 1990), *Cais* (São Paulo: Ed. 34, 2002) e *Em trânsito* (São Paulo: Companhia das Letras, 2010). E como romancista, as duas novelas de *A história dos ossos* (São Paulo: Ed. 34, 2005; prêmio Telecom de literatura), a peça teatral *Uma noite em cinco atos* (São Paulo: Ed. 34, 2009) e *Lívia e o cemitério africano* (São Paulo: Ed. 34, 2013).

ALCIDES VILLAÇA é professor titular de Literatura Brasileira na USP. Dedicou-se ao estudo de poetas modernos, como Carlos Drummond de Andrade (mestrado) e Ferreira Gullar (doutorado) — ambos sob orientação de Alfredo Bosi. Atualmente, trabalha sobre a poética de Machado de Assis representada, sobretudo, em seus contos. Publicou, como poeta, *O tempo e outros remorsos* (São Paulo: Ática, 1975), *Viagem de trem* (São Paulo: Duas Cidades, 1988), *O invisível* (São Paulo: Ed. 34, 2011 — infantil) e *Ondas curtas* (São Paulo: Cosac Naify, 2014); como crítico, *Passos de Drummond* (São Paulo: Cosac Naify, 2006).

ANDRÉ LUIS RODRIGUES é professor de Literatura Brasileira na USP. Publicou *Ritos da paixão em "Lavoura arcaica"* (São Paulo: Edusp, 2006), escreveu *Fraturas no olhar: Realidade e representação em Cor-*

nélio Penna (doutorado, inédito) e traduziu *Contos escolhidos* (inédito), do escritor Hector Hugh Munro, mais conhecido pelo pseudônimo de Saki.

ANTONIO CALLADO (1917-97) foi jornalista, dramaturgo e um dos principais romancistas brasileiros do século XX. Deixou uma obra vasta e notável, com destaque para os romances *Quarup* (1967), *Bar Don Juan* (1971), *Reflexos do baile* (1976), *Sempreviva* (1981) e *Concerto carioca* (1985). Em 1994, entrou para a Academia Brasileira de Letras.

ANTONIO CANDIDO DE MELLO E SOUZA (1918-2017), além de sua longa carreira como professor, foi o maior crítico literário brasileiro do século XX. Fundou o Departamento de Teoria Literária e Literatura Comparada na USP e o Instituto de Estudos da Linguagem (IEL) na Unicamp. O conjunto de sua obra se desdobra por várias vertentes: do clássico *Formação da literatura brasileira: Momentos decisivos* (Rio de Janeiro: Ouro sobre Azul, 1959) até um estudo sociológico como *Os parceiros do Rio Bonito* (Rio de Janeiro: Ouro sobre Azul, 1964); de livros mais teóricos e ensaísticos como *Literatura e sociedade* (Rio de Janeiro: Ouro sobre Azul, 1965) ou *Vários escritos* (Rio de Janeiro: Ouro sobre Azul; Duas Cidades, 1970) até outros de corte didático como *Na sala de aula: Caderno de análise literária* (Rio de Janeiro: Ouro sobre Azul, 1985) e *O estudo analítico do poema* (São Paulo: Humanitas, 1993). Recebeu importantes distinções, entre as quais os prêmios Machado de Assis (1993) e Camões (1998).

ANTONIO CARLOS SECCHIN é professor titular de Literatura Brasileira na UFRJ. Como crítico literário, publicou *Escritos sobre poesia & alguma ficção* (Rio de Janeiro: Eduerj, 2003), *Memórias de um leitor de poesia & outros ensaios* (Rio de Janeiro: Topbooks; ABL, 2010) e *João Cabral: Uma fala só lâmina* (São Paulo: Cosac Naify, 2014), entre outros. Reuniu toda a sua poesia em *Desdizer* (Rio de Janeiro: Topbooks, 2018). Desde 2004 é membro da Academia Brasileira de Letras.

ANTONIO DIMAS é professor titular aposentado de Literatura Brasileira da USP. Atualmente é pesquisador sênior do IEB-USP, membro do Conselho Científico da Biblioteca Brasiliana Guita e José Mindlin e *fellow researcher* do Harry Ransom Center da University of Texas at Austin. Publicou *Tempos eufóricos: Análise da revista Kosmos — 1904-1909* (São Paulo: Ática, 1983), *Espaço e romance* (São Paulo: Ática,1985), *Bilac, o jornalista* (São Paulo: Edusp; Imprensa Oficial, 2006).

AUGUSTO MASSI é professor de Literatura Brasileira na USP. Foi orientado de Alfredo Bosi. Como poeta publicou *Negativo* (São Paulo: Companhia das Letras, 1991), *Vida errada* (Rio de Janeiro: 7 Letras, 2001) e *Gabinete de curiosidades* (em parceria com Lu Menezes. São Paulo: Luna Parque, 2016. E, como crítico, organizou e prefaciou *Poesia traduzida*, de Carlos Drummond de Andrade (em parceria com Júlio Castañon Guimarães. São Paulo: Cosac Naify, 2011), *Poesia completa*, de Raul Bopp (Rio de Janeiro: José Olympio, 2014), e *Poesia reunida*, de Adélia Prado (Rio de Janeiro: Record, 2015). Colaborou com um ensaio para *Aniki Bóbó*, de João Cabral de Melo Neto (Rio de Janeiro: Verso Brasil, 2016) e, recentemente, organizou e escreveu *Fernando Lemos & Hilda Hilst* (São Paulo: Edições Sesc, 2018).

CILAINE ALVES CUNHA é professora livre-docente de Literatura Brasileira na USP. Estudiosa do romantismo, escreveu sobre Bernardo Guimarães e Sousândrade. Publicou *O belo e o disforme: Álvares* de Azevedo e a ironia romântica (São Paulo: Edusp, 1998) e preparou a edição de Cantos, de Gonçalves Dias (São Paulo: Martins Fontes, 2001).

CLEUSA RIOS P. PASSOS é professora titular de Teoria Literária e Literatura Comparada da USP. Publicou O outro modo de mirar: Uma leitura dos contos de Julio Cortázar (São Paulo: Martins Fontes, 1986), Confluências: Crítica literária e psicanálise (São Paulo: Nova Alexandria; Edusp, 1995), Guimarães Rosa: Do feminino e suas histórias (São Paulo: Hucitec, 2000) e As armadilhas do saber: Relações entre literatura e psicanálise (São Paulo: Edusp, 2009).

DAVI ARRIGUCCI JR. é professor aposentado de Teoria Literária e Literatura Comparada na USP. Como ensaísta e crítico literário, publicou obras como O escorpião encalacrado: A poética da destruição em Julio Cortázar (São Paulo: Perspectiva, 1973), Enigma e comentário (São Paulo: Companhia das Letras, 1987), Humildade, paixão e morte: A poesia de Manuel Bandeira (1990), Coração partido: Uma análise da poesia reflexiva de Drummond (São Paulo: Cosac Naify, 2002) e O guardador de segredos (São Paulo: Companhia das Letras, 2010). Escreveu dois livros de ficção: Ugolino e a perdiz (São Paulo: Cosac Naify, 2003) e O rocambole (São Paulo: Cosac Naify, 2005); também traduziu alguns clássicos de Jorge Luis Borges, entre eles, O Aleph (1940) e Ficções (1944).

ECLÉA BOSI (1936-2017) foi professora emérita do departamento de Psicologia Social e do Trabalho no Instituto de Psicologia da USP. Publicou Memória e sociedade: Lembrança de velhos (São Paulo: T. A. Queiroz, 1979), Simone Weil: A condição operária e outros estudos sobre a opressão (São Paulo: Paz & Terra, 1979), Cultura de massa e cultura popular: Leituras de operárias (Petrópolis: Vozes, 1986), O tempo vivo da memória: Ensaios de psicologia social (São Paulo: Ateliê, 2003). Escreveu o livro de crônicas Velhos amigos (São Paulo: Companhia das Letras, 2003), um de poesia, A casa & outros poemas (São Paulo: Com-Arte, 2018 — póstumo) e traduziu Poesia de Rosalía de Castro (São Paulo: Brasiliense, 1987). Recebeu o prêmio internacional Ars Latina em 2009 e o Averroes em 2011.

ERWIN TORRALBO GIMENEZ é professor de Literatura Brasileira na USP. Desde o seu doutorado, Graciliano Ramos: O mundo coberto de penas (inédito, 2005), vem publicando diversos ensaios sobre o escritor — entre eles, "O olho torto de Graciliano Ramos: Metáfora e perspectiva" (Revista da USP, n. 63, nov. 2004) e "Graciliano Ramos, uma poética da insignificância" (Revista do Instituto de Estudos Avançados, n. 67, 2009). Organizou, com Beth Ramos, a edição comemorativa dos oitenta anos de Caetés (Rio de Janeiro: Record, 2013).

ETTORE FINAZZI-AGRÒ é professor titular de Literatura Portuguesa e Brasileira em La Sapienza Universidade de Roma, onde também dirige as revistas Letterature d'America e Rivista di Studi Portoghesi. Publicou, entre outros livros, O alibi infinito: O projecto e a prática na poesia de Fernando Pessoa (Lisboa: Imprensa Nacional; Casa da Moeda, 1987), Um lugar do tamanho do mundo: Tempos e espaços da ficção em João Guimarães Rosa (Belo Horizonte: Editora da UFMG, 2001), Entretempos: Mapeando a história da cultura brasileira (São Paulo: Editora da Unesp, 2013) e Possibilidades da nova escrita literária no Brasil, em colaboração com Beatriz Resende (Rio de Janeiro: Revan, 2014).

FÁBIO DE SOUZA ANDRADE é professor de Teoria Literária e Literatura Comparada na USP. Publicou, entre outras obras, *O engenheiro noturno: A lírica final de Jorge de Lima* (São Paulo: Edusp, 1997) e *Samuel Beckett: O silêncio possível* (São Paulo: Ateliê, 2001). Assina algumas das melhores traduções de Beckett no Brasil: *Esperando Godot*, *Fim de partida* e *Dias felizes*. Atualmente, coordena o grupo de pesquisa Estudos sobre Beckett CNPq/USP.

FÁBIO KONDER COMPARATO é bacharel em direito da Universidade de São Paulo e doutor em Direito da Universidade de Paris. Professor emérito da Faculdade de Direito da Universidade de São Paulo e doutor honoris causa da Universidade de Coimbra. Entre suas principais obras figuram *A afirmação histórica dos direitos humanos* (São Paulo: Saraiva, 1999), *Ética: Direito, moral e religião no mundo moderno* (São Paulo: Companhia das Letras, 2006) e *Rumo à Justiça* (São Paulo: Saraiva, 2010).

FERNANDO PAIXÃO é poeta, crítico e editor. Desde 2009, leciona literatura no Instituto de Estudos Brasileiros da USP. Durante sua carreira como editor, organizou *Momentos do livro no Brasil* (São Paulo: Ática, 1995; prêmio Jabuti). Como crítico, publicou *Narciso em sacrifício: A poética de Mário de Sá-Carneiro* (São Paulo: Ateliê Editorial, 2003) e *Arte da pequena reflexão: Poema em prosa contemporâneo* (São Paulo: Iluminuras, 2014). E, como poeta, escreveu *Fogo dos rios* (São Paulo: Brasiliense, 1989), *25 azulejos* (São Paulo: Iluminuras, 1994), *Poeira* (São Paulo: Ed. 34, 2001), *A parte da tarde* (São Paulo: Ateliê, 2005), *Palavra e rosto* (São Paulo: Ateliê, 2010) e *Porcelana invisível* (São Paulo: Cosac Naify, 2015), que conta com uma apresentação de Alfredo Bosi.

FERREIRA GULLAR (1930-2016) foi cronista, dramaturgo, crítico de arte e uma das principais vozes da poesia brasileira do século XX. Autor de *A luta corporal* (1954), *Dentro da noite veloz* (1975), *Poema sujo* (1976), *Barulhos* (1987), *Muitas vozes* (1999) e *Em alguma parte alguma* (2010), entre outros. Como ensaísta, escreveu diversas obras, como: *Teoria do não objeto* (Rio de Janeiro: SDJB, 1959), *Indagações de hoje* (Rio de Janeiro: José Olympio, 1989) e *Experiência neoconcreta: Momento-limite da arte* (São Paulo: Cosac Naify, 2007). Deixou suas memórias registradas em *Rabo de foguete* (Rio de Janeiro: Revan, 1998). Em 2010, recebeu o prêmio Camões e, em 2014, entrou para a Academia Brasileira de Letras.

FRANKLIN LEOPOLDO E SILVA é professor titular aposentado da Filosofia da USP e professor da Faculdade de Filosofia de São Bento. É autor, entre outros, de *Bergson: Intuição e discurso filosófico* (São Paulo: Loyola, 1994), *Ética e literatura em Sartre: Ensaios introdutórios* (São Paulo: Editora da Unesp, 2004), *O conhecimento de si* (Rio de Janeiro: Casa da Palavra, 2011) e *Universidade, cidade, cidadania* (São Paulo: Hedra, 2014).

GRAÇA CAPINHA é professora do Departamento de Línguas, Literaturas e Culturas, Secção de Anglo-Americanos, na Faculdade de Letras da Universidade de Coimbra. Organizou, entre outros livros, *Identidades: Estudos de cultura e poder* (São Paulo: Hucitec, 2000) e *The Edge of One of Many Circles: Homenagem a Irene Ramalho Santos*, v. 1 e 2 (Coimbra: Imprensa da Universidade de Coimbra, 2017).

HÉLIO DE SEIXAS GUIMARÃES é professor livre-docente de Literatura Brasileira na USP. Publicou, entre outros livros, *Os leitores de Machado de Assis: O romance machadiano e o público de literatura no século 19* (São Paulo: Edusp, 2012) e *Machado de Assis, o escritor que nos lê: As figuras machadianas através da crítica e das polêmicas* (São Paulo: Editora da Unesp, 2017). É editor de *Machado de Assis em linha — Revista Eletrônica de Estudos Machadianos*.

IVAN VILELA é músico, pesquisador e professor da Escola de Comunicação e Artes da USP. Já gravou inúmeros CDs e DVDs, entre eles, *Paisagens* (1998), *Dez cordas*, solo de viola (2007) e *Mais caipira* (2010). Diretor da Orquestra Filarmônica de Violas, atua tanto como solista quanto com grupos de câmara no Brasil e no exterior. É autor de *Cantando a própria história: Música caipira e enraizamento* (São Paulo: Edusp, 2013).

JACQUES MARCOVITCH é professor emérito da Faculdade de Economia, Administração e Contabilidade da USP. Publicou, entre outros, *A universidade (im)possível* (São Paulo: Futura, 2001) e *Universidade viva: Diário de um reitor* (São Paulo: Mandarim, 2001); também organizou *Universidade em movimento: Memória de uma crise*. É membro do conselho deliberativo da Biblioteca Brasiliana Guita e José Mindlin, em São Paulo, e do conselho superior do Graduate Institute of International and Development Studies, em Genebra. Foi reitor da Universidade de São Paulo entre 1997 e 2001.

JOÃO CARLOS FELIX DE LIMA é professor do ISCP, em Brasília. Doutorou-se pela UNB com a tese *Cultura, imaginação literária e resistência em Alfredo Bosi* (2012). Atualmente, desenvolve pesquisas nas áreas de teoria, crítica e história da literatura. Suas últimas produções estão voltadas para o conceito de barroco brasileiro, literatura e resistência (conforme Alfredo Bosi) e para a crítica dialética (segundo Antonio Candido).

JOÃO ROBERTO FARIA é professor titular aposentado de Literatura Brasileira na USP. Publicou, entre outros títulos, *O teatro realista no Brasil: 1855-1865* (São Paulo: Perspectiva, 1993), *Ideias teatrais: O século XIX no Brasil* (São Paulo: Perspectiva, 2001), *Machado de Assis: Do teatro — Textos críticos e escritos diversos* (São Paulo: Perspectiva, 2008) e *História do teatro brasileiro*, 2 v. (São Paulo: Perspectiva; Edições Sesc, 2012).

JOSÉ MIGUEL WISNIK é professor livre-docente aposentado de Literatura Brasileira na USP. Autor, entre outros livros, de *O coro dos contrários: A música em torno da Semana de 22* (São Paulo: Duas Cidades, 1977), *O som e o sentido: Uma outra história das músicas* (São Paulo: Companhia das Letras, 1989, 2017), *Sem receita: Ensaios e canções* (São Paulo: Publifolha, 2004) *Machado maxixe: O caso Pestana* (São Paulo: Publifolha, 2008) e *Maquinação do mundo: Drummond e a mineração* (São Paulo: Companhia das Letras, 2018). Como compositor, gravou: *José Miguel Wisnik* (1992), *São Paulo Rio* (2002), *Pérolas aos poucos* (2003) e o CD duplo *Indivisível* (2011).

JOSÉ PAULO PAES (1926-98) foi poeta, tradutor e crítico literário. Os seus treze livros de poesia, de *O aluno* (1947) a *Socráticas* (2001), foram reunidos postumamente em *Poesia completa* (São Paulo: Companhia das Letras, 2008). Dentre diversos volumes de ensaio, vale destacar *Gregos e baianos*

(São Paulo: Brasiliense, 1985), *A aventura literária* (São Paulo: Companhia das Letras, 1990), *Os perigos da poesia* (Rio de Janeiro: Topbooks, 1997) e *O lugar do outro* (Rio de Janeiro: Topbooks, 1999). Como tradutor, além das reflexões recolhidas em *Tradução: A ponte necessária, aspectos e problemas da arte de traduzir* (São Paulo: Ática, 1990), verteu para o português poetas como Kaváfis, Rilke, W. H. Auden, William Carlos Williams, além de romancistas como Laurence Sterne e Joseph Conrad. Também contribuiu com a literatura infantil, publicando *Olha o bicho* (São Paulo: Ática, 1989), *Poemas para brincar* (São Paulo: Ática, 1990; prêmio Jabuti), *Uma letra puxa a outra* (São Paulo: Companhia das Letras, 1992; prêmio Jabuti), *Um passarinho me contou* (São Paulo: Ática, 1996; prêmio Jabuti), entre outros.

LORENZO MAMMÌ é crítico de música, artes plásticas e professor de História da Filosofia Medieval na USP. Publicou, entre outras obras, *Volpi* (São Paulo: Cosac Naify, 1999), *O que resta: Arte e crítica de arte* (São Paulo: Companhia das Letras, 2012) e *A fugitiva: Ensaios sobre música* (São Paulo: Companhia das Letras, 2017). Traduziu *Confissões*, de Santo Agostinho, *Clássico anticlássico* e *A arte moderna na Europa: De Hogarth a Picasso*, ambos do historiador e crítico de arte Giulio Carlo Argan.

LUÍS BUENO é professor de Literatura Brasileira e Teoria da Literatura na Universidade Federal do Paraná. Publicou *Uma história do romance de 30* (São Paulo: Edusp; Editora da Unicamp, 2006), *A Confederação dos Tamoios: Edição fac-similar seguida da polêmica sobre o poema* (Curitiba: Ed. UFPR, 2007) e *Capas de Santa Rosa* (São Paulo: Ateliê; Edições Sesc, 2015).

MARCO LUCCHESI é professor titular de Literatura Comparada na UFRJ, poeta, ensaísta, romancista e tradutor. Toda sua produção poética figura em *Poemas reunidos* (Rio de Janeiro: Record, 2001). Publicou dois romances: *O bibliotecário do imperador* (São Paulo: Globo, 2013) e *O dom do crime* (Rio de Janeiro: Record, 2010). Entre vários livros de crítica, escreveu *Ficções de um gabinete ocidental* (Rio de Janeiro: Record, 2009) e *Nove cartas sobre a Divina Comédia* (Rio de Janeiro: Biblioteca Nacional; Casa da Palavra, 2013). Traduziu, entre outras obras, *A trégua*, de Primo Levi (São Paulo: Companhia das Letras, 1997) e *A Ciência Nova*, de Giambattista Vico (Rio de Janeiro: Record, 1999). Atualmente preside a Academia Brasileira de Letras.

MARCUS VINICIUS MAZZARI é professor livre-docente de Teoria Literária e Literatura Comparada na USP. Publicou, entre outros, *Romance de formação em perspectiva histórica* (São Paulo: Ateliê, 1999) e *Labirintos da aprendizagem: Pacto fáustico, romance de formação e outros temas de literatura comparada* (São Paulo: Ed. 34, 2010). Traduziu *Reflexões sobre a criança, o brinquedo e a educação*, de Walter Benjamin (São Paulo: Ed. 34, 2002), *O rabi de Bacherach*, de Heinrich Heine (São Paulo: Hucitec, 2009) e o *Manifesto comunista*, de Karl Marx e Friedrich Engels (São Paulo: Hedra, 2010). Também elaborou notas, comentários e prefácio para a edição bilíngue do *Fausto*, de Goethe, em tradução de Jenny Klabin Segall (São Paulo: Ed. 34, 2004-7. 2 v.). É coordenador da Coleção Thomas Mann, editada pela Companhia das Letras.

MIRELLA MÁRCIA LONGO é professora titular de Teoria Literária na Universidade Federal da Bahia. Publicou dois livros de poesia: *O curso das águas* (Salvador: Fundação Cultural do Estado da Bahia, 1981) e *A torre infinita* (Salvador: P55 Edições, 2011). Como ensaísta, escreveu *Confidência mineira:*

O amor na poesia de Carlos Drummond de Andrade (Campinas: Pontes, 1995) e *Cenas de amor em romances do século XX* (Salvador: Quarteto, 2017). Em 2014, realizou pós-doutorado na USP em torno do *Livro dos sonetos*, de Jorge de Lima, com supervisão de Alfredo Bosi.

MURILO MARCONDES DE MOURA é professor de Literatura Brasileira da USP. Publicou *Murilo Mendes: A poesia como totalidade* (São Paulo: Edusp; Giordano, 1995), *Manuel Bandeira* (São Paulo: Publifolha, 2001) e *O mundo sitiado: A poesia brasileira e a Segunda Guerra Mundial* (São Paulo: Ed. 34, 2016; prêmio Biblioteca Nacional). Organizou e prefaciou *Formação de discoteca*, de Murilo Mendes (São Paulo: Edusp; Giordano, 1993). Juntamente com Augusto Massi, organizou e elaborou as notas de *Diário do hospício & O cemitério dos vivos*, de Lima Barreto, prefaciado por Alfredo Bosi (São Paulo: Companhia das Letras, 2017).

PAULO DE SALLES OLIVEIRA é professor titular aposentado de Psicologia Social da USP. Publicou, entre outros livros, *O que é brinquedo* (São Paulo: Brasiliense, 1984), *Brinquedo e indústria cultural* (Rio de Janeiro: Vozes, 1986), *Cultura solidária em cooperativas* (São Paulo: Edusp, 2006; prêmio Jabuti) e *Vidas compartilhadas: Cultura e relações intergeracionais na vida cotidiana* (2. ed. São Paulo: Cortez, 2011).

PEDRO GARCEZ GHIRARDI é professor titular aposentado de Literatura Italiana na USP. É autor de *Escritores de língua italiana em São Paulo (1890-1929)*. Publicou, como tradutor, a *Lírica italiana de Cláudio Manuel da Costa* (São Paulo: Giordano, 1998), *Contos do Decameron* (São Paulo: Scrinium, 1996) e *Orlando Furioso*, de Ludovico Ariosto (São Paulo: Ateliê, 2003; prêmio Jabuti).

PEDRO MEIRA MONTEIRO é professor titular de Literatura Brasileira na Universidade Princeton. Publicou e organizou *Mário de Andrade e Sérgio Buarque de Holanda: Correspondência* (São Paulo: Companhia das Letras, 2012), *A primeira aula: Trânsitos da literatura brasileira no estrangeiro* (São Paulo: Hedra, 2014) e *Signo e desterro: Sérgio Buarque de Holanda e a imaginação do Brasil* (São Paulo: Hucitec, 2015). Com Lilia Moritz Schwarcz, também coordenou a edição crítica e comemorativa dos oitenta anos de *Raízes do Brasil*, de Sérgio Buarque de Holanda (São Paulo: Companhia das Letras, 2016).

ROBERT PATRICK NEWCOMB é professor associado de Literatura Luso-Brasileira na Universidade da Califórnia. É autor de *Nossa and Nuestra América: Inter-American Dialogues* (Purdue University Press, 2011) e *Iberianism and Crisis: Spain and Portugal at the Turn of the Twentieth Century* (University of Toronto Press, 2018). É coeditor do volume *Beyond Tordesillas: New Approaches to Comparative Luso-Hispanic Studies* (Transoceanic, 2017) e tradutor de *Brazil and the Dialectic of Colonization* (University of Illinois Press, 2015), de Alfredo Bosi.

ROBERTO ACÍZELO DE SOUZA é professor titular de Literatura Brasileira da UERJ. Publicou, entre outras obras, *O império da eloquência: Retórica e poética no Brasil oitocentista* (Rio de Janeiro: Eduerj 1999), *Iniciação aos estudos literários: Objetos, disciplinas, instrumentos* (São Paulo: Martins Fontes, 2006) e *História da literatura: Trajetória, fundamentos, problemas* (São Paulo: É Realizações, 2014).

Organizou duas importantes antologias de estudos literários: *Uma ideia moderna de literatura: Textos seminais para os estudos literários 1688-1922* (Chapecó: Argos, 2011) e *Do mito das musas à razão das letras: Textos seminais para os estudos literários, século VIII a.C.-século XVIII* (Chapecó: Argos, 2014). E também organizou, em dois volumes, *Historiografia da literatura brasileira: Textos fundadores 1825-1888* (Rio de Janeiro: Editora Caetés, 2014). Traduziu "As quatro idades da poesia", de T. L. Peacock, e "Defesa da poesia", de P. B. Shelley, reunidos no volume *Never More, Forever: A poesia na modernidade, ou Shelley versus Peacock*. Rio de Janeiro: UERJ, 2017 (Novos Cadernos do Mestrado, v. 4).

SERGIO PAULO ROUANET é diplomata. Foi embaixador do Brasil em Copenhague e Praga. Publicou, entre outras obras, *Teoria crítica e psicanálise* (Rio de Janeiro: Tempo Brasileiro, 1983), *As razões do Iluminismo* (São Paulo: Companhia das Letras, 1987), *Mal-estar na modernidade* (São Paulo: Companhia das Letras, 1993), *A razão nômade: Walter Benjamin e outros viajantes* (Rio de Janeiro: UFRJ, 1994) e *Riso e melancolia: A forma shandiana em Sterne, Diderot, Xavier de Maistre, Almeida Garret e Machado de Assis* (São Paulo: Companhia das Letras, 2007). Traduziu *A origem do drama barroco alemão*, de Walter Benjamin (São Paulo: Brasiliense, 1984), e coordenou a publicação da *Correspondência Completa de Machado de Assis*, em cinco volumes (Rio de Janeiro: ABL, 2008-15). É membro da Academia Brasileira de Letras desde 1992.

ULPIANO TOLEDO BEZERRA DE MENESES é professor emérito da Faculdade de Filosofia, Letras e Ciências Humanas da USP. Foi também diretor do Museu Paulista e do Museu de Arqueologia e Etnologia (USP) e conselheiro do IPHAN. Publicou, entre livros e inúmeros capítulos de livros, *Arqueologia amazônica: Santarém* (São Paulo: MAE-USP, 1972) e *Patrimônio cultural: Natureza da arqueologia e do documento arqueológico. Problemas gerais da arqueologia brasileira* (São Paulo: FAU-USP/IPHAN, 1976). Organizou, com Benedito Lima de Toledo, *O sítio urbano original de São Paulo: O Pátio do Colégio* (São Paulo: Condephaat, 1997) e, com Carlos Alberto Siqueira Lemos, *Casas do Brasil* (São Paulo: Museu da Casa Brasileira, 2006).

VIVIANA BOSI é professora de Teoria Literária e Literatura Comparada na USP. Publicou *John Ashbery: Um módulo para o vento* (São Paulo: Edusp, 1999), organizou e prefaciou *Antigos e soltos: Poemas e prosas da pasta rosa*, de Ana Cristina Cesar (São Paulo: Instituto Moreira Sales, 2008). Juntamente com Álvaro Faleiros e Roberto Zular, organizou *Sereia de papel: Visões de Ana Cristina Cesar* (Rio de Janeiro: Eduerj, 2015); com Renan Nuernberger, *Neste instante: Novos olhares sobre a poesia brasileira nos anos 1970* (São Paulo: Humanitas, 2018). Ainda este ano, será publicada pela Ed. 34 sua tese de livre-docência: *Poesia em risco (Itinerários a partir dos anos 60)*.

YUDITH ROSENBAUM é professora de Literatura Brasileira na Faculdade de Letras da USP. É autora de, entre outros, *Manuel Bandeira: Uma poesia da ausência* (São Paulo: Edusp; Imago, 1993), *Metamorfoses do mal: Uma leitura de Clarice Lispector* (São Paulo: Edusp, 1999) e *Clarice Lispector* (São Paulo: Publifolha, 2002).

Índice onomástico

1930: A crítica e o modernismo (João Luiz Lafetá), 215

"A Carlos Magalhães de Azeredo" (Mário de Alencar), 354
À la recherche de Marcel Proust (André Maurois), 94
Abraçado ao meu rancor (João Antônio), 34
Abreu, Capistrano de, 72
Abreu, Manoel de, 208
Acton, lorde, 248
Addison, Joseph, 362
Adorno, Theodor, 158, 194-5, 203, 230, 279
Aesthetica in nuce (Benedetto Croce), 289
Afonso Africano (Vasco Mouzinho de Quevedo), 409
Afonso VI, d., 118
Agostinho, Santo, 132, 466, 470, 474, 477
"Água de beber" (canção), 206
Albano, José, 212
Aleijadinho (Antônio Francisco Lisboa), 304
"Além do princípio do prazer" (Freud), 509n
Alencar, José de, 220, 266, 354, 434, 534n

Alencar, Mário de, 227, 346-7, 351, 354-6
Alessandrini, Rinaldo, 481-3
"Aletria e hermenêutica" (Guimarães Rosa), 130
Alguma poesia (Carlos Drummond de Andrade), 207
Alguns escritos (Mário de Alencar), 355
Alice no País das Maravilhas (Lewis Carroll), 315, 322
Alma alheia, A (Pedro Rabello), 346
Almeida, Guilherme de, 57
Almeida, Manuel Antônio de, 422
Almeida, Renato, 208
Alonso, Damaso, 223
Alves, Castro, 220, 266, 409
Alves, Hélio, 408
Alves, Rodrigues, 428
Amado, Jorge, 56, 345-6, 400
Amaral, Amadeu, 33, 212, 350
Américo, Pedro, 431
Amora, Antônio Soares, 259, 436
Análise e interpretação da obra literária (Wolfgang Kayser), 519n

Anchieta, José de, 73, 152, 220, 266, 269, 292, 409
Anderson, Benedict, 155
Andrada, Antônio Carlos Ribeiro de, 426
Andrade, Fábio de Souza, 12, 405
Andrade, Goulart de, 212, 356
Andrade, Maria Graciema, 409
Andrade, Mário de, 50, 54, 56, 75, 93, 215, 409, 467
Andrade, Oswald de, 56, 357, 364
Andreoni, João Antônio (Antonil), 73, 104, 122, 267
Anfitrião (Plauto), 449
Angústia (Graciliano Ramos), 147, 149
Anjos, Augusto dos, 209, 215-6
Anjos, Cyro dos, 346
Annales (periódico francês), 397
Antologia de contos de Machado de Assis (Alfredo Bosi), 67, 160
"Antonil ou as lágrimas da mercadoria" (Alfredo Bosi), 507n
Antônio José ou o poeta e a Inquisição (Gonçalves de Magalhães), 432
"Antônio Vieira, profeta e missionário: Um estudo sobre a pseudomorfose e a contradição" (Alfredo Bosi), 105, 113, 115, 120
"Antônio Vieira: Vida e obra — Um esboço" (Alfredo Bosi), 103, 105, 126
"Antônio Vieira" (Fernando Pessoa), 111
Antônio, João, 34-5, 68
Anunciação e encontro de Mira-Celi (Jorge de Lima), 463
Ao vencedor as batatas (Roberto Schwarz), 161, 223
Arantes, Paulo Eduardo, 172
"Arcádia e ilustração" (Alfredo Bosi), 260
Arco y la lira, El (Octavio Paz), 284
Arêas, Vilma, 408, 437, 448
"Arguição a Paulo Emílio" (Alfredo Bosi), 203
Ariadne (Magalhães de Azeredo), 348
Arinos, Afonso, 347, 350, 409
Aristóteles, 132, 137, 151, 227, 428
Armstrong, J. A., 361-3

Arnold, Matthew, 200
Arrigucci Jr., Davi, 70
Arte da poesia, A (Ezra Pound), 284
Artigos de jornal (Gilberto Freyre), 359
Artusi, Giovanni Maria, 483
Assis, Carolina Machado de, 354-5
Assis, Machado de, 12-3, 37, 67, 76, 82, 89, 101-2, 139, 160-71, 218, 220, 222-8, 263, 279, 312, 345-50, 352, 354-6, 374, 398-9, 413, 417-9, 421, 434, 461, 511n, 520n, 521n, 522n
Asturias, Miguel Ángel, 339
Ataíde, Tristão de (Alceu Amoroso Lima), 57, 75, 207-9, 211, 214-5, 414, 514n
Ateneu, O (Raul Pompeia), 258
"*Ateneu*, opacidade e destruição, O" (Bosi), 37, 135, 219, 245
Auerbach, Erich, 182, 205, 514n, 541n
"Authoritarian Personality, The" (Theodor Adorno), 279
Azeredo, Carlos Magalhães de, 346-7, 350, 354-6
Azeredo, Magalhães de, 346-53, 356
Azevedo, Artur, 438
Azevedo, João Lúcio de, 126
Azevedo, Milton M., 376

Bachelard, Gaston, 132, 137, 289-90, 456-7, 462-4
Bacon, Francis, 84, 362
"Bahia de Todos os Santos" (Jorge de Lima), 412
Bakhtin, Mikhail, 342
Baladas e fantasias (Magalhães de Azeredo), 348
Bandarra, Gonçalo Annes, 111-4, 116
Bandeira, Manuel, 57-8, 235, 283, 374, 543n
Banguê (José Lins do Rego), 49
Barbé, Domingos, padre, 305
Barbosa, Januário da Cunha, 259
Barbosa, João Alexandre, 31
Barbosa, Rui, 111, 171, 212-3
Barrès, Maurice, 374
Barreto, João Franco, 474
Barreto, Lima, 39, 75, 212-4, 266

Barreto, Teresa, 376
Barros, Roque Spencer Maciel de, 387
Barthes, Roland, 189, 285, 320
Baudelaire, Charles, 90-2, 137, 235, 401, 477
Beaumarchais, Pierre-Augustin Caron de, 436
Beaussant, Philippe, 479-84
Benevenuto de Santa Cruz, frei, 44
Benjamim (Chico Buarque), 326
Benjamin, Walter, 235, 304, 332, 400-3, 497, 499, 501, 545n
Bergson, Henri, 288, 439, 441
Bernini, Gian Lorenzo, 304
Bessière, Irène, 340
Bettarello, Italo, 289, 456, 472-3
Bhabha, Homi, 522n
Bibliographie des études sur Marcel Proust (Victor E. Graham), 94
Biblioteca Ayacucho, 38, 170
Bilac, Olavo, 347, 350, 354, 366-7
Binni, Walter, 199, 302-3
Blake, William, 192
Bloch, Ernst, 402
Boas, Franz, 363, 365
Bobbio, Norberto, 296
Boccaccio, Giovanni, 476-7
Bonfim, Manuel, 214
Bopp, Raul, 56
Borges, Jorge Luis, 339
Bosi, Ecléa, 13, 17, 26-7, 29, 38, 42, 308
Bosi, Viviana, 14, 490
Bowra, Cecil Maurice, 407
Brás Cubas em três versões (Alfredo Bosi), 76, 169-70, 220, 229
"Brás Cubas em três versões" (Alfredo Bosi), 162, 164, 167, 170, 230
Brasil, José Edilton, 307
Brasil, Marinete de Brito, 307, 310
Braudel, Fernand, 125, 415
Brecht, Bertolt, 235
Breviário de estética ver *Aesthetica in nuce* (Benedetto Croce)
Britto, Paulo Henriques, 493
Browning, Elizabeth B., 361, 494-5

Browning, Robert, 361, 494
Brunelleschi, Filippo, 303
Buarque, Chico, 325, 331-3, 335, 337, 340-1
Buber, Martin, 180
Budapeste (Chico Buarque), 326
Bueno, Luís, 207
Burckhardt, Jacob, 241-56
Busatto, Luiz, 408
Bush, George W., 233
Byron, Lord, 394

Cabral de Melo Neto, João, 302
Caetano, João, 432-3, 445-6, 448
Caixeiro da taverna, O (Martins Pena), 435
Caldas Barbosa, Domingos, 392
Caldwell, Helen, 164
Callado, Antonio, 72
Camilo, Vagner, 409
Camões, Luís de, 55, 57-61, 64, 132, 255, 266, 302, 391, 406-8, 428
Camoniana (Guilherme de Almeida), 57
Campanella, Tommaso, 507n
Campos, Augusto de, 543n
Campos, Humberto de, 356
Campos, Moreira, 68
"Camus na festa do Bom Jesus" (Alfredo Bosi), 41-2
Camus, Albert, 41, 285
Canaã (Graça Aranha), 258
Cancioneiro alegre (antologia), 32
Candido, Antonio, 26-7, 43-5, 50, 75, 89, 144, 163, 170, 178, 187, 203, 205, 209, 258-9, 459, 520n
Canetti, Elias, 239
Canzoniere ver *Rerum vulgarium fragmenta* (Petrarca)
Capinha, Graça, 152
Capital, O (Marx), 160, 511n
Capítulos de história colonial (Capistrano de Abreu), 72
Cardoso, Lúcio, 57
Carducci, Giosuè, 349
Carlyle, Thomas, 362

Carne e pedra: O corpo e o cidadão na civilização ocidental (Richard Sennett), 321
Carneiro, José Fernando, 466
Carnifágia malvorosa: As violações na súmula poética de Jorge de Lima (Daniel Glaydson), 409
Carpeaux, Otto Maria, 25-7, 49, 71, 75, 81-3, 97, 105, 116, 149, 178, 199, 201, 205, 210, 221, 243-4, 258, 506n, 510n, 519n
Carroll, Lewis, 30, 315
Carvalho, José Murilo de, 317
Carvalho, Ronald de, 259, 536n
Casa-grande & senzala (Gilberto Freyre), 375, 398
Castañon Guimarães, Júlio, 217
Castello Branco, Camillo, 32
Castelo, José Aderaldo, 503n
Castilho, Antonio Feliciano de, 408
Castilhos, Júlio de, 268
Castro, Eduardo Viveiros de, 409, 522n, 537n
Cavalcanti, Holanda, 424
Celan, Paul, 488
Certeau, Michel de, 401
Cervantes, Miguel de, 94
Céu, inferno (Alfredo Bosi), 37, 76, 99-100, 131, 135, 170, 186, 203, 219, 229, 252, 265, 271, 303
"Céu, inferno" (Alfredo Bosi), 202, 271-2, 276, 278-9
"Céus, infernos" (entrevista de Alfredo Bosi), 198
Chalhoub, Sidney, 399
Chardin, Teilhard de, 181, 302
"Charogne, Une" (Charles Baudelaire), 90
Chase, Richard, 188
Chasin, Ibaney, 481
Chateaubriand, François-René de, 192, 394
Chaui, Marilena, 204
Chave dos profetas, A ver *Clavis prophetarum* (Antônio Vieira)
"Choro bandido" (canção), 333
Cícero, 389, 442, 470, 475
Cidade, Hernâni, 104

"Cielo e mare" (Giuseppe Ungaretti), 488
Cigano, O (Martins Pena), 435
Cinza do purgatório, A (Otto Maria Carpeaux), 243
Claro enigma (Carlos Drummond de Andrade), 499
Claudel, Paul, 94
Clavis prophetarum (Antônio Vieira), 105, 128
Clemente x, papa, 117
Clima (revista), 92
Cobra Norato (Raul Bopp), 56
Coelho Neto, Henrique Maximiano, 211-2, 214, 348, 351, 354, 368
Coelho, Ruy, 92-3
Coleridge, Samuel Taylor, 496-7
Collor, Lindolfo, 268
"Colônia, culto e cultura" (Alfredo Bosi), 233, 242
"Com açúcar, com afeto" (canção), 336
Combattimento di Tancredi e Clorinda, Il (ópera de Monteverdi), 484
Compagnon, Antoine, 526n
Comparato, Fábio Konder, 413
Condé, João, 147
Confissões (Santo Agostinho), 474
Conjuração de Veneza (Martins Pena), 433
Contemplação de Ouro Preto (Murilo Mendes), 28
Conto brasileiro contemporâneo, O (Alfredo Bosi), 67-8, 325, 332
Contraponto (Aldous Huxley), 91-2
"Coros de Dido" (Giuseppe Ungaretti), 484-5, 487
Correia, Raimundo, 347, 350
Correspondência de Fradique Mendes, A (Eça de Queirós), 90
Cortázar, Julio, 333, 339
Corte-Real, Jerônimo, 409
Cortiço, O (Aluísio Azevedo), 187
Così è (se vi pare) (Luigi Pirandello), 185
Costa e Silva, Alberto da, 350
"Coup de dés, Un" (Stéphane Mallarmé), 465
Cousin, Victor, 386-8
Coutinho, Afrânio, 209, 259

Cristo *ver* Jesus Cristo
Croce, Benedetto, 12, 70, 129, 167-8, 178, 199, 211, 234-5, 243, 275, 288-9, 303, 456-8, 513n
Cruz e Sousa, João da, 75, 226, 266
Cultura do Renascimento na Itália, A (Jacob Burckhardt), 243
Cultura e opulência do Brasil (Antonil), 104
Cunha, Cilaine Alves, 377
Cunha, Euclides da, 117, 212, 214, 226, 253, 302, 353, 401-2
Curso de literatura portuguesa e brasileira (Francisco Sotero dos Reis), 259
Curso elementar de literatura nacional (Joaquim Caetano Fernandes Pinheiro), 259

D'Angeli, Concetta, 439
D'Annunzio, Gabriele, 177
Daghlian, Carlos, 493, 544n
Dahrendorf, Ralf, 322
Dallari, Dalmo, 299
Damasceno, Darcy, 539n, 540n
Daniel (profeta), 113-4
Dante Alighieri, 94, 132, 203, 302, 408, 456, 466, 473, 479, 488
Darwin, Charles, 160, 368, 511n
Davi, rei de Israel, 113
De Mann, Paul, 496-7
De Quincey, Thomas, 362
De Robertis, Giuseppe, 484
De Sanctis, Francesco, 167-8, 192, 303, 472-3, 475, 478
De Senectude (Cícero), 442
Debret, Jean-Baptiste, 436
Defesa de Sócrates (Platão), 237, 523n
Defesa perante o Tribunal do Santo Ofício (Antônio Vieira), 105, 112-3, 115
Defoe, Daniel, 362
Denis, Ferdinand, 377, 393
Devant le temps (Georges Didi-Huberman), 403
Devoto, Giacomo, 302
Dewey, John, 363

Dialética da colonização (Alfredo Bosi), 11, 13, 38-9, 72, 76, 97, 104, 106-7, 118, 120-1, 123, 125, 152, 155, 200, 220, 233, 237, 241-4, 247, 250, 255, 265, 303, 415, 507n, 525n
"Dialogo di Federico Ruysch e delle sue mummie" (Giacomo Leopardi), 30
Diálogos dos mortos (Luciano de Samósata), 222
Diário de Pernambuco (jornal), 359, 372
Diário de um escritor (Dostoiévski), 150-1
Diário do Rio de Janeiro (jornal), 434, 452
Dias, Gonçalves, 349, 534n
Dicionário da escravidão negra no Brasil (Clóvis Moura), 538n
Dicionário das rimas portuguesas (Mário de Alencar), 355
Dickinson, Emily, 490-501, 543n, 544n
Didi-Huberman, Georges, 400, 403
Diletante, O (Martins Pena), 435
Dilthey, Wilhelm, 178, 275
Dimas, Antonio, 357
"Dimensões do fantástico, As" (José Paulo Paes), 339-40
Disney, Walt, 333
Divina Comédia (Dante Alighieri), 69
Doidinho (José Lins do Rego), 49
Dois ou o inglês maquinista, Os (Martins Pena), 435, 437-8
Dolore, Il (Giuseppe Ungaretti), 485
Dom Casmurro (Machado de Assis), 164-5, 221, 345, 348, 461
Dom Quixote (Cervantes), 53
Donne, John, 496
Donos do poder, Os (Raymundo Faoro), 228, 538n
Dostoiévski, Fiódor, 150-1, 223, 520n
Dourado, Autran, 346
Driscoll, Mark, 522n
Drummond de Andrade, Carlos, 36, 71, 82-3, 98-9, 102, 131, 142, 260, 283, 286, 499-501
Dryden, John, 362
Ducis, François, 445, 448
"Duplo espelho em um conto de Machado de Assis, O" (Alfredo Bosi), 139, 171, 225
Duque, Gonzaga, 216

Eckermann, Johann Peter, 218, 519n
Eco, Umberto, 158, 302, 314
"Ecos do barroco" (Alfredo Bosi), 103, 260
Efficacité (revista), 44
"Ela e sua janela" (canção), 335-7
Eliade, Mircea, 464
Eliot, T.S., 57, 284, 496
Emparedado, O (Cruz e Sousa), 75
"Encoberto, O" (Fernando Pessoa), 114
Encyclopédie (Denis Diderot et al.), 430
Endiabrados (Dyonélio Machado), 32
Eneida (Virgílio), 472, 474, 485-6
Enigma do olhar, O ver *Machado de Assis: O enigma do olhar* (Alfredo Bosi)
"Enigma do olhar, O" (Alfredo Bosi), 163-4, 167
"Ensaio sobre a história da literatura do Brasil" (Gonçalves de Magalhães), 259, 377, 381, 384, 386, 388, 391-2, 394, 533n
Entre a literatura e a história (Alfredo Bosi), 80, 171, 200, 220, 302
Entretempos (Ettore Finazzi-Agrò), 396, 398
Esaú e Jacó (Machado de Assis), 345, 521n
"Escritor e a fantasia, O" (Freud), 133
"Espelho e a lâmpada, O" (Raymundo Faoro), 228
"Espelho, O" (Machado de Assis), 82, 139, 140, 279, 413
Espinosa, Baruch, 112, 197
"Esquema de Machado de Assis" (Antonio Candido), 520n
"Essa Nega Fulô" (Jorge de Lima), 57
Essencial Padre Antônio Vieira (org. Alfredo Bosi), 103, 105, 111, 114, 117, 119, 125-6
Estado de S. Paulo, O (jornal), 186, 195, 258, 325, 519n
Estorvo (Chico Buarque), 326
Estudos Avançados (revista), 139, 297, 530n
Estudos sobre Vieira (org. João Adolfo Hansen et al.), 105, 120, 125
Eurídice (ópera de Jacobo Peri), 478
Everlasting South, The (Francis Butler Simkins), 369-70
"Existe um pensamento político brasileiro?" (Raymundo Faoro), 423

Falecido Mattia Pascal, O ver *Fu Mattia Pascal, Il* (Luigi Pirandello)
Família e a festa na roça, A (Martins Pena), 433, 435, 437
Fantasia (filme), 333
Faoro, Raymundo, 161, 169-70, 223, 228-9, 421, 423, 429, 538n
Farce de Maistre Pierre Pathelin (peça anônima), 440
Farce du Cuvier (peça anônima), 454
Faria, João Roberto, 432
Faria, Octávio de, 57, 208, 215
Farr, Judith, 496
Fausto (Goethe), 501
Fedro (Platão), 492
Fernandes, Florestan, 26
Ferreira, Maria Ione, 307-9
Ferreira, Oliveiros da Silva, 44
Ferreira, Sebastião, 308
Figueiredo, Lila, 284
Filinto Elísio, 391
Finazzi-Agrò, Ettore, 396
Finitude et culpalité (Paul Ricœur), 191
Fioretti (florilégio anônimo), 314
Fischer, Luís Augusto, 216
"Flor da moita, A" (Alfredo Bosi), 221
Flor de sangue (Valentim Magalhães), 352
Flores do mal, As (Charles Baudelaire), 90-1
Foch, Ferdinand, 374
Fogo morto (José Lins do Rego), 49-50, 52-4
Folha de S.Paulo (jornal), 103
Fonseca, Rubem, 68
Fontes, Hermes, 207, 212
Fontes, Martins, 212
Formação da literatura brasileira (Antonio Candido), 178, 259
Formação do Brasil contemporâneo (Caio Prado Jr.), 399
Foucault, Michel, 202, 403
Fragmentos ver *Historische Fragmente* (Jacob Burckhardt)
França Júnior, Joaquim José de, 438
Franco, Darci Gomes, 310

Frehse, Fraya, 530n
Freud, Sigmund, 56, 61, 131-8, 149, 203, 274-6, 278-9, 330, 365, 509n
Freyre, Gilberto, 56, 251, 270, 357-9, 361, 367-72, 374-5, 397, 399
Freyre, Ulysses, 360
Fromm, Erich, 279
Fu Mattia Pascal, Il (Luigi Pirandello), 139, 183-5
Fubini, Enrico, 480
Fuentes, Carlos, 339
Furtado, Celso, 39-40, 81

Gadamer, Hans-Georg, 520n
Gadda, Carlo Emilio, 303
Galileu Galilei, 84
Gama, Basílio da, 58, 75, 349, 392
Gama, Luís, 226, 419
García Lorca, Federico, 235
García Márquez, Gabriel, 339
Garin, Eugenio, 302
Garmes, Hélder, 105
Garnier, H., 348
Garrett, Almeida, 33, 348
Ghirardi, Pedro Garcez, 311
Giannotti, José Arthur, 204
Gibbons, James, 374
Giddings, Franklin H., 363
Gide, André, 92, 94
"Ginestra, La" (Giacomo Leopardi), 196
Giotto, 303
Glaydson, Daniel, 409
Gledson, John, 169
Góes, Fernando, 210-1, 214
Goethe, Johann Wolfgang von, 94, 218, 221, 229-30, 235, 501
Goffi, Fábio, 299
Goldmann, Lucien, 191-2, 197
Gomes, Aíla de Oliveira, 491, 544n
Gonçalves, Francisco, padre, 126
Góngora, Luis de, 57, 465, 485
Gonzaga, Vincenzo, 478
Gorender, Jacob, 81
Goulart, João, 174, 236

Graça Aranha, José Pereira da, 212, 214
Gracián, Baltasar, 507n
Graf, Arturo, 177
Graham, Victor E., 94
Gramsci, Antonio, 12, 70, 178, 234, 236, 243, 245, 253, 267, 275, 288, 303, 513n
Greimas, A. J., 203
Grieco, Agripino, 215, 374
Groos, Otto, 137
Grupo Opinião, 37
Guarani, O (José de Alencar), 267
Guimarães Filho, Alphonsus de, 57
Guimarães, Hélio de Seixas, 160
Gullar, Ferreira, 37, 74, 284
Gusmão, Alexandre, 122

Haebler, Konrad, 21
Halbwachs, Maurice, 114
Hamlet (François Ducis), 448
Hamlet (Shakespeare), 448, 517n
Hansen, João Adolfo, 105
Hardman, Francisco Foot, 217
Hardt, Michael, 522n
Hegel, Georg Wilhelm Friedrich, 58, 129, 132, 178-80, 249, 288
Heine, Heinrich, 401
Helder, Herberto, 286
Helena (Machado de Assis), 221, 345
Heliodora, Barbara, 438
Henriques, d. Afonso, 108
Herbert, George, 496
Herder, Johann Gottfried von, 378-9
Higginson, Thomas W., 494
História concisa da literatura brasileira (Alfredo Bosi), 28, 30, 67, 70, 95, 103-4, 107-8, 118-9, 122, 162, 166, 170, 172, 187, 200, 212-6, 220, 257-60, 262-3, 284, 303, 516n, 527n
História da literatura brasileira (Antônio Soares Amora), 259
História da literatura brasileira (José Veríssimo), 259
História da literatura brasileira (Nélson Werneck Sodré), 259

História da literatura brasileira (Sílvio Romero), 259
"*História da literatura brasileira* de Veríssimo, A" (Alfredo Bosi), 258, 526n
História da literatura ocidental (Otto Maria Carpeaux), 258
História do futuro (Antônio Vieira), 105, 112
Historische Fragmente (Jacob Burckhardt), 241, 246, 251-2, 254
History of the South, A (Francis Butler Simkins), 369
Hoelderlin, Friedrich, 235
Hoffmann, E. T. A., 225
Hoggart, Richard, 307
Holanda, Sérgio Buarque de, 203, 270, 397, 399, 414, 422-3, 538n
"Homenagem a Sérgio Buarque de Holanda" (Alfredo Bosi), 203
Homens e livros (Magalhães de Azeredo), 348
Homero, 205, 255, 407
"Hor ch'el ciel e la terra" (madrigal de Monteverdi), 478
Horkheimer, Max, 158
Hossne, William Saad, 299
Howard, Leon, 210
Humano, demasiado humano (Friedrich Nietzsche), 229
Huxley, Aldous, 91, 362

Iaiá Garcia (Machado de Assis), 221, 345
Ianni, Octavio, 26
Identificação, A (Jacques Lacan), 139
Ideologia da cultura brasileira (Carlos Guilherme Mota), 30-1
Ideologia e contraideologia (Alfredo Bosi), 78, 167, 171, 200, 218, 220, 223, 229, 237, 239, 303, 520n
Illich, Ivan, 319, 322
"Imagem, discurso" (Alfredo Bosi), 131-3, 135, 137
Imitação de Cristo, A (Tomás de Kempis), 495
Imparcial, O (periódico), 258
Índio brasileiro e a revolução francesa, O (Afonso Arinos), 409

Infância (Graciliano Ramos), 150, 276, 279
Insônia (Graciliano Ramos), 147
"Intentional Fallacy, The" (William Wimsatt), 517n
Intermezzo (Magalhães de Azeredo), 350
"Interpretação da obra literária, A" (Alfredo Bosi), 76, 131, 135-6, 186, 220, 275, 456
Interpretação dos sonhos, A (Freud), 131, 133, 275
Interpretações: Crítica literária e psicanálise (org. Cleusa Rios P. Passos e Yudith Rosenbaum), 131-2
"Introdução ao método crítico" (Ruy Coelho), 93
Invenção de Orfeu (Jorge de Lima), 55, 57-9, 405-12, 463
Irmão alemão, O (Chico Buarque), 326
Irmãos das almas, Os (Martins Pena), 435
Isabel, princesa, 420, 425
Isaías Caminha ver *Recordações do escrivão Isaías Caminha* (Lima Barreto)
Itaboraí, visconde de, 424

Jacó (patriarca hebreu), 113
Jakobson, Roman, 131, 194
James, William, 365
Jaucourt, Luis, 430
Jerusalém libertada (Torquato Tasso), 484
Jesus, Carolina Maria de, 431
Jesus, Suene Honorato de, 409
Jesus Cristo, 113, 115, 123, 267
João III, d., 113
João IV, d., 107, 111-3, 115, 119, 121, 127
João V, d., 117
João VI, d., 432
Jobim, Antonio Carlos, 206
Johnson, Samuel, 362
"Jorge de Lima: poeta em movimento (Do 'menino impossível' ao *Livro de sonetos*)" (Alfredo Bosi), 537n
Jorge, Luiza Neto, 502
Jornal do Comércio, 436
Jornal, O, 208
José (filho de Jacó), 113

Jouffroy, Théodore Simon, 386
Juana Inés de la Cruz, Sor, 465-6
Judas em Sábado de Aleluia, O (Martins Pena), 432, 435, 438, 449, 454-5
Juiz de paz da roça, O (Martins Pena), 433, 435, 437
Jung, Carl Gustav, 541n

Kandinsky, Wassily, 101
Kardiner, Abram, 279
Kayser, Wolfgang, 519n
Keats, John, 494, 544n
Kierkegaard, Søren, 288
Kilkerry, Pedro Militão, 263
Klobucka, Anna, 233
Knoppe, Adolphus, 368
Koselleck, Reinhart, 389, 402
Koshiyama, Jorge, 12
"Krotkaïa" (Dostoiévski), 150

L'esclusa (Luigi Pirandello), 184
La Bruyère, Jean de, 166
La Rochefoucauld, François de, 166, 229
Labriola, Antonio, 178, 513n
Lacan, Jacques, 131-3, 139-40, 509n
Lafetá, João Luiz, 11-2, 144, 202, 215
Lágrimas (Mário de Alencar), 354
Lamartine, Alphonse de, 394
Lanson, Gustave, 258
Lautréamont (Isidore Lucien Ducasse), 407
Lavalle, Adrian, 530n
Lavelle, Louis, 180, 288
Lazarus-Mattel, C., 320
Le Senne, René, 180
Lebret, padre, 44, 181-2
Lefebvre, Henri, 191
Leite derramado (Chico Buarque), 326
Leite, Sebastião Uchoa, 30-1
Leitura de Poesia (org. Alfredo Bosi), 12, 98, 289
Leonardo da Vinci, 84-5
Leoni, Raul de, 212, 214
Leopardi progressivo (Walter Binni), 199
Leopardi, Giacomo, 30-1, 132, 172-4, 186, 188-96, 198-9, 220, 229, 234-5, 303, 312-4, 348, 475, 516n, 521n
"Letras Italianas" (coluna jornalística de Alfredo Bosi), 186
Lévi-Strauss, Claude, 189
Liberdade do espírito (João Gaspar Simões), 93
Liberdade, liberdade (Grupo Opinião), 37
Libertinagem (Manuel Bandeira), 207
Lições dramáticas (Martins Pena), 433, 445-6
Life and Opinions of Tristram Shandy, Gentleman, The (Laurence Sterne), 77, 222
Lima, João Carlos Felix de, 172
Lima, Jorge de, 11, 13, 55-60, 62-4, 131, 203-4, 208, 235, 405-10, 457, 460-3, 465-7, 537n, 541n
Lima, Luiz Costa, 187, 204
Lincoln, Abraham, 371
Lindsay, Vachel, 362
Linhas tortas (Graciliano Ramos), 425, 510n
Lins, Álvaro, 94
Lins, Osman, 68
Lins, Vera, 216
Lispector, Clarice, 68
"Literatura e cultura de 1900 a 1945" (Antonio Candido), 209
Literatura e resistência (Alfredo Bosi), 104, 111, 117, 122, 200, 220, 250, 252, 305, 507n
"Literatura e resistência" (Alfredo Bosi), 252-3
Literatura e sociedade (Antonio Candido), 258
Literatura no Brasil, A (Afrânio Coutinho), 209, 259
Livro de sonetos, O (Jorge de Lima), 57, 61, 457-8, 460, 462-4, 466-7, 541n
Lobato, Monteiro, 214, 216
Locke, John, 520n
Longo, Mirella Márcia, 456
Lorenz, Günter, 292
Lowell, Amy, 361-2, 374
Luca della Robbia, 303
Lucas (evangelista), 124
Lucchesi, Marco, 302
Luciano de Samósata, 222
Luís Filipe, rei da França, 387

Lukács, Georg, 58, 338, 498, 501, 545n
Luporini, Cesare, 303
Lusíadas, Os (Camões), 58-60, 62, 255, 406, 409
Luso-Asio-Afro-Brazilian Studies & Theory (série), 233

Macaulay, Thomas, 362
Macedo, Joaquim Manuel de, 434, 438, 445
Machado de Assis: A pirâmide e o trapézio (Raymundo Faoro), 161, 228
Machado de Assis: historiador (Sidney Chalhoub), 399
Machado de Assis: O enigma do olhar (Alfredo Bosi), 161, 220, 279, 521n
"Machado de Assis e Sílvio Romero" (Magalhães de Azeredo), 349
"Machado de Assis na encruzilhada dos caminhos da crítica" (Alfredo Bosi), 169, 171
"Machado e Bandeira" (Otto Maria Carpeaux), 519n
Machado, Antônio Vicente dos Santos, 452
Machado, Dyonélio, 32-3
Macunaíma (Mário de Andrade), 56
"Madrigal para uma linda freira" (Magalhães de Azeredo), 350
Magalhães, Domingos Gonçalves de, 259, 349, 377-95, 432-4, 445, 534n
Magalhães, Valentim, 348, 351
Maistre, Xavier de, 222, 224
Mal-estar na cultura, O (Freud), 276
Mallarmé, Stéphane, 235, 465, 498
Malraux, André, 93
Mammì, Lorenzo, 84
Manifesto Antropófago (Oswald de Andrade), 56
Mannheim, Karl, 178
Manzoni, Alessandro, 177, 303
Mão e a luva, A (Machado de Assis), 220-1
Maquiavel, Nicolau, 108
"Máquina do mundo, A" (Carlos Drummond de Andrade), 36, 98-9, 101, 499
"Marcel Proust e a juventude do nosso tempo" (João Gaspar Simões), 93
"Marcel Proust e a nossa época" (Ruy Coelho), 93

Marcel, Gabriel, 288
Marcolino, Anísio, 306, 309
Marcondes, Durval, 131
Marcovitch, Jacques, 296, 300
Marcuse, Herbert, 279
Marinetti, Filippo Tommaso, 55
Marino, Giambattista, 303
Maritain, Jacques, 514n
Martim Cererê (Cassiano Ricardo), 56
Martins, Alberto, 21
Martins, Wilson, 257
Marx, Karl, 123, 125, 160, 229, 234, 267, 269, 511n
"Máscara e a fenda, A" (Alfredo Bosi), 140, 161-2, 165, 170
Massi, Augusto, 67
Masters, Edgar Lee, 362
Matos, Gregório de, 104, 220, 246, 255, 266, 269, 415
"Mattina" (Giuseppe Ungaretti), 488
Maulnier, Thierry, 91
Maurois, André, 94
Mauss, Marcel, 193, 322
Máximas e reflexões (Goethe), 230
Maya, Alcides, 161, 169, 171
Mazzari, Marcus Vinicius, 76, 218
Medeiros e Albuquerque, José Joaquim, 351
Medeiros, Borges de, 268
Meinecke, Friedrich, 244
Meireles, Cecília, 235, 543n
Mello, José Antônio Gonsalves de, 358
Mémoire, l'histoire, l'oubli, La (Paul Ricœur), 397
Memorial de Aires (Machado de Assis), 163, 170, 221, 345, 355
Memórias (Magalhães de Azeredo), 347
Memórias de um sargento de milícias (Manuel Antônio de Almeida), 422
Memórias do cárcere (Graciliano Ramos), 75, 147
Memórias póstumas de Brás Cubas (Machado de Assis), 76, 171, 221, 224, 229-30, 236, 345, 419
Mendes, Murilo, 28-9, 57, 208, 407
Mendes, Odorico, 408

Mendes, Victor K., 233
Mendonça, Lúcio de, 348
Meneses, Adélia Bezerra de, 325
Meneses, Ulpiano T. Bezerra de, 315
Menezes, d. Rodrigo de, 121
Menino de engenho (José Lins do Rego), 49, 373
"Menino mais velho, O" (Graciliano Ramos), 274
Mensagem (Fernando Pessoa), 111
Merquior, José Guilherme, 169
Mestre na periferia do capitalismo, Um (Roberto Schwarz), 223
Metafísicas canibais (Eduardo Viveiros de Castro), 537n
Metamorfoses, As (Ovídio), 476
Meyer, Augusto, 77, 161-2, 164, 169, 222-5, 520n
Mezan, Renato, 138-9
Migliorini, Bruno, 303
Mignolo, Walter, 522n
Miller, Cristanne, 494
Milliet, Sergio, 543n
Milton, John, 362, 407-8
"Minha América, A" (Jorge de Lima), 411
Mirabeau, Honoré Gabriel Victor Riqueti, conde de, 430
Modest Proposal (Jonathan Swift), 226
Moisés (patriarca hebreu), 113
Moisés, Massaud, 210, 258
Molière (Jean-Baptiste Poquelin), 436-7, 439
Momigliano, Arnaldo, 185
Monod, Jacques, 202, 302
Montaigne, Michel de, 229, 231-2
Montefoschi, Paola, 488
Monteiro, Pedro Meira, 231
Montello, Josué, 346
Monteverdi, Claudio, 478-9, 481-4, 489
Moore, John Bassett, 363
Moraes, Vinicius de, 57-8, 206
Morais, João Vieira de, 308
Morais, Prudente de, 426
Moravia, Alberto, 70, 302
Morin, Edgar, 299
Mota, Carlos Guilherme, 31

"Motivo e tema" (Alfredo Bosi), 186, 195
Mounier, Emmanuel, 180-1
Moura, Clóvis, 538n
Moura, Murilo Marcondes de, 12, 469
Muhana, Adma, 105
"Mulheres de Atenas" (canção), 333-5
"Mundo do menino impossível, O" (Jorge de Lima), 410
Munro, John, 363
Murat, Luís, 351, 354
Myth and Method (Richard Chase), 188

Nabuco, Joaquim, 226, 424
Nabucodonosor, rei da Babilônia, 113
Namorador ou a noite de S. João, O (Martins Pena), 435
"Narrador, O" (Walter Benjamin), 332
Nassar, Raduan, 41-2
Naufrágio do Sepúlveda (Jerônimo Corte-Real), 409
Nédoncelle, Maurice, 180
Negreiros, André Vidal de, 121
Negri, Antonio, 522n
"Nevoeiro" (Fernando Pessoa), 111
Newcomb, Robert Patrick, 233, 241
Nietzsche, Friedrich, 77, 136, 188, 222, 229, 245, 400-1
No caminho de Swann (Marcel Proust), 92
"Nó ideológico: Sobre o enlace de perspectivas em Machado de Assis, Um" (Alfredo Bosi), 167, 171, 223-4, 520n
"No limiar" (Magalhães de Azeredo), 347
Nöel, Jean Bellemin, 527n
Nome da rosa, O (Umberto Eco), 314
Nono, Luigi, 485
Norberto, Joaquim, 534n
Nossa Senhora do Rosário, 123
Novalis (Georg Philipp Friedrich von Hardenberg), 37, 100
Noviço, O (Martins Pena), 435
Nunes, Benedito, 12

Odes e elegias (Magalhães de Azeredo), 349, 355

Odisseia (Homero), 328-30, 340-2
Olgiato (Gonçalves de Magalhães), 433
Olímpio, Domingos, 354
Oliveira, Alberto de, 348
Oliveira, Franklin de, 257
Oliveira, Paulo de Salles, 305
Opúsculos históricos e literários (Gonçalves de Magalhães), 533n
"Or che'l ciel e la terra e'l vento tace" (Petrarca), 469-70, 488
Orfeo (Monteverdi), 478-80
Ossola, Carlo, 542n
Otelo (François Ducis), 445
Otelo (Shakespeare), 445
Ottoni, Teófilo, 428
"Outro fora e dentro do eu, O" (Alfredo Bosi), 221
Ovídio, 476, 479

Paduano, Guido, 439
Paes, José Paulo, 68-9, 209, 215, 217, 258, 338-40
"Páginas de saudade" (Mário de Alencar), 355
"Pai contra mãe" (Machado de Assis), 312, 417
"Painel de Nuno Gonçalves" (Jorge de Lima), 411
Paiva, Manuel de Oliveira, 263
Paixão, Fernando, 283
Palavras e as coisas, As (Michel Foucault), 202
Panofsky, Erwin, 219
Panorama da Poesia Brasileira (coleção de antologias), 210
Papéis avulsos (Machado de Assis), 139
Para Todos (revista), 543n
Pareyson, Luigi, 180, 288, 520n
Parnaso brasileiro (org. Januário da Cunha Barbosa), 259
Pascal, Blaise, 139-40, 166, 185, 192, 229, 299, 313
Pascoali, Giovanni, 177
Pasolini, Pier Paolo, 70
"Passagem do dois ao três, A" (Antonio Candido), 187
Passos, Cleusa Rios P., 130

Passos, Guimarães, 354
Pater, Walter, 362
Patrocínio, José do, 226, 420
Patton, James E., 370
Pau Brasil (Oswald de Andrade), 357
Paulo, apóstolo, 113
"Paulo" (Graciliano Ramos), 147-8
Paz, Octavio, 284, 465-6
Pedro I, d., 386, 428
Pedro II, d., 347, 387, 534n
Pedro, apóstolo, 113
Péguy, Charles, 94
Peirce, Charles Sanders, 132
Peixoto, Afrânio, 212-4, 348
Pena, Martins, 432-55, 539n, 540n
"Penélope" (Dalton Trevisan), 331
"Pequena história da imprensa" (Martins), 21
Pequena história da literatura brasileira (Ronald de Carvalho), 259, 536n
Pequeno dicionário de literatura brasileira (org. José Paulo Paes e Massaud Moisés), 258
Pereira, Astrojildo, 161, 169, 223
Pereira, Lafaiete Rodrigues, 349
Pereira, Lúcia Miguel, 144, 161-2, 169, 208-9, 211
Peri, Jacobo, 478
Pessoa, Fernando, 57, 111, 114, 129, 283, 417
Petrarca, Francesco, 235, 469-78, 481-3, 487-9
Petrucciani, Mario, 487
Phormio (Terêncio), 442
Picchio, Luciana Stegagno, 29
Piccioni, Leone, 484
"Pierre qui pousse, La" (Albert Camus), 41
Pinheiro, Joaquim Caetano Fernandes, 259
Pirâmide e o trapézio, A ver *Machado de Assis: A pirâmide e o trapézio* (Raymundo Faoro)
Pirandello, Luigi, 70, 139, 162, 172-85, 190, 198-9, 220, 223, 234, 279, 303, 520n
Pires, Salvador, 308
Platão, 237, 239, 482, 492, 523n
Plauto, 436-7, 439, 449
Plekhanov, Gueorgui, 223
"Poema ensina a cair, O" (Luiza Neto Jorge), 502

Poemas (Jorge de Lima), 410-1
Poemas negros (Jorge de Lima), 57, 407, 409
"Poesia e ideologia" (Otto Maria Carpeaux), 199
"Poesia-resistência" (Alfredo Bosi), 252
Pombal, Marquês de, 117
Pompeia, Raul, 71, 136, 219, 226, 244-5
"Por um historicismo renovado: Reflexo e reflexão em história literária" (Alfredo Bosi), 506n
Pound, Ezra, 57-8, 284, 361
Prado Jr., Caio, 56, 270, 399-400
Prado, Antonio Arnoni, 217
Prado, Paulo, 398
"Pré-modernismo é a mãe" (Luís Augusto Fischer), 216
"Pré-modernismo e modernismo" (Alfredo Bosi), 260
Pré-modernismo, O (Alfredo Bosi), 209-10, 213-5, 258
Prestes, Júlio, 426
Preto e Branco (boletim), 91
Primeira representação (Antônio Vieira), 115
Primeiras estórias (Guimarães Rosa), 219, 272-3, 277
"Primero sueño" (Juana Inés de la Cruz), 465
Procelárias (Magalhães de Azeredo), 347-8
Prodígios (Dyonélio Machado), 32
Proença, Cavalcanti, 58, 60
Propp, Vladimir, 444, 447
Prosa de ficção (De 1870 a 1920) (Lúcia Miguel Pereira), 209
Prosa de ficção (que Lúcia Miguel Pereira), 209, 211
Proust, Marcel, 91-4, 401
Província do homem, A (Elias Canetti), 239
Psicanálise do fogo, A (Gaston Bachelard), 290
"Psicanálise e crítica literária: proximidade e distância" (Alfredo Bosi), 131, 137, 141
Psicanálise e literatura (Jean Bellemin Nöel), 527n
Psicologia das massas e análise do eu (Freud), 138

Qu'est-ce que le Tiers état? (Emmanuel Joseph Sieyès), 430
Quadros, Jânio, 236
"Quand'io son tutto vòlto in quella parte" (Giuseppe Ungaretti), 487
Quando si è qualcuno (Luigi Pirandello), 185
Quarto de despejo (Carolina Maria de Jesus), 431
Queirós, Eça de, 90, 348
Quem casa, quer casa (Martins Pena), 435
Quevedo, Francisco de, 507n
Quevedo, Vasco Mouzinho de, 409
Quijano, Aníbal, 522n
Quincas Borba (Machado de Assis), 28, 89, 221, 345, 350
Quinlan, Susan C., 376
Quintana, Mario, 349

Rabelais, François, 342
Rabello, Pedro, 346
Racine, Jean-Baptiste, 192, 235, 391, 485
Raízes do Brasil (Sérgio Buarque de Holanda), 398
Rama, Ángel, 521n
Ramos, Graciliano, 12-3, 37, 50, 56, 68, 71, 75, 97, 142, 147-50, 203, 219, 252, 272, 274, 276-7, 279, 402, 425, 510n
Ramos, Hugo de Carvalho, 263
Rancière, Jacques, 397
Rangel, Alberto, 214
Ranke, Leopold von, 253
Rawet, Samuel, 68
Razões da Inconfidência, As (Antônio Torres), 212
"Realismo, O" (Alfredo Bosi), 260
Rebouças, André, 226
Recordações do escrivão Isaías Caminha (Lima Barreto), 75
Reflexions sur le structuralisme et l'Histoire (Henri Lefebvre), 191
Reflexões sobre a arte (Alfredo Bosi), 36, 99, 101, 289
Reflexões sobre a História (Jacob Burckhardt), 242, 245-6, 251-2

Rego, Enylton de Sá, 169
Rego, José Lins do, 49-50, 54, 56, 373, 503n
Reino deste mundo, O (Antônio Vieira), 75
Reis, Francisco Sotero dos, 259
"Relógio do hospital, O" (Graciliano Ramos), 147
Rerum vulgarium fragmenta (Petrarca), 474-6, 487
Resende, Otto Lara, 68
Ressurreição (Machado de Assis), 221
Resumo da história da literatura brasileira (Ferdinand Denis), 377, 393
Retalhos de jornais velhos (Gilberto Freyre), 359
"Retrato" (Ecléa Bosi), 17
Retumba, Manuel, padre, 305
Reyes, Alfonso, 251
Ribeiro, Darcy, 38
Ribeiro, João, 214
Ricardo, Cassiano, 56
Ricœur, Paul, 132, 134, 189, 191, 397
Rimbaud, Arthur, 283, 406-7
Rime sparse ver *Rerum vulgarium fragmenta* (Petrarca)
Rio Branco, barão do, 353
Rocha, João Cezar de Castro, 394
Rodrigues, André Luis, 103
Rolim, Francisco C., 181
"Romancista do Segundo Reinado" (Astrojildo Pereira), 223
"Romantismo, O" (Alfredo Bosi), 260
Romero, Sílvio, 178, 259, 262, 268, 349, 351-2, 358, 398-9, 434, 437, 526n
Rónai, Paulo, 257-8
Rondinelli, Bruna, 539n
Rosa do povo, A (Carlos Drummond de Andrade), 83
Rosa, João Guimarães, 37, 60, 68, 71, 97, 130, 203, 219, 252, 272-4, 277, 292, 302, 397, 402
Rosenbaum, Yudith, 202, 271
Roteiro das Grandes Literaturas (coleção), 210
Rouanet, Sergio Paulo, 169, 222, 224, 265, 351
Rubião, Murilo, 68, 339-40
Rugendas, Johann Moritz, 436
Rundle, Mrs. Richard, 369, 374-5
Ruskin, John, 362

Said, Edward, 328, 342
Salomão, rei de Israel, 113
"Samba" (Magalhães de Azeredo), 348
Sanger, Margaret, 368
Sant'Anna, Affonso Romano de, 187
Santa Rita Durão, José de, 392, 409
Santos, Boaventura de Sousa, 156
Santos, José Maria dos, 422
São Bernardo (Graciliano Ramos), 142, 144, 147-50
Sapegno, Natalino, 176
Sartre, Jean-Paul, 190, 285
"Saudade do Cinema Paradiso" (música de Ivan Vilela), 18-20, 291-5
Scheler, Max, 180, 190, 288
Schiller, Friedrich, 394
Schleiermacher, Friedrich, 275
Schlosser, Johann Georg, 247
Schmidt, Augusto Frederico, 57
Schnaiderman, Boris, 26
Schopenhauer, Arthur, 177, 229, 243, 521n
Schwarz, Roberto, 161, 169, 204, 223, 229, 268
Scienza Nuova (Giambattista Vico), 303
Scliar, Moacyr, 68
Scott, Walter, 192
Sebastião, d., 111, 113-4, 117, 129
Secchin, Antonio Carlos, 345
Secretum (Petrarca), 477
Segunda representação (Antônio Vieira), 114
Sei personaggi in cerca d'autore (Luigi Pirandello), 185
Seligman, Edwin, 363
Seligmann-Silva, Márcio, 172
"Sem açúcar" (canção), 337
Semana, A (jornal), 346
Semântica estrutural (Greimas), 203
Sena, Jorge de, 210
Sêneca, 470
Senise, Pascoal, 299
Sennett, Richard, 321
Ser e o tempo da poesia, O (Alfredo Bosi), 30, 37, 69, 99, 131, 193, 200, 220, 241, 252, 265, 284, 286, 288-9, 303

Sérgio, Antônio, 127-8
Sermão da Epifania (Antônio Vieira), 118-9
Sermão da Primeira Dominga da Quaresma (Antônio Vieira), 118-20, 122
Sermão da Primeira Dominga do Advento (Antônio Vieira), 109
Sermão da Sexagésima (Antônio Vieira), 119
Sermão da Terceira Dominga do Advento (Antônio Vieira), 110
Sermão das Tentações ver *Sermão da Primeira Dominga da Quaresma* (Antônio Vieira)
Sermão de Santo Antônio (Antônio Vieira), 110
Sermão de São Roque (Antônio Vieira), 108
Sermão para o bom sucesso das armas de Portugal contra as de Holanda (Antônio Vieira), 108
Sermão XIV do Rosário (Antônio Vieira), 123
Sermão XX do Rosário (Antônio Vieira), 124
Sermão XXVII do Rosário (Antônio Vieira), 124
Sertões, Os (Euclides da Cunha), 258, 353
Sezefreda, Estela, 433
Shakespeare, William, 235, 238, 436, 445, 448, 485
"Shandean Form: Laurence Sterne and Machado de Assis, The" (Sergio Paulo Rouanet), 222
Shelley, Percy Bysshe, 192
Sieyès, Emmanuel Joseph, 430
Silva, Advan Dias da, 308
Silva, Alberto Carvalho da, 299
Silva, Antônio José da (o Judeu), 436
Silva, Franklin Leopoldo e, 78
Silva, José Carlos da, 306, 308
Silveira, Tasso da, 209, 214
Simão, Azis, 44
"Simbolique du Mal, La" (Paul Ricœur), 191
"Simbolismo, O" (Alfredo Bosi), 260
Simkins, Francis Butler, 369-71, 373-4, 376
Simões, João Gaspar, 93-4, 407
"Síntese" (Tristão de Ataíde), 208
Sócrates, 237, 239
Sodré, Nélson Werneck, 259
"Soledades" (Góngora), 465
"Som no signo, O" (Alfredo Bosi), 99

Sousa, Gabriel Soares de, 394
Sousândrade (Joaquim Manuel de Sousa Andrade), 263
South Carolina during Reconstruction (Francis Butler Simkins), 369
Souza, Eliezer João de, 309
Souza, Roberto Acízelo de, 257
Spitzer, Leo, 223, 288
Spivak, Gayatri Chakravorty, 521n
Steele, Richard, 362
Stefanini, Luigi, 180
Stendhal (Henri-Marie Beyle), 401
Sterne, Laurence, 222-4
Stevens, Denis, 481
Suspiros poéticos e saudades (Gonçalves de Magalhães), 378, 432
Süssekind, Flora, 217
"Susto, O" (Mario Quintana), 349
Svevo, Italo, 70, 177
Swift, Jonathan, 132, 226

Tadié, Jean-Yves, 94
Também uma filosofia da história para a formação da humanidade (Herder), 378
Tasso, Torquato, 407, 484, 488
"Teatro nacional, O" (Machado de Assis), 434
"Teatro político nas crônicas de Machado de Assis, O" (Alfredo Bosi), 170, 227
Teles, Gilberto Mendonça, 408
Tellart, Roger, 481
Tempo de aprendiz (Gilberto Freyre), 357-8
Tempo e eternidade (Murilo Mendes e Jorge de Lima), 57
"Tempo e os tempos, O" (Alfredo Bosi), 396
Tempo morto e outros tempos (Gilberto Freyre), 363, 366
Tempo redescoberto, O (Marcel Proust), 92
Temps et Récit (Paul Ricœur), 397
"Tendências contemporâneas" (Alfredo Bosi), 260
Teoria da literatura (Austin Warren e René Wellek), 218, 519n
Teoria estética (Theodor Adorno), 230

Terêncio, 442
Teresa — *Revista de Literatura Brasileira*, 507n
Teresa de Jesus, Santa, 466
Terra e os devaneios do repouso, A (Gaston Bachelard), 462
Terra promessa (Giuseppe Ungaretti), 484-5
Thibaudet, Albert, 91
Tillman Movement in South Carolina, The (Francis Butler Simkins), 369, 370
Tillman, Ben, 369-74
Tomás de Kempis, 495
Tommasèo, Niccolò, 349
Torralbo Gimenez, Erwin, 82, 142
Torres, Alberto, 214, 426
Torres, Antônio, 212
"Três dimensões de Brás Cubas" (Alfredo Bosi), 222
Três leituras: Machado, Drummond, Carpeaux (Alfredo Bosi), 82
Três médicos, Os (Martins Pena), 435
Trevisan, Dalton, 68, 331
"Triste Bahia!" (Gregório de Matos), 415-6
Triste fim de Policarpo Quaresma (Lima Barreto), 216
Tristram Shandy ver *Life and Opinions of Tristram Shandy, Gentleman, The* (Laurence Sterne)
Trovas (Bandarra), 112
Tutameia (Guimarães Rosa), 130

"Ulisses" (Chico Buarque), 325-44
Ungaretti, Giuseppe, 57, 70, 235, 302, 472, 484-9
Uno, nessuno e centomila (Luigi Pirandello), 183, 186
Uraguai, O (Basílio da Gama), 58, 75

Valéry, Paul, 94, 235
Vargas, Getúlio, 75, 268, 400, 467
Varnhagen, Francisco Adolfo de, 534n
Vasari, Giorgio, 303
Vasconcelos, Carlos, 214
Vasconcelos, José, 251
Veiga, José J., 68, 339-40
"Velho Senado, O" (Machado de Assis), 82, 226

"Vênus negra, A" (Magalhães de Azeredo), 348
Verdade e método (Hans-Georg Gadamer), 520n
Verga, Giovanni, 70, 176-7, 183, 303, 519n
Veríssimo, José, 259, 262, 351
Verità e interpretazione (Luigi Pareyson), 520n
Versos (Mário de Alencar), 354
Viagem pitoresca através do Brasil (Rugendas), 436
Viagem pitoresca e histórica ao Brasil (Debret), 436
Viagens de Gulliver, As (Jonathan Swift), 226
Viana, Oliveira, 214, 400
Vicente do Salvador, frei, 425
Vicente, Gil, 436
Vico, Giambattista, 12, 69, 113, 132, 136, 188, 191, 193, 202, 275, 303
Vidas secas (Graciliano Ramos), 219, 272, 274, 276-7
"Vieira e o reino deste mundo" (Alfredo Bosi), 104, 111, 114, 117
"Vieira ou a cruz da desigualdade" (Alfredo Bosi), 104, 119, 121
Vieira, Antônio, padre, 13, 75, 103-29, 154, 201, 220, 253, 266-7, 471, 505n, 507n
Vigny, Alfred de, 192
Vilela, Ivan, 18, 291
Vilela, Luiz, 68
Villaça, Alcides, 12, 95
Villon, François, 235
Vindiciae (Lafaiete Rodrigues Pereira), 349
Virgílio, 407-8, 472-4, 479, 485
Virgílio, Carmelo, 351
Visão do paraíso (Sérgio Buarque de Holanda), 538n
Visconti, dinastia dos, 471
"Vision of Poets, A" (Elizabeth B. Browning), 495
Vitiza ou o Nero de Espanha (Martins Pena), 433, 435
Voltaire (François-Marie Arouet), 226, 391
Vossler, Karl, 223
"Voto sobre as dúvidas dos moradores de São Paulo acerca da administração dos índios" (Antônio Vieira), 121
Voyage autour de ma chambre (Xavier de Maistre), 222
Vozes d'África (Castro Alves), 267

Wagner, Richard, 401
Warren, Austin, 218, 262, 519n
Washington Luís, 426
Weber, Max, 178, 228-9, 338, 399, 421
Weil, Simone, 205, 234-5
Wellek, René, 218, 262, 519n
Werneck, Paulo, 103, 505n
White, Fred D., 493
White, Hayden, 397
Wilkins, Ernest Hatch, 475

Wilson, Woodrow, 374
Wimsatt, William, 517n
Wisnik, José Miguel, 12, 80, 201

Zéraffa, Michel, 182, 185
Zibaldone di pensieri (Giacomo Leopardi), 30, 193, 198-9
Zimmern, Alfred, 363
Zur technik der Frührenaissancenovelle in Italien und Frankreich (Auerbach), 182

ESTA OBRA FOI COMPOSTA EM DANTE PELO ACQUA ESTÚDIO E IMPRESSA
PELA GRÁFICA BARTIRA EM OFSETE SOBRE PAPEL PÓLEN SOFT DA SUZANO PAPEL
E CELULOSE PARA A EDITORA SCHWARCZ E PARA AS EDIÇÕES SESC SÃO PAULO EM DEZEMBRO DE 2018

A marca FSC® é a garantia de que a madeira utilizada na fabricação do papel deste livro provém de florestas que foram gerenciadas de maneira ambientalmente correta, socialmente justa e economicamente viável, além de outras fontes de origem controlada.